20世紀の戯曲 II

現代戯曲の展開

日本近代演劇史研究会編

社会評論社

第一部 新登場の劇作家たち

第二部　戦前からの劇作家たち

第三部　劇世界の拡大へ

序論　日本の同時代演劇

西村博子

1　技術集団から表現集団へ

一九四五年八月十五日、日本はポツダム宣言を受諾して連合軍に無条件降伏、天皇による「戦争終結の詔書」が放送された。十五年戦争といわれ、あの、歴史を知り判断力のある久保栄でさえ百年戦争を覚悟したという長い戦争であった。日清戦争以来、戦えば勝つと思いこんできた大多数の日本人にとってそれは信じられない事態であり、予想もできない新しい日々の始まりであった。

それからおよそ四か月後、早くも「桜の園」の新劇合同公演（12／26～28　毎日新聞社主催　東宝協賛）が持たれた。そして、戦後演劇はふつう、ここから再開されたといわれている。

未来に何かこれまでとは異なる社会、違う生活が待ち受けていそうな希望と、しかしそれが何でありどんな形になるか全く予想もつかない不安……。そんななかで、たしかに苛烈な戦中を生き抜いてきた「新劇」人たちが結集したことは感動的であり、チェーホフ「桜の園」の上演は、考えられる限り最良の選択であったといえよう。それは、桜の園が地主階級から新興ブルジョワ階級の手へと渡る歴史の転換期をとりあげ、若いアーニャとトロフィーモフが手をとりあって、生活を変えられない人々と訣れ、「古い生活よさようなら、新しい生活よ今日は」と桜の園から去っていくという作品だったからである。

しかしその選択はまた、戦前の近代劇運動がどんなものであり、戦後どこから出発したか、日本の「新劇」の特色を実によくあらわしていたと言えるようである。

もし日本の近代劇がつねに自分たちの言わなければいられない今！の表現であったとしたら、同じ「古い生活よさようなら、新しい生活よ今日は」でも、ロシアの桜の園への訣れではなく、天皇が最大の土地所有者であり政治の統治者であった古い日本へのそれでなければならず、地主階級からブルジョワジーへの交替ではなく、それらが結託した財閥と侵略勢力から働く階級への交替が舞台にとり上げられなければならなかった、からである。

劇団制度はもともと、歌舞伎のプロデュース・システムの営利追求、その商業主義では不可能な、新しい表現のために採られたシステムであり、一つの運動であった。しかし日本の近代劇運動は、そもそも坪内逍遙の文芸協会にしろ小山内薫・市川左団次の自由劇場にしろ、アイルランドの国民演劇運動やアメリカの小劇場運動とは違って、シェークスピアやイプセンその他、西欧の翻訳劇を上演、紹介するという、今から考えると不思議な形で始まっていった。そしてそれを誰も不思議と思わず、「新劇」といえば長く西欧の演劇を上演するものと思いこんできた。

もちろん、すぐそのあとの島村抱月・松井須磨子の芸術座は本公演の他に研究劇という形で創作劇をとりあげたし、初めて自分たちの拠点劇場を持った築地小劇場ものちになると創作劇を上演するようになったし、そこから分流した、劇作派の作品を多くとりあげた築地座、真船豊で旗揚げした創作座、村山知義、久保栄を擁して可能な限り自分たちの作品で時代に抗しようとした新協劇団などなど、後になるほど劇団は、日本人の内から生まれたオリジナルを求め、それを書く作家を中心にしようとする傾向はしだいに強くなっていったとは言える。が、しかし日本の劇団は基本的には、ほんとうに自分たちが表現したいことを表現するための組織ではなく、それにできるだけ近い作品を他に求める組織であり続けた。表現集団というよりむしろ、〝物言う術〟を主とした技術集団であった。戦後各方面で戦争責任が追及されたとき、作家の責任が問われたことはあっても俳優や劇団が問われることがなかったのは、おそらくそのためであったろう。何かに奉仕する技術に思想を問うことはできないからである。

そしてこの、翻訳劇の輸入、紹介を大きな柱とし、一方でできるだけ良さそうな創作劇を渉猟し依嘱し、みつかればそれを上演するといった戦前「新劇」の姿勢は、ほとんどそのまま、戦後に受けつがれていくことになった。

戦中、思想統制され、心ならずも国策に協力し、あるものは投獄されたりもした「新劇」の劇団に、路線変更や再転向の要もなかったようだ。戦後新しく加えられた、それまでにない目標はといえば、せいぜい〝新劇職業化〟であろうか。創造やその方法論に直接関わるものではなかった。戦中を生き残った劇団、戦後再び旗揚げした劇団、それぞれの事情を抱えながら「新劇」は、平和と自由、民主主義を謳う時代を迎えて今度こそ内外の作品を自由に選び、十全には挙げられなかった舞台成果を実現しようというところから再出発した。長い間ドイツは例外として、〝鬼畜米英〟の、演劇はもちろんあらゆる他国の文化の輸入が禁止され、いわば文化的鎖国状態にあった人々の、海外に対する関心も強く、「新劇」のそういう姿勢は歓迎され、支持された。

「新劇」のもう一つの特色は、戦後すぐ久保栄を入れて出発した劇団東芸や村山知義が中心となって結成した第二次新協など少しの例外を除いて、俳優が劇団の中心であったこと、であろう。千田是也、杉村春子、薄田研二、滝沢修、のちに宇野重吉等々。作者は依然として不在、表現のもっとも根本であるはずの戯曲は外部に求めるのが普通であった。のちに俳優座が田中千禾夫を、文学座が矢代静一を、民芸が大橋喜一ほかの職場作家を、それぞれ座付き作家として入れるが、作品ができれば上演していこうというだけで、とくにそれを劇団の創造理念にし、表現の中心にしようというのではなかった。岩田豊雄、久保田万太郎、岸田国士を顧問に仰いで再出発した文学座にしても同様である。

それからおよそ二〇年間、一九六〇年代の半ばごろまで、いわゆる三大劇団――リアリズム演劇を目指す民芸、ブレヒトの紹介上演と〝創作劇〟に力を入れる俳優座、「女の一生」をはじめ杉村春子路線を主軸とし、アトリエの会で内外の「前衛」劇にも挑戦した文学座――を中心とした「新劇」は、全盛期を迎えていく。労演という全国的な観客組織ができ、各劇団それぞれの支持者会も作られた。俳優座は独力で「新劇」専門の俳優座小劇場を持ったし、他劇団もそれぞれ稽古場を兼ねた発表スペースを持つ。俳優の、映画やテレビへの出演も次第に増えていった。

そして各劇団は、アメリカ占領下、中国の社会主義政権の樹立や朝鮮戦争などによる占領政策の転換、米ソ冷戦、日本の相対的独立と高度経済成長……といった大きな時代のうねりのなかを、ブレヒトやサルトルからテネシー・ウイリアムズ、アーサー・ミラー、オルビー、オズボーン、ウエスカー、果てはベケットまで、欧米の新動向には怠りなく目を配り、その一方で戦前以来の作家、戦後出発した作家を問わず、できるだけ優れた創作劇を手に入れ、上演するという仕事を続けていった。「自立演劇」の作家や、のちには「小劇場演劇」以後の新しい作家の作品もとりあげ、つねに時代の「新」劇であろうとした。もちろんあるときはシェークスピア、あるときは歌舞伎・古典の再評価、継承にも力を入れた。

だがやがて、それら「新劇」のとくに三大劇団は、ちょうど今の中国の国立、市立劇団のように百人二百人という劇団員を抱える、飽和状態に達する。劇団の権力は依然として劇団創立者、それに登用された小数の手にあり、聞くところによると、レパートリーの選定は理念より力関係によって決められていくということも珍しくなかったらしい。そして、こうした組織の肥大、硬直化が進むにつれて、静かに「新劇」の内部崩壊は始まっていったように見受けられる。新人会、俳優小劇場、青芸など、俳優座のいわゆる衛星劇団の誕生は、その最初の徴候であった。

それに続いて、劇団内部で抜擢、登用を待つより自分たちで劇団を創ろうという動きはどしどし増加し、ふと気づくと、いつの間にか「新劇」のために作品を書こうとする作家もほとんど見当たらなくなってしまっていた。

こうした「新劇」にとって替わったのが、一九六〇〜七〇年代にかけて、反体制運動の高揚とその挫折にともなって台頭してきた「学生演劇」、なかでも「アングラ」、のちに「小劇場演劇」と呼ばれる、新しい形式の演劇であった。それは、最初の無視、のちの競合時代を経て、しだいに「新劇」に代わる同時代演劇の中心となっていった。

その新しい演劇は、書き手も演出も、ときには役者も一人で兼ね、美術、音響、照明等々も同志が全員で担う。それが原則であった。もし「新劇」の劇団を既成の楽譜を求めて演奏を競うオーケストラ楽団に喩えるとすれば、新しく立ち上がった「アングラ」、「小劇場演劇」はさしずめ、自分の心を楽器を奏でながら歌うシンガー・ソング・ライターであろうか、表現したいものが中心となり、集団はそれを表現するものであった。表現者の才能が枯渇したりマンネリに陥ったりしたら、その集団は直ちに解体するしかない。劇団がようやく、表現するということの本来に立ち返ったのであった。

のちにそれは演劇革命であり、演劇の再演劇化運動だと高く評価されるようになる。それはそうに違いない。結果をみればその通りであった。が、その初発は、既成の「新劇」界に入ろうとして入れられなかった者たちのうち、勇気あるものが自分で集団を組み舞台を創ることを選んだのであった。一九四五年の暮れにまっさきに旗挙げしたのは日本大学出身の復員学徒による「思い出」(文芸劇場)であったというが、のちに触れるように、戦後は「新劇」のいわゆる〝プロ〟劇団以外に、職場や地域の自立劇団、「学生演劇」など〝ノン・プロ〟劇団が澎湃として興った。そのうちの幾つかが、自分の表現したいことのために独特の奇手、妙手を編み出し、突出したのであった。

それからおよそ五十年、今「小劇場演劇」と呼ばれているこの新しい表現形態はすっかり〝大衆化〟し、誰でも思い立ったら絵を描き漫画を描いていいように、劇団を作り上演していいことになった。誰の許可も要らず、いつ始めていつ止めてもいい。劇団名も、かつての「新劇」のように気負ったものは一つもなく、いとも気軽に新しいセンスで命名される。

劇団の創立、廃止や休止はまったく自由自在だから、日々新しい劇団ができ、日々活動を止め、その数を数えることはほとんど不可能である。そしてそれら二千とも三千とも言われる多くの劇団のなかから、客が面白いと思ったものがミニコミで次の客を誘い、客が多くなり列を作るようになるとやがてジャーナリズムや劇評家が動き出してさらに観客が増え、企業が動き、公的助成が受けられるようになっていく——というのが、一九八〇年代ころまでの、まずふつうの順序であった。

おそらく、こんなに多くの劇団があり、こんなに新作第一主義で大量に舞台が創り出され日々初日を迎える国は、欧米諸国にも稀にちがいない。——これが日本の同時代の演劇の特色であり、それをもたらしたのは、戦後の劇団の、技術集団から表現集団への質的変化であった。

2　表現形式の変容

劇団の変化は表現形式の変化である。一九六〇年代後半から八〇年代半ばへ、大きく言えばそれは、戦前以来の、社会の変革を信じ〝現実を現実以上にリアルに描こう〟とする「リアリズム劇」、私の言い方でいえば「日本的自然主義」から、社会はもはや動かぬものと観念し、絶望や怒りや憧憬など自身の主観を端的に表現する、新しい「ロマンティシズム演劇」へ、であった。あるいはのちに言うように、poor であることを引受けそれを演劇の魅力に転化した「貧しさの演劇」、社会体制やそれを支える演劇の感受性に対する異議申し立てとなった初期に注目すれば、新しい「表現主義演劇」へ、と言っていいかもしれない。役者は自立し、舞台は客観世界の再現であることを止め、それは虚構でありどんな不自然も許されるところとなり、そのため脳裏に出没する想像や夢や記憶なども即座に舞台に出没し、時間と空間は自在に飛翔することになった。

(1)「リアリズム劇」、およびその多様化

「リアリズム劇」とは欧米諸国にはない、日本独特の用語だというが、それは一九三〇年代の、当時発展的リアリズムとか反資本主義的リアリズムとか言い替えられた「社会主義リアリズム」から来た言葉で、方法としては、ソビエト本国の、類型化したヒーローを主人公にして社会主義建設の勝利を謳い、演劇や映画を大衆化するのに貢献したと伝えられるそれとも全く異なる、日本独特の生真面目な受容によるもので、端的にいえば、生産現場を描け、人間を描けというものであり、社会は変革でき、歴史は動き発展するものとして認識するというものであった。むろん主たる表現手段は台詞、登場人物の一人ひとりがその人にふさわしく自然であることが良いとされた。そしてこの方法は、いわゆる「新劇」だけでなく「自立演劇」や「学生演劇」にも長く、強い影響力を持ち、「リアリズム劇」は戦後演劇のいちばんの主流をなした。

この「リアリズム劇」で敗戦後、もっとも期待されたのは何といっても戦争に抵抗した、あるいは抵抗したと思われる作家たちであった。とくに久保栄は、中日戦争当時の農村の階級交替に作家の戦争責任の問題を挿入した「林檎園日記」(一九四七)や、敗戦直後からレッドパージまでの気象庁を舞台に、専門家としての知識、技術を高めることによってのみ科学・技術者は反動に抵抗できると、戦中の無力だった「新劇」への反省もこめつつ未来の抵抗の可能性を探ろうとした「日本の気象」(五三)を書いて注目を集めた。これは、戦前の抵抗の記念碑的作品「火山灰地」(一九三七〜三八)ほどの構造的スケールを持たなかったため人々を失望させはしたが、その、主人公を一人と決めず自ずと立ち上がる主要人物たちに、作者の言いたいことを日常的な会話に散らして託すという「リアリズム劇」の方法を疑うものは当時、誰もいなかった。村山知義の「死んだ海」三部作(五二〜五三)はさらに、千葉の生産現場、つまり船主、船方、納屋の子方など複雑に入り組む前近代的な漁村を舞台に、米軍の実弾射撃による補償を政府に要求し

ていく闘争を、共産党員を先頭に働くものたちの立場から描いたという点で、戦前以来の「リアリズム劇」の特徴をもっともよく表す代表作だったと言えよう。

のちに触れる「自立演劇」の、鈴木政男の「人間製本」(四八。四九改稿)や、「学生演劇」の「富士山麓」(五三)なども、基本的にこの方法にのっとったものであった。後者は学生たちが、米軍の実弾演習場における基地反対闘争を集団調査したものを、福田善之、藤田浅也(現ふじたあさや)が共産党の「新綱領に忠実に」まとめたもの。前者は、二・一ゼネストという戦後を画す歴史的時点をとり、日本の企業を本社の印刷会社、下請けの製本、さらにその下請け・折り工の家庭と構造的に捉え、未組織労働者が組合を結成してついに立ち上がるまでを描いた、「リアリズム劇」の代表作であり、演劇が同時代を反映しようとするそのもっとも大きな達成の一つであった。

同じく戦後すぐ、活躍を強く期待されたのは、戦時中の大学院生時代に、激動する熊本の維新期に生き方を求めてついに反動に走る若者を描いた「風浪」(一九四八発表)を書き、柳田国男の民話の劇化を思い立ったという木下順二であり、また、出征前夜に「なよたけ」(四六)を書き残して戦地に発ったという加藤道夫、二人の若い世代であった。後者は幻想を描いて実験的な「挿話」(四九)や「襤褸と宝石」(五二)など数作を残しただけで残念にも自死したが、木下は「鶴女房」を劇化した「夕鶴」(四九)で一挙に注目を浴びた後も、菅生事件を寓話的に描いた「蛙昇天」(五一)、ゾルゲ事件の尾崎秀実を描いた「オットーと呼ばれる日本人」(五三)その他、つねに話題作、問題作を提供。とくに、五〇年代に入ってから急速に理論化されていった彼のドラマ論は、アリストテレスの悲劇論、その発見と急転を伴う〝行動〟を、自己否定によって発展する歴史の弁証法の反映とみようとした点で、久保栄の静止的なリアリズム＝典型論を止揚するものとなり、大きな理論的進展を果たすことになった。

この木下ドラマ論はしたがって、もしこれから行動的なドラマの実作が次々と生まれたとすれば、であるが、アメリカの占領政策の急激な右旋回から安保条約改定へと向かう、日本の進路を阻み、社会を変革する方法として有効に機能するはずであった。が、実際には「おんにょろ盛衰記」にしろ「東の国にて」にしろ、木下自身もこれはという成功作を生むことは出来ず、やがて「子午線の祀り」(七八)のような叙事的な方向に向かって行ってしまった。

今言った久保→木下の「リアリズム劇」の流れとは別に、それぞれのリアリティをそれぞれの方法によって探求する劇作家たちも当然多くいた。戦前以来の、人間の〝性格〟を彫りさげるという仕事を継続し、俳優座の次々の上演によってまず華々しい脚光を浴びたのは真船豊であり、作品としてはそれほどのものを書かなかったが、文学座の指導者の一人として、「雲の会」の主唱者として、職場演劇など「リアリズム劇」を中心とした「テアトロ」とは対抗的な雑誌「新劇」の創刊者として、文化界に広く勢力を張ったのは岸田国士であった。どちらの作品も、敗戦後の日本人を笑う風刺的な喜劇を狙ったようだが、その笑いは自分や戦後日本の深部をつくというわけにはいかなかった。その批判的な笑いを受けつごうとしたのは「キティ颱風」(五〇)、「竜を撫でた男」(五二)の福田恒存であった。

久保と同じ社会主義リアリズムから出発しながら久保とは対照的に、一人の主人公の、それも庶民の再生を書き続けてきた三好十郎は、敗戦直後こそ戦中そのままの「リアリズム劇」から再出発したが、やがて次第に、思想が肉体に負けたとする「廃墟」(四七)、女性の子宮のなかに戦後の再生を見つけようとした「胎内」(四九)、戦後の平和を男性の射精で嗤おうとした「冒した者」(五二)など、自身の生と肉体をありのままに認容する実存へと向かう。その思考の変化はそのまま形式の変化であった。同じく、戦前の「おふくろ」(一九三二)や敗戦直後の「ぽーぷる・きくた」(四五)など自然主義的な手法から出発した田中千禾夫も、次第に変化し、手法の実験に実験を重ねていった一人であった。その「雲の涯」(四七)「教育」(五四)「マリアの首」(五九)その他、女性を性的な存在か、男性のすべてを許容する母性的な存在としかみないところに岸田の「女人渇仰」(四九)にも通う、いや戦前の男性文学者のほとんどすべてに共通する古臭さは認められるものの、とくに「八段」(六〇)以降の大胆な形式実験の連続は驚きであり、千禾夫を突き動かした必然は何か、今後の研究を待たねばならない。

木下順二に少し遅れて、華々しく躍り出た戦後世代は安部公房、三島由紀夫であった。前者は天皇制の無責任体制や社会の虚偽に満ちた仕組みを突こうとする「制服」(一九五四)や「幽霊はここにいる」(五八)などで、舞台に死者とか幽霊などの非実在を舞台に登場させたことによって、後者は近代能など様々な手法の実験もさることながら、「鹿鳴館」(五六)、「サド侯爵夫人」(六五)、「わが友ヒットラー」(六七)その他で、台詞劇を標榜しながらそれまでの「新劇」が決して目指そうとはしなかった、フランス古典劇にも似る、まったくの台詞によるドラマを追求したことによって、明瞭に新しかった。世界観や美学など、自身の形而上学を劇に託そうとした点も、「リアリズム劇」にはない挑戦であり、「世阿弥」(六三) の山崎正和は、人間を演技する者、人間関係を見るもの見られるもの、あるいは光と影として捉えて、そういう方法を継ごうとした。

三好十郎の「戯曲研究会」から出た秋元松代も戦後の作家であった。そしてその最初こそ「軽塵」(四七) をはじめ「礼服」(五四)、「村岡伊兵治伝」(六〇) など自然主義的な作風で出発したが、高度経済成長の底辺に日本の土俗性を見る「常陸坊海尊」(六四)、「かさぶた式部考」(六九) など、それまでの〝近代〟が置き忘れてきたものを舞台に出現させたことで、台詞を中心としてきた「リアリズム劇」にもう一つの可能性を暗示することになった。「近松心中物語」(七九) で「小劇場演劇」系の演出家蜷川幸雄に巡り会い、「新劇」にしては珍しく商業演劇の立派な商品となることを示した。

その他武田泰淳、椎名麟三、花田清輝、中村光夫、中村真一郎等々、多くの小説家や評論家が自分たちの思想とリアリティをそれぞれの実験形式で表現し、そのつど「新劇」界に衝撃を与え波乱を起こしたが、おのおの一時期のことで、その表現方法が受けつがれたりそこから新しい動きが生まれたりするというわけにはいかなかった。

(2) 働くものの現実を自分たちの手で

戦後演劇の大きな特徴は、「自立演劇」と呼ばれる、まったく新しい一つの演劇運動が興り、働く者が、自分たちで戯曲を書き自分たちで演ずるという、これまでにない創造の仕方が生まれたことである。

「自立演劇」とは、職業化を目指す「新劇」とは異なる、ノン・プロフィット (利益追求を目的としない) の職場演劇、地域演劇、サークル演劇などの総称で、その実体、歴史など詳細は大橋喜一・阿部文勇編『「自立演劇」運動』(一九七五・七　未来社) に依られたいが、東京に集中する一握りの「新劇」の劇団とはちがって、敗戦後の民主化運動とともに全国的な規模で爆発的に誕生してきたもの。その消長は激しいが、同書によれば、一九四七年の第一回「自立演劇」協議会のコンクールに参加したサークルはそれぞれ東京一三〇、大阪一〇〇、京都七〇を数え、四八年の全国自立劇団協議会の発足には三五〇余のサークルが加盟。五五～六一年には二千近くのサークルを確認できたという。

その「自立演劇」の創造の源泉、中心の担い手は何といっても職場演劇であった。企業、工場などに働く労働者が、労働組合の文化運動の一環として職場の文化祭や合同コンクールなどで上演し、同じ働く仲間に見てもらうもので、そういう運動のなかからすぐさま多くの書き手が現れはじめた。そして、たとえば堀田清美(日立亀有工場)の「子ねずみ」(四九)が、岸田国士の「紙風船」と構造の類似を言われながら、働く夫婦のあるべき姿を描いて職場や大学ではそれより圧倒的な支持、上演回数を得るなど、「新劇」の、いわゆる専門演劇人たちも無視することのできない成果を挙げた。木下順二と、鈴木政男(大日本印刷)の、すでに歴史的文献といっていい対談(「テアトロ」四九・六)のなかで、鈴木は、真船豊の人間を追求し深くえぐったと言われる作品や三好十郎の「胎内」など感動しない、ばかばかしい、「それが芸術だと言うんなら、僕は疑わざるを得ない」と言い放ち、木下は、「自立演劇」の作品はスケッチで幼稚、鈴木の「人間製本」も芸術としての普遍性がなく、最後のインターの合唱で感動するにすぎないと応じ、真正面からぶつかり合ったことはよく知られている。

初期職場演劇の作劇の方法はほとんど、社会主義リアリズム、実作で言えば「火山灰地」の流れを引く素朴な自然主義であったが、職場やそれを支える家庭など自分の誰よりもよく知っている現実を、より良くしたいという切実な必要から描いたという点で、「新劇」の作家にない、絶対の強みを持っていた。その後次第に社会的な事件や問題も取り上げるようになり、その取り上げ方はとくに素早いというわけではなかったが、「名作もの、評価の固定した再演もの、翻訳劇の氾濫、スターの養成」「東京の大劇団が商業化の傾向を深めてゆく」(こばやしひろし　前掲書一八二頁)などといわれる「新劇」の、時代の動きに反応の鈍い作家たちに比べれば遙かに即応的でありアクチュアルであったし、「自立演劇」の参加者が「新劇」の観客の大きな部分を占めていたこともあって、民芸や新協劇団をはじめ「新劇」の専門劇団も、職場出の作家の作品を取り上げざるを得なくなっていく。山田時子(第一生命)の「女子寮記」(四八)「良縁」(四九)や、先に言った鈴木政男の「人間製本」はその早い例であり、同じく鈴木政男の「制輪子物語」(五四)「サークル物語」(五五)、鈴木元一(国鉄大井工場)の「御料車物語」(五七)、大橋喜一の「真実は壁を透して(松川事件)」(五五　のち「消えた人」六四も)「楠三吉の青春」(五六)「コンベア野郎に夜はない」(六五)「ゼロの記録」(六八)等、堀田清美の「島」(五七)、原源一の「漁港」(五九)などなどから、山田民雄の「ミスター・ポンコツの夢」(七二)あたりまで。こばやしひろし(地域劇団・岐阜「はぐるま」)の、朝鮮人の帰還問題を扱った「湿地帯」(六二)や「郡上の立百姓」(六五)もその例であった。そして、東芝小向工場にいた大橋喜一、日立亀有工場にいた堀田清美、同じく日立の清水工場にいた原源一は劇団民芸に迎えられ、法務省にいて「自立演劇」で活躍していた宮本研は「日本人民共和国」(六二)ほかで岸田国士賞を受賞して退職。「明治の柩」(六二)、「美しきものの伝説」(六八)等の革命伝説四部作その他、多くの作品をぶどうの会や文学座等、専門劇団に書きおろしていくことになった。

演劇が自己表現の芸術であり創造であるとすれば、今を描く創作劇を第一と考え、実際に自分と自分を取り巻く日本社会の現実を描く作家たちを生み出していった職場演劇は、本来なら近い創作劇を探す「新劇」よりも戦後の演劇運動の中心となるはずであり、なるべきであった。その可能性を摘みとったのは、職場演劇自身の内外の事情もなかったとは言わないが、それにもっとも大きく作用した力は、一九四七年の二・一ゼネスト中止から四九〜五〇年のレッド・パージ、ドッジ・ラインの強行実施へ、あまりにも早い、アメリカ占領政策の一八〇度の転換であり、それに乗った企業のアカ狩り、配置転換や馘首などであった。引き続く朝鮮戦争、米ソ冷戦体制、それに伴う日本の企業整備、独占資本の復活傾向といった社会情勢のなかで、「自立演劇」も東京の例でいえば、最初の「自立演劇」協議会から職場演劇懇談会、働くものの演劇祭へとしだいに緩やかな、階級的視点を曖昧にした組織となり、職場を追われた人々は、一部が今触れたように専門家への道を歩み、他は地域に散って、「小型専門劇団化」(前掲書)したり生活綴り方を基礎にする集団創作などサークル演劇の指導に従事したりしていった。

変化していく同時代をいかに映すか、「自立演劇」のなかでも非リアリズム的な手法の試みは五〇年代から少しずつ見られたが、その明らかな例は宮本研「メカニズム作戦」(東働演　六二)や芳地隆介「人間蒸発」(全逓中央郵便局　六三)であった。前者は、ライブバンドのジャズにのって組合闘争をする若者たちが、後者は死んだ翌日も配達に出かける郵便配達夫が舞台に登場する。後者の異化的な傾向は、日本社会の、ヒューマニズムの名のもとに下請け、未組織労働者を見殺しにしていく構造を描く「別れが辻」(七七)や、東名高速がそのまま高度経済成長、再軍備化のベルトコンベアとなる「太平洋ベルトライン」(八〇)など、岡安伸治(世仁下之一座)にまでつながっていく。

そして、世仁下之一座の簡略、非リアルな装置に、里村孝男の漫画チックな演技が欠かせなかったように、「自立演劇」は後に述べる、役者とともに創る「小劇場演劇」にぎりぎりまで近接する。が、結局「自立演劇」は、どのように「リアリズム劇」から離れたように見えても、本質的には台詞劇であることから離れることがなかったのは、「新劇」と同様であった。

(3) 担い手の交代、新しい形式への胎動

職場演劇の代わりに台頭してきたのが「学生演劇」であった。いや、本当を言えば、透谷、藤村の〝ドラマ〟作り、逍遙、小山内の劇団運動などの昔から、近代劇は――資本主義社会に新しく生まれてきた演劇芸術は――主として学生、あるいは学生上がりの教師や文筆家などいわゆる知識人が担ってきた。戦後の一時期、まるで奇蹟のように資本主義社会にもっともふさわしい労働者が担おうとしたことがあったが、それは短時日のうちに潰され、再びもともとの形に戻ったのだと言わなければならないのかも知れない。

そしてこの、台詞を主たる表現手段とし現実生活を社会を変革できるものとして描こうとした「リアリズム劇」から、変革への絶望、あるいは断念、放棄、無関心などの上に立った新しい、さまざまな形式による新しい「ロマンティシズム演劇」へ。分かりやすい言葉でいいかえれば、「新劇」「自立演劇」から「アングラ」「小劇場演劇」への変化は、敗戦後、「自立演劇」と同じく澎湃として興ってきた「学生演劇」あるいはそのOBのなかに胚胎し、そこから生まれてきた。そして以後、21世紀に入った今日まで、学生、知識人によって担われるという状況に変化はない。

今言った変化はしかし、思いがけず移行的であった。そしてそのもっとも早い現れは先にも触れた、東大出身の福田善之であったといえよう。「長い墓標の列」(五七) のなかの、リベラルな知識人に限界を見て訣別する若い世代が、まるで木下順二のドラマ論の影響から脱け出ようとする自分自身であったかのように、彼はそれから、反安保の闘いを報告するシュプレヒコール劇「遠くまで行くんだ」(六〇)、全学連の闘いを歌入り劇画ふうに真田十勇士に託した「真田風雲録」(六二)、同じく歌いながら革命を探し歩き、ついに自分たちが革命の党になる「袴垂れはどこだ」(六四) など、当時としては思い切って大胆に従来の「リアリズム劇」の常識を破っていった。その、時代に即応しない共産党や「新劇」への失望と見合って選ばれていく題材、主題、それに必然的にともなう形式の変化は、すぐ次の「アングラ演劇」へと、もうほんの一歩の踵接であった。

だがそれはしかし、依然〝民衆〟への期待、過剰なぐらいの意味的台詞、作者の仕事はせいぜい歌詞づくり、もしミュージカルなら当然作品の根幹であるべき作曲は、分業の「新劇」さながら他にゆだねなければならなかったことなど、まだまだ「アングラ劇」には遠かった。先に「富士山麓」で触れた、早大自由舞台のふじたあさやも同様。横浜事件で言論弾圧を受けた父を描く「ニコライ堂裏」(六二)の「リアリズム劇」から出発しながら、勤評闘争を描く「日本の教育１９６０」(六五)、嶋中事件を描く「日本の言論１９６１」(七〇)や、たぶんアラン・レネの映画「広島、わが恋人」に触発されたのでもあろうか、〝ヒロシマ〟が所詮同情でしかない自身の痛みをついた現代狂言「面」(六五)「ヒロシマについての涙について」(六八)等々、しだいにコンヴェンショナルな手法を離れていった。が、やはりどこか人間信頼、啓蒙的であり、言葉の意味を重要な伝達手段視する「リアリズム劇」のうちにあった。

福田やふじたからもう半歩「アングラ」へにじりよったのは、早大から出た秋浜悟史や清水邦夫であり、さらに別役実であった。これらの「学生演劇」は、かつて民主主義と社会革命を信じて興った「自立演劇」と違って、共産党への信頼の喪失、六〇年安保から六八〜六九年学園闘争、七〇年安保自動延長反対、さらには七二年の浅間山荘事件による完全な学生運動の敗退へ、政治運動の敗退、挫折と軌を一にした仕事であったので、内容や主題、劇の構造、言葉までいちだんと暗さを増したものであった。

このあたりの移行は非常に微妙であり、一人の作家のうちでも移行的であったので、言葉にするのは難しい。が、「リアリズム劇」か以後かの分岐点は、その作品が一つは、民衆あるいは労働者階級にまだほんの僅かでも期待を残しているか、それとももはや神も革命も絶対に来ることはないと絶望しているか、であり、もう一つは、実際の現実や歴史に材をとり客観世界を描いているか、それとも題材が物語や講談、昔話や童話その他、完全にフィクションの世界に依るか、であろう。

もっとも二つ目は、これだけでは有効な基準となるわけではない。生活経験を持たず知識で自分を作ってきた学生あがりの作家が、小学校ぐらいしか出ず職場の矛盾から学んだ「自立演劇」の作家や昔の平沢計七と違い、現実より活字のほうによりリアリティを感じたであろうことは、近代劇のそもそもの出発からすでに明瞭に見てとれることであったし、状況が閉塞的になればなるほど虚構の世界に閉じこもることは、やはり学生であった加藤道夫や木下順二の戦中の仕事からも裏づけられるからである。彼らは、想像のなかの非行動的な主人公が敗れ去る、しかし美しい姿によってようやく自分を慰めたのであった。

のちに加藤、木下の二人は、できるだけ実際の体験や現実問題から作品を書こうと努力していくようになるが、これと反対の軌跡を描いたのは、やはり大学出の宮本研であろう。彼ははじめ、自分が身を置いた闘いを描くところから「自立演劇」の作家として出発したが、職場の現実を離れるにしたがって、次第に知識と調査に依る虚構を描くようになり、ついには、もはや到来することのない革命を美しい伝説へと封じ込めていった。

したがって、福田より少し後、在学中から筆をとった秋浜は宮本と似た軌跡を辿って、初めこそ実際の高校生ころの、出口のないエネルギーの噴出を具体的に描く「英雄たち」(五六)から出発したが、挫折の狂気を美しく描く「ほらんばか」(六〇)を経て、虚構による、まるで「ゴドーを待ちながら」のような、雪に埋もれて出口のない「冬眠まんざい」(六五)へと進んでいった。最初から「署名人」(五八)や「明日そこに花を挿そうよ」(六〇)、あるいはそれをもう少し構造的にした「真情あふるる軽薄さ」(六八)などフィクションによって、〝怒れる若者たち〟のように、年上の世代や権力によって傷つけられた若者の苛立ちを描くことから出発した清水は、自分の過去や現実をみることを拒否する狂気の劇中劇ゲームを発明し、さらに「火のようにさみしい姉がいて」(七八)以後、それを劇の構造にまでしていって、秋浜に似る、しかしそれより少しのちの時代であることを示した。

ごく最初から、清水の「明日そこに〜」ほどにも作品に実生活をいれない、完全フィクションから仕事を始めた別役は、秋浜や清水が絶望しながらまだ持っていた言葉に対する信頼――方言の音の美しさや詩的で華麗なレトリック――さえ喪った、まったくの絶望から仕事を始めたように見受けられる。そして、そうした彼の、絶対の絶望、他者との不安定な関係、自分は存在していないのではないかといった不安は、「象」(六二)や「マッチ売りの少女」(六七)など初期作品では、街という共同体や動かぬ社会を支える〝小市民〟に対する悪意と攻撃性として現れた。が、やがて「移動」(七一)あたりからか、しだいにそれが小市民への同情へ、一般的な不条理への笑いへと変わっていった。

別役にはこれまでベケットからの影響が言われてきた。が、それはせいぜい電信柱しかない裸舞台で芝居を演じさせてもいいという確信ぐらいで、ほんとうに影響を受けたのはおそらくイオネスコの「禿の女歌手」、その絶対に通じ合わぬ言葉たちと、多量の応酬のあげくボンヤリと感覚的に立ち現れてくる記憶ではなかったろうか。ともあれ、「リアリズム劇」かそれ以後かを見定める三つ目の基準は言葉にあり、別役は秋浜、清水よりもう少し、方法として先へ進もうとした。

もう一つ、作品を書いて他に提供するだけか、それとも自分で集団を組み自分で舞台に立ったり演出したりするかが四つ目の大きな基準となるが、これも、福田善之、秋浜悟史、清水邦夫、別役実、それぞれに青芸、劇団三十人会、木冬社、手の会、かたつむりの会という集団づくりがあり、それぞれの関わり方とともに移行的、過渡期的であった。

(4) 表現者を核とした演劇表現へ

自分の表現しなければならないことを自分の持てる条件を引き受けることによって表現しようとする演劇は、まずはじめ「アングラ」と呼ばれる過激な、見慣れぬ形で現われ、それは次第に「小劇場演劇」という穏やかな呼び名に変わり、社会に認知されていくようになる。

その「アングラ」。これは「脱新劇運動」であり「新劇」に対抗して生まれたとはよく言われることであるが、その創始者たちがいよいよ旗揚げするまでの上演歴、劇団歴等をみれば、そういう意識が最初からほんとうにあったかどうかは、はなはだ疑わしい。彼らは、それまでの「新劇」が蓄積してきた作劇術も演技術も観客組織も、あらゆるものを持っていなかった。そのためその表現はしばしば、戯曲の構造や言葉をはじめ従来の「新劇」の常識を破る奇妙な形となり、結果的にさまざまな新しい演劇を生み出すことになったのであった。台詞が喋れる訓練された俳優がいないから肉体の存在感を、立派な劇場が借りられないから小スペースや野外でと、あらゆる貧しい条件を引き受け、逆にそれをこそ演劇の魅力に逆転させた。そして、そういう逆転に成功したもののみが結果的に演劇地図を塗り替えたのであった。第一次大戦後にドイツに興ったという表現主義演劇もおそらく、これに似た誕生のしかたであったにちがいない。既成演劇の言葉を疑い劇的因果律を破棄し、奇妙な形で反戦を叫び世の常識に反旗を翻した表現主義は、関東大震災前後に日本でも一度興ろうとしたが、内的必然熟さず、十全には開花しなかった。それが再度、発芽してきた、と言っていいかも知れない。

仮に福田善之等新しい戯曲を書く作家が生まれたとしても、それだけでは、従来の「新劇」体制は変わらなかったかも知れない。また仮に、「新劇」に多い、ただ作品に奉仕し自分を消すのが最上と心得た演出家とは違う、他作品を使って全共闘の学生運動を伴走した心情など自分を舞台に表現した蜷川幸雄のような、新しい演出家が輩出しても、それだけではおそらく「アングラ」は生まれて来なかったであろう。新しい演劇は他の劇団、他の作品に頼らず、自分の作品を自前の能力、自前の役者だけで舞台を立ち上げていくものが出現しなければならなかった。そして実際、簇生する「学生演劇」のなかから、単に新しい作品の書き手や新しい演出術の演出家だけでなく、両者を、ときには役者も引受けて表現しなければならないものを持つ者が生まれ、それを核とした新しい小集団が続々と誕生してきた。

それら多くの小集団のうち、意外な演劇空間、飛び回りわめき散らし、ときに長い独白を歌いあげたりギャグで遊んだりする奇妙な役者たち、劇中歌、文法に合わない語呂遊びや観念的な言葉、ストーリーもよくわからない猥雑な舞台で、もっとも人の意表をつき、常識を覆す力を持ったのは、明大実験劇場から出た唐十郎の、やはり状況劇場であった。「アングラ」が人々に知られ始めたのは、彼らが初めて新宿の花園神社に紅テントを建てて「腰巻（月笛）お仙・義理人情いろはにほへと篇」（六七）を公演し、それが新聞の社会面を賑わすようになってからである。

今から思えば唐のテント芝居もそれほど難解なものでなく、役者の出入りによって人物関係は異なってくるが、李礼仙と根津甚八あるいは小林薫コンビの、もっとも安定した時期をいうと、社会のもっとも底辺に生きる主人公が何かを求めてさまよい歩き、それを軍人や帝国探偵社といった権力者や、ときに紳士の管理者、ときに同じ底辺のものたちがことごとに妨害し、結局主人公は敗退しなければならない。が、最後にテントをはねのけトラックかクレーン車にのって去って行く主人公は、またいつか必ずやってくる、といったパターンが基本型であった。何かを探す、求める主人公が、その自分の行動に年下の男性を強引に巻き込んでいくというのもパターンで、「二都物語」（七二）は、♪釜山はよ〜の歌とともに赤いスポットに照らされた在日の李がもっとも光り輝いた成功作であった。

唐はまた、自分の創った芝居を持って全国を巡演して歩いた。こういうやり方は、大衆演劇はもちろん、すでに新制作座の真山美保もしていたことで、必ずしも唐の創始というわけではないが、紅テントという客と舞台が一体となる空間は、額縁舞台にはない魅力であった。そして、最盛期には年2回、高層ビル立ち並ぶ町の真ん中に異物のようにやってくるその「襲来と遠征」は、現実や政治では負けてもいつか必ずどうにかして……という当時共通した若者の心を掻き立て、風の旅団や関西には今なお健在の関野連（関西野外演劇連絡会）の面々など、野外で公演する後続集団が続々と出てきた。金守珍の新宿梁山泊、内藤裕敬の南河内万歳一座は、ロマンティックな主題や、水の多用、舞台の瞬時の転換等々その場を活用する演出術をさらに完成させていった。

別役実と別れてからの早稲田小劇場、鈴木忠志も、作品がないときどうするか、持たないことを創造の力に逆転した一人であった。彼が初めて自分の方法を確立し、成功作となった「劇的なるものをめぐって・Ⅱ」（七〇）は、ウラジミールとエストラゴンの待つところに、ゴドーならぬ狂気の白石加代子が躍り出てきて、演歌を歌ったり、鈴木自身〝本歌どり〟という、鶴屋南北、泉鏡花などから引いた断片的な台詞に依って彼女のすべてを見せるというもの。本読みし、台詞を覚えてから立ちに入るという「新劇」の方法とちがって、包丁を研いだり縄を体に巻きつけたり、身体の動き、それから受ける体感と言葉を結びつけるというやり方も斬新であった。

ただその結果抽き出されてきたものは、白石の内にあった嫉妬や怨念など女性の前近代であり岡潔の狂信的な日本であったが、それは遊びさ、と差し出されたせいもあり、仕事の成果としてそのことはさして問題にされず、鈴木もまた、そういう方法で同時代の何を表現するかということより白石の演技を中心とした演技術のシステム化、様式化の方向へと進んでいったようである。女性＝嫉妬や狂気と限定せず、鈴木の示唆的な方法を、それぞれ個々の俳優がそれぞれの内に何を秘めているかをみつけだし、それで自分たちの芝居を創りあげようという即興劇の方法へと発展させたのは、のちの青い鳥・市堂令たちや遊機械◎全自動シアターの高泉淳子であった。

寺山修司は演劇に限って言ってもあまりにいろいろなことに手をつけた人なので、言うのが難しい。〝現実以上に現実に似る芸術〟といわれた「リアリズム劇」とは真反対に、劇場の壁を剥き出しにしたり演劇を町の中に放ったりして、演劇は虚構であるという考え方を示そうとしたこと。観客を能動的にしようと環境演劇や観客参加の方法を試みたこと。その他あらゆる方法で、これが演劇だといわれるコンヴェンションをいかにひっくり返すかに全情熱を傾けたこと、これらがまず寺山のした大きな仕事だったと言えようか。初期の、〝物いう術に〟長け、他に成り代わることを至上とした「新劇」俳優とは反対の、百貫デブやゲイや小人など、下手でもいい、その存在だけが圧倒的な力を持つ即物的な肉体で見世物芝居を創ったことも、もちろんその一つであった。寺山の次から次へと繰り出されていく実験は、真壁茂夫の黄色舞伎団（現「ＯＭ―２」）のように方法を直接的に受けつごうとしたものだけでなく、間接的に触発され、それぞれのやり方で演劇の常識を壊そうとする多くの後続を励ました。

ただ寺山は劇作家としては、ごく初期に劇団四季に書き下ろした、「血は立ったまま眠っている」（六〇）も移行的だったし、意外にオーソドックスな作劇術の持ち主で、「アダムとイブ、私の犯罪学――」（六六）、「毛皮のマリー」（六七）など、母親あるいは日本社会の血縁体的風土に対する、愛と憎しみを描いた前期作品に佳作が多い。寺山の作品が唐や鈴木と違って再演可能なのはそのためであろう。寺山は視覚的な美意識の非常にはっきりした人で、演出家としては、後期の「奴婢訓」（七八）から「百年の孤独」（八一）や最後の「レミング」（八三）まで、出現の瞬間や静止した風景などビジュアルには息を呑むほどの美しさがあったものの、シーザーの呪術的な音楽とともに、全体のテンポ、リズム感は悪かった。世界はレム睡眠、夢と現実の境界がなかったと、撮りたかった映画が出没する「レミング」は、それが遺作だったと分かってさすがに吐胸をつかれたが、奴隷は主人を必要とするとか世界をすべて見ることは出来ないとか少し見ているとわかってしまう哲学を長々と展開することもあった。天井桟敷の役者は基本的には寺山のオブジェであったので、その舞台で突出した役者は意外に少ない。当時、天井桟敷のどちらかといえば理論型の支持者と、むしょうに芝居好きの状況ファンとはかなりくっきり分れていたことを記憶している。

青芸、自由劇場を経て演劇センター68／69（のち68／71へ）を結成した佐藤信、とくにその黒テントがもっとも勢いのあった頃の彼は、伝説や巷談などに取材するその作品のフィクシナルな外貌にもかかわらず、日本の歴史の構造やその特色を描いて、今まで述べた「アングラ」の旗手たちのなかで誰よりも啓蒙的であり、歴史と戯曲の主題や構造を関連して把握しようとした点では、意外と久保→木下の「リアリズム劇」と類縁関係にあったように見受けられる。

彼は、「鼠小僧次郎吉」（六九）を初めとする鼠小僧もの五部作、「安倍定の犬」（七六）を初め〝喜劇昭和の世界〟三部作で、アメリカの破壊を救済と間違えた庶民の愚かさや、天皇制に絡めとられ永遠に革命の刻が来ない日本の時間、フィルムの断片でしかないその歴史など、〝昭和〟を告発し続けた。歌舞伎にあった〝ないまぜ〟の手法を再生させたのも彼が最初だったかも知れない。おそらくそれはブレヒト流に今という時代を笑え批判せよと差し出されたのであろうが、門番は天皇のことだとか、その寓意があまりに難しく絵解きを必要としたので、観客には何が当面の敵なのかよくわからない、という難点があった。女性を性そのものとし、神の射精する託宣を受けたり、男根を欲しがる存在としたりしたことも、女性客としては受け容れがたかった。もともと日本の太陽神は女だい、などと帰り道に呟いたのは私ひとりだったろうか。

のちに黒色テントと名を変える黒テントには、菅孝行、津野海太郎、佐伯隆幸といった怜悧、戦闘的なイデオローグたちが謂集していたし、その巡演の際の組織の仕方なども、紅テントに比べて遙かに政治的であり組織運動的色彩が濃かったと聞いている。

佐藤とともに「翼を燃やす天使たち」（七〇）の構成を担当した斎藤憐（オンシアター自由劇場）、山元清多（演劇センター68／71）などにもそれぞれ人気作の「上海バラダイス」（七九）、「与太浜パラダイス」（同）ほか多くの作品があり、それぞれの特色はさらに解明されなければならない。が、役者全員が管楽器を吹奏し吉田日出子が魅力的な歌を歌うとか、あるいはテントの客席のなかをてんでに鳴り物叩き陽気な歌を歌う与太者たちが練り歩くとか、演出の新しさを別とすれば、作品のプロットは編年的、意外に「リアリズム演劇」に近接していたように思われる。黒色テントとそれに歩を同じくした作家たちの技法を受け継いだものを知らないが、そのノンセクト・ラジカル的な思考からいうと、燐光群の坂手洋二が意外と近いかもしれない。

転形劇場の太田省吾は、沈黙劇という、岸田国士が戦前にちょっと試したことがあったぐらいの、珍しい形式を確立した。「小町風伝」（七七）がそのきっかけで、台詞が能楽堂というその空間に拮抗できなかったからだと自身では言っているが、老婆という設定の女性が一炊の夢を見るという構造の、当時としてはおかしな芝居に、声には出さず心の中でぶつぶつ呟いていればいい多量の言葉が台本に書かれていたということは、長い橋懸かりを足指の力だけで出てこなければならなかった俳優を安心させるのに、ずいぶん役立ったろうと推測される。同じ橋懸かりから家具が次々と出現し、芝居が終わるとまた次々と去っていったのも、フェリーニの映画か悪夢のような奇怪な美しさで、実感に欠け、現実ではない夢か想像でしか生きられない時代をよく映した。が、太田はその、舞台に夢を出現させるという方法をそれ以上追究することなく、その後「水の駅」（八一）の駅三部作をはじめとする、舞台の上の役者だけを現実として認め、出ては去っていくその体だけで構成する、別種の沈黙劇へと移っていく。なかに必ず靴の臭いをかぐ動作があったり、ムンクの「叫び」のように口を開けたりすることからも推察できるように、役者は決してゴドーが来ないことを知っているウラジミール、エストラゴンの末裔たちであった。ときに背後に男女の性器が立っていたり(湘南センター)したから、太田の関心が社会や時代に関わりのない、人間とは、生きるとはといった、もっと超歴史的、普遍に向かっていったことがわかる。

3 社会的認知、資本主義の勝利

〝アングラ御三家〟〝四天王〟などといわれた作家の、特徴的な方法を中心に今ほんの数例を見たにすぎないが、六〇年代後半から七〇年代の前半にかけて起こった表現集団は決してこれだけではなかった。今は舞台の断片を思い出すばかりで劇団名やその主宰者の名は調査しないと記憶に定かではないが、多くの驚くばかりに奇抜な舞台が輩出した。そして以後、先輩たちがこのように様々な方法で演劇は決して「リアリズム演劇」だけではない、あらゆる可能性があるのだということを身を持って示してくれたので、小集団によって自分たちの演劇表現をしようというものたちが、さらに勇気を得て、それぞれいろいろな方法を試していくようになった。

そうした後続のうち、先行の表現にもっとも際立った差異を示したのは、つかこうへいであった。彼もはじめは「劇的なるものⅡ」の鈴木忠志に似て、待っているものにゴドーを配達したり出現させたりする「郵便やさんちょっと」(七二〜七三)「戦争で死ねなかったお父さん」(七二)「巷談 松ヶ浦ゴドー戒」(七四)などから出発。その配達者の、あるべき挫折を求める過剰な熱意が笑いを呼ぶ「初級革命講座 飛龍伝」(七三)を経て、彼の最高傑作「熱海殺人事件」(七三)へと至る。

「熱海殺人事件」はもちろん、あるべき美意識を求めるくわえ煙草伝兵衛の容赦ない突っ込み、役者へのいじめが劇の原動力であった。が、当時、早稲田大学の同じ六号館で芝居づくりをしていた劇団騎馬民族の役者の証言によると、あれは演出家鈴木忠志の姿であったという。事の真偽は知らないが、「新劇」初出のその台本には、ただ単に言葉で言える主題だけでなく、それに重なって、演出家とそれに反発しながら服していく演出助手や、エチュードによって演技のリアリティを探す役者たち——小集団のいわば自分たち——の姿があった。唐十郎の、春日野八千代の狂気を描きながら、肉体とは何か、演劇とは何か、自分の特権的肉体論に一つの回答を差し出した「少女仮面」（一九六九）とともに、六〇年代演劇への訣別と新しい演劇への過渡期を明瞭に示した収穫であった。この前後、演劇によって演劇に言及するメタ・シアターという形式が一時流行するが、その最初は案外このあたりだったのかも知れない。つかの〝口立て〟と呼ばれる演出も有名で、せいぜい机一つのセットに、あとはスポット照明と音楽でメリハリをつけるだけの poor 演劇。舞台の上の現場、役者にのみ固執した。

つかは「熱海」で岸田演劇賞を受賞。劇団暫からつかこうへい事務所へ、早大六号館の劇研アトリエから青山のVAN99、新宿の紀伊国屋ホールへ。支持を表明する観客の笑い声とともに瞬く間に脚光を浴び階段を駆け上がって、七五年には〝つかブーム〟が巻き起こり〝つか以後〟という言葉も生まれるほどであった。

時代は、かつての反体制気分とそのエネルギーが歴代の自民党政府の所得倍増政策、列島改造法案、高度経済成長政策……次々と打ち出されてくる巧みな利益誘導によって、みるみる萎縮し、世は挙げて経済優先となり投機、不動産がすべての目標となり、マイホーム主義、高度情報化社会、健康とグルメ等々、マスコミの意のままに操作されるようになっていった。つかと雁行して走り出した竹内銃（純）一郎（斜光社→秘法零番館）も、最初こそ「少年巨人」（一九七六）で前の世代に対する自分たちの世代の反抗的気分を描いたり、「ＳＦ大畳談」（七八）や「悲惨な戦争」（七九）でモノが人間に叛乱し暴力的に襲ってくる自分たちの豊かな時代を描いたりして社会と対峙する姿勢が明瞭であったが、自分たちの集団の、演劇に賭けようとする再出発の決意を描いた「あの大鴉、さえも」（八〇）あたりから、次第に自分と自分の集団を演劇表現することにこだわるようになっていった。

こうした、自分や自分たちを演劇で表現しようとする姿勢や、社会や歴史や世界との関わりに対する関心薄く、自分をとりまく人間関係など身の回りだけに神経を集中する傾向は以後の小劇場演劇の、一貫して見られる大きな特徴となっていった。「リアリズム演劇」にあり、先行の「アングラ」にもまだ少しはあり、つかや竹内、空間演技の岡部耕大、第三エロチカの川村毅、第三舞台の鴻上尚志等々その強さ弱さ、断念の時期の早い遅いはあるにしても、まだ多少残っていた、社会がこのままでは堪らないといった意識が次第しだいに薄れていって、ついにはまったくと言っていいほどなくなっていくのである。なかでも、「キル」（九四）以前の野田秀樹（夢の遊眠社）は、もっとも個人的な、社会とまったく関わりのない自分自身の、いわば原罪にこだわりつづけたという点で、画期的であった。

野田が、その本心を見せない、次から次へと意表を突くからくり仕立てのような華麗な演出で一躍時代の寵児となったことは周知の事実である。企業や、やや遅れて自治体や国も、競って遊眠社をはじめ「小劇場演劇」の人気劇団を支援しはじめた。「アングラ」の当初、観るものの感受性や想像力のシステムを組み替え、反体制的な若者が増大するのではないかと警戒していた社会が、そうではなく演劇は安全無害であり、どころか反対に町に若者を集めるのに有効だと考えるようになった、からである。

つか以後の作家と作品についてはこの続巻の研究をまたなければならないが、ごく大まかに演劇の方法に関してのみ言うと、七〇年代半ばから八〇年代半ばにかけて、①つか、竹内以来の圧倒的にその場と役者にこだわることは北村想その他、様々な形で依然引き継がれながら、②青い鳥の市堂令や遊機械全自動シアターの高泉淳子など、エチュードで芝居を創る方法や、③劇団三〇〇の渡辺えり子、南河内万歳一座の内藤祐敬のように、時間、空間を自在に飛ぶ夢の構造を採る作品が多くなったこと、④言葉に対する関心、とくに語呂合わせの言葉遊びが井上ひさしや野田秀樹を筆頭に急浮上し、⑤それを一見引き継ぐかのようなギャグ満載の芝居が大流行したことなどが、特色として挙げられるようである。バブルの崩壊、経済の失速が言われるようになった九〇年前後から、⑥再び柳美里や岩松了、平田オリザ、松田正隆など①に逆行するような台詞重視の、役者は作の意図を忠実に表現する技術者であることが求められるような劇があらわれはじめたが、かつての「リアリズム演劇」が信じていた変革の世界観を失い、人間存在も世界も不条理と観念するなど、それら「静かな劇」といわれる作品も確実に時代の子であった。⑦その他、三谷幸喜や土田英夫などシチュエーションドラマといわれるウエルメイド・プレイが出たり、⑧一方に、少年王者舘の天野天街の、ぜったい言葉にならぬものを空間に設計しようという作品や、⑨ダムタイプの故古橋悌二や維新派の松本雄吉など美術、パフォーマンス系や、瑠華殿・川松理有のマイム系や、銀幕◉遊学レプリカントの音楽で台本を書く佐藤香聲など、従来の言葉では括れない作品が出て、演劇とは何かもう一度問い直されることになった。⑩そして21世紀に入ったいま、ごく若い世代に演劇の形式をもう一度破ってみようとする動きが出はじめ、成るか成らぬか期待を集めているところ、と言えようか。

つか以後の演劇を一口でいえば、確かにその形はかつて信じられないほど多様となったが、少数の例外を除いて、「自立演劇」や「アングラ」劇が一時持った攻撃性、前衛性は失われ、近代劇初発以来の、せいぜい〝反資本主義〟としか言えないような演劇に戻っていった。なかには〝反〟の精神が消え、状況をあるがままに受容しその中の人間関係や自己の内部にのみ拘わったり、積極的に状況を補完する役目を引き受けようとする演劇さえ生まれてきた。

がしかし、これは演劇そのものの力なさというより、かつての唐十郎や佐藤信、鈴木忠志、太田省吾等々、「アングラ」第一世代さえ寛大に包容する力を持った、日本の資本主義社会の懐の大きさ、力の強さによるに違いない。これは当たる、損しないと思うとすかさず資本が手を伸ばしてくるのは、松井須磨子の「人形の家」を招いた帝劇、東芸を付属劇団にしようとした東宝の昔からあることで、今に始まったことではない。現代は単に資本だけでなく、自治体や大学や文化国家を志す国の行政まで、手を伸ばしたり経済情勢によっては手を引っ込めたりするので、表現者個々の判断、対処は難しい。が、同時代演劇は、本来、つねに時代に即応し今の関心をそれにふさわしい手段で表現しようとするものであった。今いちど逆攻勢できるか、それとも演劇が体制補完の役割を果たして終わるかは、これから観るもの創るもの評するもの研究するもの、私たちすべての演劇への愛情と生き方に関わっていよう。

第一部　新登場の劇作家たち

堀田清美

「運転工の息子」（三幕）

初出　『労働者』第五号　一九四七（昭22）年三月
初演　日立亀有工場演劇研究所　一九四六（昭21）年九月　日立亀有工場

井上理恵

1　敗戦後初の新作家登場

敗戦後登場した新しい劇作家といえば、復員兵で日大芸術学部出身の宮田輝明だろう。復員兵の演劇仲間で文芸劇場をつくり自作「想い出」を飛行館（一九四五年一二月一四日〜一八日）で初演した。これを見たアメリカ占領軍のトンプソンが「新しい芝居だと称賛、翌年二月に邦楽座で再演させ、宮田は一躍脚光をあびた」という[1]。千田是也が再演評を次のように書いている。

> 作者から俳優まで、殆どすべてが若い復員兵士によって構成されているという「文芸劇場」のこの芝居に私がひそかに期待したのは、これまでの新劇の技術的伝統などというものを平気で蹴とばしてしまうような、生々しい現実の体験や若者の激しい、ひたむきな主観であった。そしてそういうものが商業劇場の舞台にまでのし上って来たことを大いに頼もしく思い、私なども、そういうもので、一度ガアンと喰らわせてもらわねばいけぬと考えたのであった。（略）この期待はどうやら裏切られた感じである。（略）戦争や、戦後の戦いのほんとうの姿が一向に感じられないことであった。なるほど終戦後の世相のいくらかの外面的スケッチはそこにあった。しかしそれらはちっとも作者の心にも、登場人物の心にも喰い入っていない（『思い出』雑感『千田是也演劇論集』第1巻　未来社一九八〇年四月　一一頁）

トンプソンが絶賛したわりには期待はずれの舞台であったようだ。宮田はこの後、「灰色の都市」を作・上演（四七年七月）するが、一、二年で消えてしまう。

次に登場するのは鈴木政男で「起ち上った男たち」（『民衆の旗』一九四六年八月号）を大日本印刷演劇部で初演する。彼は自立演劇運動のなかから登場した作家だ。鈴木政男については本書の当該論文を参照されたい。

堀田清美の「運転工の息子」も同じく自立演劇運動の中から

出た。「戦後自立演劇略年表（一）」（大橋喜一　阿部文勇編『自立演劇運動』未来社てすぴす叢書66　一九七五年七月）によれば、戦後の自立演劇活動は四五年一〇月に東京日立亀有工場からはじまったというから堀田清美は最もはやく自立演劇運動に関わっていたといっていいかもしれない。堀田の戯曲掲載誌『労働者』は、周知のように日本共産党出版部から出ている雑誌である。堀田は共産党の芸術学校の生徒であった。この学校は職場の演劇文化サークルの組織者、指導者を養成することを目的としていた。芸術学校の講師、土方与志、村山知義、八田元夫らの発言から堀田とこの戯曲に関するアウト・ラインを描いてみよう。(2)

堀田は村山知義の戯曲作法の講義を受けていて、卒業制作に「運転工の息子」を書いた。優秀作に選ばれ、土方演出で第一幕を上演、後に堀田の工場で全幕初演されたのである。

村山は「一番よく知つてゐる題材を取り上げること」「人間を描くということ」を生徒たちに要求し、堀田がそれに応えた。この作品執筆前に島崎藤村「破戒」を脚色・上演もしていたらしい。村山が「戯曲に於いてはすべての事柄がみんな人間を通して起り、発展する。即ち事柄はすべて人間の感情性格、思考の反応、変化、発展の形で現れる。だから、人間が描かれないことは事件が描かれないということである。何等かの政治的、経済的題材を描きたいために、人間を道具に使うという書き方は是非避けねばならぬ」と生徒たちに教授したというから、戦前の悪しき政治主義を脱しようと教育していたことが理解される。

八田はこの作品を「現実の中にある生活を正確に把み乍らその中にある真実を描き出さうとして居る作者の態度は正しい。そして、描かれた性格も、肯かれる（略）働く人間の生活の真実をえがき出す我等の劇作家として成長して行くだらうことを、私は確言出来る」と評した。八田の予測のごとく、堀田はこの第一作のあと、「子ねずみ」（日立亀有工場演劇研究所一九四九年三月初演、ぶどうの会同年七月上演、『テアトロ』同年四月号初出）を書き、原爆を描いた「島」（『テアトロ』一九五五年一月号、劇団民芸一九五七年九月初演、岸田戯曲賞受賞）を書く。

以下、「運転工の息子」および「島」について見ていこう。

2　「運転工の息子」三幕

場所は或る島の町、時は一九四五年の九月から一〇月にかけて、横山森吉、ヨシ夫婦の引っ越したばかりの粗末な家が舞台である。第一幕は九月十日頃、敗戦からひと月もたっていない。ヨシの両親の大きな家に同居して両親をみていた森吉一家は、ヨシの弟が朝鮮から引き揚げてきたために家を出て、狭い家に引っ越した。家を長男に明け渡したのだ。森吉とヨシの出征した息子のうち、下の息子富三は戻っているが長男史郎は帰って来ていない。農業をしているヨシの父親はけちで、野良仕事をヨシ一家に手伝わせても作物をくれることもしない。ヨシは体が弱く、医者の手が切れることがない。したがってこの家は貧しい。

イク　あんたたちもむづかしいぢいさんのもとでようやって来たの、あんたたちぢやからもつたんぢや。
ヨシ　ほんまに何十年と云ふ日、一日の楽なひはなかつたで、たゞ子供にあまり貧乏な思ひをさせまいと思ふばつかりに我慢して来たが、かう云ふ世になりやあ何もわけは分からん（略）

ヨシの弟源三は朝鮮で商売が当たり、会社社長の大金持ちになって引き揚げてきたが、商売をうまくやる人物だけに善人ではない。ヨシ一家はいいように使われている。（略）じいさんは「わしらが死んだら財産の半分はおヨシにやる。（略）源三にはよく言うといて死ぬる」と孫の富三に言うがそれが実行される可能性は低い。ヨシは「仏様がよう知つておいでぢや」と何かにつけていい、人に親切にしろと言う。富三は「神や仏が有るもんかい。ほんとに有るんだつたら、一生貧乏する筈がない」と母親の言葉を信じない。民間信仰と似たこのヨシの神仏に対する盲信は、いずれ我が身に幸いが訪れるにちがいないという暗黙の了解の上に存在する。「よう知つておいでぢや」がそれで、この裏には信じないものあるいは親切でないものには「罰があたる」という自縛もある。合理的な発想をもつ息子の富三にはそれが白々しく、疎ましい。ここには神仏の力を越える近代社会の論理が横たわっている。いわゆる善人は生きにくいことや家父長制下の娘の地位がいかに低いかも何気ない対話の内に描出されていてみごとだ。

二幕は九月下旬、アメリカ進駐軍が東京に来た。一幕の最後で戻ってきた長男の史郎は、貧乏な田舎から東京へ出ようと考えている。ここにいては一家の食生活もままならないからだ。ヨシの弟源三一家に邪魔にされ愚痴を言いにやってくるヨシの母クニは、嫁と娘の違いを語る。野良仕事を嫌い、野良着や草履を不潔だといって捨てる源三の嫁は、五〇年後の清潔好きの消費者―日本人を先取りしているようでおかしい。

源三は長い間両親を見てきたヨシに二百円と米三升、砂糖一斤、煮干一俵、マッチ五個、醤油二升を手切金のように渡す。同じ姉弟でも男性優位の家制度の中で女が紙切れのように扱われて来たことが描きだされる。ヨシは言う「永い間、親を見させておいて、貧乏すりや兄弟にまで馬鹿にあふ」と。

史郎はかつての恋人が結婚したことを知らされる。彼女は金持ちの娘であった。そして金持ちのところへ嫁にいった。階級移動の困難さも語られている。

三幕で史郎は東京へ旅立つ。「運転工の息子です。幼い時から、親の苦労を見ながら育つて来たことを、無駄にするもんですか」「お父さんはわしらが生れる前から、工場へ行つても勉強してなかつたばかりに、一生職工で、人に馬鹿にされながら終わつたんぢや。お父さんはわしらにそんな苦労をさせまいと思うて、むりをして学校へ行かせてくれるんぢや」と一番下の弟孝に諭す史郎、ここには明治以来の教育立身にかける希望がある。敗戦直後の人々の新教育にかける夢。教育が自らの出自の、他者との落差を埋めることの可能性、それが冗舌な史郎の台詞で示される。

これは一九四五年であったからこそ、可能であった。労働者たちの期待するゼネストが占領軍によって中止され、彼らがはじめて一つの現実に対峙するのはこの二年後である。

戦前のプロレタリア戯曲と異なることが理解されたであろうか、戦後のリアリズム演劇は独自の道を確実に歩もうとしていたのである。

このあと「子ねずみ」を書く。これは当時の自立演劇集団で頻繁に上演されている。自立演劇出身の宮本研が演劇に足を踏み入れるきっかけになったのも「子ねずみ」の上演だったという。(3)

3 「島」三幕四場

「島」は日本の原爆体験を本格的に取り上げた最初の戯曲といっていい。堀田は関西にいて被爆しなかったが、五〇年のレッド・パージにあい、職場を去っているから「運転工の息子」のような無条件の期待や希望も体験し、同時にそれが幻想であることも体験した。その個人的挫折はこの戯曲にプラスに反映している。

呉に近い島が舞台である。瀬戸内海と呉工廠跡が見下ろせる地、時は一九五一年春から翌年の春まで、瀬戸内に伝わる清盛伝説と最新兵器の原子爆弾が二重写しになって地方の人々の生活を脅かす。

幕開き、清盛祭の由来が学の母ゆうの口から語られている。清盛が宮島の神さんにほれて、「一日で瀬戸を掘りあげたら嫁さんになってやる」という難題に清盛は掘りはじめるが終わらぬうちにお天道さまが西へ沈みはじめる。清盛は祈ってそれを呼び戻し、一日で掘り上げたという伝説だ。神さんはお天道さんを呼び戻すような人のところへは嫁にはいけないと断ると、清盛が刀を振り上げた。神さんは竜に化けて追い掛ける。清盛は命からがら逃げたがお天道さんを呼び戻した罰があたって高熱をだして死んだという。熱が原子爆弾（ピカ）を受けた時の熱の話へと移行して、被爆した学を連れ帰った時の恐ろしい話が語られる。近所の川下のおきんも妹をさがしに広島へ行き、間接的に被爆しているが、彼女はそれを知らない。

学の母ゆうは、「運転工の息子」のヨシのように仏さまに手を合わせ、先祖を敬っている。それで似ノ島で学に出会えたと信じている。学は史郎の成長した姿のように、学問を身につけ、知識で生きられる教師になった。中学の先生をしている学は優れた指導者として慕われている。川下の息子も、地主の娘玲子も教え子だ。

玲子は学に恋をしているらしい。学はそれに積極的に応えようとしない。玲子の家は旧家で平家の末裔とみられている。その旧家について学は面白いことをいう。「島の歴史を考えてみる。最初は半農半漁じゃ。そこへ平家が都落ちして、武士の一部が、今の進駐軍が合の子を作った様に……。遂にはその子孫が士族じゃいうて威張り出した。（略）要するによの、旧家というのは、ほんとは大した意味はない」[4]と。アメリカ軍が大手を振って歩いていた日本の戦後が透けてみえてくる。

学の叔父大浦の目論む特殊技術―魚雷や砲弾をばらすという金にはなるが危険な仕事をすすんでする菊夫とその父の行為は戦争の傷跡を暴きだす。浜辺の松の木が一本も残されていないことも戦いの破壊の痕を告げる。

学の同級生清水は東京で労働運動に関係しているらしい。小旗を持って「昭和の子よ」の歌を歌って育った彼らは、今別の道を歩いている。島の人々は進駐軍の臨時雇いで生活している。漁師は魚を獲らずに魚雷を解体して金を手にする。朝鮮戦争の軍需景気が始まっている。ついこの間戦死した者たちが沢山いるのに……。学の弟の勉もそのひとりだ。繰り返しの歴史が既に始まっている。原爆をうけた人間の一人として学はアメリカは朝鮮には原爆は落とさないと推測する。「人間の本性の中にある、生きようとする本能じゃね、最後にはこれが勝利する思うんじゃがの」、「力と力で争ううちは平和はこん思う」と語る学は、ガンジーの無抵抗主義を支持する。日本の憲法をよしとし「戦後の日本は平和主義じゃけん」という学を、D・グッドマン氏は「学は楽観的なヒューマニスト」だという[5]。が、今になってみると軍隊を持っているかぎり世界に平和が来ないことがわかってくるから、これは地獄（ピカ）を見たものの希求と受けとめたいし、自分の意見をもった若者の未来を信じようとする、「（生徒）本人の意志どおりに広大の工科へ入った。僕はここに希望を託するね（略）人間は本来幸福に生きたいという本能を持っとる」、という学の姿勢も、それがどんなに楽観的であったとしても、地獄を見たものが持っていい特権的思考とみたい。

たしかにこの戯曲は、グットマン氏が指摘したように「新劇の主流のドラマツルギー、津野海太郎のいう、リアリズム、悲劇、ヒューマニズムの『三位一体』を体現する作品」（前掲書五二頁）なっている。息子の邦夫を上級学校へ入れるために金になる魚雷こわしをしていた兄菊夫と父親が爆発で死に、邦夫と菊夫の母、川下きんは白血病で瞬く間に逝く。

教師をやめて新しい職場を選び、玲子との結婚を決意した学も原爆症発病の現実を突き付けられる。清盛と神さんの破談が太陽を呼び戻したことにあったように、学と玲子の破談もピカにあった。

学は灸という近代科学では入れられない治療で被爆直後のやけどから完治できた。しかし放射能は緩やかな民間治療を越える速さで襲ってきたのだ。

悲劇の話にも希望はある。清水が学の妹、史と結婚しそうであることや邦夫が清水と共に東京へ行く。彼に学の思想の未来は託された。

幕切れが印象的だ。本来上るはずのない太陽が西の空の雲間から現われ、学のいる室内を照らす。それはあたかも太陽を呼び戻した清盛のように……。仮にそうなら、彼はこのあと氷が溶けるほどの高熱で死ぬことになる。しかし彼は熱には負けない。生きることに賭けるのである。

かつてのギリシャ悲劇が神との、運命との闘いに破れる人間の悲劇であり、それがドラマの始まりであったことを思い出すと、この戦後の始まりのドラマは近代科学との闘いに、それを使う権力を持つ人間との闘いに、破れていく自然と人とを描いたものなのかもしれない。それは「新劇の主流のドラマツルギー」を凌駕する問題提起のドラマであったといっていい。

注

(1)井上理恵『近代演劇の扉をあける』社会評論社　一九九九年一二月　二七八頁。戸板康二『対談戦後新劇史』早川書房　一九八一年四月　一一六頁。

(2)『労働者』第五号所収、土方与志「堀田清美君」、村山知義「書かれたわけ」、八田元夫「堀田清美を推す」参照。

(3)『現代日本戯曲体系』三巻解説　三一書房　一九七一年七月

(4)『現代日本戯曲体系』三巻　前掲　一五頁。「島」の台詞はここから引く。

(5)「原爆戯曲の意義」『現代の演劇Ⅰ　講座日本の演劇7』勉誠社　一九九七年五月　五三頁

〈参考文献〉

『労働者』第五号　一九四七年三月

D・グッドマン「原爆戯曲の意義」前掲『現代の演劇Ⅰ』所収

大橋・阿部編『自立演劇運動』未来社てすぴす叢書66　一九七五年七月

堀田清美「運転工の息子」

堀《ほっ》田《た》清《きよ》美《み》（一九二二・三・一三〜）

広島県に生まれる。広島商業卒。敗戦間際に関西にいて被爆を免れた。東京の日立亀有製作所に勤務し、演劇部に参加。この演劇部は戦時中の「産報慰安等の尾を引くものであって、指導者、演技者は勿論、台本も意識的に民主主義革命の方向をめざしたものではなかった」（『自立演劇運動』前掲）と堀田が記している。職場の余暇を楽しく過ごすというものと理解していい。しかし堀田は「若し此の活動がなかったならば日立亀有の演劇活動は勿論、日本の自立演劇運動が、果して此所まで来得たかどうか」と書いて亀有工場の演劇活動が自立演劇運動の草分けであり、中核に存在していたことを示している。このころから日本共産党の青年部幹事であったらしい。そして藤村の「破戒」を脚色・上演し、先に記した芸術学校に参加、卒業制作に「運転工の息子」を書く。五〇年のレッド・パージの犠牲になって日立を辞めさせられ、五五年に「島」を発表後、劇団民芸に入る。演出助手をしていたが、「島」初演後の一九六〇年ごろには退団したといわれている。六〇年安保闘争と関わりがあるのかどうかは明らかではない。以後、演劇界から遠ざかる。

山田時子

「良縁」(一幕)

初出　『テアトロ』一九四七(昭22)年七、八月合併号
初演　第一生命演劇班　一九四七(昭22)年一〇月　京橋公会堂

馬場辰己

山田時子の「良縁」は、戦後の自立演劇運動の中から生まれてきた作品である。自立演劇運動について大橋喜一は、工場経営内に組織された自立劇団により、労働組合運動の線に沿った活動を行い、専門化しない「階級的な性格を持ったアマチュア演劇運動」(大橋喜一「自立演劇運動とは」[1])という。大橋はこの運動を幾つかの時期に分けているが、山田時子の登場はその第一期にあたる。第一期自立演劇運動の誕生から終焉までを大橋は次のように言っている。

第一期自立演劇運動は、戦前のプロレタリア演劇運動の理念を、戦後の労働者階級の中に実現しようと考えた専門家の指導と、戦時中のしめつけから開放された労働者の、文化的な階級意識の自覚から生まれている。はじまりは、敗戦直後の娯楽払底の所から、全国的に生れていた職場芸能祭で、その流れの中心が職場演劇運動にまとまっていった。一九四六年一一月の東京自立劇団協議会の結成(四〇劇団)をはじめに、全国各地に自立劇団協議会が結成される。(略)敗戦直後の全国的にひろがった自立演劇運動は、一九四八年を頂点に、その後の二年間のうちに壊滅的打撃をうけ、五〇年をもっておわる。(大橋喜一「職場演劇はどこへ向かう」[2])

その終息は、GHQの政策転換を機に強行された「労働組合運動、組合活動からの積極的活動家の排除といった労働運動への弾圧的首切り政策の結果としてもたらされた」[2]という。劇団の主力メンバーが組合の積極的な働き手であったため、組合活動家が職場から排除された結果、自立劇団は活動の担い手を失うことになり、終息した。

ところで自立演劇が作り出した舞台はどんなものであったのだろうか。大橋は「とくに政治的な芝居が上演されたわけではない。まして共産主義的なイデオロギイの演劇があったわけでもない。素朴な生活写実舞台でしかなかった。幼稚でさえあったといえる。しかしそれまでの、やくざ芝居にも新派劇にもなかった生活のリアリズムを有っていた」(大橋前掲文)とその実

態を記している。

自立演劇に当時第一生命の職員であった山田時子は参加してゆく。山田の回想記「ちょうどそこに私が居た」(3)には、自立劇団に加わり「良縁」発表にいたるまでの経緯が、次のように回想されている。長くなるが、自立演劇と演劇人との関わりが具体的に述べられていて面白いのでそのまま引用する。

私がどうして演劇班に加わったのか記憶がない。当時二人のリーダーが居て、そのどちらかに声をかけられたと思う。演技者としてその年の秋、社内慰安大会の三好十郎作「稲葉小僧」に参加。次いで八木隆一郎作「故郷の声」にかかり新協の品川稽古場に行き村山知義先生の指導を受けた。あの頃は娯楽が少なく自分達で演ずる芸能大会、文化祭が次々とあり、今では考えられない盛況だった。(略) 戯曲を書くきっかけとなった東自協(東京自立劇団協議会…引用者)の劇作講習会は、二十二年二月、第一生命の組合会議室で五回開催された。講師は村山知義、八田元夫、久板栄二郎、杉山誠、陣の内鎮の五氏と記録にあるが、山川幸世、松尾哲次氏も見えた記憶がある。(略)(「良縁」が…引用者)『テアトロ』に出ることが決まり、仕上げに鎌倉の陣の内先生の家に呼ばれた。玄関を入ると鉢巻の宇野重吉さんが顔を出し、部屋の中や庭で子供達が元気に遊んでいた。玄関脇が宇野さん。二階が村山知義家とのこと。奥の陣の内さんの部屋で夜までかかって清書をした。なつかしい鮮やかな思い出である。

「どうして演劇班に加わったのか記憶がない」という。声をかけられて舞台に立った。講習会に出たのが縁で作品を書いた。この回想記のタイトル「ちょうどそこに私が居た」には自立演劇に関わり、ついには戯曲を書くことになった山田の実感が率直に示されているのではないだろうか。自立演劇がおこなわれているちょうどそこに居合わせた第一生命の女性職員が山田だった。その山田が書いた作品が「良縁」である。

山田時子「良縁」

戯曲「良縁」は、主人公敏子が結婚問題を機に疎開先の農村を出て東京へゆくまでを描いた小品である。

戦災で東京を焼け出された敏子の一家は、旧家で資産家でもある父の実家を頼って疎開していた。終戦からに三年たった早春の日曜日の午後、針仕事に追われる敏子を残して家の者は麦踏に出ていた。

父の従姉弟の石田さきが訪ねてくる。さきの息子健次とは、敏子がまだ幼い時に親しかった親同士によって結婚の約束が交わされた。その健次の戦死の知らせが最近になって届き、葬式を済ませてまだ間もない時である。親ばかりで勝手な約束をしてしまったことを詫びるさきに、敏子は、今になって健次の言っていたことが理解できるようになったという。働く者の時代、健次が喜ぶ時代になって、田舎にいることにいたたまれない思いのする敏子であった。

妹の政子と母のぶが畑から帰ってくる。さきは、敏子が村田定夫と結婚すると聞いたからと言って、持ってきた婚礼祝いの羽二重を見せる。のぶはこの話が広まっていることに驚くが、嫁に行かないという敏子を見て、出征の時に見せた健次の笑顔を懐かしく思い出す。その話に涙ぐむさきだが、気を変えのぶとともに本家へ挨拶にゆく。

東京にいる兄敬一と以前勤めていた会社で同僚だった斉藤よし子から手紙が届く。就職の相談への返事である。斎藤からは復職できそうだと知らせてきたが、兄は就職に反対だと言ってきた。その手紙を敏子が読んでいると父の茂二が帰ってくる。政子からさきが結婚祝いを持ってきたことを知らされ、この縁談をはっきりさせたがる茂二に、敏子は東京へ出て働きたいと手紙を渡す。手紙を読んだ茂二は、本家が勧める縁談を断って見通しのつかない東京暮らしを望む娘を説得しようとしたが、縁談相手の村田定夫を軽蔑する敏子を見て、態度を決めかねる。戻って来たのぶとさきは、茂二から話を聞き驚き慌てる。家財を焼失し生活の基盤であった東京へ戻れる当てのない疎開家族にとって新興の資産家村田家との縁談は、のぶやさきそして茂二から見れば悪い話とは思えないのだ。

そこへ本家の伯父が、農地法改正の会議に出ていた留守にさきが見えたことを知り訪ねてくる。農地改革を前に羽振りの良い村田と組んで新たな事業を起こそうとしている伯父は、敏子の姿を見とめて結納を急がせる。茂二がその縁談を断ろうとすると、伯父は怒りを爆発させ、さきやのぶの取り成しに耳も貸さずに出て行ってしまう。さきとのぶは懸命に説得しようとするが、上京の決意を曲げない敏子をみて、茂二はそれを許す。

山田は、「ちょうどそこに私が居た」(前掲)の中で自らの体験を次のように語っている。


東京大空襲で家財を失い群馬に疎開したまま動く気力もなかった両親を残して、兄のいる東京へ戻ったのは、終戦の翌年昭和二十一年である。第一生命に再就職できて京橋の角のビルに通勤した。(略)私は寮に居た。寮は元病院。小さい個室で三、四人身を寄せて暮らしていた。私の母は大変心配性で、二十歳を過ぎたばかりの私を占領下の東京へ出して夜も眠れない心配をしていた。『良縁』の筋は作り事だが、母親役の名に母の実名を使っている。大丈夫よ私は……という気持ちで書いたのだ。


「筋は作り事」と断っているが、空襲で家財を失い疎開していたこと、疎開先に両親を残して兄のいる東京へ戻ったこと。そして東京の会社に再就職して寮生活を送ったという山田の実体験が、この作品の基本的な構図として使われていることがわかる。

作品の舞台となる農村は敗戦から二、三年たった田舎という設定である。そこに敏子の家族を中心に三つの家族が配置されている。伯父の家、石田さきの家そして村田定夫の家である。

まず敏子の家だが、教育はあるが戦災で家財を失い、伯父の世話でなんとか生活している疎開家族だ。実家の伯父の家は旧家で大地主である。「闇」で儲けているが農地改革をまえに村田と組んで新規事業への進出を目論んでいる。村田の家は新興の資産家である。「闇」が当たって大儲けしており、更なる事業展開を考えている。この有力な両家にとって敏子の縁談は、お互いの絆を深める格好の機会である。一方石田の家は堅実な中堅農家である。息子の吉雄は科学的な農業に熱心に取り組んでいる篤農家である。敏子と健次との婚約を子どものうちに結んだように、さきと茂二の従姉弟同士の家は昵懇の間柄である。

　この四つの家を結びつけてストーリーを展開させているのが敏子の縁談である。この縁談については二つが設定されている。縁談話が持ち上がっている村田定夫と子どもの頃からの許嫁であった石田健次とのそれである。一方は伯父の思惑から強引に勧められた話であり、一方は子どもの時に親同士によって決められた縁組みであった。共に敏子本人の意思とは関係ないものだった。二人の婚約相手は、「働くことの意義を知らない」定夫と働くことに誇りを持っていた健次というように、敏子から見て対照的な人物として設定されている。

　疎開家族、「闇」、農地改革という戦後農村社会の問題を背景に、許婚を戦争で失った娘の結婚話という、当時よく見受けられた事柄をからめて戦後の状況を反映させている作品ではある。しかし、この作品では、敏子の不本意な縁談相手であり、健次とは対照的な考え方をしている村田定夫は舞台に登場しない。軽蔑すべき相手として、おもに敏子の口を通して語られるだけである。そのため、茂二のセリフにあるように敏子の定夫に対する見方は「大部一方的だな」という感が拭い得ない。他の事柄についても同じような処理のしかたが見られる。したがって、問題提起の作品としてみると「訴えかけの弱い作品で、欲張った観客にはもう一歩突っ込んだ問題の截り出し方がほしい[4]」と評されてもしかたがないと思われる。

　しかし、この作品の面白さは別のところにある。山田肇は『現代戯曲選集』の解説のなかで「敏子が旧弊な家族制度を脱出し、疎開先から単身上京して働くために女子寮にはいる[5]」までを描いた作品として見ている。また福田善之は「農村の因習的な仕組みから脱出して東京に出た[6]」と敏子の行動を説明している。敏子が「田舎」から東京へと脱出するとの理解である。

　「私、激しいものに自分をぶつけてみたいの。私自分で生きてみたい……働く人達の時代が來て、ぐんぐん盛上っているのに、こんな遠くで氣の進まない結婚するなんてとてもいや。——新聞見てるだけでもあんなに時代が変っているのにここは少しも変らない。私は一日一日と手も足も動かせなくなってしまうの」とは茂二に自分の決意を告げたときの敏子のセリフである。「自分で生きてみたい」と二十四歳の敏子が率直に自分の思いを語っている。

　意に沿わない結婚を強いる家族や親戚のしがらみから脱け出したいと敏子は思ったのである。そこを脱け出して何処へ行くのか。東京である。そこは茂二やのぶにとっては、帰りたくても生活の見通しの立たない所である。しかし田舎の生活に息苦しさを感じ始めた若者にとって激しく変貌をとげている東京は自分の可能性を広げてくれる魅力的な場所として映るのである。自分を生かすために東京へ出たい。その思いが素朴だが率直に誠実に描かれていて、共感を呼ぶのである。

敏子の母「のぶ」は山田の母の実名だという。その母にむかって山田は「大丈夫よ私は……という気持ちで書いた」と述べている。敏子の思いは、群馬の疎開先から単身上京した山田の思いでもあった。自立演劇は第一生命の職員山田時子に表現する場を提供したのである。一人の自立した人間に成長してゆく姿を素朴に描いた戦後にふさわしい作品である。

「良縁」は、『テアトロ』に発表後、『現代戯曲選集第五巻』(河出書房一九五一年)に収められ、一九五四年に未来社より『良縁』(未来劇場No.17)として出版された。出版のつど手直しされている。本文の引用にあたっては未来社版『良縁』(一九七〇年)を用いた。

注

(1)大橋喜一「自立演劇運動とは」『悲劇喜劇』一九九八年六月号
(2)大橋喜一「職場演劇はどこへ向うか」『文学』一九八五年八月号
(3)山田時子「ちょうどそこに私が居た」『悲劇喜劇』一九九八年六月号
(4)倉林誠一郎編『新劇年代記〈戦後編〉』白水社一九六六年七月、一四三頁
(5)『現代戯曲選集第五巻』河出書房一九五一年
(6)『現代日本戯曲大系　第二巻』三一書房一九七一年

〈参考文献〉

大橋喜一・阿部文勇編『自立演劇運動』未来社、『悲劇喜劇・自立演劇特集号』一九九八年六月号

山田時子《やまだときこ》(一九二三・一二・一〜　)

東京に生まれる。洗心高女国文科卒。戦災で群馬に疎開、戦後単身上京し、第一生命に再就職。自立演劇運動に参加。一九四七年に発表した「良縁」は、第一生命の演劇班によって上演された後、一九四八年東京自立劇団協議会第二回コンクールで日立大森本社演劇研究会が上演している。その後一九四九年に民芸の自立演劇研究会が芝労働会館で上演した。その続編とも言える「女子寮記」(『世界評論』一九四九年一月号)は、一九四八年八月民芸によって三越劇場で上演された。

菊田一夫「堕胎医《だたいい》」（五幕）

初出　『演劇界』第六巻第一号一九四八（昭和23）年一月一日
初演　薔薇座　一九四七（昭和22）年十月二十一日～十一月三日　日劇小劇場

永平和雄

1　薔薇座と「東京哀詞」

一九四五年（昭20）八月の降伏から占領下の冬へ、荒涼たる焦土にわずかに焼け残った劇場に拠って、戦後の演劇は出発するほかはなかった。この年の暮の新劇合同公演「桜の園」に始まり、翌四六年二月の再建新協の「幸福の家」、三月東芸第一回公演の「人形の家」、俳優座第一回の「検察官」と翻訳劇が続き、戦後の現実は戦後新劇の舞台にはほとんど反映されていない。戦前旧作の再演、小説の脚色以外では、三月の文学座公演、和田勝一の「河」と、十二月の俳優座公演、姜魏堂「神を畏れぬ人々」のみでこの年を終わる。もう一年、四七年を見れば、三月の東芸「林檎園日記」（久保栄）、新協の「武器と自由」（大沢幹夫）に続いて、五月俳優座の「中橋公館」（真船豊）と、ようやく戦後の新作戯曲が上演されたけれども、「河」の失敗は論外としても、久保、真船の新作も時代を遊離して、現代劇としての新劇への期待に応えるものではなかった。戦後新劇の起

点をどこに求めるにしても、四七年末までに上演された「創作劇」の貧困を見れば、四六年五月に千秋実が創立した小劇団薔薇座が注目されたのは当然であろう。

　薔薇座は四六年に久藤達郎の新作二本を上演、四七年一月の第三回公演に菊田一夫の「東京哀詩」四幕六場、十月の第四回に同じく菊田の「堕胎医」五幕を上演した。両作品とも好評で直ちに再演されている。多大の期待を裏切った新劇の舞台には見出だせなかった、紛れもない「戦後」、生々しい「現代」が生きていたからではないか。作者は戦前の新劇運動とはゆかりのない、軽演劇出身のロッパ一座の座付作者として、時局順応の大衆演劇を量産した職人作家であった。佐々木孝丸が『フン、菊田の芝居か』と、鼻であしらった演劇パリサイ人が少なくなかったこと」（「随筆菊田一夫」『日本演劇』一九四九・九）を指摘したように、批評家は戸惑ったけれども、観客は舞台の成果に素直に反応し、菊田のこの二作は、もっとも早く敗戦の現実を見据え、新たな劇世界を探求する戯曲となった。もちろん二作は主題も構造も著しく異なり、本格的な問題劇としての「堕胎医」

に現代劇の起点を認めたいが、その前に「東京哀詩」を一瞥しておきたい。

時は敗戦の翌年の冬、ガード下の浮浪者のねぐらに吹き寄せられた五人の戦災孤児と、街の女、復員崩れの若いやくざの物語である。菊田死後の回想であるが、千秋実は「東京哀詩」誕生を振り返り、新劇合同公演「桜の園」の感想を書いている。

……私はともかく観に行ったが、何故こんなものをやるのだろう、と疑問に思った。これでは昔の新劇から一歩も進歩していないではないか。次は『どん底』だろうか、冗談じゃない。巷には戦災孤児浮浪児が溢れ、ガード下には、パンパンが住みつき与太者がうろつき、闇市で一杯十円のシチュー（進駐軍の残飯）にむらがる庶民の姿がある。これこそ日本の現在の「どん底」ではないか。昔の翻訳物をやるより今の日本の現実の中にいくらでもドラマはあるではないか、と思って白々しい気持で遠い外国の芝居をみていると、客席に菊田さんの姿があった。（「共に咲かせた薔薇」『悲劇喜劇』一九八〇・三）

不遇の菊田の家を訪ねて書き下ろしを依頼し、「意気投合してできたのが「東京哀詩」だった。菊田自身も敗戦の年末から春、浮浪児たちの生態に、孤児として辛酸をなめた「幼い私」を見て、上野地下道へ出かけた体験を語っている。（「敗戦日記」『オール読物』一九六四・八）

焼け残った日劇五階の小劇場から一歩外へ出れば、廃墟に闇市の群衆、浮浪児と街娼は眼前の風景であった。初めて「戦後」の風俗をリアルに描いた、すぐれた世相劇であり、ここでは戦争によって肉親も家も、すべてを失い、かっぱらいや売春、恐喝を生業とする、無知な、反社会的人間―どん底まで落ちきった人間たちが主人公であった。五幕の天国の場の甘さが批判されたが、モルナアル風の人情劇にとどまるものではなかった。そこには現代の日本人が生きていたのである。

2 「生きるに難き」から「堕胎医」へ

もう一つの「堕胎医」は、題名のどぎつさからは、八月から異常な成功をかちえた空気座の「肉体の門」の煽情性に通い、他方では実存主義戯曲と称された田中千禾夫の「雲の涯」（『劇作』一九四六・八）にも通ずる、戦争の傷痕がもたらす戦後社会の地獄図絵であった。もっとも作品自体は、題名からの連想とは似ても似つかぬ真面目な問題劇である。第一幕は一九四五年（昭20）夏、医師藤崎孝之輔の瀟洒な邸宅から始まる。息子の産婦人科医恭二の許へ、大病院の院長の娘である婚約者美佐緒が訪れて来て、明るい笑い声が弾けている。産婆大塚が重田とともに恭二に面会を求め、激論になる。重田の妻が夫の海外出張中に他の男の子どもを妊娠、大塚は掻爬に失敗して恭二に依頼し、恭二は帝王切開で胎児を救った。しかし母体は異常体質で死亡する。夫は妻の相手の男の住所、氏名を恭二に問うが、患者の秘密を守るのが医師の義務だという彼は答えず、激昂した恭二が大塚を殴り、重田は「君のような医者は、この社会の中から、叩き出してやる」と叫んで退場する。

『演劇界』一九四八年一月の初出稿には、「不行届」を詫びる作者の注記があった。「バラ座十二月再演のタメに、全場にわたり、特に第一場の重田に関する項、恭二の失職の原因等に、大改訂をし」たが、「気づいた時はすでにおそく校了間際であったため、第四稿のまゝ掲載」することになった。「作者の不行届」を「御詫び」する、という。

一九六六年に刊行された『菊田一夫戯曲選集2』に収録された「堕胎医」は、第五稿以後の改訂稿によったものであろうが、西村晋一執筆の解題にも格別の論及はない。初出と比較すれば、作者注記のとおりに、重田を中心にかなりの改訂はあるけれども、選集版が再演以後のどの時点でのものかは分からない。あるいは六六年四月の東宝現代劇による芸術座公演の時の台本かとも思われるが、いずれにしても、引用は作者の改訂台本であろう選集版によることにした。一例をあげれば、

　重田　(恭二に) 君、はっきり自覚しておきたまえ。君は堕胎に失敗して、僕の妻を殺してしまつた、卑劣な医者なんだ。……姦通した人妻と情夫との間をとりもつていたケダモノなんだ……はっきり覚えときたまえ。

選集版はこのあと重田のセリフを追加する。

　……はっきり覚えときたまえ。と同時に、君の勤めている病院の院長というのかね、会長というのかね、そんなものを動かすだけの力が、私には十分あるのだということを覚えておきたまえ。

これを受けて孝之輔に、美佐緒の父の病院長松木博士への説明を勧めさせ、「人間の住んでる世界」は「お前達が考えているより、ずっと複雑なものなんだよ」と語らせる。恭二の失職への伏線の設定である。

第二幕は六年後の一九四六年(昭21)秋、この後第五幕まで、舞台は同じ藤崎邸である。応接間は産婦人科の診察室に改造され、片隅にカーテンで囲った内診室がある。敗戦から一年、全体に荒廃の気が漂う。

妊娠して働けなくなり、投身自殺を図って恭二に助けられ、看護婦見習いをしているダンサー崩れの峰岸るい、看護婦今井、所轄署の警部補野坂らと、訪れて来た美佐緒を交えての会話で、施療患者とならず者の外傷患者相手の、藤崎医院の貧しい現状が示される。往診から戻った恭二は、第一幕の闊達な青年医師とは「人ちがいするほど、ぢぢむさくなり、暗いかげを背負」い、前場の重田の妻の相手永橋の子――早生児を彼が救い、ガラス保温器で育てた――六歳になるまき子を連れている。(ト書きの「暗いかげ」は、戦地で手術中に傷ついた小指の件に暗示される。)野坂のセリフで、署長が恭二を聖者と評し、地域の人たちの彼を応援する運動の話が出るし、退院の挨拶に来た橋

本夫婦——かつては腕のいい職工で、戦争で片腕をなくした夫婦心中の未遂者、堕胎を依頼して恭二に諭され、男の子を出産した——とのやりとりから、心暖まる交流が感じられる。

しかし作者は、戦前から得意の善意の人情劇を、峰岸るいのセリフで否定する。橋本夫婦が去り、恭二と美佐緒とるいが残り、近所のラジオの軽音楽が聞こえてくる。

るい　(今までの此の場の雰囲気が、バカ臭くてたまらないという風に)　軽音楽っていいですね。

所も名前も知らない男の子どもを生んで、生きる術のない女からすれば、美佐緒は「頭の中でだけ」世間を知る「お嬢さま方」であり、恭二に対しても、「人道主義ね、先生のお得意の」と、彼女は反撥と冷笑を繰り返す。ついに憤怒して「君達はけだものか」と罵る恭二に答えて言う。

るい　(冷笑して)　先生にはね、飯の食えない人間の、せっぱつまった苦しみなんぞ判らないのですよ……。

幻滅と虚無の「戦後」を体現するアプレ・ゲールの問いに、真正面から立ち向かえば、果たして赤ひげ診療譚的世界は維持できるであろうか。前場の産婆大塚かねが六年ぶりに現われ、区会議員の娘の堕胎を持ちかけ、もちろん恭二は拒絶するが、妥協を拒んだ彼の人道主義の破綻は目に見えている。優生保護法が施行されるのは一九四八年、明治からの刑法に残る堕胎罪がまだ生きている時代である。るいや橋本夫婦のように、助けられればよいけれども、施療というだけでは極貧の民衆の生活を救うことはできまい。この後の展開には、恭二の理想主義が戦後の現実に敗北する悲劇が予想される。先に引いた千秋実の回想には、「東京哀詩」の成功の後、第二作「堕胎医」は「難産だった」として、菊田からのハガキが引用されている。

——題名……「生きるに難き」…としようと思いますが、御意見は如何ですか——という手紙をくれたと思うと、速達のハガキがきて

——「堕胎医」という題名に決めた。貧民街の若い産婦人科医の悩み（近ごろの世相への）と彼の助手である看護婦の恋愛との交錯、結局は人間性の高揚のために闘いながら(堕胎を否定しながら)堕胎医として下獄する男の話——と書いてくる。しかし出来上りはこのハガキとは大分ちがった。

最初のプランのとおりであったら、「東京哀詩」の感傷を排して、よりリアルに、「生きるに難」い占領下の現実を描き、それなりにすぐれた社会劇になったであろう。しかし大塚たちを追い返した後、美佐緒が「少しお話しさせていただいてもいいでしょうか」と切り出して、二人の会話になると、異質の何かにぶつかって、流れは停滞する。

六年間も待ち続け、毎日のように藤崎家に通って結婚を望んできたのに、なお彼は結婚を避け続ける。彼女にはどうしても理由が分からない。恭二は、「その僕には、あなたに御説明出来ない事情があるのです」と言い、また「その人間は…その人間の肉体は」「純潔であるにもかかわらず、純潔でない、汚れている、そういう場合があることを、あなたは想像したことがありますか」と、思わせ振りに語るばかり。これでは美佐緒とともに観客も、「何かの病気の遺伝のことを言って」いるのかと、不安に駆られ、おちつかない。そして長いこの場の幕切れ、ひとりになった恭二が静脈注射をするのを、るいに見つかる。

るい（敵意に充ちた眼で冷笑して）サルバルサンですのね……これが神様のような方の正体ですのね。

この場のはじめに、往診から帰宅した恭二が手を洗う場面、左手の小指をかざして、野坂に見咎められ、戦地で手術の際に傷ついたという問答があったのを、ここで直ちに思い出せるかどうか。サルバルサンといっても、今では通じないであろうが、ペニシリンの輸入、普及以前は、ジフィリスの特効薬として著名であった。主人公は「性欲に依らざる梅毒」という致命傷を負い、自らの性病を隠し続ける産婦人科医である。彼にはもはや世俗の誘惑を退け、地域の民衆のために献身するヒーローの資格はない。一・二幕に、敗戦を挟んで展開された、人工妊娠中絶（堕胎罪）と貧困の社会問題は、解決不可能の破局へ向かうのみであれば、作者にとって、まったく新たなドラマ作りへと踏み込むことになる。当初の計画と違って、梅毒の問題が主題になったのには、敗戦直後、占領軍と「パンパン」の時代、今からでは想像を絶する、性病の問題の深刻な事情があったであろう。「肉体の門」が爆発的に成功したように、左翼、芸術系作家と違って、軽演劇作家たちは身近な市井の材料に事欠かなかった。婦人代議士が街頭宣伝に立ち、厚生大臣賞記念公演（四八年三月）に示された、社会教訓劇としての側面に、菊田一夫の現場感覚を認めることもできる。しかし社会的な話題に敏感に反応し、おそらく身近に材料を得たにしても、「無反省な男女の性行為や堕胎を戒め性病の恐ろしさを教える、現代に役立つ演劇」（東京新聞一〇・二八）としては、あまりに主人公に救いがなく、陰惨に過ぎるのではないか。では劇はどう転回するのか。第三幕以後を追ってみよう。

3　劇の転回―第三幕以後

第三幕は冬、医院の経営はいっそう苦しく、孝之輔は愛蔵の骨董を売る。るいは赤ん坊を生んで看護婦の仕事を続けている。かつての戦友中田が妊娠した妻の診察を求め、恭二は夫の梅毒が感染、すでに第三期であると告げ、堕胎を勧める。前場でさりげなく言及された小指の傷は、中田の腹部の手当中のもので、感染した梅毒が激しく進行していることが、一気に明らかになる。それでも生みたいと言う妻多樹子に、恭二は答える。

お生みにならない方がいいでしょう。マラリア療法もあるにはあります。しかしあなた方の体には、もう恐らく効き目はないと思います。……僕自身にも、すでに効き目がないのです。

無反省な中田と絶望する多樹子を送り出すと、今井看護婦が去る。恭二の真意が掴めぬまま、美佐緒が式の日取りが決まったと、別れを告げにくる。悲しみと激情から諦めへと揺れ動く、美佐緒の気持は無残であり、ついに最後まで事実を隠しとおして、さりげない二人の会話は、ぎこちなく、悲痛ですらある。

中田の出現で、恭二の苦悩が明らかになり、肉体の破滅に向かうほかはないとすれば、野坂や貧民たちに支持される医療行為と、大塚や区会議員らに代表される俗悪な世間との間の葛藤を乗り越えて、前途を切り開く力はまったくない。第四幕は冬から春へ、急速な病気の進行と自滅が描かれるのみである。

医学辞典を調べる峰岸るいと孝之輔との問答で、スピロヘータ・パリダの第三期の終わりは、「死か、発狂についでの死か、どっちか」であることが知らされる。孝之輔は、戦地の患者から感染した肉体への絶望感が、息子に「神様のようなやり方」をさせたと言う。

孝之輔　偽善ではない。それは私にも判かっとる。ただ、奴は自分のやっている徳行に対して……真からの歓びにひたってはいない。……わずかに、それによって、自分の心をなぐさめているだけなのだ。

孝之輔が施療患者川村を診察するところへ恭二が現われ、突然の「粗暴の態度」で父を詰る。初めての狂気の兆候である。前場の区会議員の娘の堕胎を誤って死なせた産婆大塚が、またしても有利な証言を頼みにきたのを追い返すのは、以前の恭二と変わりがないが、本庁に密告があったからと心配して訪ねてきた野坂に対し、「突如として狂暴に」なって、「殴り倒」し、それを止めようとした父を「突き飛ばす」。

孝之輔　……スピロヘータ・パリダが……（悲しく）奴の身体を最後まで食いつぶしてしまったのだ……

発作が収まった恭二は、記憶を失って、「峰岸君……僕は何かやったかね……」と尋ねる。

密告の主は中田らしいが、当の多樹子が訪れてくる。中田と離婚した彼女に対して、恭二は中田の許へ帰るのが「一番いい方法だと思」うと勧める。(「あなた以外の女性を不幸にしないようにという意味」と言う。）この恐るべき病菌を、自分の責任でなく背負い込んでしまった男と女の、人間の欲望についての問答は、理屈っぽ過ぎるかもしれない。だが、性の欲求についての多樹子の質問に答える恭二は、「私の欲望と必死になって戦っているのです」と告白する。——戦地でも清純を保った肉体は、今滅びようとして、欲望だけは生きている、その欲望を否定する「道徳的な良心」を、「つまらない良心の野郎が、のさばり返っている」と罵り、「若し何処かに悪魔の世界があるなら」と望みながら、「私は、医者なんです。医者の良心をもって、人間の良心をもって、生きて行かなくてはならないのです。」「先生の欲求のはけ場」になるという、るいの申し出をも退けて、彼は狂気から死へと、ついに欲望を抑えきるのである。

長い告白はあまりにストイックであり、生硬に過ぎるかもしれないが、「……でも、私は、あの破廉恥な男の許へは帰りたくございません」という、毅然とした多樹子のセリフを引き出す。そして

多樹子　私も、先生と同じように、これから後の生活を耐えることができます……出来ると思います。

恭二は「出来る限りお役に立ちたいと思っています」と、力強く答える。戦友と夫の、破廉恥な男のために忌まわしい病に冒された人間の、人間としておそらく最良、最高の決意が示されて、粛然たる雰囲気が漂う。しかし先程狂態を演じた恭二は、不治の病者であり、孝之輔に診療を阻止されて、力なく去って行く。それは多樹子の明日の姿でもある。

第五幕は一ヶ月後、桜の花の咲く家に、永橋とまき子が訪れる。しかし精神病院からの迎いの自動車が着き、まき子に会わせることで、恭二の精神を取り戻させようとしたるいの願いも空しく、記憶は戻らない。旅行に出るのだと錯覚した彼は、正気に戻ったように、「僕は君の言うとおりにした方がよかったかも知れない。いつもそう思ってた」と語りながら、静かに連れられて行く。永橋とるいが、まき子にバイオリンを弾かせようとするが、まき子は弾かない。恭二が退場した後の幕切れ、患者の子ども昌一を坐らせて、まき子が聴診器を当てて遊ぶ光景は、改訂稿で追加されたけれども、いずれも戯曲には、まき子がバイオリンを弾く指定はない。ただ薔薇座の舞台では、恭二が退場、自動車の音が離れて行った後、まき子がバイオリンを弾き、幕が下りた。それを町田仁の劇評では、「菊田氏の人間は時々『甘さ』と呼ばれてゐる形となつてあらはれることがある」として、「菊田氏のいつも持つてゐる詩が非常に素直に、生のまゝに、にじみ出てゐるのが感じられる」（「『堕胎医』をめぐって」『日本演劇』一九四七・一二）と、肯定する。

菊田作品に常に指摘される「甘さ」あるいは「詩」については、たとえば尾崎宏次は、「東京哀詩」の夢の場を「いかにも技巧的な逃げ足に思えた」と評し、「堕胎医」の「藤崎医師が狂つて退場する幕切れで、一人残された娘まき子がヴァイオリンをひくと私は誰かに鼻の頭をなめられたような気がした」（「小劇場と現代劇」『日本演劇』一九四八・一）と批判する。もちろん「救いのない、たまらない戯曲」の舞台に、菊田一夫らしさを見出だしてほっとする観客も多かったであろうが、それは演出の問題であった（演出は佐々木孝丸）。戯曲の方は、初出も選集も、まき子のバイオリンはケースから取り出されない。劇作家として戦後の新出発に賭けた菊田は、かつての甘さや詩情を追

放したのではないか。第二幕から第五幕まで、敗戦の翌年秋から冬、そして春、わずか半年、作者はひたすらに主人公を破滅へと追い詰め、何の救いも希望もなく幕は下りるのである。

尾崎宏次は後年読み返した感想で、「菊田一夫は一発の銃声も書かない、一発の爆弾も落ちてこない。戦争にまつわる命令も号令も怒声も表にあらわれない。ということは、これが犠牲者をとおして戦争を書こうとしたからであろうと思う」「いずれにしても、銃声はきこえないのに、命がぶるぶる震えている」(「ある感想」『日本演劇』一九八〇・三) と書いた。尾崎の言うように、「性慾に依らざる梅毒を扱ったことの蔭に原爆病がおもいめぐらされていたかどうかはわからない」けれども、主人公恭二の梅毒は、明らかに戦争の犠牲であった。作者は彼を、自らの責任ではない病患と狂気に直面させ、破滅までを厳しく描ききった。自由と開放の戦後的幻想を厳しく拒絶した、救いなき「現代」が姿を現わし、ここに世相劇、社会問題劇を超えた、人間の劇――敢えて言えば、人間の尊厳の劇を見ることができるのではないか。また改めて見直せば、戦後の女性像が魅力的ではないか。ついに真実を知らされず、しかし毅然として生きる美佐緒、絶望から立ち直って自立するるい、自滅を見据えながら離婚を選ぶ多樹子、淡々と仕事を果たして去る今井看護婦を含めて、彼女たちはしっかりと自分で歩み始めている。

侵略戦争への抵抗者を自任する左翼作家ではなく、戦犯作家と目された菊田一夫に、なぜ戦後固有の時代と人間の劇が可能になったのか。一九五三年宝塚歌劇「ひめゆりの塔」の「作者の言葉」に、彼は厳しく戦中の自己を振り返っている。

戦争を肯定することは、自らの死をも、他人の死をも肯定することである。これは愚かにして神を恐れぬ獣類の為すわざである。そして自らの死を怖れながら、しかも他人を戦争にかりたてる人間は卑劣なる戦争犯罪者である。

私もかつては……昭和二十年八月十五日までは、獣類か、戦争犯罪者かのどちらかであった。しかも私は、終戦八月十五日の前夜、情報局の親しい役人が手配してくれた、汽車の乗車券を握って、ひそかに空襲下の東京を脱出し、家族の疎開先へ逃れていった卑怯者である。

戦争体験は「獣類か、戦争犯罪者か」という痛切な自責として、内部に根付き、孤独な作家の再出発は、戦中の自己との対決からしか始まらなかったのである。尾崎が「小劇場による現代劇の確立」の可能を見たように、既成の演劇が解体した敗戦時こそ「現代劇」への好機であった。菊田自身も「新劇でもなく新派でもなく、また新国劇的なお芝居でもない現代劇が、なぜどうして生まれてこないのだろうと、私たちはかねがねからいい合っていた」(「現代劇を生み出そう」東京新聞一九五五・五・一〇) と述べた。しかし菊田の「現代劇」は、「堕胎医」の劇表現とは、まったく別の結実を見せることになる。「堕胎医」は、もはや黒沢明の「静かなる決闘」(一九四九年) の原作として記憶されるのみかもしれない。(『全集黒沢明第二巻』参照)

〈参考文献〉

『菊田一夫戯曲選集』全三巻　一九六五年五月十日～六六年九月一日～六七年五月二十日　演劇出版社

菊田一夫『流れる水のごとく〈芝居つくり四十年〉』一九六七年八月三十日　オリオン出版社

「特集・菊田一夫」『悲劇喜劇』一九八〇年一月号

菊田《きくた》一夫《かずお》（一九〇八・三・一～一九七三・四・四）

　本名数男、神奈川県生まれとされているが、自身は「その地がどこにあるのやら、見たこともなく、場所も知らない」と言う。生後四ヶ月にして、実母せんは離婚して家を去り、一年数か月後、実父祭原武大から捨て子同様に、台北庁雇の河野文治郎、りゅうの手許に引き取られた。数え年六歳の夏、運送店主菊田吉三郎、せつよの許へ養子入籍したが、小学二年生の秋、父は急死、母は次々に夫を替え、小学六年の時の夫金森に、大阪道修町の薬種問屋に丁稚奉公に出される。次いで神戸元町の美術品商珍物屋に丁稚年期奉公をして苦労を重ねる。商業学校入学を信じて養父を待つが来らず、捨てられたと知り、学校を諦める。詩歌の同人誌に入会して詩人を目指すようになる。一九二四年（大13）珍物屋を止め、翌年一月、同人誌「黒船」の詩友を頼って上京、小石川抒情詩社の文撰工となる。渡辺渡、山口義孝らと太平洋詩人協会を作り、詩と評論誌「太平洋詩人」を発行、サトウ・ハチローに師事、小野十三郎、林芙美子、萩原恭次郎らを知る。別に安藤一郎らと同人誌「花畑」を発行する。この年鎌倉で投身自殺を図ったが、萩原朔太郎を訪ねて死を断念。一九二七（昭2）年サトウ・ハチローの居候兼内弟子となり、中国青島に渡り、紡績工場の雑役夫となる。馬賊になり損ねて帰国。再びサトウ・ハチローの居候になった。

　師から「食えないのなら芝居に入らないか」と勧められ、浅草公園劇場の諸口十九一座の文芸部見習いとなる。満二十歳の春であった。文芸部長は門脇陽一郎、水町清子（三益愛子）、竹久千枝子（千恵子）、柳文代ら、若手女優を知る。初めはコピー係から演出助手まで、雑用をこなしたが、一九二九年の旅興行で一座解散の憂き目に遭う。名古屋帝国座の中野児童歌舞伎で、門脇の助手を勤め、秋には門脇に従って大阪浪花座に移る。

　一九三〇（昭5）年九月、捲土重来を期して上京、サトウ・ハチローの紹介で、水族館のカジノ・フォーリーを脱退した榎本健一、中村是好らの、浅草観音劇場の新カジノ・フォーリー文芸部員となったが、三か月で解散。十二月佐々木千里の設立した玉木座のプペ・ダンサント（榎本健一、二村定一ら）に参加、その第三回公演に、文芸部長サトウ・ハチローから脚本執筆を命ぜられて、一晩ずつで書いたのが、処女作「阿呆疑士迷々伝」とレビュー「メリー・クリスマス」であった。開場以来の大入りとなり、毎月六本平均の脚本を書いて、立て作者的な立場となる。エノケンと衝突して清水金太郎らオペラ歌手一派と組み、金竜館に「真夏の夜の夢」で、浅草レビューを旗揚げして失敗、藤原釜足、サトウ・ロクローらを連れて名古屋帝国館にアトラクション出演。一九三三年には第二次ムーランルージュで三か月、浅草オペラ館に戻ったりした後、古川緑波、徳川夢声らの「笑の王国」に参加、脚本を担当する。

一九三五（昭10）年古川緑波一座は東宝傘下に入り、菊田も翌三六年、招かれて東宝に入社、有楽座の古川緑波一座の座付き作者となった。三七年日中戦争始まり、「ロッパ若し戦はば」が大ヒットする。これはドタバタ喜劇であったが、四〇年火野葦平のメモによった「ロッパと兵隊」は、最高の当たりとなり、作者自ら「まともなねらいの作品を、生まれてはじめて書いた」と言う、大きな転換の道標となる作品であった。長谷健原作の「あさくさの子供」「我が家の幸福」「スラバヤの太鼓」、大阪の丁稚時代の見聞による「道修町」等の佳篇があり、四三（昭18）年三月の情報局委嘱作品「花咲く港」が、世評高く、北条秀司と並ぶ実力者と認められるに至った。緑波一座以外にも、水谷八重子、井上演劇道場、第二次東宝劇団等に、多くの中間演劇の現代劇を書いた。

戦中の菊田は、一九三八年海軍報道部の南支派遣文士団、四一年北支派遣軍報道部嘱託として従軍、多くの戦意昂揚脚本を書き、敗戦とともに戦犯指定の噂があり、敗戦前夜、情報局の知人の手配で、家族の疎開先岩手県岩谷堂町に赴く。松竹高橋専務から、邦楽座の明朗新劇（小堀誠、花柳小菊ら）の脚本を依頼され、「新風」を書く。九月上京、ＧＨＱ民間教育情報部のキース少尉を訪問、戦時中の活動を報告して、執筆活動の可否を尋ねた。アメリカの法律では、犯罪者は有罪と判決されるまでは無罪であるとの答であり、自ら名乗り出て、戦争中の仕事を告白したのはお前だけだと言われた。共産党提出の戦犯文士九名のリストには載ったが、指定は免れる。ただこの敗戦の衝撃は大きく、戦中の自己との厳しい対決が、戦後の菊田一夫の出発のモチーフとなった。

ＮＨＫ連続放送劇「山から来た男」が当たり、一九四六（昭21）年にＮＨＫ嘱託となるが、薔薇座の千秋実に依頼されて書いた「東京哀詩」「堕胎医」の二作は、四七年日劇小劇場に上演されて高い評価を得た。作者が戦争体験を凝視したシリアスな作品であり、敗戦直後の生々しい現実を描いた現代劇であった。この年七月から始まった、戦災孤児たちを主人公としたＮＨＫラジオ連続放送劇「鐘の鳴る丘」は、全国に大きな反響を呼び、記録的な聴取率をあげた。一方四月、五月、エノケン、ロッパの初顔合わせで、「弥次喜多道中記」を有楽座に上演し、大当たりとなる。五一年の連続放送劇「さくらんぼ大将」を含めて、ラジオ・ドラマに専念し、佳作も多い。

一九五一（昭26）年二月の帝劇コミック・オペラ「モルガンお雪」は、古川緑波一座に越路吹雪を起用して成功、日本製ミュージカルの先駆となった。五二年三月宝塚歌劇に「猿飛佐助」を書き、以後十八本に及ぶ。（中には痛切な作者の反省を込めて、沖縄の敗戦の悲劇を描いた、五三年七月の「ひめゆりの塔」も含まれている。）六月から始まったＮＨＫの連続放送劇「君の名は」は、五四年四月まで、聴取率九〇％を超え、映画も大ヒットして、記録的なブームとなった。すれ違いメロドラマとして毀誉褒貶が喧しかったけれども、作者は戦後の激動期を生きた民衆の生活を、熱い共感を込めて描いたのであった。翌五三年一月の明治座の新国劇に「海猫とペテン師」、六月の「十八度線のペテン師」から、ペテン師ものが始まる。

一九五五（昭30）年九月、小林一三に招かれて東宝株式会社取締役に就任、演劇部門の責任者となった。菊田自身の言葉によれば、「興行師と作者業との兼任」を続けるわけである。翌年二月には、第一回東宝ミュージカル「恋すれど恋すれど物語」の作・演出で、ミュージカルの先鞭をつけた。五七（昭32）年四月に芸術座が開場、柿落としに山崎豊子原作の「暖簾」を脚色したが、翌年の「まり子自叙伝」の好評に続き、五九年十月の「がめつい奴」は翌年七月まで、演劇史上初のロングラン記録を立てた。

その後の菊田は、作家としては芸術座の一本立て現代劇の創作、脚色に、数々の話題作を執筆、劇団東宝現代劇を育て、松本幸四郎父子以下の歌舞伎俳優を専属とした、第三次東宝劇団が創設されて、宝塚歌劇を含めた、東京宝塚劇場への大劇場向きの脚本を多数提供する。歌舞伎、新国劇、ミュージカル等にわたる成功作はあまりに多いが、代表的ないくつかに触れておきたい。芸術座では、六一年の自伝的作品「がしんたれ」に続いて、森光子主演の「放浪記」が、今も再演を繰り返す、菊田戯曲の頂点を示す作品になった。戦中の青春を描いた「今日を限りの」（五九年）、大阪ものの「丼池」、「がしんたれ」の続編「浅草瓢箪池」（六三年）、萩原朔太郎の生涯を描いた「夜汽車の人」（七一年）等があり、脚色では「悲しき玩具」（石川啄木）、「越前竹人形」（水上勉）、「さぶ」（山本周五郎）等のほか、六六年の「細雪」（谷崎潤一郎）が記憶に残る。大劇場では、グランド・ロマン第一作「敦煌」（井上靖）が六〇年に、暮には年忘れ爆笑ミュージカル「雲の上団五郎一座」が大評判で、毎年恒例になった。他に東宝劇団第一回の「野薔薇の城砦」以下、多彩なジャンルにわたってヒット作は枚挙に暇がない。

興行担当としての菊田は、一九六二年にはブロードウェイ・ミュージカル視察の目的で渡米、専務に就任して、翌年九月、第一回翻訳ミュージカル「マイ・フェア・レディ」を上演した。毎日芸術賞を受賞したこの作品の成功が、その後の翻訳ミュージカル盛行の貴重な起点となった。六六（昭41）年開場した新帝劇の第二回には、「風と共に去りぬ――第一部」を上演、空前の大ヒットとなって、六八年に総集編を続演し、さらにミュージカル化を進めて、七〇年一月、菊田一夫脚本の日米合作ミュージカル「スカーレット」を上演した。一九七四（昭49）年四月急逝。

菊田一夫は軽演劇、喜劇から出発して、放送劇の伝説的成功、商業演劇の（新劇以外のと言った方がよいのかも知れないが）あらゆる分野で、一世を風靡した大作家になった希有の存在であった。その全業績にわたる功罪の評価は、現代演劇史の今後の課題であろう。

加藤道夫
「挿話（エピソオド）」

初出　『悲劇喜劇』一九四八（昭和23）年一一月
初演　文学座　一九四九（昭和24）年三月三日〜一五日　三越劇場

みなもとごろう

"A Tropical Fantasy" というサブタイトルがついている。初出には〈喜劇〉とあるが、全集所収の本文には、このジャンル名はない。

1　宙づりの現在――未来から語られる過去

この戯曲は、冒頭のステイジ・ダイレクションによれば、「時　一九四五年、八月二十日と推定される日。／所　南海の果てのヤペロ島と称するパプア族の住む島」という設定ではあるが、そこでの出来事は、はじめとおわりに、登場人物の一人である守山という人物によるナレイションによって枠どられている。冒頭の語りのなかで守山は「何でも実際にあったこと、作者が実際に経験したことしか信じられないという御方が皆様の中にいらっしゃるならば、私はその方達の為に申上げましょう。――之は実際にあったことであります。作者が実際に経験した事実の記憶から作り上げられたものであります。／それは、昔々と言うにはあまりにも真新しい記憶。――丁度、今から八年前。あの長かった太平洋戦争が突如終焉した日のことであります」と語っている。つまり、この作品の現在は、発表された時点よりはさらに五年後のことに設定されている。その意味では、初出・初演の時点では、未来からの語りとして過去の出来事を聴くという宙づりにされた現在が強く意識されたであろうことにまず留意しておきたい。

偵察機の物凄い急降下の爆音によって幕が上がる。粗末な丸木を組み合わせて建てた日本軍師団長の宿舎があり、やがて爆音が遠のくと、その前の防空壕から三人の男が首を出す。二年前に何千という兵力を誇った大日本帝国陸軍第七十五師団の坂田丸が沈没して、わずかにこの島に残ったのは今は十二名のみ。姿を現したのは、陸軍中将で師団長の倉田、参謀長の藤野、副官の谷村である。何故か敵機はいつものように機銃掃射をせず、その代わりに大量の伝単を撒いて行った。それには「昭和二十年、八月十五日。大日本帝国政府は聯合軍に対し無条件降伏の勧告を受諾せる旨、申出為せり……」とあった。

戦意を沮喪させるための敵側謀略と息巻く三人だが、時を経ずに彼方の土人部落から太鼓の音とともに異様な歓声があがる。どうも「歓喜の踊り」と呼ばれるものらしい。あまつさえ命令も出さないのに休戦ラッパまで聞こえてくる。表向きの意気軒高とは裏腹に、食料も兵器も乏しくなった彼らには、何よりもかつて食人種だと伝えられるパプア族のマヌウエの復讐がなによりも恐ろしかったのである。というのも、上陸早々、軍人達は土人達を、殺戮してしまっていたからである。中でも、ワキルすなわち「不死身の男」と呼ばれたピイネルピイを、「背中から真一文字にばっさりと斬りつけた」のが倉田であり、「背後から拳銃で二三発食わした」のが藤野であった。強力な指導者を失った土人達は、覇気の無い老人のオーネルピイに率いられて、おとなしく従うようになっていた。

　だが倉田は不安のあまり、藤野や谷村を偵察にやり、藤野の主張するように一人威厳を取り繕うとする。そこへ、パプアの青年ワカマオが現れ、ピイネルピイを探していると言う。倉田は彼は死んだというが、青年はワキルを殺すことは出来ないと答え、現にわたしは彼方此方でピイネルピイの姿を見たという。自分を愚弄するかのような青年を追っ払おうとすると、彼は異様な叫び声を挙げて逃げ去る。突然、空が俄にかき曇って雷鳴や雷光を伴った沛然たるスコールがやって来てあたりは悽愴の気がみなぎり、倉田は無気味な恐怖に襲われる。ふと見ると、巨大なマンブルウの樹の幹の一つにピイネルピイの姿が、他のマンブルウの樹には八人の土人達の姿が浮かび上がって見える。彼は、狂気のように居並ぶ土人に次々に斬ってかかるが、どれもこれも皆、マンブルウの樹に変わってしまう。虚脱した倉田に向かって、ピイネルピイは問いかける。――守山に「こんにちは」を習って挨拶に行ったのだが、いざと言う時に、その「こんにちは」を忘れた。そうしたら倉田が刀を抜いて斬りつけて来てみんな殺された。何故殺したと。

　倉田は恐怖のあまり、口も利けず、ひたすら宥しを請う者の様に、彼等の前にひれ伏して行く。亡霊達は、その倉田の様子をじっと眺め、再び温顔に微笑を湛えて行き、お互いに顔を合わせて、静にうなずき合う。

ピイネルピイ　（うなずきながら、優しく）……そうか。……なにも、いえない。……オロ・にっぽんノコロ、なにも、いえない。……ドロ・マヌウエとおなじに、なにも、いえない。……おまえは、なにか、いいたい。……けれど、おまえは、いえない。……オロ・オタカム・オポック。……ドロ・マヌウエとおなじに、おまえは、なにも、いえない。（哀れむ様に、うなずき）……そうか。……おまえのいいたいこと、ドロ・マヌウエ、みんな、わかる。……オナマタム。おまえのいえないこと、みんな、きこえる。……オナウスマケ。……ドロ・マヌウエ、みんな、わかる。………おまえは、いえない。……けれども、おまえはいっている。……『ドロ・モモ・ドロ・モモ。……』……『ゆるしてくれ。ゆるしてくれ。……』『ドロ・モモ・ドロ・モモ……」

亡霊たちの姿、音もなくマンブルウの樹の幹の中に消える。……雲がはれ、あたりが急に明くなり、太陽が再び燦々と輝き始める。……

ピイネルピイの声　（マンブルウの中から、尚もかすかに）……おまえは、いって　いる。『ドロ・モモ・ドロ・モモ。……』『ゆるしてくれ。ゆるしてくれ。……』

倉田　（此の瞬間から、突然、声が出る）宥して呉れ、宥して……儂は知らなかったのじゃ。……儂はお前達が儂に敵意を抱いて、儂を襲撃に来たものと勘違いをしてしまったのじゃ。お前達が、わざわざ儂のところへ挨拶に来て呉れたのだとは、儂は夢にも思わなかった。儂は唯、お前達が無性に怖ろしかったのじゃ。……宥して呉れ。……な？　……わしを宥して呉れ。……な？　（倉田は懇願する様な眼差しを上げて、マンブルウの樹立を見る。……誰も居ない）

倉田はさらに「宥して呉れ。……儂はこれまでに、どれだけ人間を殺して来たか分からない。……何千人、何万人と言う罪もない人間達を。……日本人、シナ人、朝鮮人、……パプア人。……おお、儂は何と言う恐ろしい、むごいことをして来たのじゃ。何と言う罪深いことを……」と言い募る。結局、はた目には狂気に憑かれたまま、藤野の「閣下！　未開の土人どもの邪教であります。文明人であられる閣下が、あの様なものに心を奪われるとは……」という制止を振り切って、守山に伴われて、平和を喜び、土人達が死者の霊を祝福するトラモアの祭りの列に加わる。舞台には藤野、谷村、小島の三人が暗然として身動きもできないでいる様がそのまま活人画になって舞台に幕が降りる。

冒頭と呼応するように、守山のナレイションで、倉田と藤野は土民虐殺の罪に問われたが、倉田は精神異常ということで釈放され、彼はそのまま土人達の「ミタロの神」に取り憑かれ土人達と起居を共にするようになり〈故国〉は、彼の脳裏から消え去ってしまい、〈懺悔〉と〈贖罪〉の余生を送っていること、藤野はオランダの官憲に捕らえられて、恐らく苦しい労役に服しているだろうこと、谷村は闇市のマーケットの経営で大した羽振りであること、小島上等兵は玩具工場の組合の闘争委員をやっていることなどが語られ、「……私は、愚かなるが故に人間を憎むものではありません。……併し、愚かなる人間達が不知不識の裡に犯してしまう恐ろしい〈過誤〉だけはどうしても憎まないでは居られないのです」と結ばれる。

2　ディスコミュニケーション
――そのもたらすものと、もたらしたものと

この戯曲の成立に関しては、加藤自身の手になる年譜の記述がよく知られている。「昭和十九年（一九九四）二十六歳　春、「なよたけ」（五幕）脱稿。終戦まで、「なよたけ」の原稿は岸

田國士、岩田豊雄、川口一郎らに回覧され、きわめて高く評価される。南方へ赴任。濠洲作戦なりしか（?）、マニラ、ハルマヘラ島を経て、東部ニーギニアのソロンなる部落へたどり着く。以後終戦まで、全く無為にして記すことなし。人間喪失。マラリアと栄養失調にて死に瀕す。／昭和二十年（一九四五）二十七歳　終戦と共に、終戦事務・戦犯通訳の仕事に従事す。その間、次第に体力を取り戻す」。この体験が作品の基底にあったろうことは、そのまま認めてよいだろう。

一つの問題は作品のトーンである。ファンタジーと言っているが、全体として骨太いアレゴリーを目指していたことは否めない。例えば、皇軍の権威と秩序の守護者である参謀長の藤野はパプア族のマヌウエを食人種として決めつけ、彼等の「復讐」を強調して、「奴等の殺した人数の頭数が多ければ多い程、それだけ家門の誉れが高まったと言う、誠に以て獰猛極まりない種族だったのであります。奴等は今でこそああしておとなしく閣下の命令に服従して居りますが、彼等の体内の奥深くには依然としてその兇悪なる食人の本能がひそんで居ります」と語る。言うまでもなく強烈なドラマチックアイロニーで、語っている本人にそのままはねかえるものなのである。作者は初演の際の演出者長岡輝子に当てた書簡で、三人の将校について、「作者は「性格」や「心理」は少しも具体的に描写して居りません、……極めて「人間的」で「生真面目」であらねばなりませんが、「心理的」であつたり、「性格的」であったり、理屈ぽかつたりする必要は全くありません」と述べている。これがこの作品のトーンである。その上で、「参謀長は、コーカツであります。此の人こそ「表面《うはべ》は忠順を装つて居りますが、何をしでかすか分からぬ油断のならぬ」ずるい所があります。併し、三人の中で最も雄辨家です。辨を弄することの極めて巧みな男で、その「雄辨術《エロカンス》」にはみんなだまされてしまいます。長科白など、滔々と、朗々とやつて貰ひ度いと思ひます。……そう云ふ意味では実に **clean-cut** な軍人の典型です」とも語っている。アイロニーの鮮やかな所以である。

さて、梗概を提示することは、一つの読みの可能性を述べることにほかならない。ここでは、先に引いた、ピイネルピイと倉田との対話のうちに一つのテーマを探ることにしたい。と言うのも、この戯曲では、物語の進展にしたがって人間のありように変化を来すのは、この倉田唯一人であり、その変化の契機がこの場面だからである。その意味でプロットの上での最も重要なポイントと言って過言ではない。

ここで問題になっているのは、マヌウエ達が「こんにちは」を忘れた時の倉田らの対応と、倉田が恐怖のあまり言葉を失った時のピイネルピイの対応の違いである。ここで描かれているのは、ディスコミュニケイションの恐ろしさとそれからの脱出である。ピイネルピイのように純粋な許しの立場に立つか、倉田のように自らの行為を率直に省みるかしかないのである。つまり文明以前に立ち返るか、通常人の目からは狂人としか思えない状態に化すかしかないのである。いずれにせよ、日常の世界にいては絶望に近い希求だと言うのである。ディスコミュニケイションの感覚は既に出征以前に書かれたとされる「なよたけ」にも姿を現しており、彼の拳々服膺したとされるジィロドウの作品の大きなモチーフの一つになっていることはあらためて言うまでもないだろう。（此の瞬間から、突然、声が出る）という傍点を付されたダイレクションこそがこの作品のクライマックスなのである。

もう少し、この作品についてのレファレンスを示しておく。昭和二十一年十一月七日かそれ以後の覚書のなかに『地獄の地図』と云ふ戯曲を書くこと」とあり、その「地獄の地図」の未定稿が残されている。それによれば、フィリピンのワリル島という南海の孤島の守備隊長の大友中佐と腹心の原口中尉は、兵士やインドネシアの義勇兵達を見殺しにして立ち退こうとする。将校のおかれた不安な状況は、「挿話」とパラレルな関係で把握できる。生き延びた二人が今はキャバレエ「ノア」を経営していて「じっと我慢していれば、今に我々旧軍人にも必ずまた我が世の春が廻ってくる」ことを確信している。現に、大友のところには、アテネの再軍備委員会から連絡があってある重要なポストがあてがわれるらしいという様子である。そこへ、今は無籍者になったかつての津村軍曹が現れ、置き去りにされた百数十名の犠牲者の復讐を遂げる。ここからかつての戦場に話が展開するという構成である。

さらに加藤の自裁の年の昭和二十八年一月に「悲劇喜劇」に発表された「奇妙な幕間狂言」という作品には、戦時中「第三次世界戦争論」を発表した富本中将は戦争裁判の席上で童謡を歌い出し、無罪放免になって今は、精神病院にいる。彼は、人間の罪を、タライトウすなわち故意に犯す罪とポライトウすなわち不知不識の内に犯す罪とに分け、入院患者にそれを的確に指摘して直させ、病院の秩序を平安に保って中心的な存在になっている。その心理学を基礎にした《世界恒久平和論》を執筆している。そうとは知らず、彼の《第三次世界戦争論》に心酔するかつての部下で、今は東京一大キャバレーを経営する大友や参謀長の志村らが、富本をかつぎ出して歴史を思惑どおりに進めようとするが、富本はかつての部下のお為めごかしの推戴に貴様らは、タライトウだと大騒ぎされて一頓挫する。これはまことにファルスの草稿である。

こうした、言わば「キャバレエ『ノア』」物連作とでも名付けるべき場の中にこの「挿話」を置いてみると、この作品の小品としての佇まいの逆説と、作品が少なくとも発表された時点では宙づりの時間に設定された意味がよりはっきりとするように思われる。

加藤道夫《かとうみちお》（一九一八・一〇・一七〜一九五三・一二・二二）

大正七（一九一八）年十月十七日、父加藤武夫（当時明治専門学校教授）と母かつの三男として、福岡県遠賀郡戸畑町に生まれる。道夫は本名。同十（二一）年、父の東京帝大理学部地質学科教授転任に伴い上京。昭和六（三一）年、府立五中に入学、同期に原田義人、菊池章一らがいた。昭和十二（三七）年、十九歳で慶応義塾大学予科入学。英語学会に入りこのころより加藤道夫「挿話（エピソオド）」

文学に興味を覚える。二月「予科会誌」に小説「銀杏の家」を発表。担任は奥野信太郎。このころ、石坂洋次郎、同期の芥川比呂志、梅田晴夫、さらに中村真一郎、白井健三郎を知り、演劇に関心をもち英語劇などにも出演し、友人とともに北軽井沢の岸田國士の面識を得る。十五（四〇）年、同大学英吉利文学科入学。小説「ある残酷なる物語」、A・シモンズの訳詞「思い出」「月の出」を「慶応ペン」（六月）に発表。津田英学塾での第七回日米学生会議に出席。九月、慶応義塾仏蘭西演劇研究会第一回発表会の芥川比呂志演出の原語上演「商船テナシティ」で、イドゥを演じる。堀田善衞、白井浩司を知る。翌年四月、原田、芥川、鳴海四郎、鬼頭哲人らと「新演劇研究会」を結成。後に夫人となる滝波治子（東宝女優御船京子）も参加。十一月、第一回発表会として、彼の翻訳のP・グリーン「ろくでなし」と彼の作・構成の「十一月の夜」を上演（国民新劇場）。大学では、エリザベス朝演劇を学び、西脇順三郎。ジョン・モリスに指導を受く。十七（四二）年、二十四歳。卒業、大学院進学。B・ジョンソン、シェイクスピアを研究のかたわらアテネ・フランセに通う。七月、第二回発表会の、坂中正夫作「田舎道」の老爺で出演。昭和十八（四三）年、ギリシャ語を学ぶ。長編戯曲「なよたけ」の稿を起こすヴァレリイ、リルケ、ジロゥドウ、クローデルなどに親炙、また屡々観能。陸軍省通訳官任官。十九年から二十年にかけては本文に既述の通り。二十一（四六）年、「なよたけ」が、「三田文学」五回（五月〜一一月）にわたって連載される。夏、ニューギニアより帰還。「三田文学」七・八月合併号に「ひとつの経路」を発表。ジロゥドウ、能、折口信夫の「死者の書」、自らの「なよたけ」を逍遥し《道を行く》すなわち《ポドイポレン》の覚悟を披瀝して「芸術の仕事には償いも目的も要らないのだと思います。それを自分の力で拒絶して行こうと思っています」と結んでいる。十月、滝波治子と結婚。東京女子専門学校に奉職。二十二（四七）年、マラリア再発し健康優れず、貧窮を雑文の売文でしのぐ。長岡輝子、荒木道子、芥川らと劇団「麦の会」を結成。慶応義塾大学予科に転職。二十三（四八）年、この頃より欧米演劇を中心に、演劇文学に関する評論を次々と発表するようになる。秋、肋膜炎、肺浸潤で入院。「なよたけ」により第一回水上滝太郎賞を受く。日本の古典「竹取物語」の成立の過程を一人の詩人の誕生と重ね合わせた雄大な戯曲で、ジロドゥウの影響を色濃く浮けていながら、真に戦時中の日本の青年のギリギリに追い詰められた心情を、日本の自然と伝統的な精神とに託して高らかに清らかに歌い上げたものとして、戦争中に書かれた数少ない傑作として高く評価され、作者の代表作となっている。加藤は、この「なよたけ」に、『竹取物語』はこうして生まれた。／世の中のどんな偉い学者たちが、どんなに精緻な考証を楯にこの説を一笑に付そうとしても、作者は唯もう執拗に主張し続けるだけなのです。／いえ、竹取物語はこうして生まれたのです。そしてその作者は石ノ上ノ文麻呂と云う人です。」という、エピグラム風の短い序を作者として示している。確信の対象そのものが幻想（ファンタジー）だというアイロニーは、戦後に書かれた「挿話」が現実を踏まえた幻想（ファンタジー）だというのと表裏をなしていて、ともに現実に傷つきながら自己を模索した彼の原形質が鮮やかに発露している。この年「挿話」を発表。二十四（四九）年、「挿話」初演を機に、「麦の会」は文学座に合流。慶応義塾大学講師となる。倉橋健との共訳のサローヤン「我が心高原に」を文学座アトリエで演出。二十五（五〇）年、明治大学講師兼任。サローヤン『君が人生の時』を中央公論社から刊行。文学座公演の福田恆存「キティ颱風」、「娼婦マヤ」にそれぞれ出演。サルトルの戯曲「蠅」の翻訳を「人間」に発表。二十六（五一）年、「悲劇喜劇」（一～三月号）の座談会「新劇は生き永ろうべきか？」に、三好十郎、芥川比呂志、木下順二らと出席。四月、書肆ユリイカより「なよたけ」を限定出版。六月、新橋演舞場で「なよたけ抄」を菊五郎劇団が岡倉士朗の演出で初演。十月、カミュ『誤解・カリギュラ』の翻訳を新潮社より刊行。十一月、戯曲「思い出を売る男」を「演劇」に発表。文学座アトリエで「誤解」を演出。二十七（五二）年、一月、ドーデーの戯曲「アルルの女」の翻訳を角川書店より文庫判で出版。五月、文学座に堀田善衛の小説「漢奸」「歯車」などを合わせ「祖国喪失」を脚色、未来社より出版、また演出もする（～六月）。十月、戯曲「襤褸と宝石」が俳優座により千田是也演出で初演、未来社刊。二十八（五三）年、三十三歳、一月「奇妙な幕間狂言」を「悲劇喜劇」に発表、ラジオ東京から放送。五月、新鋭文学叢書の一冊として『加藤道夫集』が河出書房より刊行。「文学評論」十月号で、木下順二、瓜生忠夫と鼎談「民衆と演劇」、「悲劇喜劇」（十～十一月）で、鈴木力衛、内村直也らと座談会「海外戦後戯曲を分析する」に出席。十一月、「思い出を売る男」戌井市郎演出で文学座アトリエで初演。『ジロドゥの世界』を早川書房より刊行。生涯、私淑したジロドゥについて、1劇詩人ジロゥドゥ、2その作品の二部に分かれ、作品としては、I　ジィクフリード、II　アンフィトリヨン三十八番、III　アンテルメッズオ（間奏楽）、IV　トロイ戦争は起るまい、V　エレクトル、VI　オンディーヌ、と言った作品を採り上げ、十分な翻訳による抜粋を提供しながら懇切に解いたもので、年譜も併せて、作者が生涯その師表として仰いだジロドゥの世界がまとまった形でとらえられている。「なよたけ」に拮抗する評論的営為と言うことができるだろう。十二月二十二日夜、自宅で自殺。原因は未だに明らかにはされていない。

付記　引用の本文、書簡、年譜等は、すべて『加藤道夫全集I・II』（青土社　一九八三年）による。

木下順二「夕鶴《ゆうづる》」

野村　喬

初出　『婦人公論』一九四九（昭24）年一月号
初演　ぶどうの会　一九四九年一〇月二七日　丹波市・天理教講堂
一九五〇（昭25）年一月二五～二九日　東京・毎日ホール

1　『鶴女房』から『夕鶴』まで

作者木下順二が『夕鶴』を戦中に構想して初稿『鶴女房』を書いていたことは、良く知られている。そのもとになったのが『佐渡島昔話集』（柳田国男監修『全国昔話記録』一九四二年・三省堂）中の「鶴女房」であることも。

しかし、正確な日付はわからない。ただ、『二十二夜待ち』『彦市ばなし』が四三年には書き上げられていたから、その前後であることは確かであろう。この『鶴女房』は一九四六年五月六日に岡倉士朗演出、山本安英・富田仲次郎・東野英治郎・長浜藤夫の出演によってNHKラジオ第二放送から電波に乗せられたが、活字での発表は見送られた。既に前記の民話劇は四六年以後発表されているにもかかわらず、『鶴女房』のみは、後に書き直したいという思いがあった、と作者自身が述べている。

作者日録によれば、四八年一〇月二二日から約二週間の構想期間を経て、一一月四日から一一日まで一週間で執筆された。原稿は中央公論社で『婦人公論』の編集者の一員三枝佐枝子に託された。三枝は、彼女の夫が戦中に東大YMCAの寮で木下と知り合っていたのを縁に、まだ編集者になりたての時期、エッセイを寄稿してもらっている。その後に再訪問した際に『夕鶴』の話が出て、完成後に託され、一月号掲載の創作について嶋中雄作社長の裁断で決まったと書いている（三枝佐枝子「『夕鶴』の誕生」岩波書店刊『木下順二集』月報4）。

雑誌掲載後、舞台公演に先立って、一九四九年五月六日、NHK第一からラジオ放送された。岡倉士朗演出、山本安英・宇野重吉・清水将夫・加藤嘉の出演。

木下順二は、戦中に東大YMCAのクリスマス劇上演に演技指導を依頼して山本安英と知り合っていた。山本は、彼女のもとに集まった青年たちに、かつての新築地劇団の演出家岡倉士朗を指導者とし、ぶどうの会を戦末からつくって演劇活動をしていた。作者は、『夕鶴』のつうを演ずるのは山本安英しかいないと考えていた。こうして、当然ながら、ぶどうの会によって『夕鶴』は、その秋、丹波から大阪市まで関西地方で初演され、翌年に東京での初演の運びになった。スタッフは岡倉士朗演出、伊藤熹朔装置、穴沢喜美男照明、團伊玖磨音楽、森亮子衣裳。キャストは山本安英のつう、桑山正一の与ひょう、久米明の惣ど、小沢重雄の運ず、北京子の鶴の声に子どもたちであった。

作者が『鶴女房』を『夕鶴』へと改変して行くにあたり、何処に留意したか。一九六四年、ぶどうの会は解散され、翌年に改めて、山本安英の会が組織されたが、一九六六年九月の公演の際のパンフレットに作者が「つうと与ひょうたち」の一文から引用すると――

(『鶴女房』の)ストーリーは『夕鶴』と全く同じである。ただ、二人の男女が別々な「世界」へひきさかれるというふうには私は書かなかった。ありふれたような話として、むかし鶴であった女が男に裏切られて淋しく空へ飛んで行くという話として書いた。

それを戦後『夕鶴』として書きなおしたとき、初めて私の中に、孤独――自分の世界――それと全く違った他人の世界、という、あの戦時下の体験がよみがえって『夕鶴』という形をとった。

すると、そういうふうに別々の世界に住む人々、『夕鶴』でいうならつうと、与ひょうたちのそれぞれの世界を表現するためには、なにか新しい工夫がいると私には思われた。

そこで私は、つうにはいわば純粋な日本語を、そして与ひょうたちには民話本来のことばである農民的なことばを、というふうに、違ったことばを使わせることを考えついたのであった。

と述べている。

引用箇所の中で、〝あの戦時下の体験〟と書かれたのは、引用部分のちょっと前のところで「太平洋戦争の始まる直前か始まってすぐの頃だったが、私はだんだん孤独になって行く自分というものを感じていた。非常時下、戦時体制のなかで、だんだんに親しい友人とさえ、本当に心をゆるして話しあうことが必ずしもできなくなってきていた。つまり自分の『世界』と他人の『世界』との断絶を私は感じていた」とある部分をさす。

それを作者は、『夕鶴』の劇が成り立っている中心的な個所の一つとしての、つうが「突然非常な驚愕と狼狽」をもって、与ひょうに対して「分らない、あんたのいうことがなんにもわからない」と叫ぶところがあるが、そのセリフを自然に、いいかえれば「すうっと」書けた。それまで純粋な一つの愛に生きていた一つの世界の中から与ひょうのほうが別な世界へ引きさかれたことを意味する個所が「すうっと」書くことが出来たときに、作者は戦中の苦い痛切な体験のよみがえりを感じていた。

2 鶴の恩返しと覗くことの禁忌

『夕鶴』の原話となったのは『佐渡島昔話集』の「鶴女房」であるが、原稿用紙で二枚程度の短いもので、要約すれば――

昔、一人の男が畑で矢を負って苦しんでいる鶴を見て矢を抜いて助けた。その晩、美しい女が嫁にしてくれと男の家に来た。女は見るなと言った上で、機屋で布を織った。男が織っているところを、つい覗くと女がいなくて鶴が自分の羽をくわえて跳び廻っていた。朝になって女は約束を破ったと言って布を渡すと消えた。

実はこの佐渡ケ島の昔話は特異なものではない。青森県五戸町、岩手県和賀町、秋田県雲沢村、福島県平市、埼玉県松山町、石川県西尾村、福井県三田町、長野県安曇町、愛知県三和村、大阪府和泉市、鳥取県大森町、岡山県御津町、などなど四国から九州に至るまで全国各地数十箇所に、鶴の報恩譚、異類婚姻譚、労働禁忌譚として分布している。「鶴女房」以外にも、蛤女房・蛇女房・蛙女房・魚女房・狐女房などなどがある。（関敬吾『日本昔話集成』）

柳田国男は、「所謂鶴女房や鸛鳥女房の話なども、それが文芸化した羽衣の伝説よりは、実は一段と自然に聴きなされて居たのであつた」「鶴女房又は鸛鳥女房の昔話、即ち恩に感じた或鳥類が、女の姿になつて来て家を富ませてくれたといふ話でも、殆ど皆織機が巧みであつて、しかも毛衣とか錦とか、尋常の家には用の無いやうな貴品を製して居る」（「瓜子織姫」『桃太郎の誕生』所収）と指摘している。織る時に見ることを禁じたゆえんについても、「予て優秀なる美女を忌み篭らしめて、多くの日を費して神の衣を織らしめた」と述べている。神の祭のための仕事は清浄であることを必要としていたればこそ、覗くことへの禁忌が存在した。

作者は、原話には無かった人物名を作ったが、鶴のつ（u）にあるu音を長音にして「つう」（tū）とした。たぶん、「与ひょう」は与兵衛が与ひょうえと発音されているのを（yohyo）としたと考えられる。「惣ど」は、ひょっとしたら惣伍から来ているのかも知れないが、つう・与ひょうと同じくsoのo音を用いてdoを加えたかたちであり、同様に「運ず」は運十から来たのかも知れないが、unのu音を使ったzuをつけて統一感をはかったのが、いかにも民話の登場人物名として自然である。

ついでに言えば、惣どによって「あのばかの与ひょう」と言われているからには、与ひょうは白痴だと思われそうだし、事実そのように解説した例もあるが、決してそうではない。与ひょうは、自分の田畑を耕作する農民である。それに対して、惣どや運ずは、多分は次男以下であるため、生産物の流通にかかわる仕事、つまり商人ないし農民的ブローカーとして生きている。

『夕鶴』の時代は作者によって限定されていない。小判が登場するが、貨幣流通の上で、日本では慶長六年（一六〇一）に鋳造された慶長小判が最初だから、それより後のことと考えるのも可能だけれど、作者は貨幣史によっては時代をあらわしていないだろう。だが、田畑の所有権や耕作権がもはや確定している時代であることは認められる。したがって、与ひょうは両親の一人っ子だったからかも知れないとしても、白痴で自前の農民たることは難い。白痴であるわけがない。それに対して、たぶん長男でないため、田畑を持つことができない惣どたちは、下働きや日傭取りに甘んじるか、農村商人として生きるほかなかった、と考えられる。が、自作か小作かは別として、自前の百姓にしても、領主や庄屋たちの監視なしに耕作していたのではない。

木下順二は、作者自身も考えていなかったこととして、『夕鶴』を関西や信州の紡績工場に持って行った時の女工さんたちが示した共感を、『「のぞかれる」ということ』というエッセイで述べている。与ひょうに強いられ、つうが「決してのぞき見してはだめよ」と言って機屋に入った後、与ひょうはさんざん躊躇しながら、機屋をのぞく。そのとき、客席の女工さんたちが騒然となった。女工さんたちは、その現実の生活の中で常に誰かにのぞかれている。封建時代の農村における農民たちも常に庄屋や役人たちからのぞかれていた。そして彼らの中で、嫁はとりわけのぞかれる存在であった。そこにある切実な感情が原話の禁忌にはこめられていた。

とすれば、『夕鶴』は作者も思いも寄らなかった労働する民衆の叫びをもたらすような強烈な意味があっことになる。

この戯曲をはじめて掲載した時の思い出で三枝佐枝子は、新米編集者であるため、先輩たちが余り関心を示してくれなかったこと、「殊にこの作品の評価の点で一番問題になったのは、これが単なる民話の世界であり、そこに何ら思想性が無いということであった。敗戦後三年のその時代には、作品の良し悪しは、そこに盛られた思想であり、進歩的な姿勢の有無で判断された」ためだと回想している。

柳田国男らの民俗学への熱い関心は、戦争直後の数年間は、尖鋭な社会科学の蔭で薄れていたと言っていいかも知れない。むしろ、木下順二が二ケ月後に発表した戯曲『山脈《やまなみ》』に、戦中に社会科学だけでなく民俗学に対する興味を燃やす人々が描かれていたが。

ましてや、木下の前記したような「戦時下の体験」などに思い及ばぬことがあったろう。

一九四七年三月に雑誌『人間』に発表された『風浪』は、作者自身も失敗作であることを認めている歴史劇であるが、西南戦争前夜の明治初年の熊本における横井小楠の思想と基督教といった思想の惑乱の中から神風連の乱が起きて来る青年士族の問題が描かれて、一九四八年末の知識人には受け入れられただろうと思われる。

現に、『夕鶴』は『婦人公論』に掲載後、最初の単行本としては翌一九五〇年一〇月に弘文堂アテネ文庫として刊行されたが、その際に編集者の西谷能雄は出版の是非をめぐって社長以下の幹部と対立した。思い切って退社した西谷は、退職金で未来社を設立し、改めて翌五一年一〇月に未来社処女出版として刊行している。

今日、『夕鶴』はたんに民話劇であるばかりか、戦後の代表的な傑作戯曲であるとの評価が確立されている気配だが、最初から評価が定まり、坦々たる大道を歩んで行ったのではなかった。

3 『夕鶴』のことば

さきに、わたしは作者のエッセイから『夕鶴』に使用されたセリフのことばに、つうは純粋な日本語、与ひょうたちには民話本来の農民的なことばを用いたとある部分を引用した。そのあとに、「それまで（またそのあとで）私の書いた、民話を素材とする戯曲では登場人物たちはみな農民的な――分かりやすくいえば方言的な――ことばを語っているのに『夕鶴』の場合その点がことなっているのは、そういう事情からである。そして『夕鶴』が、古来の民話を素材としていながら、近代劇としての現代性を持っているともしいえるのだったら、そのことの理由の一つは、こういう点であるかも知れぬ。」と続けている。

たしかに、『二十二夜待ち』『彦市ばなし』『赤い陣羽織』『おんにょろ盛衰記』などのことばは、すべて一貫した方言（作者は何処という地域の方言でなく東条操編『日本方言辞典』を研究して共通方言とでも言えることば）を編み出して書き上げた。

それに対して、つうのことば、さらに子どもたちのことばは、純粋な日本語（わたしは木下順二のこの表現には若干こだわりを持っている）、というよりは標準語（明治初年に官製の国語教科書で始まった）に近いことばで書かれていた。

この意味は理解できる。つうは鳥が人間の女に変身した存在で、与ひょうたちは現実の男である。言わば、つうはこの世の人間ではそもそも無い。また、子どもたちは大人でなく、つうと共通する無垢な（あるいは無邪気な）存在で、この世のけがれが身にしみついていない。それが、作者に〝純粋〟という表現を敢えてさせたのかも知れない。もう一つ言えば、作者は「私はこれまで、特定の俳優にはめて作品を書くということをしていない。ただ『夕鶴』だけが例外で、山本安英さんのために書いた」と記している。それほどまでに、帝劇でデビューし、一九二四年の築地小劇場にはじまり新築地劇団で女優の歴史を歩んで来た山本安英の発声する日本語への信頼があって、その〝純粋〟な日本語が使用されたと言っていい。山本安英は初演以来の三十六年間で千回以上の『夕鶴』のつうを勤めた。

では、つうと子どもたちとだけが、ことばによる意志の相互伝達が可能であって、つうと与ひょうとでは可能でなかったか、と言えば、そうではなかった。

同じ農民的なことば（方言）であっても、実は、作者は与ひょうと惣どと運ずとで、微妙に相違を描き分けている。同じ商人（というより農民的ブローカー）であっても、惣どと運ずとでは、より強い、もしくは悪どい意志の持ち主である惣どには、運ずが使わない二人称代名詞の「われ」であるとか「この野郎」ということばを使わせている。当然ながら、与ひょうは、好人物さながら、つうを愛する男として、つうと意味伝達を交わす、わたしのあまり好きな表現でないが、コミュニケーションが成立することばが用いられている。

と言ってわかりにくければ、与ひょうが「好き」ということばを使っているかぎり、相互にことばは伝達可能であるが、「お金」ということばを使いだすと、与ひょうとつうとは伝達性が減少して行くのである。使うことばによって、世界が異なると作者は言いたげである。惣どと運ずの住む世界、つうの世界は別々である。ただ、鶴を助けた与ひょうは、変身したつうを愛するかぎり一つの世界に生きていた。つう、子どもたち、与ひょうが一緒になって遊ぶ世界があった。それが、つうの織った千羽織の布がお金になって世界が引きさかれる。与ひょうは惣どたちの世界に連れて行かれる。

問題は、再び作者の「つうと与ひょうたち」というエッセイに戻るなら「戦後やがて二十年の今日においても、そういう『あんた』は、新しくどんどんふえつつあるというふうにはいえまいか。それもこちらの『世界』だと思いこんできたその『世界』の人間どうしのあいださえ、お互いに『分らない』という事情が生まれつつあるという私の実感がまちがっていないのなら、『夕鶴』という作品の存在する意味も、まだ失われてはいないといえるのかも知れぬ」とあるコミュニケーションの断絶にある。

ただし、わたしはこう考える。つうが自分の羽をもって千羽織の布を織ったとき、それは与ひょうを喜ばせるつもりの営為だった。与ひょうは、元来は自給自足型の農民であって、彼には、お金という存在は不要に近かった。柳田国男がいうところの「貴品」である千羽織りとほとんど同じ意味しか、お金にはなかった。運ずが彼にもたらしたお金は袋に入れたまま、光っているだけである。それにもかかわらず、惣どがもたらした、都へ行けば、布は何百両にもなるという話に与ひょうは乗ってしまう。

つう　そんなに都へ行きたいの?……「おかね」ってそんなにほしいものなの?

与ひょう　そらおめえ、金は誰でもほしいでよ。

という対話を考えてみよう。

ほぼ二百万年むかしにアフリカで現在の人類の先祖が誕生し、今の人類文明がはじまって約五千年たつと言われる。ナイル河とチグリス・ユーフラテス河とに文明の曙光がさした時に、早くも貨幣が誕生して来る。エジプトでもバビロニアでも貨幣が王の権威を象徴するかのごとく、王の肖像を刻んで登場した。インダス河の古代インドでも黄河文明でもやはり貨幣は早い時期に生まれた。日本古代では六世紀に富本銭や和銅通宝が鋳造された。貨幣の本来の意味は使用価値としてではなく、交換価値にある。だから、物々交換の社会では意味をなさない。日本の場合、漸くその意味をなしたのは平安時代で、朝廷は貨幣鋳造をしないにもかかわらず、大量の宋銭を輸入することで間に合わせた。けっしてピカピカ光る金貨ではなかったのである。

しかし、『夕鶴』に描かれるのは小判であって、銅貨ではない。これは「貴品」である。したがって、与ひょうが欲しかったのは、金貨であるよりも、〝都へ行く〟ことと金儲けとがセットになっていることではなかったか。

4 『夕鶴』の古典劇的構造

作者は、さきに引用したエッセイの文中で「近代劇としての現代性を持っている」根拠に、つうに純粋な日本語を使用した点を挙げていた。そのことを否定するつもりはない。だが、しかし『夕鶴』はいっそう古典劇といえる構造を持っていると考える。

実際に、『夕鶴』の最初の単行本であるアテネ文庫「あとがき」で、作者は、ヨーロッパでのギリシアの神話伝説を素材とする戯曲の多さに注目し、それを「テーマ」とするラスィーヌからアヌイに至る戯曲にくらべて、開国以来八十年の日本近代劇の不幸を問題にして、民話を素材とする戯曲の可能性について言及している。

他方で、木下順二は、『ドラマの世界』などの他のエッセイで一貫してヨーロッパにおけるアリストテレス以来のドラマ法則の確認を求めて来ている。

それを簡単に言えば、『詩学』で説かれたアナグノオシリス（発見）→ペリペティア（急転）→カタストロフ（破局）→カタルシス（浄化）を設定する構造である。『夕鶴』にはこの法則が実にはっきりと存在する。

運ずを伴って惣どがやって来て、つうと出会った後、与ひょうをつかまえて布を都へ持って行く話をする。子どもたちと、かごめかごめを遊んでいたつうはしゃがんでいて、光の輪の中で独白する。

つう　与ひょう、あたしの大事な与ひょう、あんたはどうしたの？　あんたはだんだんに変って行く。何だか分らないけれど、あたしとは別な世界の人になって行ってしまう。（中略）あんたはほかの人とは違う人。あたしの世界の人。だからこの広い野原のまん中で、そっと二人だけの世界を作って、畠を耕したり子供たちと遊んだりしながらいつまでも生きて行くつもりだったのに……（以下略）

とある第一独白に〔発見〕が示される。

〔急転〕は、

与ひょう　何百両でよう。前の二枚分も三枚分もの金で売ってやるちゅうでよ。

つう　……？（鳥のように首をかしげていぶかしげに与ひょを見まもる）

で、急に二人の意味伝達が絶えた箇所。

〔破局〕は、惣どと運ずが機屋をのぞきこむのに吊られて、与ひょうもついにのぞき、「はれ？　鶴が一羽おるきりだ」とおどろく箇所。

〔カタルシス〕は、ひと晩と一日がかりで二枚の布を織った

つうが、

つう　あたしはいつまでもあんたといっしょにいたかったのよ。……その二枚のうち一枚だけは、あんた、大切に取っておいてね。そのつもりで、心を篭めて織ったんだから。

と言うセリフでもあれば、今や鶴の姿にかえったつうの残した千羽織りの布をしっかり抱えた与ひょうが、

与ひょう　つう……つう……

と空をよたよた飛んで去るのを見上げながら追う姿で幕が閉じるところにあるだろう。

そのことを確認しつつ、ドラマに不可欠な伏線、実はギリシア悲劇の中で、たとえばソフォクレスの「オイディプース」で言うならば、父を殺し母を犯す悲劇の根本原因は、予言によってオイディプースが生まれた直後に捨てられたところにあったと考えなければならぬ。伏線は人間存在の原罪に通ずる。

『夕鶴』の伏線、または原罪こそは、彼女が与ひょうに話した、彼女が鶴として大空から眺めた都のさまであった。惣どが布を持って都へ行けば、と話したために、つうから聞いた都へ行ってみたかった与ひょうの胸に火をつけたのであった。

つうは「お金」のためと疑い、与ひょうは「都へ行く」ために、と相互のコミュニケーションが不通になった点に、悲劇の根本原因が設定されていた。一つの世界が引きさかれたわけである。

もしも、つうが与ひょうに都の話をしなかったならば……。

これは、全く不可能な思いであるにちがいない。

作者は前記したように、一九六六年の時点で、現代のコミュニケーションの断絶を念頭において『夕鶴』上演の意味もあろうと考えていた。そのことにはちがいないと考えるが、『夕鶴』の古典劇的ドラマツルギーから言っても、この第二次大戦後の最大の傑作戯曲は、はるかに重い普遍的な価値と存在理由を、今後も長く有していることを断言していいだろう。

それは「二人だけの世界」、アダムとイヴだけの世界が、ほかならぬ人間がこわして、人間史が形成されたことと通じる。一見すると、かつてあり得た幸福な世界への郷愁と受け取られるかも知れないが、人間は自己の原罪を知ることを永遠に自戒すべき運命的存在なのである。それゆえに、『夕鶴』は木下順二にとっても近代戯曲にとっても不滅の傑作性をになっている。

ついでにと言ってはおかしいが、初演以来の『夕鶴』の舞台で、伊藤熹朔の舞台装置は、上手にはホリゾントのあたりに黒い山脈を遠く低く置き、手前に雪のかたまりを置いて、下手に低い二重の板床と囲炉裏をしつらえ、奥に八折りの屏風、裏に機屋のあるつもりで紙障子とそれに続く屏風という、まさしく象徴的なもので、俳優と演出家とがその能力を最大限に発揮することを期待させるものであった。それを支える穴沢喜美男の

照明も十二分に成功した。
さらに團伊玖磨の音楽も、あの幕開けの〝じやんにきせるふとぬうの、ばやんにきせるふとぬうの、ちんからかん、とんとんとん……というわらべうたを始めとして劇進行を助けた。この成功から、團は木下戯曲のまま、オペラに作曲して、一九五二年に演出と照明は、ぶどうの会と同じスタッフ、装置は伊藤熹朔だったが、オペラでは芝居よりも具象的にして、大阪朝日会館で初演し、その後は装置や演出家を変えて長く上演されて来た。團伊玖磨の作曲オペラでは最も上演の多い作品になっている。

また、作者自身の脚色と武智鉄二の演出によって、一九五四年以来、新橋演舞場その他で能様式の上演もおこなわれて来ている。あまり知られていないことかも知れないが、実は歌舞伎で上演したいという内々の申込みが初代中村吉右衛門から打診されてもいた。そのとき、吉右衛門劇団としては中村歌右衛門につうの配役をイメージしていたらしい。しかし、山本安英以外にはつうを演じさせるつもりがなかった作者は、その旨を伝えてことわった模様である。

さらに補足すると、『夕鶴』は、英・独・仏・露・中国・スペインなどの十ケ国語に翻訳されているが、これもまた日本の近代戯曲では他に例のないことだろう。

木下順二余論

木下順二《きのしたじゅんじ》は、一九一四年（大正3）八月二日、東京本郷に生まれた。小学校四年生から第五高等学校卒業まで郷里熊本で過ごした。その先祖には江戸時代の有名な儒家木下順庵があったそうだが、祖父の代まで熊本県玉名郡伊倉の惣庄屋で、祖父は第一回帝国議会の国会議員をつとめるほどの名家であった。五高から東大文学部英文科に進み、中野好夫のもとでエリザベス朝演劇、特にシェイクスピアの研究をおこなった。三六年大学院生の入営前夜のころに、処女作『風浪』を書いた。病気のため即日帰郷を命じられて、研究室に戻ったころに中野教授にすすめられて日本の昔話を読んだことで、民話劇を書きはじめた。敗戦後の四七年以降発表を見た『二十二夜待ち』『彦市ばなし』『赤い陣羽織』『聴耳頭巾』などがある。

それらは、山本安英と岡倉士朗の指導するぶどうの会によって上演された。四八年発表の『風浪』によって第一回岸田演劇賞を受賞し、翌年には『夕鶴』『山脈』を発表して、劇作家として揺るぎない存在となった。他方でNHKによるラジオ放送劇脚本が『暗い火花』など執筆され、さらに俳優座公演のための『オセロウ』の翻訳活動をおこなった。

五一年に『蛙昇天』を書いて、いわゆる菅証人事件を扱い、当時の左翼パージ問題に鋭い批判を投げかける一方で、アジア・アフリカ作家会議に参加し、世界平和集会に出席し、その外国旅行を通じて、評論集『ドラマの世界』にまとめられた演劇論を世に問うた。中国京劇の『除三害』を素材に民話劇『おんにょろ盛衰記』を執筆し、『東の国にて』『沖縄』などの劇作で、日本近代から沖縄の祖国復帰までの課題を描き、『オットーと呼ばれる日本人』(一九五三・三)で、いわゆるゾルゲ事件の立役者であった尾崎秀実を描いて、ナショナリズムとインターナショナリズムという二つの座標軸で昭和十年代の知識人が当面した問題を掘り下げた。

この『オットーと呼ばれる日本人』は、宇野重吉演出、主人公のタイトル・ロールには滝沢修が扮し、清水将夫のゾルゲ、北林谷栄のアグネス・スメドレーほかの配役によって、劇団民藝が上演している。続いて、民藝のために幸徳秋水ら大逆事件後の堺利彦らの売文社の活動を描いた『冬の時代』、フルトヴェングラーのナチス協力是非の問題をめぐる『白い夜の宴』、連合軍による戦争犯罪東京裁判を描いた『審判』を書き下ろした。

その間に、『日本が日本であるためには』『ドラマとの対話』『随想シェイクスピア』『シェイクスピアの世界』などの評論集・随筆集を刊行し、他方で長編小説『無限軌道』を発表している。

ぶどうの会の解散後、あらたに作られた山本安英の会で〝ことばの勉強会〟を続ける一方、西川鯉三郎の参加を得て『花若』を執筆上演した経験をもとに、朗読・群読の方法を、『戯曲の日本語』から『平家物語』までの書にまとめることを通じて、『子午線の祀り』を七八年に発表し、新劇・能狂言・前進座とジャンルの異なる俳優の出演による上演を実現した。

その後、半自伝小説『本郷』、シェイクスピア翻訳集、ジョン・パートン台本『薔薇戦争』の翻訳をおこなっている。

木下順二の多彩な活動ぶりの一端は、高校時代からの馬術への関心を『ぜんぶ馬の話』なる随筆集にも見ることができるから、〔劇作家〕ということで活動を括ることには躊躇せざるを得ない。

しかし、総じて言うならば、思想家と称するよりも、やはり劇作家と言った方が適切だろう。

上演回数は圧倒的に『夕鶴』が多いのはもちろんだが、『子午線の祀り』は一九九九年二月の新国立劇場主催公演まで第六次公演を重ねているし、讀賣文学賞も受賞している。

しかしながら、わたしは木下戯曲に関するかぎり、『夕鶴』の次に位するのは、『オットーと呼ばれる日本人』と『おんにょろ盛衰記』だと考えている。

『オットーと呼ばれる日本人』が上演された時期、一九六〇年代は、日米安保条約の延長をめぐっての激しい政治的対立が、たんに政権と国会内野党勢力、さらにいわゆる体制と反体制の両勢力の対決があったばかりか、反体制勢力内部での既成の運動と造反する運動の対立が生じたことにはじまり、アジア・アフリカの新興国から米ソ両勢力に対する第三勢力の異議申したてが起きて来たころであった。ナショナリズムとインターナショナリズムという問題は、知識人にとって避けられない論議になっていた。七〇年代になって急速に冷え込んで行ったため、『オットー……』は再演以後、改めての上演がなかったが、今も意義を失わない戯曲である。

『おんにょろ盛衰記』は、『赤い陣羽織』がスペイン民話を素材として書かれたように、中国京劇から構想されたことは前記した。初演は、ぶどうの会によって一九五七年九月に岡倉士朗演出、山本安英・久米明・桑山正一らによって上演されたが、その後六〇年一月に菊五郎劇団によって新橋演舞場で木下順二演出、尾上松緑・中村芝鶴・西川鯉三郎らによって上演され、八六年九月から劇団民藝の中で組織された宇野重吉一座が宇野重吉の演出・出演、里居正美・日色ともゑ・米倉斉加年らによって上演された。宇野重吉最後の仕事となったことでも良く知られる。

当然、木下の晩年を飾る『子午線の祀り』について言及せざるを得ない。わたしは、もし、この作品を文学作品、即ちレーゼドラマとして見るならば、その意義を否定できない。作家が、平知盛が壇の浦の最期を描いたとき、阿波民部のすすめにもかかわらず、自分の運命を自分の選択によって決した姿であった。それは、『風浪』以来、『沖縄』をはじめとする劇的カタストロフとして最も美しいものであり、それによって言わば読者に強いカタルシスの念をもたらすものであったことを、わたしは肯いたい。

しかし上演テキストとして考えると、まずあまりに長大である。第四次公演は青山劇場で内山鶉演出でおこなわれたが、五時間を超える舞台であった。というより、成立過程で、そもそも山本安英の会での朗読研究会を基盤とし、平家物語の群読という
ことを契機としている。

根本的には、この群読という、かつて小学校の国語教育でおこなわれた斉読に近い朗読は、作者がヨーロッパ演劇でのデクラメーションの意義を如何に強調しようとも、大嫌いだった日本の標準語での斉読に対するわたしの異和感は消えない。それには、木下順二が小学校二年生のとき、熊本に転校して五高まで過ごした時期を苦痛だったとするのが、まさに東京の山の手の本郷で育った時のことばの問題に由来するのと同様に、わたしが、中学の途中まで主として大阪あるいは関西で育ったわたしの問題でもあることは認める。

わたしが木下順二にはじめて会ったのは、今から三十数年前、お宅にわたしが伺った時、作家は何分もたたぬ内に、君は小学校低学年のとき、大阪に居たね、と指摘した。実は、わたしは東京に来てもう半世紀になるが、幼い時の発音は普通は気がつかない人が多かったのだが、木下順二は直ちに反応した。

この言語環境、それにつけくわえると、熊本では仁輪加しか見なかったという作家と、歌舞伎や文楽にひたることの出来たわたしとの芸能享受環境も全く違っていたが、ことばの比重は決定的に大きかっただろう。

東北地方から関東・信越地方にいわゆる鼻濁音(東北の場合、ガ行全体にあり、関東では第二音以降のガ音だけについておこなわれる)は、関が原より西部の地方においてはおこなわれない。

反対に、関西より西の地方、特に四国などでのクヮ音は関東より東では全く無い。薬罐は関東ではヤカンだが、関西以西で

はヤクヮンという発音になる。

ふつうに日本語の東西間の相違は、しばしば語彙やイントネーションのちがいとして意識されるが、実は、鼻濁音と拗音とに最も相違がある。明治初年に既に日本の首都が東京に遷って以後、標準語として東京山の手の発音になってから、関西以西の発音が誤ったものと考えられるようになった。だが、六世紀以後、首都はまさしく関西にあった。それのみならず、日本の過去のいわゆる伝統芸能は能・狂言たると義太夫浄瑠璃たるとを問わず、関西地方の発音によっておこなわれて来た。それに木下順二の考慮は及んでいない。

さきに、わたしは〝純粋な日本語〟に対して少しく留保した。実際に、『夕鶴』の与ひょうは、ぶどうの会で桑山正一が演じて後、宇野重吉を経た後に、京都の狂言師の茂山千之丞によって演じられた。また、武智鉄二の演出、片山九郎右衛門たちによって能様式の『夕鶴』が上演されたが、このスタッフ・キャストのいずれもが関西育ちの芸能人であった。そのときの問題を今になって論じても仕方ない。

『子午線の祀り』によって、無視されたのは伝統芸能の一つである『平曲』の意義が失われたことにもある。わたしは平家物語は何よりもまず『平曲』としての芸能として成立したのであり、文学作品として成立した後に芸能になったのではない。それを忘れたような群読という形式で平家物語の部分を使った上演を評価できない、というのが、わたしの『子午線の祀り』に対する考えである。

むろん木下順二という劇作家は、太平洋戦争後に登場した劇作家のみならず文学者総体において高くそびえたつ存在である。その全仕事は、今後とてもいささかも消極的に見ることを許さない。ちなみに、その全仕事に対して、一九八六年に朝日賞を受賞している。この人は、無党派の進歩的文化人の立場を貫いて、日本芸術院を含む政府関係の賞はすべて辞退して来た。

二つの意味づけを記すと、第一に、木下以前には考えられなかった〝民話劇〟というジャンルが竹内勇太郎や矢代静一たちによっても書かれた。矢代の『絵姿女房』(一九五五)などは一つの成果だろうし、第二には、直接的にも師と言って憚らない福田善之(河合栄治郎を描いた『長い墓標の列』や民話劇を応用した『袴垂れはどこだ』など)もあれば、宮本研のように『明治の柩』『美しきものの伝説』という手法や題材で影響を受けている劇作家が現れていることである。

こまかく詮索すれば、戯曲ばかりか、演劇づくりに携わる俳優や演出スタッフなどに、木下順二の影響は濃厚に認められる。

後記　本文中の引用は、すべて『木下順二集』を底本とした。但し、人名の傍点やルビは省略した。

〈参考文献〉

『木下順二集』全十六巻(一九八八～八九年　岩波書店)
『綜合版　夕鶴』(一九五三年　未来社)
野村喬『戯曲と舞台』(一九九五年　リブロポート)

鈴木政男
「人間製本《にんげんせいほん》」

藤田富士男

初出　『テアトロ』一九四九（昭24）年三月
初演　新協劇団　一九四九（昭24）年三月一二〜一五日　神田共立講堂

1　社会変革の担い手

鈴木政男は、自立劇団を巡っての木下順二との対談において「専門作家は、自分たちの仲間だけに通じる芸術世界のワクガあるような気がしてならない」と前置きして、「口でいったんじゃだめなんだ、ぼくたちは書くほかはないと思う、やがてどっちが普遍性があるか、どっちが広汎な大衆にほんとうに進むべき方向を与え、どっちが大衆に希望や勇気をあたえたか」と主張。このとき木下順二はあまりの鈴木の勢いに圧倒され続けたという。専門作家を面罵してはばからない鈴木の強烈な個性は、現場に依拠する労働者でなければ、社会変革の担い手にはなれないとの確信に基づいた言辞であったのだ。事実、彼はあくまでも生産点にこだわって書き続け、数多くの作品を残している。その代表的な作品が「人間製本」である。この戯曲の時代背景は、一九四七年一月。この時期は名高い「二・一ゼネスト」の計画されたときである。ゼネストの中止により、結果的には多大なフラストレーションを生み出していく。だが、それ以前の全国的な労働者の連帯は、まるで革命の前夜を思い起こさせるほどの高まりを見せた。官公労を中心に組合活動は活性化し、多くの職場に自立劇団を作りだし、労働者文化の百花繚乱の様相を呈した。だから作品の随所に使われる「インターナショナル歌」も、当時ならではの高揚した時代相を顕示している。また、連帯の歌声は鈴木の舞台からの「二・一ゼネスト」への呼びかけを補強するものとして強い効果を生み、劇場内の観客に多大な感動を与えたようだ。

2　「人間製本」

場面は、坂田製本工場から展開。親会社の太陽印刷でストライキが続く中で、争議の噂話に興じながら、工員達は仕事を進めていた。そこへ坂田製本の製本工の竹内の妹で、太陽印刷婦人部の道子がカンパニアのためにやって来た。太陽印刷のストライキが当分終わりそうにないことを知って一応に工員達は心配する。道子達が引き上げた後、坂田の下請けをやっている、ちかとはつがやって来て給金の精算と前借りを頼むが、親会社の仕事がストップしていることを理由に断られてしまう。竹内はこの窮状を救うには組合の設立しかないと製本工らに働きかける。が、

年輩の製本工　な、なんで会社が悪いんだい。
竹内　組合がストライキをやる前に、どうせ出る金なら出してやりゃ何のことはないじゃねえか。
関田　まあまあ、—そうも行くまいけどさ……
竹内　だいたいあそこの重役は、紙の横流しでずいぶん儲けてるって話だぜ。
年輩の製本工　自分の紙を売る分にゃいいんじゃねか。それぐらいの腕がなきゃ、重役なんかになれないさ。
おくめ　そうかねえ。

坂田製本の連中は、万事この調子で、会社の仕組みや争議のことはまるっきり解らないが、何事にも臆するところがない屈託なさが、苦しい下請け工場を支えているのだった。そんな人達に竹内は粘り強く働きかけ、組合立ち上げの仲間を増やしていく。このように先鋭的な組合と徒弟関係に依存する、未組織の子会社を対照させながら話は進んでいく。

このプロセスが性急に展開しないのは、鈴木の実体験がものをいっているのだろう。最終的に組合を創設し、確立するには充分な根回しをしなければならない、との確信のもとに、彼は人の輪を創り出していく。本筋に戻すと、仕事の委託が減少する状況下に、太陽印刷の宮内常務から坂田へのストライキ破りの依頼があり、坂田はさっそく引き受けた。そこへ太陽印刷の争議団が訪れ、ストライキへの協力を要請する。争議団は、工員達に会社の内情と争議の内容を詳しく説明する。そんな折、年輩の製本工からの告げ口で、竹内は首を宣告される。

坂田は、宮内常務の秘密の指示を受けて白石靖造の家を訪ねた。靖造は、坂田製本の折り込みの内職を引き受けていた。坂田は、仕事の増加を示唆しながら、徹男のことを切り出した。靖造の長男・徹男は太陽印刷組合の青年部長でもあったのだ。坂田は、竹内と徹男が通じており、組合を作ると仕事が出来なくなるということを告げた。坂田の訪問の主目的は、争議の団結心を崩すために父親を落とすことだった。徹男を説得することを諭しながら、仕事の三倍の増量を約束し、さらに前渡し金を置いていく。靖造の妻は、徹男の懐柔のために坂田が来たことに気づいて、靖造に止めるように言うが、彼は全く取り合わない。そんなことと知らずに帰ってきた徹男は、母親から事情を聞き出して激怒する。その行為がストライキ破りであることを母に教えるが、母はそんなことには興味を示さず、ただ親子が喧嘩をしないことだけを願う。そんなやりとりが続く中、ラジオが二月一日のゼネストを告げる。そこへ靖造が帰って来た。

徹男　お父さん。お願いです。坂田が何てきたって折りの

仕事は絶対にやらんでください。お願いします！
靖造　折りの仕事はどんどんやるぞ。それが嫌なら出ていけ！　たったいま出ていけ！
ふじ　お父さん！
徹男　お父さんは、宮内や坂田にあやつられているんだ。わずかばかりのおこぼれをもらって—
靖造　黙れ！　きさまのような親不孝者は—出ていけ！　ええい、出ていけ！
徹男　—
ふじ　徹男—お前ももうお願いだから、組合のことなんかやめておくれ！
徹男　……
ふじ　お願いだからよしておくれ！　お父さんはお父さんで—もういいから、やるんだったら、どこかおかあさんの眼の届かないところでやっておくれ！

ここには、当時、家族内で起きたであろう典型的な衝突が描かれ、下請けと庶民的な家庭の諸問題を真正面から受けとめて書いていく鈴木の姿勢が如実に表れた箇所でもある。個人的な問題を抱えながらもゼネストへの準備はどんどん前へ突き進んでいく。徹男は組合幹部に相談するが、彼らにも妙案があるわけではなく、根気よく説得を続けるよう助言されただけだった。
坂田製本では、竹内の首切り通告が、仲間意識を呼び起こして次第に団結の雰囲気が漂い始めてきた。そんな折、沼沢が慣れない断裁仕事に従事していたときに、右手の指を切断してしまう。断裁機が古い上に、機械に癖があったのを沼沢が使いこなせなかったのだ。会社は中川を通じて五〇〇円の見舞い金を持ってきたが、それは入院費用さえも払えないものだった。指三本を失った代償が五〇〇円と知った仲間は、さすがに頭に来た。竹内に同情的だった人々は「沼さんの治療費の全額負担」「入院中のおかみさんと子供の生活を保証しろ！」「不具者の理由で、沼さんを首にするな」という項目を、それ以前の賃金値上げ要求に絡ませていくことを確認しあった。坂田は、竹内の首を条件に五割増しの賃金増加に応じようと回答していたが、沼沢問題が生じたことで、竹内の解雇通告撤回を主要求にすることも視座に入れた。高揚する工員達に竹内と徹男は諄々と説き始めた。会社内での議論が白熱しているときに、靖造が現われ徹男に殴りかかる。徹男は、殴りたいだけ殴れと抗うことを避けようとした。みんなが緊張して親子の様子を見つめていると、坂田製本と並んで、下請けのもう一つの千代田製本のストライキ突入の報が入った。それを機に坂田の工員達は一気にストライキに立ち上がり、インターを歌いながら外へ繰り出していく。

3　改作

「人間製本」は、当初一九四八年八月（第二回東京自立劇団コンクールのために）書き上げられた。受賞後に半年かけて書き直したのが『テアトロ』に掲載された「人間製本」である。そしてさらに半年後に改作されている。この間、マッカサーによる「二・一ゼネスト中止命令」「政令二〇一号公布反対闘争」「東宝争議」と相次ぐ弾圧があった。そこで書き直したのが『テアトロ』版で、中国解放軍の勝利で再び労働運動が力を帯びてきたときに二度目の完成版を『テアトロ』に発表した。本稿での言及は、その完成版についてのもので、作者の興奮もそれなりに伝わってくる。それ以上に組合内部にいて、興奮と弾圧の激しいまでの波を受けとめて、現実の解決困難な未組織労働者や親子兄弟関係の諸問題を避けることなく著わしているところに歴史の証人としての叙述も認められる。ポジティブな部分もネガティブな面も併せて描き出そうとする鈴木の捉え方は、戦前のプロレタリア演劇時代には希な描写方法であり、職場作家がまさに自我を克ちえて自立した姿を表わしている。文頭にも一部記したように木下順二に臆することなく、というよりむしろ論破した対談は、自立劇団の一つの到達点を示すものでもある。

参考文献

福田善之『現代日本戯曲体系1』解説　三一書房　一九七一年
『現代日本戯曲体系1』解題　同右
鈴木政男『真空地帯』河出市民文庫―河出書房　一九五三年
鈴木政男『扇風機』未来劇場―未来社　一九五五年

鈴木政男《すずきまさお》（一九一七・一〇・一九〜）

山形県に生まれ、米沢中学夜間部を中退して、大日本印刷に勤務。昭和初期のプロレタリア文化運動の高潮期で、労働運動も活性化していた。そこで見た組織化に動く人間や文化芸術運動に従事する人間群像は、鈴木に強烈なイメージを与え、影響を及ぼした。覚醒した彼は演劇部で戯曲制作に取り組む。職場体験に基づいた、「起ち上がった男たち」（『民衆の敵』）に始まり、業界の古い体質を描き出した「人間製本」が新協劇団で上演されて話題を得て、彼の姿勢は定まった。ついで「メリーちゃん」（『テアトロ』四九・九）、「魚健横町」（『テアトロ』五〇・一）、「扇風機」（『テアトロ』五一・二）が、一九五〇年にレッド・パージで職場を追われてからは、前進座や新演劇研究所の戯曲を手掛けた。他に奄美諸島の人々の闘いの姿を描いた「美女カンテメ」（五二）、野間宏の小説を脚色した「真空地帯」、「ミーコとおらくが喧嘩した話」（『テアトロ』五四・八）「サークル物語」（『新劇』五五）「ふしぎなせんだの樹」（学校劇）、「黒竜江」（青俳五八・九）などがある。いずれもリアリズムを基調としている。

福田恒存

「キティ颱風」(四幕)

初出 『人間』一九五〇(昭25)年一月号
初演 文学座 一九五〇年(昭28)三月 三越劇場

由紀草一

1

あまり自伝的な文章を残さなかった福田恆存だが、最晩年、文芸春秋刊行の『福田恆存全集』(以下『全集』と略記する)の各巻末に付した「覚書」は、全体として回想録になっている。その第一巻分にはこうある。彼の父は小学校を出ただけの独学者だが、教育熱心だったらしく、通学区をごまかして、名門の錦華小学校へ恆存を入れた。おかげで、学校から帰ると、周囲には遊び友達は誰もいなかった。大正十四(一九二五)年東京市立二中(現上野高校)へ入っても、昭和五(三〇)年浦和高校へ進んでも、経済的な理由から下宿が許されなかったため、同じ状況が続いた。

同じく家へ戻れば全くの孤独であつた。それは淋しいのとは違ふ。却つて好きな本が読めた。ただ当時流行のマルクスがどうの、史的唯物論がどうのといふやうな疑似インテリ族との論争は私の生活環境からすれば全く足が地についてゐないやうに見えて、何とも空しかつた。わが家は父独りが独学の常識人で、たまに訪れる母の実家はマルクスの名前さへ知らぬ職人でしかなかつた。しかし、彼等の生き方のはうが、人生をまともに生きてゐるやうに思はれた。

大学に入ると、本郷界隈に田舎から攻めのぼつて来た人種が、下宿に屯して、一つの世界を形造つてゐたが、私の家は神田錦町である、下宿の必要もなければ、反対に私を訪ねてくれる者も殆どゐない。後年、さういふ連中の生き方を「下宿文学」と名付けて、密かに私は自分の「孤独」に栄冠を与へた。それは負け惜みでも何でもない。その頃の私は用のないおしやべりが苦手で、むしろ孤りを好んだ。私は気質的には良くも悪くも職人であり、下町人種であつたのだ。だが、一方では、あたりを取巻く「知識階級」といふ異人種の包囲網に遭ひ、さうかといつて身方の下町人種は大震火災後、もはや周囲になく、どつちへ転んでも孤独であつたのだ。

このように、福田恆存の「孤独」は二重のものと捉えられている。彼を育んだ下町の景色の大部分と、気質のかなりの部分は、関東大震災と戦時の空襲によって滅んだ。この喪失感は、彼の多くはない創作作品（戯曲と小説）の、殊に初期のものに影を落としていると思う。

一方彼は、父の影響か自ら選んでか、昭和八（三三）年東京帝国大学へ進み、シェークスピアやD・H・ロレンスの研究・紹介で、英文学者としても大きな業績を残した。紛れもなくインテリの道を歩んだのである。前者が宿命なら、後者もまた宿命として、自ら引き受けるしかないものだろう。しかし福田恆存には、いわゆるアイデンテティ・クライシスの問題に悩んだ形跡は殆どない。そのような自己内省は女々しく見苦しいという感性も、下町の職人気質のうちにあったものだろうか。ともあれ彼は、インテリ中の異分子として、近代日本知識人の「下宿思想」を戯画化し、揶揄する道を選んだ。

これはけっこう危険な道である。なぜなら、それをインチキとして葬ってしまったとしたら、彼には、そして日本全体にも、もはや帰るべき世界は残されていないのだから。逆説めくが、ここからくる緊張感こそが、福田恆存の文業――主力は評論――に生彩を与えているのだと私は思う。その重要な柱は右にみたようなインテリ論だが、それが単に外部からの嘲笑に終わらず、当然彼自身をも巻き込んでいる近代日本の歪みの相貌を映し得ているところにこそ、真価があるのだから。

このような福田恆存が演劇にもうちこんだ動機として、彼自身は、演劇とは最もごまかしのきかないジャンルだ、と何度か言っている。私の言葉で説明すると、例えば、自我意識に目覚めた女性が、家庭内で一個の人間としての権利を主張するとしよう。どう描くか。小説ならわけはない。そうしたと書けばいい。が、舞台上で、生身の女優がそれを語ったとして、観客は落ち着いて聞いていられるものかどうか。語られている内容は正しいとしても、「青鞜」の演説会でもあるまいし、普通の主婦が家庭内であんな気炎をあげるなんて「場違い」もいいところだ、言葉が宙に浮いている、とは感じられないだろうか。このような場合にこそ、近代的な観念がきちんと身につき、現実に生きられているかどうかが、つまりは日本人が口先だけではない本当の近代人たりえているかどうかが、試されるはずだ。(1) ここでもまた福田恆存は、危険な場所に自ら身を曝したのである。

2

劇作家福田恆存の本格的な出発は一九五〇年、「キティ颱風」からである。これ以前には、旧制高校生だったときに書いて、築地座の創作戯曲募集に応じて選外佳作となった「ある町の人」（三二年。散逸）や、大学生のとき同人誌に載せた「別荘地帯」（三六年）があるが、これらは要するに習作である。戦後最初の、四八年に雑誌『次元』に発表し、翌年刊行（文潮社）もされた「最後の切札」は、戯曲の形をした一種の演劇論であって、上演台本としての価値はなく、現に一度も上演されていない。

「キティ颱風」は、発表のあてもなく、岸田國士のもとにもちこんだものが認められて、雑誌『人間』に紹介の労をとってもらったばかりではなく、長岡輝子演出、杉村春子主演で上演された。福田と文学座との関わりもまたこれから始まる。当時『近代文学』に断片的に発表された「芥川龍之介論」などで、新進の批評家としてはかなり注目されていたとはいえ、演劇についてはずぶの素人に近かった者にしては、異例の抜擢と言えるだろう。

岸田はこの戯曲のどこを評価したのだろうか。上演と同じ三月『人間』に発表した「福田恆存君の「キティ颱風」」にはこうある。

> 福田君は、事実、「キティ颱風」に於ても、尋常でない意図をその作劇の上に示さうとしたことはたしかである。例えば、人物の関係をことさらに複雑に入り組ませたり、事件の中心を次第にぼかし、絶えず何か起りさうで起らず、起りかけてはいつの間にか消える、言はゞ事件をはらむ雰囲気の波状の連続のなかに、一群の人物の心理と行動とを絶えずダブらせながら暗示的に誘導するといふ、まつたく常識的なドラマの逆を行く手法を用ひてゐる。
>
> （中略）
>
> もちろん、この作品の特色はさういふ作劇法のうへにだけあるのではない。かゝる作劇法を自然に要求した主題の性格もまた、注目に値する。作者はまづ、キティ颱風の名によつて今井家の女主人を中心とする、現代人、とくに戦後の知識人の精神像を、そのさまざまな畸形性によつて捉へ、無目的な行動と、粘着力のない個々の交渉を、やゝ懐疑的な、時としてはシニカルな視野のなかで戯曲化さうと試み、その試みに、だいたい成功してゐるのである。（後略）
>
> （『岸田國士全集二八』）

簡単にまとめると、形式的にはいわゆる劇的な事件を中心として、それがなるべく鮮明に印象づけられるように人物の行動や台詞を按配するといった旧来の劇作法の、まさに逆をいった手法が、「純粋な演劇美」を生涯にわたって追求した岸田國士の気にいったのであり、内容的には戦後知識人の生態をシニカルに描きだしたところが、当時「日本人畸形説」など激烈な日本批判の一連の評論（『日本人とはなにか』に集成。養徳社四八年刊）を書いていた岸田のこれまた嗜好にあった、ということだろう。福田は幸運だったのか、あるいは戯曲を書き上げた時点で、これを最もよく評価してくれそうなのは岸田だと狙いをつけていたのかも知れない。

とは言え岸田は、劇作家の大先輩として、わりあいと常識的な苦言も、この文章の後の方では呈している。それは二点ある。第一に、作中のインテリ論は、読むときにはともかく、耳で聞いた場合には、やはり生硬な印象を免れないのではないか、ということ。第二に、主人公である大村夫妻の死が自殺か他殺か過失死かわからないのを、登場人物の一人に「それが当然だ」

と「解決」させているが、「真相」を必ずしも読者や観客に知らせる必要はないとしても、作者自身が「わからない」でいいのか、ということである。

このうち第二のほうは「キティ颱風」の主題に直接関わる重要なポイントだから、後で形を変えて考える。第一のほうに関連したことを述べておこう。こういう戯曲に関しては、実感に乏しい、あまりに観念的だという批評は、少なくとも当時はありがちだったと思う。事実そういう趣旨の「生活実体のない喜劇」と題する無記名の劇評が、『東京新聞』三月九日に載っている。同じようなことは、内村直也の評言の中にも見られる。

作者は、筋のない芝居を書こうとしたらしい。事件が起りそうで起らない。起りそうだという期待を観客に持たせる処に、劇的瞬間を盛り上げようとしたらしいが、之が観ていると、一向に切迫してこない。大体、人物が口先だけで勝手な批評精神を振り回しているだけだから、切迫感が起らないのは勿論だし、作者のねらつた期待など殆ど感じられぬ。(「貧しい演技力」『図書新聞』三月一五日)

ただし内村は、題名にもある通り、この欠陥を、戯曲よりは観念的な台詞を生かしきれない俳優たちのせいにしている。これらに対して、作者は『婦人公論』同年五月号に出した「颱風一過——自作を弁護する」で反撃を試みている。

ある種の劇評家は「キティ颱風」を批評家の「観念の遊戯」にすぎぬと申してをります。生活の根がないといつてをります。予期してゐたことではありますが、これにも驚きました。なぜなら予期はしてゐましたが、まさかそれをまつかうからいひだされやうとはおもはなかつたからです。劇評家諸君にもみえはあるだらうとおもつてゐたからです。といふのは、あれを「観念の遊戯」と名づけるからには、あの程度の観念の運動を軽蔑的に遊戯とみなさざるをえぬほど、そのひとの平生が観念から遊離した生活をしてゐるといふことになるからであります。(中略)なぜなら、観念が生活されてゐないから、ぼくの脚本を観念的だとしか見てくれないのです。ところで、ぼくはその観念が生活されてゐないがゆゑに観念的で生活に根のないインテリを、リアリズムで描かうと思つたのにほかなりません(「颱風一過——キティ颱風」と改題。『劇場への招待』)。

この掛け合いはおもしろい。内村が弱点とした「口先だけの批評精神」をこそ自分は描きたかったのだ、と福田は居直る。そのうえ、インテリは観念を生活すべき者なのに、それができていないどころか、心底では俗人のように観念を軽蔑しているから、「キティ颱風」のやりとりが単なる遊戯としか映らぬのだ、とやっつける。口調には売り言葉に買い言葉の気配がなくはないが、福田の真意は汲み取れるように思う。観念の有効性を信じられないインテリは、少なくとも文科系では、しょせんインテリの皮を被った俗人に過ぎない。しかし、日本のインテリがついにそのような贋物にしかなれなかったのだとしたら、その贋物性こそ近代日本の宿命だったはずなのだ。その宿命的な空虚ささえ自分のものとして背負う気がないと言うのでは、今度こそインテリの立つ瀬は全くどこにもなくなるではないか。

ざっとこのような熱い思いが、一見非常にクールな「キティ颱風」創作動機の最深の部分にあったらしいのである。

3

以下に内容を紹介し、分析する。

時は、キティ颱風襲来の年だから、一九四九年の夏から秋。場所は、湘南海岸沿いの家。舞台は、第一幕では庭に面したテラスつきの広間を庭の方から見せ、第二幕ではテラスと庭を横に並べ、第三幕では前面から広間、テラスとそれに続く庭という順に、第一幕とは正反対の向きに配置する。そして第四幕では最初にもどす、というぐあいに、回り舞台そのままに、テラスの前後をぐるりと一回転して見せるのである。このあたりにも、まだ若い作者の客気がうかがえる。

その作者が上演パンフレットに書いた自作紹介文によると、「キティ颱風」はおおよそ次のような芝居である。

北京から引揚げてきた資本家大村浩平の夫人咲子はたいへんな客ずきであります。湘南の別荘に居を移すと同時に、旧知が相寄り相集まつて、へんてこなサロンが開かれる。十九人の登場人物、これだけ人間が集まれば第一幕から第四幕までのあひだに、なにか事件が起るだらう——見物の皆さんはたれしもさう思ふにちがひない。が、事件はちつとも起らないのです。（中略）
登場人物たちはてんでにかつてなおしやべりをします。そのおしやべりのうちから、それぞれの人間関係を類推して、咲子と梧郎、梧郎と龍子とのあひだに、咲子と春夫とのあひだに、それとも咲子と勝郎、亮一と龍子、春夫とあき子とのあひだに、なにか事件が起りさうな気がしてくる。ところが、第三幕になつても、それらの可能性は依然として可能性のまゝで発展せず、しかも、颱風とともに、そして颱風のやうに唐突に、事件はそれらの可能性とはぜんぜん別のところに発生して、咲子と浩平とがしんでしまふのです。
そのためサロンは解体してしまひます。作者は登場人物たちをたがひに結びつけたがつてゐるのに、どこかに意地のわるい目がそれを監視してゐるらしく、「そんな結びつきはほんたうの結びつきぢやない」といふ声がたえずきこえてきて、どのせりふも無用の饒舌になり相手の心の底にとほらずに、人物と人物とのあひだに落つこちてしまふのです。第四幕でサロンが解体してしまつたとき、さういふ人間関係の結びつきが、表面的なもので、たあいない嘘だつたといふことがはつきりしてしまひます。

どうしてさういふことになるかと申しますと、この芝居には主役がゐないからであります。（『福田恆存著作集第三巻』）

この通り、「キティ颱風」には、さまざまなプロットはあっても、それが発展せず、筋と言えるほどのものはない。発展しそうになっても、邪魔が入って途切れてしまったり、肝心なところが舞台裏に隠れていて、事件として明確な像を結ばないように仕組まれているのだ。それなら、ここでの作劇術は、人物造形とプロットの混ぜ合わせ方にこそ発揮されていることになる。

プロットはだいたい以下の四種に分けられると思う。

（1）大村夫妻中心の人間関係。夫の浩平は入り婿らしい。たぶんそのせいもあって、咲子は好き勝手に客を呼び、日本に実際にはまずなかったろうと思われるサロンの、女主人然とふるまえる。夫の浩平がこのサロンに顔を出すことはついに一度もない。

第一幕で、ひっこした当日、咲子はさっそくパーティーを開く。最初にやってきたのは高等遊民の里見梧郎である。彼らが会うのは八年ぶりで、咲子は彼に特別の感情を持っていることがほのめかされる。パーティが始まると、浩平の兄で作家の田澤敬介が、自分も咲子がほしかったのだと言うが、咲子はそれを冗談にする。この幕の最後に浩平が帰宅するが、酔っていて、ポケットから「青酸カリ」を取り出す。その言葉だけで「飲んだの、青酸カリを」と色めく咲子に、彼は、「まだ飲まない」と答え、どら猫がうちの三毛をいじめていると咲子が言うものだから、退治するために持ってきたのだと語る。咲子は、「あたし、やっぱり浩平がゐなくちゃ生きていけないのかしら」と嗚咽しながらも、梧郎の手を取っている。

第二幕の冒頭で、妻の華道教授理春とともに大村家に仕えている指圧師の中井貞寛が、敬介の治療をしている。貞寛は、結婚前理春と浩平は関係があり、二人の息子である春夫は浩平の息子ではないかという疑いを口にする。その場にいつのまにか浩平がいたことに、二人が気づき、慌てたときには彼はもう引っ込んでいる。次に咲子が出てきて、彼女と敬介の話になる。敬介が彼女を、崇拝者を一時に十人は必要とする、太陽のような人だと評すると、彼女は「あたしのはうがいつでもだれかを愛さずにゐられないのよ」と答える。話は三橋製薬の社長のことに及ぶ。咲子はサロンを維持するために、三橋に頼んで家の品物を金に換えてもらっている。続いて咲子と春夫の対話。春夫は、ふだん一人で防空壕に篭もっている。彼の人物像は、（貞寛の疑いが事実とすれば）秘密の庶子という境遇からしても、性格からしても、ドストエフスキー「カラマーゾフの兄弟」中のスヴィドリガイロフを思わせる。彼は泣きながら自分の秘密をうち明ける。かつて北京で、大村家のお手伝いのあき子と道で話していた男を、運転していたトラックで死なせてしまったことがあったが、これは全くの過失ではなく、からかってやろうと思ってわざと近づいたのが原因だった、と。しきりに慰める咲子。このとき、浩平がまた顔を出してすぐ引っ込む。春夫は咲子に、どうして原罪を信ぜず、そんな幸福な顔をしていられるのだと迫る。咲子は逃げ出す。ところへ梧郎が現われ、春夫は「罪なきやからを原罪で脅迫」している、「きみは生きる理由を拒否しながら、どうして死なないんだ」と詰る。今度は春夫が逃げ出す。入れ代わりに再登場した咲子と梧郎の対話。咲子は浩平が他人への恨みを克明に記録している、それがほとんど咲子のことだ、と告げる。この話の途中で敬介、貞寛、それに浩平が出てくるが、浩平は三度、すぐに引っ込む。舞台はこの後、海水浴から帰ってきた連中で賑やかになる。そこへ三橋勝郎が東京から、金の無心に来て、有閑階級に対する呪咀の言葉を投げつけていく。浩平に青酸カリを与えたのは彼である。最後に咲子と梧郎はまた二人になる。今もまだ愛しているという咲子の誘いに、梧郎は応じない。その場面を、敬介と浩平に見られる。

第三幕。冒頭に敬介と浩平の対話がある。浩平が述懐らしきことをするのはこの時だけである。「咲子をいちばん愛してゐるのはぼくだ……。だから咲子のおそろしさをいちばんよく知つてるのもぼくだ……」「ぼくは不安でしかたない、いつ、あれがぼくにむかつて、はつきり、あたしはあなたを愛してゐない、(中略)まつかうから切り出してくるかとおもふと……」。そこへ咲子が来て、奥でやっている青酸カリをめぐる賭の話になる(後述)。次に梧郎たちが現われ、浩平はいつものようにそっといなくなる(戯曲に退場の指定なし)。颱風がだんだん本格化している。勝郎が、崇拝している筋金入りの共産主義者で大学教授の吉岡三郎といっしょにやってくる。咲子から借りた金のうちかなりの部分が三郎に流れているらしい。春夫が、咲子に、あき子のことで相談があるとしつこくせがんで、彼女を連れ出す。勝郎・三郎と他の人物たちの間でいつもよりはスリリングな議論が展開されているところに、テラスのガラス戸越しに、春夫が凄まじい形相で内部をうかがっているのが見える。彼が逃げ出した後、理春が、浩平が机につっぷしてすでにこときれていると告げに来る。勝郎と三郎以外が奥へ向った後、春夫が再び現われて、咲子が崖から落ちたと言う。勝郎、三郎は逃げ出す。

第四幕。前幕から一ヵ月後。浩平は服毒自殺、咲子は事故死、ということで落ち着いたらしい。サロンの常連の一人で精神科医の佐々木俊雄は、最後に浩平を見た大村家の末子二郎にしつこく様子を尋ねるが、それは梧郎に止められる。敬介は「浩平は死にたがつてゐた、まへから」とだけ言う。梧郎は「とにかく真相なんていふものはわかりやしないんです」と宣言し、舞台上での事件の解明はうち切られる。

(2)賭。中心は佐々木医師の妻房江。彼女はギャンブル狂で、といって金を賭るわけではないが、何でも賭の対象にしようとする。こういう役割を女性に振ったのは工夫だと思う。男のギャンブル狂の場合、たとえ金を賭ずにゲームをするとしても、権力欲が滲まずにはいないだろうから。房江は純粋に賭のスリルを楽しむタイプで、そのためかえってとんでもないことをぬけぬけと言う。第一幕では、大村家の長女禮子に関心がありそうな塚田建造と、その禮子を賭て大食い競争をする。もっとも、そうしようと言い出すのは禮子自身だが。この時は房江が勝つ。第二幕、勝郎が登場した後、房江は（この年の）八月革命か九月革命かで賭をしないかと梧郎にもちかけるが、二人とも本当は革命のことなど興味がないのでこれは不成立。この後咲子が勝郎に、あれは青酸カリではないのではないか、黒ダイに仕込んだのをのら猫がたいらげるのを見ていたが死ななかったから、と言うのを聞いて、それじゃ本物かどうかで賭よう、咲子が飲めばいい、などと房江は言うが、咲子は断り、これまた不成立。第三幕、房江は舞台裏で、大村家の長男亮一と、やはり青酸カリ（か乳糖）を飲む賭をしようとしたのだという。この話は、咲子によって、敬介と浩平に伝えられる。敬介がひきとって、咲子が飲んでなんでもなかったら一万円払おうと言うのに次いで、浩平は、自分が飲むと言い出す。なんともなければ咲子の勝ち、そうでなければ「ぼくは不安から解放され、咲子に自由と財産〈生命保険〉を贈呈する名誉を与へられる」。咲子はそんな話自体をいやがる。そこへあき子が房江たちの依頼で何か探しにくるので、咲子はいよいよ青酸カリを飲むのかと慌てるが、目的のものはそろばんだった。賭は、佐々木夫妻のそろばんと亮一の暗算との計算競争に変わった。この時は亮一が勝つ。

少し脱線するが、最も重要な小道具である青酸カリの使い回し方は、たいへん特徴的なので、改めてここでまとめておく。

①浩平がふらふらしながら現われて「青酸カリ」と口にするので、咲子は驚くが、浩平から「飲んだのはビール」と言われる（第一幕）。

②咲子はのら猫が口にするのを見ていたが、死ななかったから、あれは青酸カリではないと言って、房江から賭を挑まれる（第二幕）。

③亮一が房江の挑発にのって、「青酸カリ」を飲むつもりかと、また咲子は驚くが、賭の道具はもうそろばんに替わっている（第三幕）。

①と③は典型的な「はぐらかし」による喜劇の技法である。このようにして青酸カリを何度も出しながら、そのつど重み（この時期なら、近衛文麿の服毒自殺はまだ人々の記憶にあったかも知れない）を打ち消して、唐突に大村夫妻の死がくる。しだいに緊張感を高めていく伏線の引き方とはまるで逆の手法がとられ、終幕の梧郎の「真相なんていふものはわからない」という断定と相俟って、夫妻の死が十分なカタストロフになることを妨げるのである。あとには、浩平の言葉に最もよく現われている不気味さだけが残る。こういうのが「キティ颱風」の劇作法なのだ。

（3）恋愛、らしきもの。大村夫妻関係以外だと、二人の子ども禮子と亮一はそれぞれ異性に関心を示すことがあるが、ごく軽い。他の中心は三十歳になった伯爵令嬢林龍子である。仕舞をやっているというこのお嬢様は、むやみに「あたしはたゞ待つばかり／おしよせる波のあなたの情熱を」などと詩を呟き、実の弟正利をも（精神的に、だろうが）誘惑しているとんでもない女である。餌食になるのは巨漢の中学教師塚田建造。第二幕で彼女の海水着姿にムラッときて首っ玉にかじりついたところ、意外にもよい反応があった。ついでながら、この幕では龍子に一言も喋らせないのも、いい工夫だと思う。第三幕の颱風の場では、塚田はすっかりナイト気取りで、彼女を送ろうと申し出るが、この時もうあまりまともに相手にされない。そして第四幕では肘鉄をくわされ終わったらしい。この幕では二人とも登場せず、「お龍建造事件」と語られるものの詳細はわからないが、最後のエピソードで察せられるようになっている。梧郎が、ちょっかいを出すつもりかどうか、散歩に誘ったのに、龍子から結び文がくる。それには「おあきらめくださいまし」とだけある。これがこの戯曲の最後である。その意味は、いつでも具体的に何かが起こる前にすかされる、ということだ。

他には、春夫とあき子の関係がある。第四幕で、春夫はあき子に北京のことをわびる形で求愛し求婚するが、春夫を「気違い」と思っているあき子は、接吻だけは許すものの、結婚はしない。

(4) 議論。前二者が女性中心だったのに対し、男たちがやる抽象的な議論は、主に二、三幕で展開される。皮肉屋の梧郎に薬マニアの敬介は、自分たちはもう終わった人間だと観念しているようだが、口は達者である。ここにすべての人間は精神病だと言う俗物佐々木医師がからみ、また別に、理学生で科学主義者の亮一とその友人で唯物論の信奉者加藤時雄という若い世代の論客もいる。第三幕で、革命のために本当に血を流す気でいるらしい凄味を持つ三郎(初日だけ加藤道夫が演じ、好演だったようだ)が登場して、一応緊迫するが、彼も結局は勝郎と同じ、金をせびりにきた俗人に過ぎない。この時期、日本に革命はいつ起るかと、けっこう多くのインテリによって真剣に議論されていたようだが[2]、作者はそんなものを少しも信じていないのである。福田恆存が保守反動の代表的論客とみなされるのはもう少し後のことになるが。

4

こうしてみるとつくづく奇妙な劇である。作者は非常に親切に、十九人もの登場人物の全員に見せ場を用意してあげている。そのため、筋の統一は犠牲になる。それでも、ある雰囲気のうちに全体は統合されているのだ。空虚としか呼びようのない雰囲気に。ベケットなどは決して認めようとしなかった福田恆存だが、リアリズム演劇全盛時代の水準ではアンチ・テアトロと呼んでもいいのではないかとさえ思う。福田は、いや、実人性では決定的な事件などめったに起らず、起ってもその意味が究められることなどないのだから、これはリアリズムなのだよ、と言う。しかしその種のリアリズムの行き着く先は即ち劇の否定であろう。

この奇妙さをもう少し確かめるために、チェーホフを参考にしよう。福田は常々チェーホフ劇こそ近代劇の最高峰としていた。そして「キティ颱風」は「桜の園」のパロディーであることは自ら言っている(前記「解説」)し、冒頭で咲子は「昔のまゝだわ」と一人ごち、そっと入ってきた梧郎は、「ほんとにこゝにかけてゐるの、これ、あたしなんでせうかしら」と、ラネーフスカヤ夫人の台詞を続ける。「桜の園」を知る人にはダブらせて見てもらいたいということであろう。そう思って読むと、しかし違いばかりが目につく。咲子は男も誘うし、嘘もつく。ラネーフスカヤ夫人よりずっと生々しいのである。ただ彼女が基本的には全くの善人で、周りを愛さずにはいられない人柄であることは本当のようだ。生きるのに厭きている夫の浩平には、咲子のほとんど無尽蔵にみえる愛情こそが圧迫となる。この関係が、たぶん彼らを殺すのである。

ここで、夫妻の死の真相に関して一応の私見を述べると、これは浩平による無理心中ではなかったろうか。浩平は隠し子である春夫を使って咲子を呼び出したか、春夫といっしょにいる咲子をたまたま見るかして、崖まで連れて行って突き落とした後、自殺した。事件発覚の前に金を無心するために浩平を探した勝郎が、彼が見つからなかったと言っているのは、アリバイの点で傍証になりそうである。心理面では、人の言動をいちいちノートにつけるほど粘着質の浩平が、劇中何度も咲子の様子をうかがいにくるのは、嫉妬の情熱だけはまだ残っている証拠であろう。咲子は彼を必要としているが、梧郎への恋情も決して捨てようとしない、彼を日々しめつけるこの三角関係を、浩平が一気に解消しようとしたとしても不思議はない。そう考えても割り切れないところは残るし、青酸カリは本物だったかどうかなどは宙ぶらりんのままだが。

チェーホフに戻ると、彼の五大劇は、ごく大雑把には、自意識が強すぎるために現在の境遇に決して満足できないが、自意識が強すぎるためにまた決定的なことは何もできない者たちの劇、と言ってよいだろう。だから劇の最初と最後で、主人公たちは根本的にはに何も変わっていない（唯一の例外が、強いられたものとはいえ、新しい生活への出発で終わる「桜の園」）。何かしら決断をして行動し、その結果を全面的に引き受けて変容する悲劇的なヒーローの劇からすれば、確かに新機軸であったろう。しかし、チェーホフの人物たちは、真率に感情を吐露する。一方咲子を除く『キティ颱風』の登場人物たちは、そもそも真率な感情を持たないか、あっても信じることができない、だから最初から変わりようがない、といった様子をしている。

恋愛がよい例だ。「桜の園」には、酷い目に合わされて別れた男から手紙が来るとつい心が動かされてしまうラネフスカーヤ夫人の純情は別としても、ロパーヒンとワーリャのじれったくなるようなナイーブな恋、トロフィーモフのアーニャに捧げる思慕、キザな従僕のヤーシャに惹かれる小間使いドゥニャーシャ、さらに彼女に結婚を申し込む執事で「二十二の不幸せ」と呼ばれる男エピホードフの三角関係と、合計三組の恋模様が描かれている。いずれも結ばれることはない。これに限らず、チェーホフ劇の舞台上では恋愛は決して成就せず、例外である「三人姉妹」のアンドレイとナターシャの結婚は、最悪の現実を招来する。それでも、たとえ後になれば仮初めのものと見えようとも、この今の気持ちは本物だ、と、少なくとも彼ら自身は信じている。

対するに「キティ颱風」の龍子も梧郎も、完全に情熱が欠けている。房江のどこまで本気かわからない賭と同レベルの、ゲームとしての恋愛しか残されていないようだ。その房江は、自分はどうしても人を恋することができないと、第三幕で、いつものように陽気に告白している。だいたい彼らには「三人姉妹」が憧れるモスクワも、ラネーフスカヤ夫人ができれば守りたいと願っている桜の園もない。つまり生きがいはなく、ゆえに幻滅することもない。そう語る梧郎を敬介は傲慢だと評する。「すばらしい恋を夢みて、それがかなへられなかつたものだから、ひとのものわれのも見さかひなく、あらゆる恋といふ恋に嘲罵を浴びせかけようとするセンチメンタリストぢやないのかね」と(第四幕)。しかしそう言う敬介にしてから、薬の効能書きや宣伝文句に持てる以上の情熱を、例えば咲子にかけることは決してできない。

つまり、彼らからは行動の契機が徹底的に奪われているのだ。だから過去に決着をつけることも、新しい事態を引き受けることもない。今度ふと目にとまったことだが、大村夫妻の三人の子どもの年が、禮子が二二歳で亮一は二一歳なのに、知恵遅れの二郎が八歳と、一人とび離れている。八年前には咲子と梧郎の情事があった、とすれば二郎の父親は……。これは作者の頭にあったことかどうか、作中仄めかされることもない。一方春夫の父親が浩平らしいことは、咲子も知っている様子がある。第二幕で春夫に、「ぼくの、ほんとのお父さんはだれです」と問われ、そのことは自分の力は及ばないと咲子は答えるから。それで春夫は、「同じ男の被害者」と勝手にみなして、咲子にだけは馴々しくするのかも知れない。咲子のほうは、隠し子疑惑をどう思っているのか、夫に問いただした気配はない。そして、大村夫妻の謎の死の意味は、子どもたちによってさえ追求されないのである。

こういうことを正当化する要素は戯曲中にある。過去の自分の罪をネタに(それももしかするとでっちあげかも知れない)女に迫る春夫の、なんといやらしいことか。「アクティヴィズム」などと称して闇雲に行動に走る建造は、終始愚かな道化を演ずるだけ。他の人々も、積極的に現実に関わろうとすれば、いずれこんなところに落ち込んでしまう可能性が高い。それを恐れる自意識が、彼らを、行動以前の、さらには真率な感情吐露以前の段階に釘付けにするのである。それでも、軽薄な態度の裏の奥深いところには、自分にとって大切な何ものかが潜んでいるのかも知れない。しかしそれを表現するためには、わずかなりとも他者との紐帯が、同じ感情を共有できる場の可能性が、信じられている必要がある。いずれ脆弱な我々の自我は、そういう支えなしでは生き延びることはできないのだ。戦後日本の知識人にはそれが見つからないのがすべての根本である。チェーホフ劇の自意識は現実の前で空回りを演じるが、彼らはそれ以前に自意識を現実の正面に出すだけの自信も持てない。

それでもなお決定的なできごとはやってきた。できごとは颱風のように突然襲ってきて、意味もわからぬうちに過ぎ去ってしまった。みな茫然自失したが、気がついてみれば、もともとの孤独を相変わらず抱いているだけのこと。これを比喩とすれば、戦争によって何かを失ったのではなく、もともと失うべきものはなかったと知らされた日本のインテリたちの、絶望的というにはあまりに貧弱な相貌が浮かぶ。何も残らないのだから、何も起きなかったのと同じ。運命だってこんな人間たちの前は黙って通り過ぎるだろう。それなのになぜか、不思議な喪失感はある。

ごらんなさい、この光。もしこれが芝居だったら――そして、ぼくがその作者だったら――あの事件のあとで、しかもこんな秋晴の光のもとに、ふたゝび幕を開ける気にはなれませんねえ……。残酷といふものですよ、そりやあ。夏の盛りを過ぎて、なほ生き残つて蠢いてゐる人間のうへに、この明るさは……、残酷でなければ、皮肉で、諷刺だ、喜劇ですよ。

作者が「頼むから笑つていたゞきたい」（同前）という作品に対して、私は大仰な言葉を並べすぎたかも知れない。しかし彼は、梧郎と違って、残酷な明るさを我々に残したのである。たぶん福田恆存は、この残酷な空虚に耐える道を選んだのだろう。我々の自意識が多少とも意味をもちえるのは、すべてが解体し尽くしていることを教える、こんなところにしかない、と。この断念は、戦後すぐより、膨大な記号と化した商品を消費するように強いられている現在によりふさわしい。そこで生きる私も、できれば、空虚を見つめ続ける勇気だけは持ちたいたいものだと思う。

（戯曲の引用は初出誌による）

注

（1）私はこの部分を福田恆存の座談の記憶から書いた。文章では「醒めて踊れ」（『新潮』一九七六年八月号初出、『知る事と行ふ事と』新潮社同年刊行所収、『全集第七巻』）がこの問題を精緻に論じている。

（2）例えば戦後すぐ福田恆存が所属していた「二十世紀研究所」所長の清水幾太郎は、昭和二十三（一九四八）年当時のこととして次のように回想している。

昭和三十年の六全協以後の共産党のソフトなポーズを見慣れている人たちには、当時の共産党員の威張り方は容易に想像出来ないであろう。彼らの或るものはアメリカ占領軍によって刑務所から救い出され、また、占領軍によって政党としての合法性を与えられたため、占領軍は「解放軍」と呼ばれ、更に、占領下で革命を実現することが出来ると信じられていた。もう三月経てば革命だ、というような話が一部では文字通り信じられていた（『わが人生の断片下』）

因みに昭和二十五（五〇）年になれば、アメリカの共産主義勢力封じ込め政策は明らかであり、コミンフォルムの批判を受けた日本共産党は反米・暴力革命路線に転じた。

〈参考文献〉

福田恆存「覚書一」『福田恆存全集第一巻』文芸春秋　一九八七

年所収

岸田國士「福田恆存君の「キティ颱風」」『岸田國士全集28　評論随筆10』岩波書店　一九九二年

福田恆存「颱風一過――キティ颱風」『劇場への招待』新潮社　一九五七年

福田恆存「解説」『キティ颱風・最後の切札福田恆存著作集第三巻創作編三』新潮社　一九五八年

A・チェーホフ神西清・池田健太郎・原卓也訳『チェーホフ全集12　戯曲Ⅱ』中央公論社　一九六〇年

清水幾太郎『わが人生の断片下』文芸春秋　一九七五年

福田恆存《ふくだつねあり》（一九一二・八・二五～一九九四・一一・二〇）

東京生まれ。浦和高校より東京帝大英文科に進む。卒論ではD・H・ロレンスをとりあげ、一年だけいた大学院では研究報告としてマクベス論を書いている。中学教師や雑誌編集者をしながら、同人誌に作家論を書く。戦後、『文学』に発表した「近代日本文学の系譜」や『近代文学』に連載した「芥川龍之介論」などで注目される。一般誌に掲載した戯曲の最初は「最後の切札」（四八年）。次の「キティ颱風」（五〇年）が岸田國士に認められ、文学座によって上演される。五二年、文学座に入る。五一年伊藤整訳「チャタレイ夫人の恋人」の出版差し止め裁判（いわゆるロレンス裁判）の特別弁護人となる。五三年ロックフェラー財団の奨学金を得て、翌年まで米英に留学。このときロンドンで見たローレンス・オリビエのハムレットなどに触発され、シェークスピア劇の翻訳を志す。五五年芥川比呂志主演の「ハムレット」訳・演出は、スピーディーな展開で活動的なハムレット像を提出し、日本のシェークスピア上演史上画期的なものとされている。以後のシェークスピア劇の訳業は、河出書房から新潮社へ出版元を変え、十九作完成している。一方社会時評家として、『中央公論』に発表した「平和論の進め方についての疑問」（五四年）が非常な反響を呼び、以後保守派の代表的論客とされる。五五年からは金田一京助との論争を最初として、国語国字問題の守旧派（旧かな旧字体派）の旗頭として活動するようになる。六三年第一次文学座分裂騒動の中心人物となり、脱退した俳優たちと劇団「雲」を創立。同年財団法人現代演劇協会を設立し、理事長となる。六五年協会のもとに、「雲」の姉妹劇団として「欅」をおく。七五年芥川を始め「雲」の俳優の大半が脱退、翌年両劇団を「昴」に統一した。八一年日本芸術院会員、八六年勲三等旭日綬賞を受ける。八七～八八年文芸春秋社より『福田恆存全集』全八巻、九二～九三年同社より『福田恆存翻訳全集』全八巻を刊行。戯曲の代表作は他に「龍を撫でた男」（五一）「明暗」（五六）「明智光秀」（五七）「億万長者夫人」（六七）「解ってたまるか！」（六八）「総統未だ死せず」（七〇）など。

田中澄江「京都《きょうと》の虹《にじ》」（一幕）

和田直子

初出　第二次『劇作』第二十九号　一九五〇（昭25）年四月一日
初演　俳優座試演　一九五七（昭32）年四月六日〜二一日　劇団俳優座

1

自分の作品を書くことは結局、私には、自分を自分の精神史の中の位置としてとらえる興味以外にあまりありません。したがって、よく私戯曲と言われますけど、それは自分を突き放せないということでなく、自分が客観的な社会状勢の中でどういう姿勢をとったかということでありたいのです。望みはそうなのですけれども、実さいに、自分の精神で、戦後の動乱期を経過してゆく姿を、戯曲の中に抽象化することはなかなか困難なことでした。(1)

俳優座試演会における「京都の虹」上演に際しての、著者自身の言である。

恵まれた娘時代を過ごした田中澄江は、第二次世界大戦を機に激動の渦に巻き込まれた。戦局の拡大により、夫の田中千禾夫と三人の子供とともに東京を離れ、彼の両親の郷里である鳥取へ疎開、生活感覚の相違からくる舅姑との人間関係の齟齬、敗戦による婚家の没落、長男の脳腫瘍の発病、そして、その治療のため芸能記者をしながら京都で単身生活を送り、その間、月に一度家族に会いに鳥取に戻る便を利用して闇物資を運搬するなど、戦後の社会的な動乱期に、その私生活においても非常な困難に遭遇した。この間の事情は伝記的な記録『涙の谷より』（昭31・3）に詳しい。こうした激動の中を生きた体験から、「ほたるの歌」（第二次『劇作』昭23・12）を皮切りに、「悪女と眼と壁」（第二次『劇作』昭24・8）、「赤いざくろ」（『悲劇喜劇』昭25・1）、「京都の虹」など、いわゆる私戯曲といわれる系譜の作品が生み出された。「京都の虹」は、初演時に「自分自身を実験台にのせている」作品の迫力が評価され、また、主人公の「女」の演技に作者の癖が採り入られるなど、作品評価、演技・演出のポイントともに私戯曲として受容された。(2)

しかしながら、同系列の著者の作品の中でも、「京都の虹」は他の三編と些か趣を異にしている。「悪女と眼と壁」は実生活で体験した慟哭をそのまま反映し、「赤いざくろ」や「ほたるの歌」

はそれと表裏をなすように、ふがいない夫と三人の子供を抱えて喘ぐ妻の姿が喜劇的筆致でスケッチ風に描かれている。いずれも田中の体験をベースとして、登場人物の生活の場にスポットがあてられている。これに対して「京都の虹」では、同種の題材を扱いながら実体験が遠景に退けられ、主人公達の心理の描写に重点が置かれている。つまり作者の視点は生活を離れ、そこから生じる心理にフォーカスが絞られている。これにより、実生活の労苦を心理的な葛藤に昇華しようとした意図も感じられる。停電の一夜を共に過ごした、かつて互いに恋心を抱いていた二人の主人公の間には、実際には何一つ起こっていない。この間にドラマチックに揺れ動く心理の波に焦点があてられ、男と女の「言葉を武器にした丁々発止の」格闘(3)が繰り広げられるのみである。つまり作者は、十二年の歳月を経て女が男を訪ねてくるという、何かドラマが起こりそうな設定を用いながら、そこには古典的なドラマツルギーでいう行動や筋の展開はみられず、人間の心理とそれを表現する激しい言葉の応酬でこれに応じている。

2

この戯曲は一幕三場から構成されており、停電の場を挟んで、明と暗の場面が繰り返す構造、つまり、第一場（明）、第二場（暗―明―暗）、第三場（明―暗―明）となっている。登場人物は「女」と「男」の二人に限られ、ト書きには名前の指定がない。第一場で「あなた」「君」といっていた登場人物達は、第二場の最初の暗の場面で「おきぬさん」「しんたろさん」とはじめて互いに名前で呼び合い、個と個をぶつけ合ってその本心を曝け出す構図になっている。固有名詞による呼びかけは、この暗闇の場面と第三場の女の独白に集中しており、この間の対話に緊張が高まるよう配慮されている。そして、この暗の場面での言葉の葛藤を通じて、「女」と「男」はそれぞれ自分の内面にあるものを発見する。

裕福な環境に育った「女」おきぬは、兄の友人（澄江の実兄は北大医学部卒）である「男」しんたろうに恋心を抱いていた。しかし、資産家の息子である画家と突然見合い結婚をした。一方、男も女に想いを寄せていたが、その後京都で見合い結婚をした。物語は、その男のもとに、生活の糧として闇米を売ろうと女が夜汽車で訪れてくるところからはじまる。

第一場・明の場面は、十二年ぶりの再会の場であり、二人は昔話を交えながら近況を語り合う。来訪の目的や女の生活状況は既に手紙で男に知らされている。女は、親の臑かじりで、結婚後よい絵が描けなくなった夫と、三人の子供との生活に追われている。戦災で焼け出されて田舎に来てからは、生まれて初めての百姓仕事、没落したけちでいばりやの舅らに囲まれ、嫁として豆一粒自由にならない毎日を過ごしている。こうした女の設定には、作者自身の生活が投影されている。一方、男は女の夫とは対照的に、単身京都で診療所勤めをする傍ら、推理小説を執筆している。女は生活の辛さを語りながらも、本心とは裏腹に夫ののろけを言い、かつぎやになってでも夫を食べさせると強がりをいう。これに対して男の方は、お互いによい結婚をしたと応じる。ここで二人は昔の友人としての姿勢を崩していないが、女が男に袂をはさんでくれと頼むなど、男に対する甘えが見え隠れする。女ははじめ、自分で米を売り歩くと主張するが、男は女のために闇米を売りに行く。

　第二場は停電による暗の場面から始まる。女が既に旅立ったと思った男は酒を飲んでいる。そこへ男が売って得た米の代金を落としてしまった女が暗闇の中、男の部屋に戻ってくる。これに腹を立てた男は、その時はじめて女を「おきぬさん」と名前で呼び、自分が苦労して働いていた頃、さんざん親の臑をかじって安逸を貪り、没落したのがいい気味だと言い放ち、その一方でいじらしくて見ていられないと言う。開き直った女は、「しんたろさん」と男の名を呼び、あなたを「一生恨んでる事がある」と、若き日の出来事を持ち出す。なぜ自分に、本牧で女を買ったことを告げたのか、彼を清らかな人だと思っていたおきぬはそのショックで反発的に結婚したと責め寄る。これに対してしんたろうは、おきぬが電光石火の如く「田舎の物持ちの跡とり息子」と結婚し、告白することで敢えて純粋であろうと努めた自分を認めなかったことを責める。これを機に堂々巡りの議論が始まり、果てはおきぬが、愛してもいない夫に尽くす自分の「生き方がぶざまでとんちんかん」なのは、「昔お嬢さんだつた私の手をとる事ができなかつた」あなたのせいだとしんたろうをなじり、他方のしんたろうは、昔粗末なアパートに住んでいた自分をおきぬがあからさまに軽蔑したこと、今更になって彼の責任を追及する彼女の身勝手を責める。この過程で、二人の恋を阻んでいたものの一つに、戦後もはや意味を為さなくなった階級意識があったことがうかがわれる。

　おきぬの執拗な論戦にしんたろうが降参したとき明かりがつく。この明の場面では、男は恋というものは語るものではないし、「本牧の女と汚れる方が君と戀を語るより罪ではない」と言い、女は「京都言葉のひととは戀が語れない」と応じる。二人は一組の布団を分け合って就寝し、再び暗の場面となる。

　第三場、電気がつき明の場面でのおきぬの独白。昨夜のやりとりを通して女は自分の本当の気持ちに気がつく。しんたろうの「働く男」としての頼もしさを目の前にし、たとえ一時でも夫以外の男性に甘えた自分、そして、よその男を逞しく感じさせる夫にやり場のない感情を抱きながら、京都の町を後にする。

　電気を消し、女が去って再び暗の場面。目覚めた男は、女の忘れたハンカチの匂いをかぎ、煙草を吸う。だんだん明るくなるところで幕。

3

　一幕物を三本並べた俳優座の試演会では、演出を阿部広次、「男」を永井智雄、「女」を大塚道子が演じた。上演評[2]では、「何でもない生活観察の中から、我々が思いもつかない所をつかまえて来て、それを会話の中に巧みに表現」する作者の一幕物の手法が高く評価された。しかし男に関しては、戯曲自体で充分に描けていないことが指摘された上、「中年者の不潔な一面が出過ぎて」おり、医者、科学者という冷たさを備えた人間が、鋭角的な切味で女と「火花を散らして切り結ぶ」べきであったと評されている。特に、停電の場で抑制していた感情が現れ、この場面でだけ女を誘惑するという雰囲気が必要であったとされている。つまり、永井の演技では、明と暗の場面での女に対する男の感情のコントラストが充分に表現されていないことが指摘されている。

ところで、停電の場の主眼は何処にあると理解すべきなのだろうか。確かに、明の場では自分の気持ちを直接的に表現していない男が、暗の場面では「(笑い) やめんと君を抱きしめる」など、女に対する感情を覗かせてはいる。だが、男は昔と同様に、それ以上に踏み込んで行こうとはしない。さらに、暗闇の中で女にかつての行為を責められている間の男の態度は、男性的な潔さに欠ける印象を与える。ここで男は女を持て余し、暗闇の中で酒の力を借りて、自分たちの恋が成就しなかったのは女のせいであるかのごとく反論している。こうした人物造形は、優柔不断な男に対する女性作家ならではの鋭い観察眼を反映しているとも言えるが、次に述べる言葉の問題とからめて、男の人物像を曖昧にしている。前述した批評者や上演者の解釈の背景には、男が女の残したハンカチの匂いをかぐという結末や、冒頭の男の台詞が「家内は子供にかまけて一向に出て來やはらへんし…女人が足を入れるのは君が最初や」というもので、男のやもめ暮らしが強調されていること、さらに医者としての気遣いからとはいえ、他人の妻に自分の布団に眠ることをすすめるという戯曲自体の雰囲気の影響も指摘できる。

しかし暗闇での過去を巡る二人の激しい会話を読めば、作者の視点はむしろ、この間のやりとりに注がれ、言葉による対決の裏面に隠されている男と女の心理をえぐりだすことにあったと考えられる。二人は、お互いに強く惹かれあいながら、昔の防空演習の晩と同じように、この夜もまた、手を取り合うこともなく別れて行くのである。つまりこの暗の場面は、二人の間に何も起こり得ないことを再確認する場となっており、火花を散らすようなやりとりを通じて「男」と「女」が本心を曝け出すことが眼目となっている。こうした文脈で捉えて行くと、作者が敢えて、女性的なイメージを付与しかねない京言葉を男に語らせた意味が理解できるのではなかろうか。京都弁に伴う柔和でありながら冷たい響きと、女の東京言葉とのコントラストは、決して融合しない二つの個性を表出し、二人の対話の隔たりを際立たせている。とりわけ、暗闇の中で男が語る京都言葉と、女の東京言葉に伴う響きの対比は、男の弱さと女の向こう気を際立たせ、閃くような男女の対話に微妙なニュアンスを与えることを狙ったのであろう。

田中澄江「京都の虹」

本作品は、二人の恋の行方に階級意識の相違を盛り込み、男女の愛のあり方を扱ったもので、これまで私戯曲という枠組みの中で捉えられてきた。しかしここでは、むしろ明暗を効果的に使い分けた場面処理や、女の持っている潔癖さと男のある種の軟弱さを対軸に据え、二人の性格の対比を言葉の相違を用いて聴覚的に浮き立たせんとした作劇上の試みを評価したい。

注

(1)田中千禾夫「解説」『田中澄江戯曲全集　第一巻』三一二頁
(2)遠藤慎吾・茨木憲「正反批判」『悲劇喜劇』一九五七年六月　三六～三七頁
(3)前掲(1)　三一四頁

〈参考文献〉

『田中澄江戯曲全集』第一、二巻　白水社　一九五九年八月、一〇月
田中千禾夫『劇的文体論序説』下　白水社　一九七八年四月

田中澄江《たなかすみえ》(一九〇八・四・一一～二〇〇〇・三・一)

明治四一年東京に生まれる(旧姓辻村)。東京女高師(現お茶の水女子大)国文科在学中、岡本綺堂主宰の『舞台』に「手児奈と恋と」ほか習作を書く。一九三二(昭7)年同人雑誌『夷狄《いてき》』に「月夜の新聞」など浪漫的情趣に満ちた作品を発表、同年卒業して聖心女子学院の教師となる。三四年(昭9)年『劇作』に「陽炎」を発表後、田中千禾夫(劇作家、演出家)と結婚、翌年退職する。三六(昭11)年菊池寛主宰の戯曲研究会に入会。「あき子の顔」(『文芸春秋』昭11・3)「遺族達」(『劇作』昭12・4)などで平凡な中流階級の家庭を写実的に描く。このころのホームドラマ風の作品に佳作もみられる。三九(昭14)年『劇作』に掲載した最初の長編戯曲「はる・あき」が文学座で上演される。四一(昭16)年、文学座で庄司総一『陳夫人』を森本薫と共同脚色した後、戦中戦後の空白期間を経て、四八(昭23)年「悪女と眼と壁」で戯曲執筆を再開。離京と疎開、敗戦と没落、病児の看護など自らの体験に基づいた私戯曲といわれる作品で、女性の自我の現実的把握に特色をみせた。五二(昭27)年、カトリック洗礼を受けた頃から作風・題材に変化をみせ、近松の「堀川波鼓」に新解釈を加えた「つづみの女」(『新劇』昭33・3)、「がらしあ・細川夫人」(『新劇』昭34・3)など、古典や歴史的素材に宗教的信念を伴った女性主題を強く反映させた。「鳥には翼がない」(『新劇』昭35・10)以降、水谷八重子のために「白孔雀」(昭42)を書くなど新派作品を手掛ける。

この一方でラジオ作家、映画シナリオ作家としても活躍、「めし」等で五一年度ブルーリボン脚本賞、NHK連続テレビ小説「うず潮」(六四～六五年放送)や「椿谷」(昭45・2)をはじめ小説も発表し、『カキツバタ群落』で七三(昭48)年度芸術選奨文部大臣賞を受賞するなど、活動の範囲を広げた。九七(平9)年闘病生活に入り、九十一歳で死去。

作風は女流作家らしい細やかなタッチで、みずみずしい情念をただよわせながら女性心理の深奥を巧みに描くのを特徴としている。

飯沢匡「崑崙山《こんろんさん》の人々《ひとびと》」（一幕）

阿部由香子

初出　『悲劇喜劇』第四巻第七号　一九五〇（昭25）年七月一日
初演　九段高校演劇部　一九五〇年（昭25）年十一月　日大法文講堂
（文学座アトリエの会　一九五一（昭26）年六月十五日〜二一日）

1

幕が上がるとそこは「南画の掛軸などによくあるつくね芋然たる高岳が重畳している」ような仙境。そこは三人の仙人何《ホー》と珉《ミン》と静《チン》の棲家なのだが、中央の岩の上に端座しているミン仙人の首は無い。ホー仙人が八五〇年間鍛え上げてきた自慢の刀で切り落としたところだからである。

ホー　（興奮して昂然と）どうじゃ？ちゃんと切れたじゃろうが？
チン　そうじゃな。
ホー　さあさあ早速わしのを切ってくれんか。

このように「崑崙山の人々」は三人の仙人達が何とかして死のうとしている場面から始まる。しかし、不老不死の体であるため刀で首を切り落としたくらいでは彼らは死なない。飯沢はそれを奇術のような仕掛けで見せて冒頭から観客の目を楽しませていく。舞台の岩の上にはミン仙人に続いてチン仙人の首なし胴体が残り、各々の両側には首だけが載って笑っている。そして「ミンとチンの死体はそろそろと立ち上がってそれぞれ首のある岩の後に行く。と忽ち首は胴体につながってしまう」のだ。

もともと室内装飾家を志して文化学院美術科に入学した飯沢は、昭和八年に油絵が二科会に入選した経歴を持つ。「私は視覚型人間らしい。そのせいか芝居を観ていても視覚関係のものが人一倍気になるのである。」（「新劇の舞台装置」『風景』昭和39年）と自身で述べているように、舞台の上でどれだけ面白い姿や絵柄を見せられるかという点こそが演劇の魅力であると考えて力を注いでいるように思える。「崑崙山の人々」の「仙境」では、三人の仙人によって不老不死の身体となった者の髪型は「唐児まげ」（「即ち司馬温公甕割りの図などで大部分の髪を剃った結い方」）となってしまう。すでに二千年生きている童子のタオはともかくとして、十年前に不老不死にされた日本人の軍人細谷、インドへ向かう途中で飛行機を墜落させられた日本人の土井と本田も軍服や背広姿であるにもかかわらず、いつのまにかおかしな髪型になっているのである。服装や格好のズレによる笑いの仕掛けは「燕尾服の盛装で、勲章も裳もつけて手にはシルクハットまで持っていながらズボンだけはいていない藤原閣下」(「藤原閣下の燕尾服」昭七年)や、鼻と瞼に整形手術を受けたせいで、付き合っていた社長に人まちがいされてしまう春木(「皺と鼻」昭和30年)などにもみられる。それは決して難解な理屈や特別な知識が無くても誰でもが笑ってしまう場面なのである。

「崑崙山の人々」の話の筋自体にも一見難解なところはどこにも無い。「もしも人間が本当に不老不死になったならば?」ということをベースに進んでいく喜劇であり、実際にそうなったら永遠に続く終わらない時間という苦痛が待っているだけなのだという寓話のような結末が用意されている。しかし、昭和二十七年に文学座が三越劇場で上演した後に開かれた観客との懇親会では「作者は何故こういう芝居を書いたのか」という質問が挙がって大論争となった。観客は笑った後で、崑崙山というファンタジックな空間や仙人達は果たして何を意味するのかモヤモヤしたものが残ったのであろう。「作者が苦笑していたのを忘れない」(『現代戯曲選集第一二巻』昭和31年)と戸板康二の記憶に残る一件となった。その答えは後年飯沢自身の口からはあっさりと説明されている。

「それは進駐軍の中にいる不自然さなんですよ。ほんとういえば。(略)だけど、それはあらゆるものに適用されるわけですね。(略)だけど、そんなことといわなくたって、見てりゃわかるし、どうもぼくは、なにか簡単にテーマだけ取り出して、それで律しちゃうようなのはいやでね。」(「演劇的自叙伝(2)『飯沢匡喜劇集第二巻』昭和45年)

この「見てりゃ分かる」という言葉こそが飯沢の演劇に対する態度であり、そこから作り出される喜劇の特質は、一目見て誰もが笑える一コマ漫画(一枚絵)が持つ力に通じている。特に、漫画が近代以降はジャーナリズムの発達と切り離せないものであり、政治や世相に対する風刺性を持っている点、その時代のニュースをダイレクトに捕まえて表現してみせる点などは、終生喜劇にこだわり続けた飯沢の仕事の根幹と重なっているといえよう。昭和八年、二科展の入選通知と同時に飯沢のもとに朝日新聞社から合格通知が届く。迷った末選んだ新聞記者の仕事で「戦争にだんだんはいってゆく時代の過程を、ことに軍都仙台というところにゆきましたし、石原完爾なんていうような人が連隊長をしていて、そういう人と年じゅう会っていたし、日本がどういう方向に進んでゆくかということなんか、ひしひしと身に感じていましたからね。」(「演劇的自叙伝(1)」『飯沢匡喜劇集第一巻』昭和44年)と回想するような経験を始めとして、昭和二十九年に退社するまでジャーナリストとして日本の激動期をみつめてきたのである。「崑崙山の人々」ものんきな喜劇の装いをしているが、初出(『悲劇喜劇』)の段階ではタイトルに

「悲劇一幕」と付されていたように、敗戦後の日本人が追い込まれてしまった皮肉な状況を描いてみせた作品なのである。

2

飯沢の喜劇は、戦時下の検閲、戦後のGHQの検閲、放送コード等それぞれの時代における表現統制をくぐりぬけながら、常に何らかの権力体制を風刺の的としていった。ゆえにその過程で磨かれていった、だまし絵のような手法が作品にはちりばめられている。例えば昭和十九年に文学座によって上演された「鳥獣合戦」では登場人物を蝙蝠や獣にすることで検閲をくぐり抜けようとした作品だが、この登場人物達の名前についても

「ブンク」〈ブンク博士のこと〉が文化人をもぢったものであろうことは、割合に容易にきがつくことであろう。その他作者によれば「コックス」〈暴漢コクスのこと〉は「国粋党」であり、「オカワイソウニ」〈紅鶴のオカワとイソニのこと〉は「お可哀そうに」をあてたものだという。（茨木憲「解説」『現代日本戯曲選集第十巻』）

という具合である。その上で「崑崙山の人々」の三人の仙人の名前を見直してみると「ホー」「チン」「ミン」。すなわちベトナム独立闘争を指導し、一九四五年九月にベトナム民主共和国の初代主席の座についたホーチミンが思い浮かぶ。文学座アトリエの会で上演された際のプログラムに「この『崑崙山の人々』は戦時中の着想であるが、戦後、書く段になると寓意も変えざるを得なかった。」という言葉を飯沢が残しているように、どうやら民族解放運動の指導者をGHQに重ねた上で、日本に対するアメリカ人の善意の悪政を皮肉っているようなのである。

昭和十八年に「北京の幽霊」というやはり中国を舞台にした戯曲を書いていたが、そこでは中国に対する日本人の善意の悪政を槍玉に挙げていた。一つの事象を立場を変えて見れば違ったものが見えてくる、というこれもまた戯画に通じるものの見方によって国家間の力関係を見据えていたといえよう。

刀で首を切っても死ぬことが出来なかった仙人達は次なる手段である「死ねる薬」を完成させる為に、二人の日本人（科学者の土井と労働代表の本田）が乗っている飛行機をいとも簡単に墜落させてしまう。

チン　よし、おやおやもう飛行機はどこかへ行ってしまったわ。どれどれ、（と耳に手をあてがってきく）ははあこちらか。ではそろそろ引戻すか。

軽々と上手の岩に飛上がるとしきりと手で引よせるように空中を掻く。次第々々に飛行機の爆音近づく。

ミン　やる時は例の絶壁でやるかな。

チン　まああすこが一番手ごろじゃろうて、エイッ。（と気合をかけると同時に遠くで猛烈な爆発音、忽ちに火を発して煙が上がる。飛行機は哀れや岸壁に衝突して搭乗員

何十名かは惨死してしまったのである。）

ト書きから連想されるのは、一瞬にして多数の日本人を死に至らしめた原爆であり、そこから仙人達が自分達の目的のために二人の日本人を救って生き返らせて不老不死にしてしまうことも含めて、当時のアメリカと日本の関係を表しているといえよう。

すでに十年前から仙境にいる元軍人の細谷は、戦時中に偵察飛行をしている時に岩壁へ衝突して焼け死んだところを「ミン先生とチン先生が仙術で旧の体にして下さった」ため、何も食べなくてもお腹が空かない身体となっている。そしてもう一人、仙人に不老不死にされた存在として雌のフラミンゴが登場する。もともとペルシャから唐の玄宗皇帝のところへ奉られた珍鳥だったが、故郷の恋人に会いたいあまりにやっと逃げ出したところを仙人につかまって不老不死になってしまったケースである。千年以上も生き延びた今となっては、恋人が生きているはずもない。そればかりか仙薬を飲まされてから「昔は春しか産まなかった」卵を毎日一個か二個も産むようになってしまった。一年中繁殖期になってしまったかのような戦後の解放された性意識を暗喩していると読むのは深読みの罠にはまってしまうことになろうか。

いずれにせよ、仙人に不老不死にされた彼らは初めこそ助けてもらってありがたがっていたものの、これまでとは違う身体にされてしまったことを強く恨み、やがてあきらめていく。青酸加里の三十二億万倍の効力がある毒薬を飲んでもなんともなかったことに対して土井は「あああ私も怪物になってしまった。」と絶望し、囲碁なんか打ちたくもなかったはずの細谷は結局タオと打ちながら自棄くそのように最後の言葉をはく。

細谷　じたばたしても。
タオ　仙人にあってはかないません。
細谷　崑崙山にいる限り！
タオ　それが運命！
細谷　望みはなしか？
タオ　望みなし！望みなし！
細谷　不老不死とは恐れ入ったり！
タオ　何もかもおえらい先生の御意のまま！
細谷　はやく、くたばれおえらい先生！

彼らは命を保つことと引き替えに、食べ物や恋人や金や名誉などに対するあらゆる人間らしい欲を失ってしまった。人間の生とは、欲があり目的があり終わりがあるから面白いのであって、のっぺりとしたただ生かされているだけの時間は苦痛でしかないのである。軍人として「武士道とは死ぬこととみつけたり」と教えられ、「専ら死ぬ為に精神修養して来た」細谷が、すでに戦争が終わってしまったことを知って「実際今になってみるとなるほどそれがどうしたのだといい度くなるな。…どうもおかしい。これも仙薬を飲まされたからかな。」と言うのに対してタオは「まあ、そうでしょうね。つまりそれだけ悧巧になったんですよ。」と答える。果たして本当に「悧功に」なったのか、飯沢は戦後の日本人の姿に重ねて疑問を投げかけたのではないかと思う。

昭和二十年十一月、築地の東京劇場で公演中だった「寺子屋」がＧＨＱの民間教育情報局（ＣＩＥ）の命で上演中止となった。

「クビ（首実検）が出たところで、巡査が舞台に上がって中止しました。うしろに進駐軍の兵隊がいたんです。」ＧＨＱは日本側の自粛という形にしたかったようだ。追い打ちをかけるように、上演禁止の〝十三カ条の覚書〟が歌舞伎を抱える松竹などに通達された。「其主旨に仇討復讐のあるもの」「『封建的忠誠』を連想させるもの」「自殺を是認せるものを取り扱ったもの」「死、残虐或いは悪の栄えるものを描きしもの」…。（「歌舞伎の恩人」『戦後史開封Ｉ』平成七年産経新聞社）

覚え書きのねらいが別なところにあったとはいえ、演劇の中で「自殺」や「死」を禁じ手とされたことへの強い憤りと馬鹿馬鹿しさを飯沢は感じていたであろう。「崑崙山の人々」の幕開きにおいて仙人の首なしの胴体と首とを舞台に晒して、首だけのくせに実は死んではいないことを見せる仕掛けも観客を喜ばせる為だけに用意されたものではなかったようにも思えてならない。

3

それまで日本を舞台にした現代劇をほとんど書かなかった飯沢の作風をさらに広げることになったのが、政治家の家庭の内幕を描いた「二号」（昭29年11月初演）や「ヤシと女」（昭31年6月初演）など文学座に書いた多幕物からであり、以降、動物やファンタジックな世界に仮託したりせずに、目に映る同時代の日本や日本人の姿を次々と裸にしていくこととなる。その対象は大物政治家や新興宗教の教団にとどまらず、天皇制にまで及ぶ。しかしそれらを滑稽に見せることはあっても、声高に糾弾したりはしない。大臣や教祖や皇族が身にまとっているベールや衣裳を剥ぎ取ってみせ、その中身が自分達と同じように己の欲望に従って生きるタダの人であることを示していく。

例えば「ヤシと女」では、前半の舞台であるオハヘ島で十一人の女性達を力づくで思うままに従わせようとした陸軍中佐、兵藤惣五郎の悪行が日本への帰国後に出版された暴露本「オハヘ島の悲劇」で世間に知れるところとなってしまう。しかし、兵藤の娘のり子が「父がまるで非人間的な悪魔のように書いてある」ことを嘆くのに対して、香椎宮為久は「非人間的なんてことはありませんよ。あなたのお父さんは誰よりも一番人間的だった。」と伝える。自分もまた、無人島では皇族としての身分も家族のことも忘れて過ごした、社会からはみ出した時間を慈しんでいるかのようでさえある。

また、ホテルの一室を舞台にしたコメディー「九階の四二号室」（昭52年10月初演）に登場するルームメイド姫野は、東大卒の物理学者である嫁のことをちっとも快く思っておらず、彼女がノーベル賞を貰った時にジャーナリズムに答えるセリフをすでに決めてある。それは「ノーベル賞って賞は人間の皮を被った化物に与えられるもんですかねえ」という言葉なのである。

昭和四十五年に「飯沢匡喜劇集」（未来社）を刊行する際、小山祐士から「喜劇集」にすると売れないからやめたほうがよいと忠告を受けたにもかかわらず、飯沢は直すことをしなかった。自分は喜劇の作家であると自負があり、そのゆき方も日本の演劇に対する抵抗の一つであったからである。そこには様々な日本人を裸にして、人間なんてこんなものだと笑ってみせる強さがある。と同時に戦中戦後にわたって日本という国が変化を遂げていくなかで、常に人間らしく生きることとはどんなことなのか、という問いを投げかけ続けてきたようにみえる。

〈参考文献〉

『現代日本文学大系83』筑摩書房　一九七〇年四月

田中千禾夫『劇的文体論序説　下』白水社　一九七八年四月

飯沢匡《いいざわただす》（一九〇九・七・二三〜一九九四・十・九）

和歌山県知事であった父伊澤多喜男と母とくの次男として、和歌山市の知事官舎に生まれる。本名伊澤紀。父の転勤に伴い、松山市、新潟市と移った後、一九一四（大3）年警視総監に任命された父と共に上京、帝劇に隣りあった官邸に移り住んだ。築地小劇場の舞台や映画から刺激を受ける。武蔵高等学校在学中、校友会誌に「青葡博士の午前」を書くが没となる。一九三〇（昭5）年、室内装飾家を志して文化学院美術家に入学。昭和六年から旗揚げしていた劇団テアトル・コメデイの第七回公演で上演したモルナアル作、金杉淳郎演出「芝居は誂向き」（一九三二年六月二五、二六日仁寿講堂で上演）を観て「性来が簡単な僕の性向は馬鹿にあの現實の睦言を上手にデッチ上げて符号させる、モルナアルの手際に感心したらしく、一つあの後塵を拝さんものと思ひ、逆に芝居の科白が現實を符号する術を行くことに定め」（「藤原閣下…傳」『テアトル・コメデイ』第二巻第六号）て、戯曲を書く決意を固めた。

一九三二（昭7）年七月文化学院有志の同人雑誌『午前午后』に「画家への志望」を、九月に「藤原閣下の燕尾服」（『劇作』第一巻第七号）を発表。一九三三年に朝日新聞社へ入社し、翌年より三年間仙台支局に勤務。「北京の幽霊」（『演劇』昭18・2）、一九四四年「鳥獣合戦」（『舞台』に昭和二二年一二月に掲載）を文学座が初演。戦後も「還魂記」「二号」など文学座の上演で演劇活動を再開する。

一方、この時期には多くのラジオドラマも執筆した。一九四一年「山中問答」「俳句と人魚」（両方ともJOAKより放送）、一九四三年「北京第六四二列車」（AK）四四年「再会」「ラバウルの爪剪り」「下瀬火薬」「印度人サバルワル氏のカレーライス」（AK）、五〇年「数寄屋橋の蜃気楼」（NHK）等があり、一九五一年に『飯沢匡ラジオ・ドラマ選集』が刊行された。その後一九六四年「やん坊・にん坊・とん坊」（ＮＨＫ）の連続放送が人気番組となった後、ＮＨＫテレビ「二人のルメ子」や「ブーフーウー」等放送作家としての仕事を充実させていく。

一九六四年四月に朝日新聞社を退社。その後の十年間はまさに八面六臂の大活躍の時期といってよいだろう。舞台では、文学座が「ヤシと女」（昭31年初演）「陽気妃」（昭32年初演）「塔」（昭35年初演）「無害な毒薬」（昭40年初演）を上演したほか、新派で上演された作品も数多く、「トッコはどこに」「皺と鼻」（昭30年初演）「怖ろしい子供達」（昭31年初演）「2対1」（昭32年初演）「私の秘密」（昭33年）などがある。また、「泣きべそ天女」（昭31年初演）「オンボロ天使」（昭33年初演）など東宝ミュージカルにも挑戦した。

新作狂言を手がけはじめたのもこの時期からで、「濯ぎ川」（昭29年文学座アトリエ公演）「箒」（昭32年菊五郎劇団）「伊曾保鼠」（昭35年芸術祭主催公演）を残しただけでなく、一九六六年には和泉流狂言団を連れてニューデリーの東西演劇セミナーに参加した。放送や舞台の場で様々な新しい表現方法に興味を抱いていくなかで「狂言の圧縮された脚本、飛躍した着想、極端に簡略化された演出は、私にまことに新しく感じられるのである。」（「新作狂言と私」『飯沢匡狂言集』昭39年未来社）とその形式に特に魅力を覚えることとなる。

一方、『青春手帖』（昭30河出書房）『狂った髭』（昭31年筑摩書房）『近くて遠きは』（昭32年毎日出版社）『帽子と鉢巻き』（昭23年光文社）など小説集も次々と刊行し、花田清輝に「小説家としての獅子文六と飯沢匡とが、精神的血族であること」「劇作家としての二人のあいだにも濃厚な血のつながりがあるかもしれない」（「芸術としての刺青」『現代日本文学大系』前掲）ことが指摘されている。

「五人のモヨノ」（昭42年文学座初演）で読売文学賞を、「もう一人のヒト」（昭45年民芸初演）で小野宮吉戯曲平和賞を受賞した後、一九七七年、ロッキード事件を下敷きにして書いた「多すぎた札束」が青年劇場によって上演され、続けて金大中事件を土台にした「クイズ婆さんの敵」（昭54年初演）、ＫＤＤ事件に発想した「欲望の庫」（昭56年初演）と政治喜劇三部作を発表した。

三島由紀夫「卒《そ》塔《と》婆《ば》小《こ》町《まち》」（一幕）

平敷尚子

初出　『群像』第七巻一号・一九五二（昭27）一月
初演　文学座アトリエ第六回公演　一九五二（昭27）年二月　文学座アトリエ

1　詩劇への挑戦と手法

「近代能楽集」は、能楽と同題名の一幕物「邯鄲」「綾の鼓」「卒塔婆小町」「葵上」「班女」「道成寺」「熊野」「弱法師」「源氏供養」の連作で、一九五〇（昭25）年から一九六二（昭37）年にかけて発表された。後に、最終作「源氏供養」[1]が作者によって除外され、現在では全八作品となっている。

なぜ連作されたか、その理由は作者注・解説で、「卒塔婆小町」発表後から明示されるようになる。「韻律をもたない日本語による一種の詩劇の試み」であり「時間と空間を超越した詩のダイメンション」[2]という方向性である。以降、「観念劇と詩劇のアマルガム」「無韻の詩」「詩的情緒」[3]と詩劇の意識が強調されるようになる。「卒塔婆小町」[4]を機に、能楽に影響されたイエーツの詩劇や郡虎彦の翻案劇に触発されたという動機や、詩劇への試みという意図が明確にされたことからも、ある到達を自負していたことが伺える。

「詩劇」の背景には、リアリズム偏重への反省と古典劇の伝統の再認識から詩劇という課題があった一九五〇年代の潮流もあろう。当時、作者は、文学立体化運動「雲の会」に同人として参加し、これらに関して言及しており[5]、このことからも当時の動向に着目した古典的様式への挑戦[6]として詩劇と位置付けたことが推察できる。

「詩」については、能楽「班女」の「詩的セリフによる独白劇」の成功を指摘し[7]、自作「班女」の英訳上演での英人俳優による本場の英語の美しさ、謡曲の日本語の詩との調和と完成、謡の節を借りた近代詩の朗唱法の成功、日本語の特質とその美しさの解明など[8]、その性格について記している。能楽という古典の現代化の手法については、「能楽の自由な空間と時間の処理や、露わな形而上学的主題などを、そのまま現代に生かすためにシテュエーションのはうを現代化」[9]したと述べている。そして、後には、「戯曲、殊に近代能楽集を書くときのはうが、はるかに大膽率直に告白ができる。それは多分、この系列の一幕物が、現在の私にとつて、詩作の代用をしているからであろう[10]。」

と、告白的動機が説明されるに到る。

「近代能楽集」は、リアリズム劇批判と古典劇の様式性への注目という同時代の傾向を意識し、詩劇の伝統や古典的様式に着眼して、そこに自身の嗜好と興味を重ねて、新劇における詩劇の在り方や様式性を模索した作品群ではないだろうか。

連作の典拠は、「熊野」は鬘物だが、他は雑能いわゆる現在能から選ばれている。[11]これらの作品群には、人間がシテで執心や狂乱を扱い、主題が濃厚で、物理的時間に即した進行形式という共通項がある。この主題の濃厚さや詩的性格、時・空間の処理やプロットなどを利用し、中核的モチーフを現代的事物に活かし、生死、愛や美などを扱い、戦後演劇として翻案されたのが「近代能楽集」だった。

もともとの「卒都婆小町」[12]では、小野小町は百歳に及ぶ漂白の乞食となり、朽木の卒塔婆に腰掛けているところを僧に咎められ、仏教問答となるが、僧をやり込めてしまう。小町は百夜通いの最終夜に死んだ深草の少将の怨霊に憑かれて百夜通いを再現し狂乱するが、最後は仏道に入るというものだ。翻案ではこれを踏まえた時・空間で展開する。夜の公園で老婆と青年詩人が愛や人生について議論を交わし、老婆の述懐により八十年前の鹿鳴館時代が再現され、老婆は往年の小町に、詩人は小町に百夜通いする参謀本部の深草少将になるが、そこでも百日目の約束を果たせずに終わり、再びもとの光景に戻るという構成だ。腰掛けたことで咎められ議論の発端になる卒塔婆はベンチに設定されている。老女と深草の少将という同一人物の変化のギャップは、老婆から美女への変容という意外性として計算され、そこに詩的修辞が多用されている。かつ、小町の落魄を形容した「ロンギ」の修辞は、老婆の外見の形容に反映されている。しかし、典拠の小町には、結末に救済が用意されているが、翻案の老婆には救いはなく、業の継承が暗示される。作者は生について、小町は「生を超越する生」で「形而上学的生の権化」で、詩人は「肉感的な生、現実と共に流転する生」[13]だと解説している。老婆には永遠の生が暗示され、詩人には一瞬の幻想を見て死ぬという末路が与えられ、それぞれの生死が明白に語られる。原拠の題名をそのまま借用し、卒塔婆＝死・小町＝美と解釈し展開させている通り、生死と美が扱われている。

2　観念の形

アベックが占拠するベンチが並ぶ夜の公園の一角で、乞食の老婆が、自らの汚さでベンチに坐る恋人達を追い出し、そこで拾った煙草の吸殻を数えている。「ちゅうちゅうたこかいな、ちゅうちゅうたこかいな、……」は、十ずつ数を数える言葉の繰り返しで、五拍で一パターンの規則性をもつ詩型である。継続を連想させ、時・空間の経過を暗示している。

そこへ傍らにいた酩酊した若者が近付いてくる。老婆は若者が詩人であることを言い当て、その顔に「死相」が出ていると告げる。詩人は、なぜ毎晩恋人達を追い出してまでベンチに坐るのかと老婆に訊ねる。それが発端となり、ベンチや夜の公園の光景や生死をめぐる両者の議論になる。ベンチは、老婆にとっては四人掛けの余った場所に腰掛けようとしたら先客が出ていくだけだが、詩人にとってはそこに広がる恋人同士の夢想世界を妨げる「侵略」だ。ここで、詩人や恋人達のように各々の世界で見たいものを勝手に見る、主観が幻視する美という幻想に陶酔することが死で、逆に老婆のようにリアリストとして冷徹な観察眼によって現実を見る認識の方が生だという前提が説明される。美に敏感なはずだから詩人には「死相」が出るのである。

そして、戦後風俗や人々の姿を映した俗悪な場所での卑俗な日常も未来には懐古され様式化される光景になり得ることが語られる。

詩人　よしてくれ、公園、ベンチ、恋人同士、街燈、こんな俗悪な材料が……。

老婆　今に俗悪でなくなるんだよ。むかし俗悪でなかったものはない。時がたてば、又かわってくる。

夜の公園は、美醜や虚実、生死が共存した光景に彩られているが、そこは戦後の混沌を集約した空間ともとれる。その公園の状況や恋人たちの世界が感覚的イメージを伴なった詩文で展開する。詩人は、「尊敬」する若い恋人達の見ている「百倍も美しい世界」を、「みんなお星様の高さまでのぼっているんだ、お星様が目の下に、丁度この頬っぺたの横のあたりに見えてるんだ。……このベンチ、ね、このベンチはいわば、天まで登る梯子なんだ。世界一高い火の見櫓なんだ。展望台なんだ。恋人と二人でこれに腰掛けると、地球の半分のあらゆる町の燈りが見えるんだ。」と視覚的に、ベンチの「抗議」は「お婆さんや僕がこいつを占領しているあいだ、このベンチはつまらない木の椅子さ。あの人たちが坐れば、このベンチは思い出にもなる。火花を散らして人が生きている温かみで、ソファーよりももっと温かくなる。このベンチが生きてくるんだ。……お婆さんがそうして坐ってると、こいつはお墓みたいに冷たくなる。卒塔婆で作ったベンチみたいだ。」と触覚的に形容する。詩人にとっての生は、夢想つまり主観的美への陶酔を意味する。しかし、老婆はその発想を「あんたは若くて、能なしで、まだ物を見る目がないんだね。」と一蹴する。安直な賛美や発想の未熟さを嫌った作者の本音ともとれるところが興味深い。続けて、生への論理を吐露する。「ごらん、青葉のかげを透かす燈りで、あいつらの顔が真っ蒼にみえる。男も女も目をつぶっている。そら、あいつらは死人に見えやしないかい。（クンクンあたりを嗅ぎながら）なるほど花の匂いがするね。夜は花壇の花がよく匂う。まるでお棺の中みたいだ。花の匂いに埋まって、とんとあいつらは仏さまだよ。……生きてるのは、あんた、こちらさまだよ。」と色彩的、嗅覚的に直叙し、夢想への陶酔こそ死で、現実を認識している方こそが生なのだと反転させる。感覚的表現によるイメージ連鎖を多用した押韻も行末終止もない持続的な話し言葉に近い詩形の意識が試みられ、かつ、この比喩と直叙の修辞の対照で陶酔と認識というそれぞれの死生観が浮き彫りにされている。

幻想に陶酔し死んでいるのは若い恋人達で、現実を認識して生きているのが九十九歳の老婆の方ではあるが、その生の永続は、決して綺麗なものではない。その事実を象徴するごとく、街燈の明りに「おそろしい皺」が照らし出され、現実が視覚的に表明される。

その直後にベンチに坐っていた一組の男女が幻想から醒めたのを、老婆は「生き返った」と称する。美の幻視は一瞬の夢想に過ぎない。「人間が生き返った顔を、わたしは何度も見たからよく知っている。ひどく退屈そうな顔をしている。[中略]……昔、私の若かった時分、何かぼうーっとすることがなければ、自分が生きてると感じなかったもんだ。われを忘れているときだけ、生きてるような気がしたんだ。そのうち、そのまちがいに気がついた。[中略]……悪い酒ほど酔いが早い。酔いのなかで、甘ったるい気持ちのなかで、私は死んでいたんだ。……それ以来、私は酔わないことにした。これが私の長寿の秘訣さ。」と、悪酔であり死ですらあった叙情への陶酔から覚醒し、認識することによって志した永遠の生への意思を直接的に語る。現実の認識は退屈な日常をもたらすが、継続的な生、永遠の生をももたらすのである。

そして、老婆は、かつて小町といわれたほどの美貌だったことを詩人に明かす。続けて「私を美しいと云った男はみんな死んじまった。だから今じゃ私はこう考える、私を美しいと云う男は、みんなきっと死ぬんだと。」とたたみかける。美は何処にあるのか、それは何かについての言及である。美は過去にあったが、それに賭けた者は死んでしまった、だから今現在、過去にしかないその美に賭ける者は死ななければならない、あるいは、過去に美に陶酔した者は死んでしまった、だから美や愛の幻想への陶酔の先には死がある、と断じている。では、その美とは何か。「美人はいつまでも美人だよ。今の私が醜くみえたら、そりゃあ醜い美人というだけだ。あんまりみんなから別嬪だと言われつけて、もう七八十年この方、私は自分が美しくない、いや、自分が美人のほかのものだと思い直すのが、事面倒になっているのさ。」と、主観的な美の価値基準と、客観的な他者の賞賛という裏付けによって得た美と、美の在り方を提示する。

しかし、過去の貴婦人も、現在はモク拾いの老婆というのが美の事実だ。高貴なもの、美はもう過去にしかないと感じた戦後の日常、夢想から醒め、認識を志して以来眺めてきた日常の隠喩でもあろう。美を希求しつつ、その次元を認識という日常の視点から達観し、その不可能性を悟った、いわば美に対する至想でもある。

老婆が過去を語り始め、「ワルツの曲、徐々に音高し。」との導入があり、老婆と詩人はワルツを踊り始める。音楽的効果による変化に合わせて鹿鳴館時代の「当時飛切の俗悪な連中」が登場し、老婆の人生の八十年前という過去に即した鹿鳴館の舞踏会が再現される。かくして、小町と深草少将との百日目の約束が果たされる晩へ時・空間が飛躍する。戦後の公園「公園、ベンチ、恋人同士、街燈」から、鹿鳴館の庭「ひろいお庭、ガス燈、ベンチ、恋人同士」への飛躍を、簡素な背景の対応によって実現させ、「俗悪」なモチーフとして重ねることに成功している。さらに、時・空間の飛躍に即応して、老婆の台詞が対話から詩的語調へ変化し、時・空間の処理と表現形式との有機的な関連による叙景効果がある。登場した鹿鳴館時代の男女達から、老婆は小町として客観的に賛美され、そこで老婆は、鹿鳴館の庭の情景を詠う。噴水の音（聴覚的要素）を、若返った声（聴覚効果）で描写する。

老婆　（声はなはだ若し）噴水の音がきこえる、噴水はみえない。まあ、こうしてきいていると、雨がむこうをとおりすぎてゆくようだ。

感覚的要素が、一文毎に分かち書きが可能な、いわゆる詩行形式で表現され、叙景効果を高めている。
鹿鳴館の男女が、それを追って、その声や言葉（聴覚）を礼賛し、美を実感させる。

男A　なんて・きれいな・声だろう。さわやかで、噴水の・声の・ようだ。

の音数律は、三音から五音までの三音差以内の範囲で、三・四・五音と一音ずつの規則的な増加と、五、五・三・三音と同音数の並列の組み合わせだ。

女A　あの方の・独り言を・きいていると、口説き文句の・勉強に・なりますわね。

も、三音差以内の範囲で、五・六・六、七・五・六音と、前後一音ないし二音差以内での増減が組み合わされている。技巧的には、音差の少ないリズム構成の組み合わせで流麗なまとまりがある。
同様に、背景の踊りの影の明暗（視覚）と静寂（聴覚）が、詩行形式で表現される。

老婆　（背景を顧みて）……踊っているわ。窓に影がうごいてる。踊りの影でもって窓が暗くなったり明るくなったりする。妙にしずかだこと。焔の影のようだ。

追って、聴覚的要素が礼賛される。

男B　色っぽい　声じゃ　ないか、それでいて　心に　しみる　声だ。
女B　あのお方の　お声を聞くと、女でいながら　妙な気持ちに　なるわ。

庭の叙景が、車の音と蹄の音（聴覚）、庭の樹の匂い（嗅覚）と感覚的に、かつ詩行形式で表現される。

老婆　……おや、鈴が鳴った。車の音と蹄の音が……。どなたの馬車でしょう。きょうはまだ宮様のおいでがなかったけれど、あの鈴は宮家のじゃない。……まあ、この庭の樹の匂い、暗くて、甘い澱んだ匂い……。

この掛け合い、詩行形式による叙景と、音数律の規則的な増減が計算されたリズム構成との交互配列はまた、同一（老婆）と変化（AとBそれぞれの男女）の結合としての詩型式をも成立させている。

この時・空間の飛躍と叙景の場面の舞台展開は、まず、鹿鳴館時代の服装の男女の登場や背景の変化で場景が設定され、さらに、ワルツの音楽と踊りで視聴覚に訴えて必然的に過去の鹿鳴館の舞踏会へと時・空間を遡らせ、老婆と男女の掛け合いの感覚的形容によって表象を拡充させ、これら視聴覚の相乗効果によって幻影を鮮やかに浮かび上がらせ、音楽と言葉の間にある詩を実感させるという流れだ。上演において最も演出の良し悪しが問われる箇所で、いかに時・空間の飛躍に説得力を持たせるか、いかに小町の美を現出させるか、など課題は多い。

詩人は老婆に小町を幻視し、主観的美という幻想に陶酔し始める。ここでも感覚的表現が、現実から幻想への変化を示す主要な要素を占める。陶酔するにつれ、さっきまでみえていた視覚的現実のはずの老婆の皺が、詩人にはひとつもみえなくなる。しかし、老婆は現実認識を突きつける。奇蹟は誰の上にも起こらない。

老婆　奇蹟なんてこの世の中にあるもんですか。奇蹟なんて、……第一、俗悪だわ。

老婆と詩人は、ワルツに合わせてしばらく踊るが、詩人が突然踊り止み、音楽も止む。舞台上には、男女四組が「両側二対のベンチに坐りて」恋を囁いているなかに「二人、手をつなぎて佇立」しているといった構図のシンメトリーがあり、それに相俟って、生死と愛の有り方についての両者の概念の拮抗が繰り広げられる。

詩人は「もし今、僕があなたとお別れしても、百年……そう、おそらく百年とはたたないうちに、又どこかで会うような気がした。」と老婆との再会を予感する。現時点で百夜通いの約束が果たされる絶対的一瞬間を予感するのと同様に、未来にも同じ瞬間があると想定して詩人はそこへも向かっている。絶対的一瞬間は、過去、現在そして未来、と時・空間を超越して再来する。続いて、老婆の継続的な永遠の生と、詩人の絶対的一瞬間のみの生と、両者それぞれの時・空間が示される。

老婆　あたくしは、年をとりますまい。
詩人　年をとらないのは、僕の方かもしれないよ。

そして、八十年先、百年先の再会について言葉が交わされ、日常を永遠に継続する老婆と、非日常の絶対的一瞬間をもって時・空間を超越する詩人との関係の不変不滅が暗示される。

詩人　百年後にめぐり会うと、どんな挨拶をするだろうな。
老婆　「御無沙汰ばかり」というでしょうよ。

老婆と詩人の関係は、永遠と絶対を意味し、永遠は認識によって得た日常の継続で、絶対は陶酔と美の幻視による非日常の絶対的一瞬間である。この関係は男女の愛の在り方をも象徴している。詩人の象徴する男性の愛は有限で、その絶対性ゆえに「天にも昇る心地でいて、それでいて妙に気が滅入る」のである。「望みが叶う、……そうしていつか、もしかしたらあなたにも飽きる。あなたみたいな人に飽きたら、それこそ後生がおそろしい。それればかりか死ぬまでの永の月日がおそろしい。」と叶う一瞬間だけのものだ。それに対して、老婆の象徴する女性の愛は「ええ、何とも思いません。又別の殿方が百夜がよいをおはじめになりましょう。退屈なんぞいたしませんわ。」と継承が可能で、しかも永遠に続く。望みが叶うまでの日常と、叶った絶対的一瞬間と、叶ってから再び流れる日常、そこに女の無限の日常つまり永遠があり、その中に男の有限の非日常の絶対的一瞬間があるという関係が成立し、そこには永遠と絶対いわば線と点の対照があり、相反する概念の対照を際立たせている。

さらに、一生のうちにそんな折はめったにないから死んでもいいという詩人を、つまらないと老婆は否定し、両者の生の捉え方、在り方が逆説的に示される。

老婆　人間は死ぬために生きてるのじゃございません。

詩人　誰にもそんなことはわからない、生きるために死ぬのかも知れず……。

詩人の陶酔が頂点に達し、緊張が高まるが、老婆は、酔っているだけだと返し、現実の老醜を示して詩人の目を覚まさせようとする。現実の不潔な老婆と、幻視の若返った美女とのそれぞれの姿、現実への導きと幻想への陶酔が感覚的表現による形容の応酬で進行する。老婆は、皺（視覚）、ぼろぼろの衣（視覚）、悪臭（嗅覚）、手の震え（感覚）、皺だらけの爪の伸びた手（視覚）を示すが、詩人は、皺（視覚）などない、いい匂い（嗅覚）、秋海棠の爪の色（視覚）と受ける。老婆は「茶色くなった垢だらけの胸」を探らせる（触覚）が、詩人はそう感じない。

美と愛に陶酔した詩人は、その絶対的瞬間に賭けるが、老婆はそれを否定する。

詩人　何かをきれいだと思ったら、きれいだと言うさ、たとえ死んでも。
老婆　つまらない。およしなさい。そんな一瞬間が一体何です。

そして、一瞬の美に賭けた「この世にありえないような一瞬間」「九十九夜、九十九年、僕たちが待っていた瞬間」に到って詩人は百年後の再会を予言して絶命する。老婆には「もう百年」の継承が再び訪れる。小野小町と深草の少将が果たせなかったように、小町と深草少将も、老婆と詩人も愛を成就できない。夢想の美と愛の一瞬に賭けた結果、陶酔は認識に敗れ、詩人は死ぬ。美の刹那性と不可能性に賭けて死ぬロマンティシィズム、しかしその美は過去にしかないし、幻想に過ぎなかった、生とは日常の永続性と醜さの認識、という観念がここに凝縮されている。現実と幻想、認識と陶酔は永遠にシンクロしないまま人生や愛の恒常を待ち続けることになる。

鹿鳴館の舞踏会の幻想は消え、夜の公園の光景に戻る。巡査が現れ、詩人の屍を発見し、いつから死んでいたかと老婆に尋ねる。老婆は、三十～四十分前に来て、傍らで独り言を言い、そのうち地面に倒れて寝込んでしまったようだと答える。巡査が詩人の屍を運んで去る。再び老婆は最初と同じく吸殻を数え始める。「ちゅうちゅうたこかいな、ちゅうちゅうたこかいな、……」の同一の起結によって、老婆には現在・過去・現在という円環的時・空間が成立し、過去の美貌や身分という内的要素も成立する。規則的リズム数の繰り返しは老婆の次元の継続性を象徴する。これに対して詩人の次元は、公園で老婆に会って幻想を見て死んだ三十～四十分間の出来事という現在のデジタルな静止時間のみだ。この時・空間の並行が生死を一瞬にして対比させ、日常を永遠に死なずに生き続けなければならない女の悲劇と、悲劇に憧れ、翻弄され、絶対的一瞬間に賭ける男との愛と死の世界を見事に構築している。

美も愛も詩も時・空間も一瞬の幻想に過ぎず、しかもそれに賭けることは死ぬこと、この結末こそ「登場する詩人のような青春を自分の内にひとまず殺すところから、九十九歳の小町のやうな不屈な永劫の青春を志すことが、芸術家たるの道」という「作者自身の芸術家としての決心の詩的表白」[14]だった。本作発表前後は、幼少年期以来の詩作をやめ、短編・長編小説と劇作に専念するまでの期間を経た後の、作者自身の過渡期であり転換期だった。感受性の否定や、堅実で知性的な文体の獲得の模索といった、いわゆる「自己改造の試み」[15]を達成するまでの葛藤である。いうまでもなく、詩人は自身の少年期、老婆は、それを悪酔だと否定した青年期の代弁である。この作者の内観は、劇構造にも顕われている。各々の象徴する概念の対照と葛藤という均衡で進行し、その関係が破壊され、一方の勝利によって観念的美学が完成する。加えて能楽の融通無碍な時・空間の処理や、物狂いのような内的要素や設定を新劇に活かし得て、陶酔していた自分と、認識している自分の両者を、老成した自身の現在から顧みるという枠組みが造型されている。

そして、この古典に依拠した堅固な構造を維持するに耐え得るのが詩的台詞だった。葛藤や対照が、感覚的比喩や修辞を用いた詩的表現で進行し、時・空間の飛躍が、詩段落、音数律の規則的な増減の計算と配列、リズム、型式といった技法的・形式的手法に助成され、口語表現様式ともいえる構築でもって、生・死、男・女、日常・非日常、永遠・絶対といった両者の概念を明示し、シンメトリーとして成立するまでに完成させている。

この堅固な劇構造とシンメトリックな世界の完成、そして詩表現の巧妙さに裏打ちされた告白的動機による観念の明晰さによって主題の明確化が達成されているといえよう。

なお、これらの構造や表現の特徴は「近代能楽集」のほぼ全作品にあてはまり、この愛や美や生死などの観念は連作を貫く主題でもある。「邯鄲」では現実・夢中の構成上の均衡があり、合唱や語句の反復といった詩的型式を取り入れて、虚無から達観した生死と、生への決意が描かれている。「綾の鼓」では前場の上手・下手や後場の人間・亡霊という関係で均衡を保ちつつ、時・空間を超越した慕情は詩的台詞で表現され、虚実と困惑が語られる。そして「卒塔婆小町」の生死と美、生への意思という流れにテーマの結実がみられる。「葵上」では、回想を軸に進行する光と康子の葛藤と、葵の存在との並行があり、美を突き詰めた官能がより洗練された詩文様式で語られ、それは葵の叫びによって破壊されるが、結局は康子の美学に支配される。「班女」では、永遠に待ち続けなければいけないというモチーフが扱われ、花子と実子の美の世界が雅語を用いた詩的台詞で表現され、それはいったん吉雄に破壊されるが、最後には花子と実子の世界が完成する。「道成寺」と「熊野」では、美は虚構で、認識こそがそれに克つという概念が同様に扱われている。「弱法師」では、戦後十五年の感慨と、現世で生きなければならない寂寥とで、その独白は終焉を迎える。

3　様式の確立へ

連作の中でも「卒塔婆小町」は、「近代能楽集」の詩劇という方向性とその様式性を、シンメトリックな劇構造、能楽に拠った時・空間の処理の実現、詩的表現や修辞、告白に拠る明晰な主題、そして演出の指定、例えば音楽と踊りはワルツという手法、などによって示し得ている。またそれは新劇における様式の確立の模索でもあった。本作発表直前の時評で「『様式の皆無』がやりきれない」、「日本の新劇はあからさまな理想追求の年齢にいる」[16]と述べていたことからも、様式の追求という指標を察する事が出来る。また、翌年の一九五三（昭28）年から新作歌舞伎を手掛けるようになることからも、古典芸能や様式美への傾倒が伺える。また、同年以降は、文学座と関与した演劇活動で、その理念を掲揚することとなる。そして、これらのシンメトリックな完成や、古典に依拠した手法や詩的台詞といった造形と様式美は、「鹿鳴館」や「サド侯爵夫人」などの中期から後期の多幕物や、晩年に手掛けた歌舞伎「椿説弓張月」にも反映されていく。この様式の達成度という意味で、「卒塔婆小町」は、三島戯曲の節目に位置しているといえよう。

注

(1) 初出誌に「近代能楽集ノ内」の角書がある作品群は、九作。「源氏供養」は、「題材として、それをアダプトすることが、まちがいだった。」（三好行雄との対談「三島由紀夫のすべて」『国文学──解釈と教材の研究』一九七〇（昭45）年五月臨時増刊号）と語っている。同系統に、海外上演用に書き下ろされた、狂言の翻案「附子」と、「卒塔婆小町」「葵上」「班女」の三作品をつないだ「LONG AFTER LOVE」もある。一九六八（昭43）年三月刊行の新潮文庫『近代能楽集』には、「源氏供養」「附子」「LONG AFTER LOVE」は収録されなかった。なお、一九五二（昭27）年、ローマのヴァチカン美術館でアンティノウスの彫像に魅せられて同系統の小戯曲「鷲ノ座」を試みているが、未完。

(2)「卒塔婆小町覚書」（『毎日マンスリー』一九五二（昭27）年十一月十一日）

(3)「卒塔婆小町演出覚書」（『新選現代戯曲5』河出書房　一九五三（昭28）年一月）

(4)(2)と同じ。イエーツの詩劇は「鷹の井戸」。郡虎彦の翻案劇は「清姫」「道成寺」「鉄輪」。

(5) 具体例としては、次の二つの発言が代表的。

①座談会「文学と演劇」（『展望』一九五〇（昭25）年十一月）

「ヨーロッパの古典劇ではラシイヌやコルネイユでも、シエイクスピアでも、古くは希臘悲劇でも、また日本のお能でも、韻文劇ですから、韻律にたすけられて、ただの肉声だけではなく、どのような観念的な論争も、抽象化された心理も役者の口からくらくくと語られる。芝居のさういう伝統を無視してしまったところに、日本の近代劇の貧しさがある」

②座談会「劇壇に直言す」（『演劇』一九五一（昭26）年八月）

日本で俗にいうリアリズムとは素朴な経験主義と同じものだ。日本の古来の芝居はリアリズムではない、非常に象徴的なものだけれども、歌舞伎の型なんかというものは、素朴な経験主義とは全然ちがうものだと思う。

(6)『三島由紀夫作品集6』（新潮社　一九五四（昭29）年三月）では、舞台芸術としての能楽の様式は移植不可能なので諦めているが、「日本の新劇の演技がもっと発展し分化して、様式化の試みがかなり効果を挙げるやうになったら、かうした近代能楽の台本も、さらに様式的に高度なものに、書き直されるべきであろう。」と解説。

(7)「班女」は「純粋な情念の運動」を描き、詩とは最も純粋で受動的で、思考と行為の究極の堺で、むしろ行為に近いもの、つまり言葉を最も行為に近付けたもので、孤独な、極度に節約された、言葉が純粋行為に近づくにつれ増す受動性を最高度に帯びた行為によってしか表現できない、そして懸詞や枕詞による観念融合がイメージを飛躍させ、外面的な可視的なイメージに移しかえられるという詞章をもつ（「班女」拝見『観世』一九五二（昭27）年七月）とし、また、「堂々めぐりの内心独白」や「詩的セリフによる独白劇」、シテの孤独な感情の振幅が劇を作り、劇的クライマックスまで持って行かれる「無意識、潜在意識の演劇」（「班女について」『産経観世能プログラム』一九五六（昭31）年二月）という定義は適切としている。

(8)「きのふけふ〈詩劇〉」（「朝日新聞」一九五七（昭32）年四月二二日）

(9)『近代能楽集』あとがき（一九五六（昭31）年四月三十日　新潮社）。単行本『近代能楽集』は、「邯鄲」「綾の鼓」「卒塔婆小町」「葵上」「班女」までの五篇を収録。

(10)「同人雑記（弱法師について）」（丸善『聲』一九六〇（昭35）年七月号）

(11)能楽の曲目の種類は、番組構成による五番立てと、構造・性質・主題に拠る分類方法で大別されている。五番立ては、シテの人体による分類に番組構成上の分類を加味したもので、脇能物（初番目物）、修羅物（二番目物）、鬘《かずら》物（三番目物）、雑能（四番目物）、切能（五番目物）の五種類がある。台本の構造では単式能・複式能や、夢幻能・現在能と区別され、性質・主題では、執念物、狂乱物などと分類される。なお、三島由紀夫がテキストにしたとされる、野上豊一郎編『解註謡曲全集』（中央公論社　一九三六（昭11）年）には、右記の分類方法に加えて演出技法による分類が併記されている。「卒都婆小町」は「四番目物。狂乱物。（イロエ物）。」と記述されている。

(12)能楽では「卒都婆」だが、翻案では「卒塔婆」と表記。

(13)(3)と同じ。

(14)(2)と同じ。

(15)『文学界』一九五六（昭31）年八月。一九四〇（昭15）年〜一九五五（昭30）年までの自作を概観し、「文体の私における変遷は、感性的なものから知的なものへ、女性的なものから男性的なものへの変化を物語っている。」と述べている。

(16)「演劇の本質」（雲の会編集・河出書房『演劇の本質』一九五一（昭26）十二月。初出タイトルは「贅澤問答」。）

(17)文学座との接点は『近代能楽集』の初作「邯鄲」の初演一九五〇（昭25）から。一九五二（昭27）年から一九五五（昭30）まで、文学座で創作劇として「卒塔婆小町」「夜の向日葵」「只ほど高いものはない」「葵上」「船の挨拶」が連続上演される。一九五六（昭31）年に作者は文学座に入座、本格的に戯曲提供や演出などを手掛け、端役で舞台に立ったりもした。文学座との関係は一九六三（昭38）年まで続いた。

〈参考文献〉

『三島由紀夫全集』新潮社　一九七三〜七六年
『三島由紀夫戯曲全集』新潮社　一九九〇年
『決定版 三島由紀夫全集』新潮社　二〇〇〇〜二〇〇一年
『三島由紀夫事典』明治書院　一九七六年
『三島由紀夫事典』勉誠社　二〇〇〇年

三《み》島《しま》由《ゆ》紀《き》夫《お》（一九二五・一・十四〜一九七〇・十一・二十五）

小説家・劇作家。本名は平岡公威。農林省官吏の父・梓と、母・倭文重の長男として東京で生まれた。満年齢は昭和の年号と一致する。学習院中等科より、『小ざくら』『輔仁会雑誌』に習作を発表する。既に劇文学にも興味を抱いており、十五〜十六歳の自作・自編の詩集ノートに劇と称している作品が数編ある。舞台装置図案まで描かれたもの、自解でわざわざ「児童劇」と謳ってあるもの、「一幕の詩劇」と題名の横に併記してあるものなど、はやくから演劇に関心を持っていたことが窺える。また、学習院高等科在学中には文化祭のための上演用脚本も書いており、戯曲形式には馴染んでいたようである。

一九四一（昭16）年、『花ざかりの森』を発表。三島由紀夫のペンネームをこの時より用いるようになる。一九四四（昭19）年、学習院高等科を経て、東京大学法学部に入学。在学中の一九四六（昭21）年、川端康成の推薦で、小説「煙草」を『人間』に発表し、文壇に登場。このころは、歌舞伎に熱狂していた時期でもあった。十三歳の時、初めて「仮名手本忠臣蔵」を観て以後十年間くらいは、浄瑠璃を渉猟し、ノート持参で劇場に通い詰めていたという。一九四二（昭17）年から六年間に亘って書かれた全百番の詳細な観劇・劇評ノートもあり、その記録からも歌舞伎から多大な影響を受け、劇作家としての中核が形成されたであろうことが判る。

卒業後は大蔵省に就職するが、創作に専念するため九ヶ月で退職。一九四九（昭24）年に『仮面の告白』を刊行、新進作家として注目されるようになる。一九五〇（昭25）年頃から俳優座や文学座で戯曲作品が続けて上演されるようになる。一九五四（昭29）年に『潮騒』刊行、第一回新潮社文学賞を受賞。一九五五（昭30）年には『白蟻の巣』で岸田戯曲賞を受賞。一九五六（昭31）年発表の『金閣寺』で絶賛され、第八回読売文学賞を受賞、戦後の主要な作家としての地位を築いた。同年から文学座に所属し、『鹿鳴館』（昭31）、『薔薇と海賊』（昭33・週刊読売新劇賞受賞）、「十日の菊」（昭36・翌年第十三回読売文学賞受賞）などの戯曲を提供したが、一九六三（昭和38）年に退座した。一九六四（昭39）年に劇団NLTを結成するが、一九六八（昭43）年に退団し、劇団浪曼劇場を創立し主宰した。この期間に執筆された『サド侯爵夫人』（昭40・翌年文部省第二〇回芸術祭賞受賞）、『朱雀家の滅亡』（昭42）、『わが友ヒットラー』（昭43）などは戦後戯曲の傑作として高く評価されている。同時期には、小説「鏡子の家」（昭33）、「宴のあと」（昭35）、「美しい星」（昭37）、「午後の曳航」（昭38）、「絹と明察」（昭39）や評論「太陽と鉄」（昭40）などの名作も書いている。また、写真集のモデル、映画主演、ボディービルでの鍛練や武道の習得、私設軍隊「楯の会」の結成などの多彩な活動でも知られていた。一九六七（昭42）年からは国立劇場の理事も勤めている。

一九七〇（昭45）年十一月二十五日、長編小説四部作「豊饒の海」の「天人五衰」の最終稿を完成させ、東京市ヶ谷陸上自衛隊で自衛隊の決起を呼びかけたが果たせず、割腹自殺した。

演劇活動においては、多角的に演劇に関わろうと努めていた。新劇のための戯曲の他に、新作歌舞伎「鰯売恋曳網」（昭29）、舞踊「熊野」（昭30）、娯楽劇「女は占領されない」（昭34）、「黒蜥蜴」（昭36）、映画、バレエ、オペラの台本など幅広いジャンルの作品がある。外国作品への取り組みも積極的で、ラシーヌ『ブリタニキュス』の修辞（昭32・第九回毎日演劇賞受賞）、ゲーテ「プロゼルピーナ」の翻訳（昭35）、サルドゥ「トスカ」の潤色（昭38）、ユゴー「リュイ・ブラス」の潤色（昭41）なども手掛け、オスカー・ワイルド「サロメ」の演出（昭35）や、ジャン・コクトー「双頭の鷲」の監修（昭43）も務めた。また、『鹿鳴館』、『ブリタニキュス』、「アラビアン・ナイト」（昭41）にも特別出演した。

三島由紀夫の業績および演劇観や芸術論は、『三島由紀夫全集』と『決定版 三島由紀夫全集』で展観できる。

武田泰淳「ひかりごけ」

初出　『新潮』一九五四（昭和29）三月号
初演　炎座　一九五五（昭和30）年六月　芝中労委会館

田中單之

1

ひかりごけの光は美しい。作者はその美しさを次のように描き出す。

「相手が指し示した場所に目をやっても、苔は光りませんが、自分が何気なく見つめた場所で、次から次へと、ごく一部分だけ、金緑の高貴な絨毯があらわれるのです。光というものには、こんなかすかな、ひかえ目な、ひとりでに結晶するような性質があったのかと感動するほどの淡い光でした。苔が金緑色に光るというよりは、金緑色の苔がいつのまにか光そのものになったと言った方がよいでしょう。光かがやくのではなく、光しずまる。光を外に撒きちらすのではなく、光を内部へ吸いこもうとしているようです。」

このような、奥ゆかしくも高貴な光を、一度は身にまといたいと思う。しかしそれには人としてある決定的な禁忌を冒さねばならないのだという。そして、その禁忌を冒したが最期、その光から遠ざけられ、自分の光も、他人の光も、ついに見ることができないのだという。

それはなぜだろうか。

作者は、光を身にまといたいなどという感情を禁じているのだろうか。それを禁ずることで、内部に一層美しい光を抱かせようとしているのだろうか。いや、そうではなくて、光はもともとすべての人にあり、ある瞬間、ある角度から見えて身にともるかもしれない。そして、見えてみれば必ずしも美しいとのみは言えない光彩かもしれない。「光しずまる」には、しずまらざるを得ない理由というものもあるであろう。人間お互い、あるいは金緑色に、あるいは緑金色に見え隠れするその光を、ある時は見、ある時は見られて生きることになるのではないだろうか。

もしも、そうであるとすると、この作品はどう舞台化さるべきであろうか。それが、本稿の追求点である。

2

「ひかりごけ」は、極限状況下で、人間が人間の肉を食う話である。

作品構成は、一風変っていて、紀行文部分と戯曲部分に分かれる。北海道、羅臼村を訪れた「私」は、土地の中学校長の案内でマッカウシ洞窟のひかりごけを見る。その時校長から人肉食事件の話を聞き、〝精神の肉ひだがキュッと収縮した〟「私」は調査と想像を加えて、それを戯曲として書いたのである。作品の三分の二を占める戯曲部分は二幕から成る。第一幕は、難破した船の乗組員（船長・西川・八蔵・五助）四人の間で展開された惨劇であり、第二幕は、部下を食うことにおいてただ一人生き残った船長が裁かれる法廷の場である。

前述したように、本稿の目的は、あの不可解なひかりごけの正体をつきとめ、この作品の戯曲部分を舞台化することである。

まず、第一幕マッカウス洞窟[1]から見て行きたい。

はじめに五助が餓死し、その肉を船長と西川が食う。八蔵は食わない。次に八蔵が餓死し、その肉を食って、船長と西川が残る。そして、最後、船長が西川を殺して食う。

さて、人の肉を食った者の首のうしろには光の輪が出るという。その光は、ひかりごけの光に似ているという。ただし、人肉を食ったことのある者には、その光は見えない。

この光は、はじめに西川に現れる。

西川　（少しずつ、後じさりする。やがて、彼のうしろに、仏像の光背のごとき光の輪が、緑金色の光を放つ）

ここで注意すべきは、紀行文部分において金緑色と表現されていた光彩が、緑金色となっている点である。さらにこれを見た八蔵のせりふでは「首のうしろに光の輪が出るだよ。緑色のな。」と、はっきりと緑にアクセントがおかれてある。金緑と緑金のちがいはどこにあるか。前者に蕗のとう、後者に銅の錆を見てよいであろうか。

さて、この光は、以後、舞台にどのように登場してくるか。次に現れるのは、やはり西川の首であった。西川は自分の死が船長に待たれていると恐怖し、

西川　おら睡らねえぞ。（殺意を生じて自製の銛を手にとる。それと同時に彼の首のうしろに、ふたたび緑金色の光の輪生ず）

船長　（気配を察して上半身を起す）おめえ、俺を殺すつもりか、おめえにそのつもりがあれば、俺だって殺すぞ。（船長の首のうしろにも、光の輪を生ず）

ここで問題となるのは、船長の負う光は金緑か緑金か不明である点である。もしも緑金が罪の印であったとすれば、船長のそれは、西川に倍して毒々しく緑青《ロクショウ》そのものであってもかまわ

ない。その奇妙な論理と哲学で、躊躇する西川に食人させて来たのは船長であるのだから。だが、作者は彩色の指示をあえて避けた。

もう少し先を読もう。

西川は殺意を捨て、「おら、海にはまって死ぬだ。お前の手のとどかねえところで、死ぬだ。」と出て行く。船長は「そったらもってえねえこと、するもんでねえだ。」と西川を追って出て行く。(やがて船長、西川の屍をひきずりて上手より登場)となる。つまり殺害は舞台裏で行なわれるわけだが、その時舞台はどうなっていたか。舞台裏の動きを、音と色彩で表現して行くのである。音はアイヌの熊祭りのさいの歌謡をモティフとした祈祷曲。(神《カムイ》を送りかえす儀式なれば、熊を殺す血なまぐささを忘れさせるほど、深き感謝の意をこむ。)実はこの音楽は、西川に殺意が生じた頃からかすかに洞内に鳴っていたのだ。

(西川が退場すると同時に、楽の音たかまる。楽の音たかまるにつれ、焚火の明り弱まる。楽の音の最高潮に達するに至りて、焔の色、全く消ゆ。その瞬間、洞内のひかりごけ一せいに光をはなち幽玄なる緑金色、舞台に満つ)

神から肉をさずかった喜びの最高潮の時、焔が消えたのは、一つの命の消失を意味するものであり、それはすぐひき続いて緑金色の光を呼び寄せることになる。この説明は不要であろう。ただ、マッカウシ洞窟の金緑色のひかりごけではなく、ここマッカウス洞窟の緑金色であることに注意しておきたい。「幽玄なる」の形容詞を作者の軽い皮肉と見るか、それとも内包する深い意味を見るか、それはしばらく保留しよう。

やがて、船長、西川の屍をひきずって登場する。(船長もとより、ひかりごけの光にも、祈祷曲のひびきにも、無感覚なり。船長、屍の腕をはなして、洞の中央に直立す。楽の音は、次第にテンポの速き舞踏曲風に変り行く。船長、恐怖にかられて、うずくまる。ひかりごけの光、一せいに消ゆ。船長の首のうしろの光の輪のみ、かがやきはじめる)

ここでも作者はその彩色を指示しない。洞内の緑金が船長に移行したとすれば緑金だが、何かしら大きなものに恐怖し、いわば洞内の緑金を一身に負うてうずくまる、その姿には金緑こそふさわしいとも言える。

こうして第一幕は終る。

ここで少しく船長の内部を見て行くこととする。

生きて天皇陛下に忠義を尽くさねばならないという船長の論理で、五助を食い、その苦しみをなぐさめてくれていた八蔵をも食い、耐えきれないせつなさの中で西川は、船長の気持ちを問いつめて行くのだが、船長の答は、「おら我慢してるさ。我慢できねえこっても我慢してるさ。」であった。そして、逆に西川に問い返す——

船長　うんだがよ。おめえは自分で、何が一体せつねえだかわかっか、寒いのがせつねえだか、腹へるのがせつね

> えだか、それとも仲間の肉を食ったのがせつねえだか、助かるあてのねえのがせつねえだか、わかっか。わかるめい。わかるはずはねえだ。なあんもかんも入れまぜでせつねいだべ。何がせつねえのか、わかんねえくれえせつねいだべ。俺だってそうよ。俺だって、何を我慢してんのかわからねえくれえ、我慢してんのよ。

寒さや飢えや、助かるあてのない絶望、それと比べて食人が特別にせつないとは言えない状況、これが極限状況というものだ。おそらく西川も、この精神の状況は共有したはずだ。

では、船長の我慢とは何だろうか。

自分たちは何故にこの岬に投げ出され、共食いまで演じなければならないのか。それは自分たちの責任ではない。それなのに自分たちはなぜこれ程に悩むのか。自分たちを悩ませるものへの不満。人知人力の及ばない所に存在し、理由もなく人間を束縛してくる巨大な不条理、それを我慢しているのだ。洞窟の光の中にうずくまる姿はその象徴であり、ここに、作者が船長に対し、ストレートには緑金色を負わせ得なかった理由がある。

3

第二幕、法廷の場を見よう。そのト書き――

> 船長の顔が、筆者（したがって読者）を案内してマッカウス洞窟へおもむいた、あの中学校長の顔に酷似していることである。（傍点原文）

中学校長が「私」を案内した洞窟は、マッカウシであって、マッカウスではない。これについては後に触れる。今は、船長の顔があの校長に酷似する理由を考える。

作者は校長を、紀行文の部分で次のように書いている。

> 校長は背丈の高い、痩せた人、年は三十代でしょうが、やさしく恥ずかしそうな微笑をたえずたたえて、自然や人事に逆らうたちではなさそうでした。

以下、「おだやかではあるが陰気ではない人物」として描写される一種超俗の校長は、「光りかがやくのではなく、光りしずまる」あの金緑のひかりごけの精ではないかと思わせる。法廷の場での船長の陳述――俗人の理解を超えて難解な、しかし船長としてはこの上もなく謙虚、誠実なせりふ――この時船長は、ひかりごけの精となっているのではないか。金緑の光を内にしずめて。

はじめ船長は、検事の論告に対して抗弁も発言も一切しない。しかし、すまなかったとか、悪かったとか、人間らしいことは考えていないのか、と強く問われて「答えなければいけませんか。」「私は我慢しています。」何を我慢しているのか。「いろいろなことを」「たとえば裁判を我慢しています。」「裁判に不服ではありませんが、裁判というものが、私とは無関係のものに思われるんです。」

船長は死刑になって当然と自分で思っているので、どのような裁判にも不服はない。ただ、五助か八蔵か西川に裁かれるのでなければ裁かれたと思えない、と言う。これは直接的復讐を望むというのではない。人を食ったこともなく、人に食われたこともない人物に裁かれても、それは自分とは無関係だ、というのである。

この裁判中、ただ一度だけ船長は抗弁している。それは検事が、一向に反省的態度を示さない船長にいらだって、「いいか、お前に自分の罪を思い出させてやろう。お前は八蔵を、指から食いはじめたのか、それとも耳からね。……」と、皮はどこからむいたか、噛み具合は、などとえんえん描写を始めた時である。

船長……検事殿、自分の経験しないことを、いろいろ想像するのは、よくありませんよ。

極限を生きた者の究極の選択は想像の及ぶところではない。又、観念で理解することもできない。ここには実存の深奥の問題が潜んでいる。第一幕で見たあの不条理（運命の、また選択の）に抗うには「我慢」しかないのだ。自己の責任でなく発生した極限状況に対応する時、人は「諦め」もしくは「我慢」が強いられる。だが、より多く抵抗とたたかいを内包するのは後者であろう。船長の我慢とはそういう意味なのだ。

船長は、この法廷の場で、かなり変ったいろいろな発言をする。

天皇陛下に申しわけないと思わないのか、と検事に問われ、「私には、あの方と私とそう違った人間とは思われないのですが。」「あの方だって、我慢していられるだけじゃないでしょうか。」たしかに、天皇も一個の人間であってみれば、自ら望んだわけでもないのに、そのような座に据えられ、自らの意志の大部分を剥奪され、周辺の思いのままに生きなければならない生。我慢以外に道はない。

さて、もう一つ。弁護人に、食べなければ餓死、食べれば罪、不幸なめぐりあわせさな、と慰められて、「私は自分を特に不幸だとは思っていませんよ。」と答える。船長にあっては、人間存在全体が不幸といえば不幸なのだ。他の犠牲においてしか生きられない人間存在。

弁護人　お前は妙にあきらめのいい男だな。
船長　いえ、その反対ですよ。

ここには、決してあきらめることをしない、人間存在全体を「我慢」している船長がいる。おそらく、このへんがキリストに似てくるゆえんであろう。もはや第一幕のようにうずくまりはしない。自分の内部を知的に整理し、すっきりと背筋をのばししている。

そして、船長は今、人に食べられることを望んでいる。自分が立った精神の究極の境地を、他人にも理解してほしいのである。だがその不可能性は自明である。この絶対の孤独もまた我慢の対象となろう。

4

さて、以上の戯曲はどのように演出さるべきか。

法廷の場ラストで、光の輪は船長にはつかず、裁判長、検事、弁護人、傍聴人の誰の目にも見えないのだ。「もっと近くに寄って、私をよく見なくてはなりません。きっと見える筈ですから。」みんな船長の周囲に集る。もし見えないとなると、裁判長以下みんな食人しているということになる。

（船長を囲む群集の数増加し、おびただしき光の輪、密集
してひしめく）

とうとう、みんな光の輪を負うこととなった。なぜこのようになったのか。

ここでただちに想起されるのは、「善人なをもちて往生をとぐ、いはんや悪人をや。」（『歎異抄』）である。善人はおのれの善を意識している。これが往生に障る。悪人は自負すべき自分がない。弥陀にすがるが故にストレートに成仏できる——まずはこのような意味であろうが、船長は十分自らの悪を認識しているのだから、もうこれで仏だ。逆に裁く側の者たちは、おのれを善としているが故に、仏から遠いのだ。劇はこのことを光の輪で表現したのだろうか。

だが、裁判長以下群集の光の輪は、船長に見えていたかどうか、という問題が残る。すでに絶対者に許されてあるのならば、それは見える筈である。見えなかったのならば、船長もまた光の輪を負っていなければならない。作者は、この問題を巧妙に避けている。群集が船長の周囲を取り巻いてしまうのである。

（船長の姿、人垣にかくれる）

これでは、次に「船長を囲む群集の数増加し、おびただしき光の輪、密集してひしめく」と書かれても、その中に船長の光が入っているのかどうかはわからない。

このままあいまいに運ぶのも一つの演出法ではあろうが、ここは船長に光の輪を負わせるべきだろう。理由は——

（検事の首のうしろに光の輪が点《とも》る。次々に裁判長、弁護士、
傍聴の男女にも光の輪が着く。互いに誰も、それに気づか
ない。）

つまり、この場面から、船長一人それに気づいている、という解を導くことができないのである。船長も同じ仲間である。

ところで、作者はこの第二幕の〔演出者に対する注意〕として次のような指示を出している。「泰西中世の画家ボッシュまた

はブリュウゲルのグロテスクなる聖画、或は日本中世の絵巻物を念頭にうかべる必要がある。」それは「キリスト受難劇に似た、騒然たる静寂の気分を出すため」とある。

　今、ボッシュの「十字架を担うキリスト」三点を見る。いずれも粗野、卑劣、狡猾、権謀、悪徳——醜悪そのものの群集にとりまかれ、十字架を担いでゴルゴタの丘へ向うキリストの風貌は、おだやかにして気品高く、騒然たる画面の中に際立つ静寂が描かれている。

　さて、われわれは船長に、どのような光の輪を負わせるべきであるか。マッカウス洞窟の緑金ではなくて、マッカウシの金緑がふさわしい。この説明は不要であろう。このために作者はここまで用意周到に、第一幕では船長の光の色彩を指示しないで来ていたのだ。そして、第二幕で船長を、あのマッカウシのひかりごけの精たる中学校長に酷似させて登場させたのである。金緑以外考えられないではないか。

　ところがここにはもう一つ問題がひそむ。それはさきに触れた「案内してマッカウス洞窟へおもむいた、あの中学校長」と、あえて傍点までふって、なぜこの誤りを書いたか。マッカウスならば緑金である。作者は誤ったのではなく、緑金を要求しているのだ。関連して、マッカウス洞窟のひかりごけの緑金に、「幽玄なる」という形容詞が付されてあったことも思い出さなければならぬ。作者は、緑金をそのままで幽玄たらしめたいのである。さらに、この船長がキリストになぞらえられて行く理由は何だろう。船長もまた、騒然醜悪なる人類の罪業を背負って、ゴルゴタへの道を登る、高貴静寂な存在である。その色彩は金緑がふさわしい。だが作者にあっては、これは騒然（群集）の中の静寂（キリスト）なのではなく、あくまでも「騒然たる静寂」なのである。これは「幽玄なる緑金」と同様、言語矛盾ではない。騒然がそのままで静寂なのである。

　かくて、ここまでくれば、金緑と緑金は一つのものとなる。しかし、劇の展開はこの光の推移、プロセスをおさえなければならない。


　わが演出ノートは次のようになる。

〔第一幕〕八蔵の見る西川の光—緑金。船長に殺意を抱いた西川—緑金。西川に殺意を持った船長—緑金。西川を殺し洞窟にうずくまる船長—幽玄なる緑金（金の輝度を強くする）。

〔第二幕〕裁判長以下全員が負う光—緑金。だが船長のみは幽玄なる緑金。ただし、人垣にかくれてからは、ただ一度金光を強く発し、あとは徐々に全員の緑金に同化して行く。（船長は、ただ一人天国へ行くことも、ただ一人地獄へおちることもない筈だ。群集とキリストを一体と見る作者に従えば、船長にも絶対の孤独はない。）

5

　さて、以上の観点に立つ時、食人しなかった八蔵の存在は、さほどの激しさをもって食人者たちを打ってこない。

「おらは、五助が死ぬまえに、約束しただよ。約束さえしなきゃ、おらだって喰っただよ。」

これは、食人したことに悩む西川を慰めての八蔵のせりふである。だが、「約束」は、極限状況の人間にそれ程強く作用するであろうか。要するに八蔵は、食い得なかったから食わなかったのである。たとえ天皇陛下に命令されても食い得なかったであろう。

ここで、想起されるのは、再び『歎異抄』である。親鸞に往生のために千人殺せと言われて、自分の器量では一人も殺すことができない、と答えた弟子唯円。親鸞は「わが心のよくて、ころさぬにはあらず」と教える。これを八蔵にたとえれば、人肉を食い、生きて天皇に忠義をつくすことが、よいことであると心ではわかっていても、食うことができないのである。それは、心とは関係ない事柄なのである。ということは、船長、西川は悪い心だから人肉を食ったのではないのである。すべて宿業による因縁である。人はその宿業によって、殺人したりしなかったり、食人したりしなかったりするだけなのである。（親鸞のこの思想への作者の深いコミットは、戯曲「怪しき村の旅人」《『群像』一九五五年10月号》に端的に現れることとなる。）

すると、わが演出ノートも、次のように追加訂正さるべきかもしれない。

〔第二幕〕船長は、自分も光の輪（はじめ金緑、後に緑金）を負うて、他の人たちの輪を見る。他の人たちも、お互いがお互いの光の輪を見ることができる。その時、観客全員光の輪を負えば壮観であろう。

――これは喜劇になってしまう。しかし作者は、作中の「演出上の注意」において、喜劇としての演出も容認しているのである。（なお前記「怪しき村の旅人」は完全な喜劇である。）

かくて、作者のこの「ひかりごけ」へのスタンスはかなりはっきりする。作者は、臓器移植という現代の人肉食をめぐる賛否両論を、すでにおさえていたと言える。

注

「地元ではマッカウス洞窟と呼ぶ」（合田一道『知床にいまも吹く風』一三二頁・恒友出版一九九四年）「マッカウシ」は標準語的表現。作者は両者を明確に区別して使用しているのだが、現在、「シ」に統一してしまったテキストが、かなり出回っている。

〈参考文献〉

伊藤博子「武田泰淳論―「ひかりごけ」を中心に」『方位』第一号　一九八〇年九月
川西政明『遙かなる美の国泰淳論』福武書店　一九八七年
前田角蔵『文学の中の他者』菁柿堂　一九九八年

武田泰淳《たけだたいじゅん》（一九一二・二・一二―一九七六・一〇・五）

小説家。戯曲は①「ひかりごけ」（五四年）②「怪しき村の旅人」（五六年）③「媒酌人は帰らない」（五八年）の三篇のみである。①は純粋な戯曲とは呼べないし、②は意欲的ではあるがまとまりに欠けるし、③はまとまってはいるが意欲的ではない。総じてこの作家の、あまりに広大深甚な思想、その混沌性、多元性が戯曲的制約と相容れなかったものと思われる。

泰淳は仏門に生まれ育った。父大島泰信は浄土宗潮泉寺住職で、大正大学教授。この父を深く尊敬する。が、浦和高校三年生(18歳　一九三〇年)で左翼組織に加盟。東大支那文学科入学後も逮捕歴三回。仏教思想と左翼思想に引き裂かれて、というより両者を脱け出す道を求めてあがく様子は、自伝的小説「快楽」(六〇年)に描かれる。泰淳が真に引き裂かれるのは、日中戦争に召集(一九三七年一〇月〜三九年一〇月)され、自らの愛する中国文学、その人民を殺さなければならない立場に立った時である。まさに、生き恥をさらした立場から『司馬遷』を構想するのは帰還直後である(刊行は四三年四月)。万世一系の皇国史観を、「史記」の世界を解読することで批判する、したたかな泰淳の内部は戦争をくぐって形成された。一九四四年六月、再び中国へ渡り、上海の中日文化協会に就職。ここで敗戦国民の体験を持つことになる。「蝮のすえ」(四七年)その他、この体験を作品化し、第一次戦後派として作家的スタートを切る。

以後の歩みは、まことに巨大かつ混沌としているが、その中心にあるのは、これらの体験を通して獲得された〝諸行無常〟の思想である。ただ、それは諦念に結びつくことをせず、激しい〝生〟に結びつくところに特徴がある。

代表作一作をあげることは困難であるが、やはり「富士」(一九六九年一〇月〜七一年六月)としたい。

伊馬春部
「泥まみれの神話」

中野正昭

初出　『現代ユーモア文学全集第16巻伊馬春部集』駿河台書房一九五四（昭29）年二月
初演　未詳

昭和初期、「エロ・グロ・ナンセンス」の風潮に煽られるかのように「軽演劇」という新しい商業演劇のジャンルが登場した。昭和六年大晦日、新興の盛り場新宿に開場したムーラン・ルージュは、新興階級である新中間層を題材とした小市民喜劇でモダン都市の新しい担い手であるサラリーマンや学生といった知識層の人気を博した。それらは「新喜劇」と称される喜劇運動へと発展していった。ムーラン・ルージュ文芸部に所属した伊馬鵜平は、その新喜劇の代表的作家として当時最も注目を集めた作家の一人である。

終戦とともに青島から引き上げ、故郷北九州に一時戻ってきた伊馬は、自分と同じ引き上げ者を主人公とした作品を次々と発表する。「泥まみれの神話」は、それら一連の作品の最初のものであり、「鵜平《うへい》」から「春部《はるべ》」へと改名する戦後の伊馬の出発となる作品である。

作品の舞台は、戯曲執筆時と同じ終戦の翌年昭和二十一年早春。場所も、恐らく北九州をモデルとしたと思われる地方都市の市街だ。焼け崩れたビルディング、金庫、土蔵などが点在する夜の焼け野原、「三文オペラ」の歌に合わせ、どこからともなく登場した紙芝居の男の講釈とともに、舞台は紙芝居「或る焼跡の神話」の世界へと移って行く。紙芝居の男は観客に向かって語りかける。

……なに、神話がきいて呆れるって？　さてはお前さんたち、神話ってものを知らねえな、神話ってもののほんたうの容貌をよ。

紙芝居の主人公は、伊馬同様に米軍の船艇L・S・Tで中国から引き揚げてきたばかりの家族である。父親は二人の娘（幽子・麻里）を連れ、内地に住む妹を頼りとすべくその居所を探している。外地での父親は歴史と地理の教師だった。それは当時にあっては皇国神話や大東亜共栄圏の思想に結びつくイデオロギーの指導だった。

麻里　あら、歴史や地理、いえ特に日本歴史にお詳しいお父さまだつたからこそ、大陸では殊にその存在の意義があつたのよ。あつちの専門学校で特別な講義を受持たされなすつたのもそのためだし……、ちつとも不思議ぢやないわ。

父親　しかし皮肉なものさ。それがもう、なんにも役立たずになつたんだから……

父親にとって、皇国神話という一つの神話はもはや無意味な存在となってしまっていた。内地での生計を思案する父親は、夢の中で奇妙な商売「脳味噌御詰替処」を考えつく。「民主主義の素」「自由主義の素」「履き違へた自由主義の素」「共産主義の素」「日和見主義の素」等々と、あらゆる思想の素をブレンドして、これからの新時代に応じた脳味噌に手軽に詰替ようというのである。焼け野原で途方に暮れる家族から、父親の夢の世界へと、舞台は一転してナンセンスな趣へと変化する。「脳味噌御詰替処」の最初の客は復員兵だ。

復員者　ほう、これは便利なものがあるなあ。一つ私の脳味噌、詰替へをお願ひできませんか。

父親　よろしゆうございますとも。どうぞ、おかけなすつて……。麻里子　Physiognomist's magnifying-glass !（と、気どつて言ふ。麻里は、目をぱちくりさせてゐる）ははは、この助手はまだ新米でして……（と、自分で天眼鏡を取出し）それ、このプロパテイカル第一号のことだよ。……ではまづ……脳味噌の診断をいたしませう。（と復員者の頭蓋を、と見かう見する）いや、これはこれは……古くさいこちこちのその上また黴だらけの軍国主義で、いつぱいですなあ……。

復員者　いや、さうでせう、さもありぬべきことです。実は我ながら、困つとる次第です。新聞や雑誌による読書療法などでは、なかなか効き目がありませんのでねえ。何とか方法がありませうか。

「民主主義の素」に「日和見主義の素」、それに誤って「履き違へた自由主義の素」を詰め込んだ復員者は、軍国主義の迷妄をすっかり取り払い、早速、麻里をダンスに誘う軟派へと様変わりをする。取った脳味噌は、翌朝のお味おつけとして親子の貴重な食料となるナンセンス振りだ。続く客は「男の方と、特にあの進駐軍の兵隊さんなんかとも自由にかう……散歩できるやうな気分の頭」にしてもらいたいと望む「眼鏡などかけた女史タイプ風」のおばさんである。が、謝礼交渉が上手くいかず、逆に父親がその女性から脳味噌の詰替を迫られる…と、ここで父親は夢から目覚め、再び舞台は焼け跡に寝泊まりする現実の姿へと戻る。

観客の目前の焼け野原に登場した紙芝居の男、男の語る紙芝居「或る焼跡の神話」、そして父親の夢の商売「脳味噌御詰替処」へと舞台は幾重にも虚構世界を織りなしている。そうした作品の構造は、現実に広がる焼け野原を舞台としながらも、そこで起こる全ての事柄を虚構という閉じた世界で完結させる。その後、親子とその妹の偶然の再会を迎える。再会した妹は、夢の中で父親を襲ったおばさんである。そこにこれからの親子の生活に一抹の不安を感じさせながらも、紙芝居「或る焼跡の神話」は無事に幕を閉じようとする。家族が再会した喜びから歌を歌おうとするところへ、再び紙芝居の男が登場し

　ちょつと待つた、（と観客席へ向き直り）皆さん、これで今日の紙芝居はお終ひつていふわけで…どうでやすね？　あちらこちらの焼跡にや、こんな話がいくつも転がつてゐることと思はれやすが……。え？　まさしく神話だつて言ふんですか？　さうでやせう？　これこそがほんたうの、今日ただいま現在の神話でなくつて何であるものですか。たとへ泥まみれ、灰まみれであつても……。

と語る。男の言う「神話」は、焼け跡に見られる戦後日本の再生の可能性を孕んだもののように思われる。神話は、ひとつひとつの試練に打ち砕かれてしまった者に、共同体にまで広がるイメージと力強さを与える。そして、それによって結び付けられる人々や観客の身体にまで入り込み、彼らに同じ期待を要求するかのようにみえる。

　紙芝居の男の音頭によって、舞台上の全員が「ただいま現在この瞬間を日本に生きてゐる喜び」を再び歌おうとする瞬間、虚空からいきなり響いてきた別の歌声によってそれは遮られる。

　白いめしなぞ　夢の夢　高粱めし食うて腹こはし　泣いて怒つてもじやがたら芋やどんぐりまじりの　あゝあ、二合一勺よ、らゝ二合一勺よ。
　うつる月影トタン屋根　吹けば飛ぶよな小屋でさへ　建ててもらへぬ四等国民　原子爆弾　あゝあ、怨みのニウム、らゝウラニウムよ。

歌の主は、紙芝居の登場人物でもあった男二人。一人は、夢の中で脳味噌を詰め替えてもらったばかりの復員者だ。脳味噌の詰め替えも功を奏さず、二人の男は嘗ての隊長と部下の関係に戻り、再会を謳歌する。彼らには、喜びに満ちた神話など必要無いかのようだ。人物によって神話の在り方も異なっている。題名の「神話」の文字は、ある時は戦前の皇国神話のようであり、また戦後の出発を意味する民主主義という神話のようでもある。劇中人物が、幾層にも重なった虚構の壁を越えて対話するように、神話の意味もまたそれぞれの思惑を越えて行く。軍国主義も民主主義も、所詮は脳味噌の詰替で簡単に変わってしまうナンセンスなものでしかない。

　酒に酔った紙芝居の人物二人は、やがて語り部である紙芝居の男と口論を始める。闇屋、代議士と終戦直後の混乱に乗じてどんな職業にも就く可能性が生まれたが、脳味噌を詰め替えた隊長の選んだ職業は強盗だった。やおら銃を抜き取った隊長は、部下をはじめ舞台上の人物達から次々と金銭を巻き上げてゆく。

紙芝居の男　こりゃひどい。あんまりひどい。いくら物取り掠奪にかけちゃ永年きたへた腕だつても、今の今までの飲み仲間に向つて、……あんまりひどい。なんともひどい。まるでむちゃくちゃだ。そつちもちゃくちゃなら、こつちもむちゃくちゃだ。何もかもむちゃくちゃだ。こんなものが続けられるか。音楽はどうした。歌も歌へん。やり直しだやり直しだ。はじめからやり直しだ！

幕は閉じられ、舞台には再びオープニングと同じ「三文オペラ」の音楽が流れる。そして紙芝居の男の歌と口上も、幕開きと同じに始まる。「或る焼跡の神話」が再び上演されはじめる。

――しかしそれも、やがて風の如くにひゞき過ぎ……観客席、しだいに明るさを増しはじめる……。

このト書きをもって「泥まみれの神話」も幕を閉じる。

初出によれば、「泥まみれの神話」が執筆されたのは昭和二十一年三月二十一日と早く、終戦直後の社会的混乱の最中に書かれたことになる。そのためでもあるのだろうか、この作品は様々な解釈、深読みを可能にしている。「三文オペラ」の音楽と歌、全てを「或る焼跡の神話」という形で閉じる劇構造、その間を行き来する登場人物達、そして「神話」という意味深な題名。しかし、思想その他の形で何らかの一貫性があるかと言えば、疑問である。批判精神、諷刺精神は読みとれるが、それは野次や皮肉に近く、強力なものは備えていないし、その対象も判然としない。伊馬が戦中に手がけた戯曲は、戦火に喘ぐ小市民的哀惜を割り引いて考えても、当時の軍国主義に寄り添った傾向が強いのは否めないだろう。批判精神を込めたかと思えば、時に抒情的な哀惜を込めた作品を創作する。殊更シリアスに構えるのでなく、といって爆笑型の喜劇へと向かうわけでもない。そうした一つの枠にはめ込まない曖昧さと自由、多義的作風に当時の若い知的観客が惹かれたのも事実である。

伊馬は、國學院大學国文科在学中は折口信夫に師事し、国文学の教養にも豊かだった。「春部」は万葉集の一首から折口が選んで付けた名である。一方で、伊馬は、当時ナンセンス作家の代表だった井伏鱒二を文学上の師と仰ぎ、太宰治と親交をあつくし、また詩雑誌「日本浪漫派」同人、村山知義の左翼劇場にも参加、軽演劇の脚本、ユーモア小説、映画のシナリオ、ラジオ・ドラマと様々な志向を見せた劇作家でもあった。戦前は、左翼思想への関心も高く、また周囲からも期待されていたにも関わらず、最後まで演劇活動としてのみ関係を持ち、政治的な組織のあり方とは一線を画した。伊馬は、小市民の生活感情を捉えるに巧みではあったが、政治や思想といった形での社会との繋がりからは離れた場で「大衆」と向きあいその作風を完成させている。時代のイデオロギー的色彩にとらわれることなく、自らも世事に翻弄される一市民として軽やかに世相を描いて見せるアプローチが、モダン都市にあって伊馬や軽演劇が確立した新たな魅力だったと言えるだろう。時代を超えることなく、同時代の人々に享受されることを目的とした作品の拡がりは、それゆえにある時代の心性を巧みに描き出している。芸術や娯楽といった二項対立の図式が意味を失った現在こそ、再評価が待たれる。

〈参考文献〉

雑誌『新喜劇』一九三六年六月号（第二巻五号）
伊馬春部『土手の見物人』毎日新聞社　一九七五年
原健太郎『東京喜劇』NTT出版　一九九四年
中野正昭「童謡詩人の三〇年代――ムーラン・ルージュ小史――」『大正演劇研究』七号所収　一九九八年

伊馬春部《いまはるべ》（一九〇八・五・三〇～一九八四・三・一七）
　福岡県生まれ。本名高崎英雄。高崎家は江戸時代から続く商家で、地元の豪商の一つ。國學院大學国文科卒。一九三二年、井伏鱒二の紹介により、開場早々のムーラン・ルージュ新宿座の文芸部員となる。当時の筆名は「鵜平」。レヴューガールを巧みに配したハイティーン・ドラマや郊外の日常生活をスケッチしたユーモアと抒情性あふれる小市民喜劇で、『セルパン』等の新興芸術雑誌で注目を集める。一九三五年十月、ムーラン・ルージュ文芸部を中心に雑誌『新喜劇』が創刊されると、その中心的存在として商業演劇の枠を越え周囲の期待を寄せられるも、次第に舞台からは遠ざかり映画、ラジオへと活躍の場を広げる。「桐の木横町」（一九三三年初演『劇作』一九三五年八月号）をはじめ、「溝呂木一家十六人」（『モダン日本』一九三三年五月号）、「閣下と桃の木」（『新青年』一九三四年十月号）、「見えない梯子」（『日本浪漫派』一九三五年七月号）、「駅長おどろく勿れ」（『文芸』一九三六年十二月号）と戯曲の掲載誌は文芸誌から大衆誌まで多岐にわたる。一九三八年以後は日本放送協会文芸部嘱託。戦後は「春部」と改名。NHKの連続放送劇「向こう三軒両隣り」（一九四七～一九五三）でシリーズ・ドラマのパイオニアとなり、また「五木の子守歌」等の古い民謡を発掘素材とした「旅人」他の作品で一九五六年NHK放送文化賞、ラジオ・ドラマ「国の東」で一九六一年芸術祭奨励賞を受賞する。ラジオ・ドラマ「屏風の女」（一九五二年）は、西ドイツをはじめ欧州各国で翻訳放送された。ラジオ・ドラマは、戦後の一時期に新しいドラマの形式として劇作家や小説家の関心を集めるが、その点からの考察と再評価も今後の課題として残っている。また、太宰治とは互いの無名時代から親交があり、太宰にふれたものとして『桜桃の記』（筑摩書房　一九六七年）がある。

矢代静一「絵姿女房」

初出　『新劇』一九五五（昭30）年四月
初演　文学座　一九五六（昭31）年一月二十日　大阪毎日会館

林　廣親

1　作家的自立に関わる側面から

矢代静一の初期の戯曲の中で、「絵姿女房」は制作に最も長い年月を要した作品であったらしい。エッセイ集『鏡の中の青春』（一九八八・八　新潮社）に、初演のパンフレットを抜粋するかたちで、その事情の一半が次のように語られている。

絵姿女房を書き出したのは、三年前（昭和二十八年の十一月）である。習作を除いて、私の作品の中では、一番短いものであるのに、思いがけず、完成するまでに長い時間がかかった。私は、あのころ、心の動揺がいちばん烈しかったころで、やがてなくなってしまう筈の青春を、どうにかして、書きとどめて置きたいと焦っていた。この作品は奇妙な偶然にかかわりを持っている。第一稿が出来上がった日に、加藤道夫が自殺した。私は、そして、ある説明しがたい興奮に駆られて、原稿を焼いた。贋物であるという判断を自ら下したのである。第二稿に着手したのは日記を見ると二十九年の三月四日で、雪が降っていた。どうにか、今度はものになりそうだと思って、筆をひとまず置いて、夕刻、一ツ橋講堂のゴーリキイ「どん底」の舞台稽古を見学しに出向いた。劇場のドアを開けたとき、演出の岸田国士先生は意識を失っておられた。それでまた暫く筆を捨てた。──中略──　岸田は私の恩師であり、加藤は尊敬する先輩であった。この二人の孤高な精神は私の精神形成におおいに役立っている。人ごとではなかった。

このエッセイ集は、「絵姿女房」の成立事情に絡めた矢代の青春記というべきもので、「翠」と呼ばれる女性との出会いと別れが、作品執筆の動機であったことが物語られている。加藤と岸田の死によって、なぜ稿を改めることを余儀なくされたのか、その理由は明かされていないが、推測は困難ではないだろう。当時の矢代にとっては、自らより上の世代の日本の劇作家はほとんど眼中になかった。この二人だけが例外である。彼らによる批評がもはや望めないという孤独感のうちに、改めて読み直した時、作品は無意識の甘えを含んだものとして映らざるを得なかったのではないか。「この二人の孤高な精神は私の精神形成におおいに役立っている」という回想をそのように了解するなら、そこに彼の作家的自立に関わるある種の逆説的真実が想われるのである。作品の内容に絡んで興味深いのは、当初この劇の主役は「すい」だったのだが、やがて、「どうしても殿様を主役にしてしまいたくなって」と回想されていることで、その構想の変化を経ての作品の完成が、劇作家としての矢代の自立にとって大きな転機となったことは疑えない。私見の限りでは、戦後派の劇作家としての矢代の個性は、「絵姿女房」にいたって初めて明瞭となり、今日でもその新鮮さを失わない作品世界を実現している。

2　典拠を視野に入れて

「絵姿女房」は民話に取材した作品で、類話としての昔話は日本各地に伝わっている。ただしこの民話が一般によく知られるようになったのは戦後のことらしい。これを取り上げた関敬吾の『日本昔話集成』（第二部の1）初版が昭和二十八年四月に出ており、前掲エッセイでも言及が見られるから、この本から題材を得た可能性がある。各地に残る民話はそれぞれ多少の相違があり、大別して物売り型（桃売り型とも）と難題型に分けられる。八代が拠ったのは物売り型だが、そこには当然選択意識が働いたものと思われる。つまるところ両者の相違は、時の経過を含むかどうかであろう。難題型では、妻が城に連れ去られて間もなく夫に難題が与えられ、決着も速やかだ。後述するが、「絵姿女房」の主題は、時の経過による心の変化という問題と深く結びついている。

さて、「絵姿女房」の類話はいずれも美しい女房を殿様に奪われた百姓が、女房の知恵を借りて再び夫婦の幸せを取り戻すという話であり、基本型は次のような筋によっている。

1　ある男が女房（天女、瓜姫、長者の娘）を娶るが、美しさに見ほれて仕事に出ない。
2　女房は自分の姿を絵に書いて持たせてやる。
3　絵が風に飛ばされ殿様の邸に落ちる。
4　殿様はこの女を探し出して女房にする。
5　男は女房と約束して桃売りになって城に行く。
6　女は桃売りの声を聞いてはじめて笑う。
7　殿様は女の歓心を買おうとして桃売りを呼び入れ、着物を取り替える。
8　桃売りの格好をした殿様は番人に追い出され、二人は城で幸せに暮らす。

（前掲『日本昔話集成　第二部の1』角川書店による）

元の民話と比較すると、矢代の「絵姿女房」は思い切った換骨奪胎の産物であり、その点で木下順二流の民話劇とはまったく別のものであることがわかる。たとえば、民話では女房が天女であるというケースが多く、その知恵が夫婦の難局を打開するのだが、すいは自然児ながらただの人間に過ぎない。また、よもは、女房に惚れすぎて仕事が手につかないのではなく、立身出世の野心に駆られて、その愛が重荷になった男として登場する。また、絵姿が風に飛ばされて殿様の目にとまるといういかにも民話にふさわしいプロットは消え、その代わりに老爺に扮装したお忍び歩きの殿様が、よもの悩みを知った上で、彼と示し合わせてすいを城に入れるというとんでもない話になっている。

　殿様の心を知った彼女が、世間ずれしたよもを捨て、殿様と共に生きる道を選ぶという結びになれば（実際彼女は殿様を愛することになるのだが）、これはまったくのパロディで、矢代の親しんだ太宰治の「お伽草紙」の戯曲版であろう。しかし、コミカルな味わいを随所に含みながらも、この作品の主題はパロディを超えた真摯さを感じさせて止まない。「お伽草紙」にこそならなかったが、この戯曲の発想に太宰の影響があったことは、処女戯曲集『壁画』（一九五五・六　書肆ユリイカ）に収められたこの作品の題に「—僕のアルト・ハイデベルク」という副題が添えられていることからも推察しうる。

　「アルト・ハイデベルク」は、マイヤー・フェルスターの戯曲で、ハインリヒという王子の大学時代の生活と恋愛を描いたものだが。太宰にも過ぎ去った青春の時代への愛惜をテーマとした「老《アルト》ハイデルベルヒ」がある。シチュエーションはまったく異なるのだが、「絵姿女房」もまさしく若者たちの青春と、時の流れが強いるその終わりをめぐる物語であることはいうまでもない。『絵姿女房』は民話劇ではない、現代劇のつもりである。」（『鏡の中の青春』）という作者の言葉と、「アルト・ハイデベルク」の連想を楯にして、すこし大胆な見立てをするなら、よもとすいそして殿様という三人の若者たちに似た性格の組み合わせは、青春時代の交友にはしばしばあるものだ。一組の恋人とその親しい友人の三角関係。よもは、「美しく大きな若者」ですいに愛されているが、世俗的な立身出世を夢見て止まない野心家であり、「美しく小さな娘」すいはひたすら恋人を愛し彼のためには自己犠牲も厭わない。そして「醜く小さな若者」の殿様は、自分にはその何れの生き方もできないと思い定めて、しかし彼らをいとおしんでいる、「トニオ・クレーゲル」のトニオを思わせるような若者である。

　「私の『絵姿女房』では、殿様は複雑になっている。現代では殿様もしくはそれに似た存在は、割の合わない役割になっている。しかし、殿様という職業が悪いのであって、なかには、いい殿様もいる筈で、そういう殿様はその機構の中で孤独になる。この作品はそういうニヒルになった殿様の純情な恋物語である。」（『鏡の中の青春』）と作者はいうが、彼がたまたま殿様であったことで、本来なら無いチャンスが訪れるのである。作者の思い入れが殿様の方に傾いてこの作品が完成したという事情には引用で語られた以上の意味がありそうだ。

3 恋ゆずりのいきさつ

さて、作品の具体的な世界に進むことにしよう。「絵姿女房」はプロローグと二場で構成される劇で、プロローグのパントマイムは、夕映えの田舎道での若い男女の出会いを一枚の絵にした趣。水車はリズミカルな音で回り、空には小鳥のさえずり。甘美な音楽に包まれた牧歌的で瑞々しい恋の光景だが、二人が顔を見つめ合う結びでは、「よもの表情に、気弱さが現われ、女の表情に、気高さと強さが現われる。」、二人の性格を暗示しながら、その恋の行く末についてのある種の予感を潜ませた無言劇である。

第一場の舞台はプロローグのそれと同じ。ただし、コミカルな音楽が流れ、空には人を馬鹿にしたような鳥の声、故障しかけた水車の音もさえないという、一転して滑稽にも幻滅的雰囲気の世界である。竹に挟んだ女の絵姿は民話どおりだが、それを立てかけた大樹の梢に縄をかけて、よもが首を括りにかかるという意外な成り行きで物語が動き出す。

いったいなぜよもが首を括らなければならないのか。通りかかった老爺（実は老爺に化けた殿様）との対話によって、その事情は徐々に明らかになり、それと平行して奇妙な恋ゆずりのプロットが展開してゆく。「一年しかたたねえつうに、なんとまあ、人の心はずんずんずんと、変わってゆくものじゃろか。」というのが、よもの最初の台詞。彼の嘆きの種はすいと共に暮らすというだけでは満たされなくなった自分自身の心なのだ。

よも　おいら、長者の娘と一緒になりていだ。すんで、おいら、商い始めて、金さもうけてえだ。金さにぎっとらんと、男は出世できねえもんな。おいら、出世してえだ。都にいきてえだ。百姓はいやじゃ。

老爺　すんなら、長者の娘と一緒になればええでねえか。

よも　だども、おいらには、女房があっだ。女房二人もつのはいけねえこっだ。いけねえこっだと人はいうだ。

老爺　こら、また、欲の深え男だ。金ざくざくと、女っぷりか。ふたつほしいのけ。

よもにとっては、出会った当時のまま、ひたすら自分を慕うことしか知らない女房の心は、こうなると重荷以外の何ものでもない。しかし、その純な心を思うと打ち明けることはとてもできない。だから、首を括る気になったというのは身勝手な悩みだが、思えば現実的で、物語は発端から大きく民話の世界を離れている。

やがて老爺が絵姿を見て自分の女房に惚れたと言っていたことに気づいたよもは、女房をやるから、彼女が決して戻ってこれない遠い山の中に連れて行ってくれと言い出す。まるで、主人を慕う犬を捨てるような話であるが、老爺はそこで殿様の正体を明かして、彼女を城に連れて行ってやるという。よもは驚愕するが実は渡りに船である。

やがて弁当を持ってきたすいが加わって、舞台は三人のやり取りの場に移る。殿様は再び老爺に扮して、先ほど通りかかった殿様がよもに難題を持ちかけたのだという。

老爺　―略―殿様がな、この絵姿さ見ておめえの体さ、ほしいとよ。
すい　ほしいって、なにいうだ、おいら、よもの女房じゃ。すいはよもじゃ。よもはすいじゃ。（朗らかに笑いころげる）
老爺　日が暮れんうちによ、お城さ、おめえを連れて来いというのじゃ。なあ、よも！
よも　だども、そらな……
老爺　よも！　おめえ、おいらの気持ちわからんのけ！
よも　（半信半疑のまま）んだ。んだ。えい、畜生！―中略―　すい、そのとおりじゃ！

夫と自分は出会いの日から一心同体だと信じて、疑うことの無い女がすいである。よもは躊躇しながらも老爺の話に口裏を合わせ、言うことを聞かなければ殿様に殺されてしまうという。それを聞いたすいが、ならば殿様のところへ行くというので喜んだ彼は、帰ってくるのをいつまでも待っているとおざなりを言うのだが、「おいらの心さ変わることはねえけんど、体さ汚れちまっとるだ」と聞かされてはさすがに平気ではいられない。

よも　畜生！　おいらもうどうでもええだ。（胸をはって）ええか、よくきけよ。おいら天地神明にかけて誓うだ。おいらは、すいは、はなさねえ、けえれ！　けえれ！
老爺　胸がすーとしただ。すんなら達者でな。

思い切って男の意地を見せはしたものの、さっさと去りかけた老爺を見て、思わず彼が呼び止めようとした時、すいが老爺を呼び止める。彼女の決心がいよいよ本物だと知ったよもの応対はまことに見ものである。

よも　すっと、おめえ、ふんとにお城さ……
すい　おこらねえでな、よも。
よも　すんで、もうけえってこねえのけ？
すい　けえってきてもええのじゃろか？
よも　……（泣き笑いで表情こわばる）
すい　すんな悲しい顔さするでねえ。おいら、お城からけえれるようになったら、まっすぐおめえのとこさ飛んで戻ってくるだ。誓うだ。おいら、ほかに行くとこさねえもん。
よも　……（表情がますますこわばる）

自分の野心のためにすいを厄介払いしたいのだが、それが打ち明けられないという事情を知る者にとっては、抱腹絶倒の場面である。三年経ったら桃売りに化けて迎えに行くという約束は、民話をなぞっているが、「三年たったら、おいら、きっと出世してみせるだ。そうじゃねえ、きっと、お城さゆくだ。」という台詞は語るに落ちるよもの本音。厄介払いされたとも知らぬすいは、老爺に言われたように毎日しかめっ面をして殿様に早く飽きられるようにすると約束し、まことに健気である。

4 「絵姿」の意味

この第一場からは、さまざまなテーマが読み取れよう。「すいはよも、よもはすい」という台詞に象徴される変わらぬ愛の美しさいじらしさと、半面それに伴わざるを得ない個我の喪失。恋愛は一体化の喜びに酔う出来事だが、時の流れとともに心はやがてその喜びを忘れ去る。その結果、野心のために愛を捨て去る残酷さも人は敢えて犯しがちだ。第一場のやり取りは、そうした変化を強いる〈時〉というものへの嘆きとともに、人生の苦い真実を浮上させている。これが、仮に写実的な現代劇で描かれたとしたら、おそらくこの劇は殺伐として、それ以上のテーマへの通路をもち得ないだろう。矢代の現代劇がそのことわりを示している。「絵姿女房」の場合、それが「抒情喜劇」の笑いをともなったことで、距離の余裕を持って見られる寓話となる。興味深いのは、殿様に託された性格だ。彼は多くのことを心得ながら彼らに関わってゆく。

三年後に約束がどのような形で実現するか。「こんで、おいらにも、たのしみが一つできたというものじゃ」という台詞は、

人間性に対する彼のシニカルな態度を表しているが、その彼も若者で、すいに心惹かれているという設定によって、この作品にはより高次な心のドラマへの可能性がもたらされている。

第二場は殿様の城、すでに三年の時が過ぎている。お触れによって桃売りが集まり、すいが彼らを引見する時が迫っているのだが、殿様は桃売りに混じって、自分のいない場所で彼女がどう振舞うか見ていたい。老爺に扮するために彼が姿を消した後の、「おいらが知っとることは、殿様にいうてはなんねえど。殿様は、おいらが知らんとおもうて、一人で、おたのしみなさっとるのじゃけん。」という彼女の台詞は、三年のうちに彼女が殿様という人間のすべてを理解したうえで、彼を愛するにいたった事情を伝えている。

ところが桃売りの姿で現われるはずのよもは、なかなか現われない。そこで他の桃売りを返した後に、桃売の老爺に化けたつもりの殿様とすいの対話の場となる。わざと殿様の悪口を言う老爺に、彼女はそ知らぬ体で自分が殿様の立場や心をどれほどよく知っているかを語る。

老爺　おまえはいうただ。すいはよも。よもはすい。おまえの言うことさきいとると、すいは殿様じゃ。
すい　いけねえことじゃろか。

さらに彼女はよもが長者の娘を嫁にして村一番の金持ちになったことも心得ていて喜んでいるという。

老爺　なんして、おめえ、すんなうれしそうな顔すっだ！
すい　よもがしあわせになっとれば、おいらもしあわせになってもええからじゃ。
老爺　さあて、わからねえ。よもに捨てられて、なんして、おめえはしあわせなのじゃ？
すい　わかっとるくせに。
老爺　わからねえだ。
すい　殿様。
老爺　（後ろを見て）はて、殿様がおいでになったのけえ。
すい　おいらが、なにをまっとつたか、よう知ってなさるはずじゃ。
老爺　おいらがけえ？

無論これは、彼女の殿様に対する愛の告白である。今日はじめて彼女が笑ったのは、よもが来ないと知ったからだという。ことばは素朴だが、民話離れも甚だしい意外な成り行きである。しかし殿様は素直に彼女の愛を受け入れようとはしない。よもが来ないのはいくさで何もかも失ってその姿を見せるのがつらいからだと弁護し、醜くて人をいじめる自分にはすいに愛される資格はないのだという。すいは相変わらずおのれの心に正直でこうと思えばひたすら真剣である。殿様が押されてたじたじとなったところで、よもが現われる。

よもは見た目も三年前とは変わり果てて、心も擦れきった様子。約束どおりすいを連れ帰るつもりだが、彼女は従わない。

二人の対話が進行するにつれてすいの心にも、何か決定的な変化が生じたことが明らかになる。彼女は殿様への愛を隠さない。「すいはよも」では最早無いのだが、それでは「すいは殿様か」という問いに、「すいはすいじゃ」と鮮やかに答えるのである。その意味は殿様には分かり、よもには分からない。彼はすいの絵姿の変わりに金をもらい、「畜生、こんどこそ、一旗あげっだ！　貧乏人は金さねえと出世できねえだ。」と嘯いて城を去ることになる。

よも　どうでもおまえのかってにすっがええ。首さしんからつる気になった、過ぎた昔がおしまれてなんねえよ。あのころのおいらには、きれいな女はきれいな女に見えたもんじゃった。
殿様　いまは？
よも　きれいな女もきたなく見えるだ。

芝居がかった捨て台詞だが、半ば本音の悲しさもあるものの、哀れな現実主義者には、ついに変わらぬ心もあることが分からない。殿様と残されたすいは、絵姿を返してくれといい、「ゆっくり、ゆっくり、それを破く」。

絵姿は、美しかった青春の日の象徴である。その時の止まることをことを人は願うが、時は過ぎ去り人の心は変わる。私は私と思い定めて生きることしかそれに耐えるすべはない。だが、そう覚ったときが青春の終わりである。すいは殿様を愛しました殿様もすいを愛したが、よもも含めた彼らの青春の時は終わったのだ。誰も結ばれることなく別れて生きてゆくという結末はやはりそうあらねばならないものだろう。

5　自己決定のかたち

現実に対する諦念を抱きつつ、誰のものでもない私となって、それぞれの道を歩み出そうとする時、人はいったい何によって生きればよいのか。幕切れの場を通じて読み取れるのは、その問題に通じるメッセージに違いない。

すいは絵姿を破いて去りかけて再び戻ってくる。殿様がよもに「おめえの女を、こんどこそ買うだ。」と言ったことが気になって戻るのである。それは、彼女をよもから自由にするための嘘であり、すいも分かっていたはずなのだ。それにもかかわらず戻るのは、彼女の密かな願望ゆえのことだろう。彼女にとって愛はやはりその心の支えなのだ。殿様はそれを知りながら、やはり彼女を去らせてしまう。

よもは真っ先に変わり。すいもまたそれとは違う意味でやはり変わる。それは心の成長である。そして、「おめえは、草の色や雲の形さ、教えてくれたなァ、」と感謝しながらなされる殿様の選択は、彼もまたすいの純な心に触れることで、彼なりの心の成長を遂げたのだということを暗示している。幕が下りる前の彼の台詞を手がかりにしてその意味を考えてみよう。

彼は、幼い自分が山を見、川を見て、心のままに口にした言葉を、表では褒め裏では現実の苦労を知らぬと嘲笑する家来たちの態度に傷つき、そうされざるを得ない立場にいるために、だんだん弱い男になったのだという。「だども、おいらは、今ほどは、もう弱くなれねえだ。こんで、おいらはやっとふんとの殿様になれただ。弱え弱え殿様は小さな声して、おっしゃるだ。この昼下がりの、うらうらしとる景色さとっくり眺めて。きょうの山さ眠っとる。眠っとって歌うたっとる。きょうの川さ、眠っとる。眠っとって歌うたっとる。」

彼が見出したのは、己の欲求の現実化を阻むものを受け入れざるを得ない自分の宿命の肯定である。今ほど弱くなったことが無いというとき、初めて「殿様は殿様」になれるのだ。それは、よもの、現実と対決して自己を拡張し続けようとする生き方とはまさに対極的な、自己決定である。しかし、いわば現実の中での自己実現の欲求を放棄して初めて、彼は小声ながらも自らの歌を、みずからの心のままに歌う自由を得ることができたのである。その自由の味は、彼がかじる青い桃の実のように切なく酸っぱいものだろう。またそれは、熟さぬ内に過ぎ去った青春の時の象徴と見てもよいのかも知れない。ともあれ、この劇の幕切れは、明らかに一人の作家（芸術家）の誕生の寓意を含んでいる。「なよたけ」の作者は、もし生きていたらこの作品をどう評しただろうか。

矢代静一《やしろせいいち》（一九二七・四・一〇〜一九九八・一・一一）

昭和二年、東京銀座のヨシノヤ靴店の長男として生まれ、昭和十九年早稲田高等学院在学中、俳優座研究生となり、戦時下の移動演劇に役者として加わって戦中を過ごした。終戦後早稲田大学仏文科に入学し、ジロドゥやアヌイに熱中した。その後再び俳優座に文芸部員として復帰したが、次いで文学座文芸部に移った。

昭和二十五年に早稲田を卒業、同じ年に処女戯曲「働蜂」（『近代文学』3—4合併号）を発表するとともに、演出の仕事も初めて手がけた。その後、中島敦の小説によった「狐憑」（昭27・12初演文学座アトリエ）、「城館」（『新劇』昭29・4）、「雅歌」（『三田文学』昭和29・10）などの作品で新しいタイプの心理劇の作り手として戦後世代の旗手的な存在となった。「城館」の載った『新劇』に掲げられた「最近の戯曲生産を通じて、これほど傍若無人な作品にぶつかったことはない」という岸田国士の推奨の言葉がそれを語っている。

三角関係がもたらす愛とエゴイズムの葛藤を観念的に追求した作風は、流行のシャンソンを取り入れるなど当時はまことに新鮮な印象で迎えられたようだが、今日の目から見ると時代の色を帯びすぎているように感じられる。同様なモチーフは、その後、彼の生家を思わせる銀座の老舗を舞台にした「黄色と桃色の夕方」（昭34・10『新劇』）、「地図のない旅」（昭36・1『新劇』）、「黒の悲劇」（昭37・9『新劇』）と継続し、次第に社会的な広がりを持ったリアリズム劇の色合いも加わってくるが、それと平行して生み出された「壁画」（昭30・3『群像』岸田戯曲賞受賞）、「像と簪」（昭31・6『新劇』）、そして「絵姿女房」「国姓爺」のように、非現代劇も試みている。そして、それらの作品のほうが、喜劇や風刺、アレゴリーなど彼の豊かな劇作家としての資質を感じさせるものが多い。

その後の仕事は、宝塚ミュージカル、森繁劇団のための書き下ろしや脚色、放送劇の分野にも広がったが、昭和三十八年三島由紀夫の「喜びの琴」上演をめぐる事件で、文学座を退座し、グループN・L・Tに参加。旗揚げ公園のために「誘拐」（昭40・4『新劇』）を書いた。N・L・T退団後の「夜明けに消えた」（昭43・9『新劇』）は、聖書に取材した作品で、最初期からあった神（絶対者）の問題に関わるモチーフに基づく、時空にとらわれない戯曲の世界を開いている。翌年の昭和四十四年には、カソリックに入信した。

以後の作品には、紀伊国屋演劇賞・読売文学賞を得た「写楽考」（昭46・11・47・3）、「北斎漫画」（昭48・3『文芸』）、「淫乱斎英泉」（昭50）などの、話題作問題作があり、それら業績に対して、昭和五十二年度の芸術選奨文部大臣賞を受けている。

作品選集として『矢代静一戯曲選集ⅠⅡ』（一九六七・四—五白水社）『矢代静一名作集』（一九七九　白水社）がある。

鈴木元一
「御料車物語《ごりょうしゃものがたり》」

藤田富士男

初出　『新劇』一九五七年四月号（堀田清美による改修作）
初演　劇団民芸　一九五七年二月一九日～二四日　一ッ橋講堂

1

鈴木元一は、職場作家の立場に固執して創作に励んだと言われている。戦後、雨後の筍のように大手の職場に文芸サークルが誕生した。国鉄だけでも、小説・詩・評論・戯曲・コントなどのジャンルに創作が続出した。演劇グループも各支部単位で作られるほどの盛況を呈した。それらが全国的に競い合い始めると、GHQ（連合国総司令部）は、組合保護の政策を一転して、一九五〇（昭和25）年、共産主義の排除を目指した、いわゆるレッド・パージを展開した。文化運動に携わっていた多くの活動が強制的に、あるいは自ら職場を去っていった。先鋭的な活動家を多く有していた国鉄に対する弾圧は、下山事件、三鷹事件、松川事件などの陰湿なものから直接的な大量人員整理など多岐に亘っていた。国鉄の労働組合も、人員解雇撤回闘争やレッド・パージ反対闘争などを果敢に戦い、抗った。鈴木元一は国鉄大井工場に属して「モハ 30073」（四八年）、「空転」（五二年）「制輪子物語」（五三年）などの作品を書いて上演し、仲間を鼓舞し続けた。弾圧のプレッシャーに耐え切れず、職場を去る者や専門作家への転職が相次ぎ、鈴木の心は揺れた時期もあったものの、職場にはこだわって書き続けた。

ここに掲載した作品は三年に亘って三稿が重ねられたもので、遺族の所有していた最終稿である。岡倉士朗によれば「封建的だって叱られるかもしれないけれど、上演されたら、おふくろを関西見物につれてってやりたい」（『民芸の仲間達』三一号）と語っていたが上演を見ることなく、交通事故禍のために急逝してしまった。

国鉄時代の東京の品川にある大井車両工場には、天皇専用列車用の総レンガ造りの御料車場があった。「御料車物語」は、その大井工場で展開される。聞き及ぶところで言えば、戦前には、御料列車をわずかに遅延させただけでも、処分があり、それを苦にして自殺したものまであったと言う。「恐れ多いこと」だとする体質は民主化された戦後に置いてもさほどの価値観の変化は見られず、御召列車の乗車を拒否した組合委員に対しての救済も完全には行われてはいなかった。むしろ一部の組合委員のなかには、御召列車の乗務はお目出度いこととして受け取っていたもの多かった。

2

舞台は、組合員の休憩中の雑駁な談話から、次第に御料車の修理に移っていく。中心を担うのは森田組だったが、人手不足のために上田組から二名の援助が必要となり、その人選を巡ってあれこれと上田組のメンバーは憶測、推測話に花咲かせていた。御料車修理が人気を博しているのは、戦後の物資不足のなかで、部品・工具類を不自由なく用意してくれるのは当然のことながら、何よりも修理期間中の割増し賃金が技工たちの垂涎の的となっていた。塗替職場の青木周一は、漆塗りの名人と言われ、外壁塗り替えには欠かすことの出来ない人材であったが、定年寸前の割増し退職金を願って要請を固辞していた。そんな事情があるとは知らない客車職場の助役・本多は、修理の現場責任者だった。

本多　……何しろ僕も助役になって始めての御料列車修理でおまけに天皇陛下の車なんだからね、君たちからはくどいって言われる位、慎重の上にも慎重にしている訳だよ、万が一の事があったら腹切りものだからねえ、ここらで一つ点数をかせがなきゃあ、大石君僕らの大学一緒に出た連中はもう職場長になってるんだぜ。

大石　大丈夫ですよ本多さん、御料車だからどうって事ないですよ今は、ともかく昔は御料車修理といえば大変でね、運良く選ばれた者は一家一門の名誉だと言って修理前から身を清め、それこそ酒など畏れ多い極みだと言って修理が終る迄は如何なるのんべえでも禁酒して作業したものですがね。

作業掛の大石は、本多の気分を和らげようとして職場の民主化を説くのだが、このようにこと御料車に関しては旧態依然としている。本多は、青木に退職を伸ばすように説得した上に、息子の客車技工である徹を上田組から抜擢する。もう一人の山下は選ばれたことを誇りに思い、さっそく田舎に連絡する。家族中で喜ぶ山下に対して、父の慰留の見返りに選ばれた徹は、組合の副分会長でもあり、迷惑なことだった。父の期待には応じられず、一方で組合員からの侮蔑の眼差しと態度に、徹は葛藤する。徹には職場内に恵子という恋人がいたが、新生活のために作った部屋は本庁の課長の息子に貸し出されていた。家屋の充分でなかった時代のことで、特に上役の願いには逆らえず、精神的な圧迫は募るばかりだった。そんな状態が気の緩みを引き起こしたのか、徹は、台車職場の畑の不注意もあって、修理中に大怪我を負った。

三島　うん、そうだ、青木がこれだけの怪我をしたのにな、青木、お前のおやじは知らねえのかよ、皆で寄ってたかって天皇の車一両仕上げてるんだからすぐ判る筈じゃねえか、ええ、知らねえかい森田組の兄貴達！

技工ヨ　ああ本多や大石や青木のおやじさん達は御召車の傷を見てるよ。

三島　えっ⁉　御召車の傷？

職場長達は、まずは人間の怪我よりも列車の傷のほうが心配だった。実際のところ徹がピットに落ちたとき、道具箱が外側の漆を二尺ばかり剥がしたのだった。漆塗りは例え一箇所のカスリ傷でも全部塗り直しが必要となる。血だらけになっている我が子を前にして「あんな大それた事をしでかして、終戦前ならもうお前は馘なんだぞ！　近頃の様子じゃ今だって危ないんだぞ！」と詰め寄り殴りかかる。さすがに人間を無視した態度に腹を据えかねた徹は、「そんな事ありませんよ、あんな事位で……」と反駁する。親子の反目にまで発展した出来事の中で組合は、徹の怪我を「公傷」認定させるために動くが、現場長側は「休憩中の個人的過失」を主張して譲らない。だがこの一件は技工の村上が御料車工場に忍び込んで偶然に撮影していた写真のおかげで公傷が認められた。この交渉の過程で陰湿にも、青木の父親は責任をとらされるように馘を宣言される。話が労使や親子の問題にまで発展するなかで、なんとか工事は終了して、担当組にも恩賜の煙草が配られる。その数は直接作業者が二本、その他のものが一本という微々たるものだった。大怪我も天皇の御威光の前にはまったく無視されてしまった。この場面は、戦前からの体質が基本的に変わっていないことを端的に物語っている。その辺りを声高に叫ぶのではなく、恩賜煙草のやりとりなどに笑いを込めて極めて明るく描いている。組合員のやりとりそのものも、大筋においてユーモラスであり、職場の雰囲気を再現することに成功している。

人間性を疎外されたこの職場では、以前から二十名の馘首反対闘争が担われており、御料車事件は組合員の闘争心をさらに高めた。二十名の不当馘切り撤回闘争の秘密指令は、各分会に静かに回り、集会への準備が着々と進行していった。ついに「秘密闘争指令第十三号」が本部より出され、工場支部分会は、分会単位による半日に及ぶ「職場要求貫徹総決起大会」への実行がなされる。事前に、鉄道公安官が密かに組合員に扮して集会に介入しそうだとの情報が伝えられた。組合側は、不当介入を阻止して、集会を成功させるために一人一人に封書を渡した。直前に開けることと指令されたその封書の中には、組合員であることを示す胸章が入っていた。馘を言い渡されて組合とも一線を画していた青木周一は、徹に胸章を付けて集会へ出るよう説得される。いよいよ集会当日、組合側の作戦は功を奏して集会は始められ、組合側は交渉を要求する。工場当局は労働係長を工場側代表として、集会の不当性を宣告した。そして集会を解散させるために実力行使に入った。徹は寸前まで周一を説得した。周一は胸章を付けたものの、集会に参加する決心が付かないままに幕となる。

3

東京における職場演劇運動の第一期は、東京自立劇団協議会（略称・東自協）が結成された一九四六年である。しかし、四九年にはレッド・パージによって解体を余儀なくされた。協議会の中心メンバーは新演劇人協会で、戦前の演劇運動を担った人たちが支えていた。彼らはプロレタリア演劇運動時代の到達点も誤謬への反省も考慮することなく、そのまま東自協へ持ち込んだのである。宮本研は当時の状況について「戦前の到達点の理論上の点検も行わず、結局、運動をも舞台をも何ひとつ組織できないままに日を送って来たればこそ、みずからもまた、一九五〇年を決定的な転機として迎えねばならなかったということである。」と述べている。つまり、プロレタリア演劇の延長線上にあるリアリズム演劇を、無批判に踏襲したことによって、崩壊への道は自明のものとなっていったのである。戦後の演劇運動の爆発的な高揚は、民衆的エネルギーへ転化する道を見失ってしまったのだった。それでも胡散霧消してしまった組織演劇に鈴木元一はこだわり続けた。鈴木は職場演劇の劇の集大成として、劇団民芸の依頼に応じて書いたのが「御料車物語」だった。三年にわたって三稿を重ねて完成した劇作で、率直な描き方と若者達の現場での苦悩が、若い観客の共感を得て評判を呼んだ。ようやく展望が開けてきた時、鈴木は交通事故に遭遇して三十三歳の短い生涯を閉じたのだった。

〔参考文献〕『現代日本戯曲体系』第一巻「御料車物語」解題　広渡常敏　三一書房　一九七一年四月、『現代日本戯曲大系』第三巻　解説　宮本研　三一書房　一九七一年七月

鈴木元一《すずきもといち》（一九二三・（不明）～一九五六・一二・二七）

東京に生まれて日本国有鉄道大井工場工機部に勤める。国鉄労組内の演劇部で劇作家として活動。一九五〇年のレッド・パージで殆どの職場作家が馘首され、あるいは自ら職場を去っていった中で、鈴木は、職場の仲間のために創作するという一点にこだわり続けた。闘う仲間が職場を去り、専門作家の道を模索していく状況の中で彼自身も迷いがなかったわけではない。みんなの前でよく「僕は学がないから」とつぶやいたと言うが、自嘲的な言辞というよりは、「だから朴訥にこの道を進むだけ」と、自己確認していたのではないだろうか。厳しい環境に抗して彼は、「モハ30073」（『民衆の友』四八・六）、「空転」（『テアトロ』五二・八）、「制輪子物語」（五三）、「安全塔物語」（民芸初演・五七・二）、「御料車物語」（『新劇』五七・四）など、商業演劇さえも注目する作品を輩出した。「御料車物語」の稿料で「母親を関西見物に連れて行きたい」と語ったエピソードは、飾らない人間性と職場での屈託のない人間関係を内示している。だから作品中にも洒落と明るさが横溢しているのだろう。そこに新しい職場演劇の可能性を内包していたのだが、「御料車物語」の初演さえ見ることが出来なかった突然の死が、彼の試みを中断してしまった。

安部公房

「幽霊はここにいる」（三幕十八景）

初出　『新劇』一九五八（昭33）年八月号
初演　俳優座　同年六月二三日〜七月二二日　俳優座劇場

由紀草一

1

「幽霊はここにいる」は戦後の戯曲中屈指の傑作である。このことを改めて知るために、最初期の安部公房の演劇への抱負をたずね、作品の上にどのように実現されたか、検証しよう。安部の演劇の最も重要な指標になった先輩劇作家はやはりブレヒトだったろう。劇団青俳で「制服」と「快速船」を演出した倉橋健に次の証言がある。

安部さんがあの頃からよく言っていたのは、登場人物になりきるんじゃなくて、登場人物を客体化しろっていうようなことでした。そうしなきゃ新しい演劇は生まれない、と。それがブレヒトの理論とつながるんだ。そのころ未来社からずいぶんスタニフラフスキーの本が出ていました。そのあと対立するものとしてブレヒトがもてはやされたんです。（中略）

ブレヒトは異化作用ということを言いました。同化じゃなくて異化すべきなんだと。それによって俳優が演技として観客にぶつけるものを、観客はひとつの事実、真実を訴えているんだなと受け取って、陶酔することなく劇場を出て行く、それが演劇の社会的効用であるということを言っているんです。これはもう安部さんの言葉だけど、誰もチャップリンの映画を見て、あれはとても面白かったって、チャップリンの足どりで映画館出て行かないって。喜劇っていうのは俳優がうまく客体化して演じるから面白いんで、いままでの演劇だと、たとえば「オセロ」ならオセロね、「夜明け前」の青山半蔵でもいいけれど、そういうものを見たとき、同化してしまって、その人物見て俺もああいう生き方したいなと思って、自分の実生活と無関係なところで青山半蔵になったつもりで、それが浄化作用ではあるんだけれども、劇場出て一時間したら消えちゃうんだ。これではいけないんだってブレヒトも言ってるし、安部さんも言っていますよね。僕たちは陶酔するんじゃないものを、めざしたんです。(『安部公房全集5』に付された「贋月報」一九九七、一二、一二倉橋健氏宅でのインタビューの付記がある。文責安部ねり。なお、本全集は以下『全集』と略記する)

長い引用になったが、よく委曲を尽くしている。ただ、少し屋上屋の感じにはなるが、安部自身の言葉でもこのことは確認しておきたい。一九五八年に俳優座が上演した「ガリレオ・ガリレイの生涯」をめぐって、尾崎宏次とした対談がある。話題の中心は、これをほぼ全否定した福田恆存[1]への反論である。それも考えてみたい問題ではあるが、今は関係ないので、カタルシスに関する発言部分だけみる。

それから、これは例の、いわゆるカタルシスの問題にもつながる。ブレヒトのものは、あまりカタルシスを起こさないと思うんです。そうじゃないですか。あの「キモッタマ」なんかでも、ブレヒト自身が言っているけれども、あの主人公には始めから終わりまで一つも変化が起らない。しかし、それを見てお客の中には、変化が起きているはずだというんです。これは明らかに、カタルシスじゃないものをねらっている。もっとも、芸術は何らかの痙攣を引きおこすもので、それには発動痙攣と解除痙攣が必ずあるわけです。例えば虫は飛び立とうとする前に、羽をバタバタして体温をあげてから飛ぶわけです。それが発動痙攣。涙が出るとか小便をするとか、セックスの解放は解除痙攣ですね。カタルシスというのはその解除痙攣のほうだと思うんです。だからカタルシスをねらった芝居の手口は、まず人工的に一種のストレスを起し、それをパッと解いて平衡感にもどしてやるというやり方でしょう。ところがブレヒトにはそれがない。全然ない。しかし、自分自身の中に問が起きたり、次の行動を誘発する、自分では余り意識していないようなエネルギーの蓄積が起るわけです。そういうのは一種の発動痙攣だ。芸術にとって必要な痙攣はなにも解除痙攣だけじゃなく、むしろアクチュアルな痙攣はその発動痙攣の方じゃないか。(下略)(「現代演劇の解体と再構成」一九五八、八、一『新日本文学』初出『全集9』)

以上で劇作家安部公房がブレヒトから学びとったものは明瞭になったと思うが、私の言葉で整理しておく。従来の悲劇的なドラマ、例えば「夜明け前」[2]の場合、明治維新の一断面が、信州の国学者青山半蔵の運命を通して描かれる。この歴史の大転換期がもたらした歪みは、彼の心を引き裂いて、ついに狂気へと導くのだが、観客は劇の進行中、主人公に感情移入し、同化することで、巨大な時の流れを実感できるようになっている。そして、彼がついに敗北したことを認め、息子におとなしく縛られるラストを見終わった後で、観客はまるで自らの苦悩が終わったかのような解放感を抱きつつ、劇場を後にする。おおざっぱに言ってこれがアリストテレス伝来のカタルシス論であろう。日本的なセンチメンタリズムがこれに野合すると、観客は何が青山の悲劇をもたらすのか深く考えようともせず、彼と彼の家族との悲運に涙して、後はきれいに忘れることにもなるだろう。

安部公房はこれに反逆しようとした。観客は主人公に同化してはならない。作品世界と鑑賞者の間にはいつも一定の距離があるべきだ。そのために、笑いが最も有効な手段として活用される。また、劇的なクライマックスによって、舞台上から発せられたメッセージが観客の心から洗い流されてはならない。このように配慮すれば、舞台上で展開されたことは一つの客観的な事実に見えてくるだろう。事実である限りそれは必ず、作者も演技者も観衆も否応無く巻き込まれている、この社会の一つの縮図であろう。その中に完全に没入してしまうのではなく、客体視する余裕をもつことで、我々がいつか現実の諸矛盾を超えていく可能性も保持されるのではないか。だいたいこのような野心が、当時は共産党員だった安部をつき動かしていたようである。

2

一九五五年、芥川賞作家安部公房は、劇作家として改めて華々しくデビューした。三月に「制服」が、六月に「どれい狩り」が、九月に「快速船」が上演されたのである。いずれも斬新な、当時の水準を抜く作品である。以下、個別に分析する。

「制服」[3]は、終戦半年前の北朝鮮が舞台。日本人の元警官（巡査の朝鮮語読みの〝チンサア〟と呼ばれる）が不慮の死を遂げ、殺害の嫌疑をかけられた朝鮮人の青年は、拷問の末殺される。二人は幽霊になって登場する。チンサアはあまり乗り気ではないが、青年にせきたてられて、自分の死の真相を探ることになる。彼は警察を馘になってから一年間、日本から来たあぶれもの二人と組んで、ドブロクの密造・密売をやっていた。ここらで貯めこんだ二千円で日本の土地を買って、余生をのんびり暮らす決心をして、仲間のもとに別れの挨拶にくる。そこで無理に酒をすすめられ、正体なく酔っぱらったチンサアは、売り払うつもりだった制服を着込んで、朝鮮人の民家に押掛け、酒をねだったついでに毛布も持っていってしまう。怒ったその家の青年が、毛布だけでも取り返そうと後を追ううちに、密売者たちの小屋近くで姿を見失う。ここから先の真相は完全には明らかにされていないが、チンサアは雪で足を滑らせて頭を打ったというのが本当のようだ。密売仲間の〝ひげ〟とチンサアの女房はできていたが、殺すまでの気持ちはない、ただ昏倒した彼を見つけて、そのまま放っておいただけである。

すべてがあまりに卑小である。それが一番やりきれない、と青年も言う。しかし、歴史の事実とはこんなものであったろう。そして作者は、いっさいの幻想なしにこの事実を直視するように要求するのだ。ご大層に悪などとはとうてい呼べない、ちまちました欲望を抱いた連中がやってきて、よってたかって朝鮮の地に恐ろしい厄災を引き起こしたことを。

付け加えておかねばならいのは、悲惨な現実をそのまま描いたのでは、安部が嫌った自然主義になってしまうところだ。幽霊という超現実的な、従って超歴史的な存在を出した意味がこここにある。ここを視座として、我々は、描かれた現実を卑小だとみなすだけの批判的な認識を持ち得るのである。ただし登場人物は幽霊になっても卑小なままだ。劇の最後の言葉は、チンサアの「二千円！……私の二千円！……」という叫びである。モリエール「ドン・ジュアン」の幕切れの「俺の給料、俺の給料」から直接取ったものかどうか、いずれにしろ、観客が彼にまちがっても同情しないようにするためのアンチ・クライマックであることは明らかだろう。

次の「どれい狩り」には、人間そっくりの珍獣ウェーが登場する。このアイディアは、卓抜であるだけに、うまく生かすのは難しい。その証拠に、この後六七年の改訂版と、七五年の「ウェー　新どれい狩り」、の二度にわたって大幅に書き変えられた。基本的なプロットは三作を通して変らない。本当はウェーなどという動物はおらず、人間が化けていることは、劇の半ばまでには観客に伝えられる。果たして人間か否か、というようなサスペンスのレベルで観客を引っぱることは決してない。これは安部のリアリズムというより、合理精神からきていると思う。クライマックスは、ウェー以外の人間が、人間であることに疲れて自らウェーと化するところにある。

第一作（『全集5』所収）でウェーが持ち込まれるのは、〝閣下〟と呼ばれる旧軍人で、現在でも政界に勢力のある人物のもと。この雌雄一対の怪しい動物は、閣下にすばらしい着想をもたらす。人間そっくりだが人権はないウェーなら、無給無償の労働力や軍事力としてこのうえなく貴重である。その上、繁殖力は強いというふれこみだから、増やして外国に売れば、有力な輸出品目となる。この構想が発展して、「ウェー普及協会」が発足し、閣下は会長におさまる。ところで閣下にはもう一つ野心がある。彼の年頃の娘には重大な秘密があった。実は彼女は彼の父が彼の妻に生ませた子どもなのだ。このため彼は父を殺す。妻は獣医だった男と駈け落ちする。その後すぐに妻は死に、残された娘を育てながら北海道で牧場を経営していた元獣医を閣下が見つけ、二人とも手元につれもどす。男は閣下の所有する動物の飼育係として、娘は自分の娘として。しかし今や閣下は、実際は腹違いの妹であるこの養女に欲情を抱いている。そうこうするうちに、ウェーはついに耐えきれずに人間であることを打ち明け、それを知った使用人全員に叛かれて、閣下が追いつめられたとき、普及協会の一味である大臣が警官隊を率いてやってきて、力ずくで事態を収めてくれる。しかしこのとき大臣はもう閣下を見限っており、彼も他の者といっしょにウェーの檻に押し込めてしまう。

途方も無くエスカレーションする金儲けの与太話とエルザベス朝演劇そのままのグロテスクな家庭劇。過剰に感情移入される心配はまずない。それで、ここから何が学べるのか。『全集5』には、上演の翌月の七月に、「現在の会」で行われた「「どれい狩り」合評」が収録されている。そこには、「家族の崩壊過程というものを縦の軸として考え、これに社会のファッショ化を横軸として交さくさせることを考えた。縦軸に対しては心理主義的に、横軸に対しては表現主義的に、これが結合しない形になって出てきてしまった」という作者の弁がある。「社会のファッショ化」とは、ウェー普及協会が象徴する、「人間性の疎外こそ富を生む」というテーマであろう。一方家庭の崩壊課程は、結局のところ、娘が人間をやめる心理的な必然性を作っているだけで、なんの象徴にもなっていない。それに第一、安部は自然主義と同じくらい心理主義は嫌いなのだ。

こうして、二つの改作からは、複雑な家庭の事情はきれいに省かれた。もっとも同時に、「社会のファッショ化」の要素もずっと後退している。かわりにせり上がってくるのは、より根源的な問い「人間とは何か」である。安部は、六十年安保闘争を経て、六十二年には日本共産党を除名されて、演劇でも人間の実存に直接目を向けるようになったのだろう。改訂版はともかく、「ウェー」は完成度の高い傑作になった。とは言え、第一作にあった漫画的な野放図な魅力が失われたことは否めない。

最後の「快速船」は、かなり難解な作品になった。夢のエネルギーを現実に移しかえ、ついに実現する薬〝ピュー〟を発明した男志野が、製薬会社の女子社員の協力を得て、人体実験の被験者を探す。〝ニセモノ屋〟の周旋で屑屋の〝ガイコツ〟が実験台になる。ここでも、安部の合理主義が、作品を制約しているのが感じられる。志野を除く誰も、ピューの効能など信じていない。女子社員は男としての彼に興味があっただけだし、ニセモノ屋は最初から詐欺と割り切って、その範囲で金儲けのために協力するだけ。そしてガイコツは、ここ何年も夢を見たこともなく、惨めさから船長になりたいという望みをでっちあげて口にしただけ。だから、この実験が失敗したからといって、ピューの効果が否定されたわけではないことにはなるが。しかしそもそも、夢が実現する薬なら、志野自身が飲めば、望み通りになるのではないか。女子社員の勧めで彼がピューを服用すると、知らないうちにピューが製品化され発売された報せがくる。確かに夢は実現した。ただし、すべての人を、志野自身をも置き去りにした形で。

この作品にはいろいろな要素が混在している。当面必要なことだけ言うと、テーマとしては、欲望と商品の関係が挙げられると思う。欲望は商品として具現化し、商品は新たな欲望をかきたてる。この無限運動、に見えるものが、資本主義経済を発展させる原動力である。「あらゆる欲望が実現する薬」は、当然この運動を超越するから、ここを視点にすると、人々の欲望、と言われているものの、ほとんど実態のない曖昧さが浮かび上がる、と期待される。実際は……。

安部は、例えば健康になるためにまず薬を飲むというような倒錯があちこちにみられるから、それを諷刺したかったのだと述べている（上演パンフレットの「作者の言葉」一九五五、八、二四『全集5』。実際に例に出ているのは「文化国、まず交通の秩序から」という交通標語）。この倒錯は、欲しいものがあるから買うのではなく、ものを流通させるために欲しい気にさせる、のアナロジーになるから、右の私の見方は決して深読みではない（もう一つの例証が次作「幽霊はここにいる」という作品そのもの）。しかし、終幕までに半分以上の登場人物がピューに興味をなくす構成では、これを客観的に認めるのは難しい。失敗作とは言わないが、問題の多い作品ではある。

3

三年後に書かれた「幽霊はここにいる」が前記三作よりすぐれているのは、安部がついに人間を描くことをやめたからである。言い換えると、ドラマの原動力を、心理から切り離し、幽霊によって発現し発展する欲望にのみ置いた思い切りのよさが、それまでにない喜劇の力強さを作り上げている。安部の劇では最初の「制服」からして幽霊が登場するのは前述した通りだが、そこでは朝鮮人青年の幽霊が「人間は、死人が喋るのが、一番恐いんだ」と言うものの、生きている人間には彼らの姿は見えず声も聞こえない。ただ見るだけの存在だった。そこを踏み越えて幽霊をより積極的な存在とするために、安部はいくつかの試行を重ねている。

『全集』編集者たちの博捜のおかげで、現在、「幽霊はここにいる」の前駆的未発表作品が二つあることがわかっている。未定稿か、あるいは後半の散逸した小説「人間修業」(五七、五頃『全集7』)と、次の劇はこんなものですと、俳優座に見本のために送った戯曲「仮題・人間修業」(五七、一二頃、『全集8』)。両者は題名は共通するが内容はずいぶん違うし、また「幽霊はここにいる」とも全然別の作品である。それでも、三作に共通したプロットは明瞭にあるので、作品生成の貴重な手がかりを得ることはできる。

小説「人間修業」では、人間世界で活躍したい幽霊が、うだつのあがらないサラリーマン平木にとりつき、彼の所作を、食事の時箸をなめる癖に至るまで真似るうち、平木にだけは見えるようになる。幽霊は、平木の会社に入社したがったり、平木が興味を持っていた女と結婚したがったりする。やがてマスコミに取り上げられた幽霊が、講演や宗教団体の幹部になることや病人の治療まで頼まれるようになって、「幽霊後援会」ができあがる筋は、そのまま「幽霊はここにいる」に引き継がれる。さらにもっと重要な要素がある。幽霊は自分の生前のことは忘れている。私の知る限り古今東西の伝説・文芸中の幽霊はみな生きていた時分のことを覚えているのだから、これは新機軸である。そこで、身元調査をしようと、平木の説明で描かれた似顔絵は、平木自身にそっくりになる。たぶん、書かれなかったか失われた小説の後半部分では、幽霊とは平木の妄想が作り上げた分身であったことにが明らかになるのではないだろうか。このような幽霊の基本的な設定も、後まで生かされている。

戯曲「仮題・人間修業」では、主人公は幽霊であり、さわれはしないが、姿は誰の目にも見える。序景では、地獄の入口が描かれる。問題の幽霊は、自殺したために、前世の記憶を失っている(だから自然死の場合はちゃんと憶えている、という設定)。自分がなぜ死を選んだかもわからないので、このまま地獄(天国も地獄も結局同じと言われる)へ行く気にならない彼は、学者の幽霊が発見した通路から、この世へもどる。そこで自殺志願者の娘洋子とめぐりあい、彼女のために金を儲けようと、放送局に勤める「私」(そういう役名)のもとへやって来る。幽霊が社会的名士となり、幽霊後援会ができるのは前作と同じ。しかし、ここの理事となった都議会議員は、幽霊が署名もできず判も押せないことを利用して、組織を乗っ取ってしまう。これ以上この世にいても強欲な連中に利用されるだけだと気づいた幽霊は、洋子を「私」に託して、こちら側の学者の協力で再びあの世へ消える。洋子も彼を追って行ってしまう。

この幽霊は、安部が創造した中で一番自意識が強い。何しろ、生きる目的=死ぬ目的を探しているような奴だ。これを中心にすれば、アイデンティティー・クライシスをテーマとする変り種の近代劇になりかねない。この点は最終的には脱却される。ただし、もう少し模索が続いた。同じく俳優座に提出された〈「仮題・人間修業」について〉(『全集8』)というノートには、これから作品を練りなおすべき方向が十五項目に渡って記されている。一番重要なのはたぶんこれである。

(4) 幽霊は彼女〈洋子〉の守護神。そこで彼女は、威力を発揮する。だが彼女の威力は、逆立ちした価値体系(すなわち金銭)と、非合理な恐怖に支えられたものにすぎない。彼女の威力、それ自体が、人間のゆがみに対する風刺でなければいけない。

「幽霊はここにいる」では中年の山師大庭三吉が負うことになる役割を、若い女にやらせようとしていたわけだ。するとどうなるか、見たい気もするが、同時に洋子の秘密も描かれる予定だったので(第9項目)、たぶん彼女は「どれい狩り」の娘のような人物になったのではないかと想像される。しかし、あまりに複雑な性格は、安部の求める諷刺劇では邪魔になることに、いつか気がついたのだろう。

安部が捨てなくてはならなかったものは他にもある。ノートの後のほうを見る。

(11) 幽霊も自殺者だった。彼は当然批判者にならなければならなかったはずだのに、ただ過去を求めるだけで、その点までは思い到らない。彼を追いつめたもの、逆立ちした価値と闘おうとはせず、むしろ妥協しようとする。悲劇の真の原因はここにある。

(12) 一歩々々、足もとからくずれていくのに、幽霊がぜんぜん自覚できないおかしさを表現する。幽霊が分別くさくてはいけない!!

(13) みんなで、幽霊にだまされているふりをしていたに過ぎないことが、ある日突然判明する。幽霊より強い幽霊。

(14) 洋子はたぶん、幽霊と結婚すべきである。幽霊との結婚は、すなわち倒立した価値との結婚。幽霊は去る。しかし彼女は結婚する。

（11）は「仮題・人間修業」にちゃんと描かれている。幽霊は、「復讐するのさ。私を殺したものや、君を殺そうとしているものなんかにね」と洋子に言って、この世の支配者となるために金儲けに走る結果、非常に世俗的な罠に落ちる。うまくいけば感動的な劇になったろうが、そんな感動を安部は乗り越えようとしていたはずなのだ。（12）のようにしても無駄である。古典悲劇のヒーローと違って、近代劇の主人公は、イプセン劇でさえ、すべていくぶんかは滑稽なものだ。冒頭で例に出した青山半蔵でも、冷静に考えれば、田舎のアマチュア国学者がどうしてあんなに時勢を憂えねばならないのか、勝手に思い違いしているだけじゃないかという冷笑から逃れられる者ではない。（13）は「快速船」で使用済みの手で、あまりうまくいっていないという私の感想はすでに述べた。結局このうち採用されたのは（14）の結婚の筋だけ。「仮題・人間修業」からはこれ以外に、ミュージカル仕立て（踊りが入る）の形式が残され、あとは小説「人間修業」の単純さにもどる。ただし幽霊を見る者の屈折した人物像は背後に隠される。描かれるべきなのは人間ではなく、社会なのだ。

4

舞台にはまずコロスの役割をつとめる市民たちが、傘をさして登場する。彼らが去ると、他人には見えない幽霊を連れて歩いている青年深川啓介と大庭三吉の邂逅の場面になる。深川はこの幽霊に借りを返さなければならないと言う。「人間は、誰だって、死人に借りが」あるものだから。他の幽霊（それは深川にも見えない）の身元調査のために死人の写真がほしいという深川の話から、大庭はあるヒントを得る（第1景。以後、景は算用数字でのみ示す）。今は尾羽うち枯らしている大庭だが、地方都市北浜を仕切る、市長を初めとするボスたちには大きな貸しがあった。彼らの邪魔になる老人を、大庭が殺したのだ。彼がもどったと聞いては、安穏としていられない。ボス連の一人で地方紙「北浜新報」の社長鳥居は、東京から来た記者の箱山に様子を探らせることにする（2）。久しぶりに家に戻った大庭を、さんざん苦労させられてきた妻のトシエと娘のミサコは当然歓迎しない。

大庭　詐欺！？　人聞きのわるいことを言うない！（勢いこんで、例の大きなハンカチをとりだしてふりまわし）じゃア、聞くが、これをどこからか、只で手に入れていらっしゃれますかね？　出来ないね。買えば三十五円の品物だ。とにかくそれだけの値打ちがあるんだよ。しかし、なぜだね？　なぜそんな値打ちがあるんだね？
トシエ　きまってるじゃないの、材料費と工賃よ。
大庭　馬鹿な！　それじゃおまえが、電柱ほどの丸太ン棒をけずって、つまようじを一本こさえたら、誰かがそれに、材料費と工賃を払ってくれると思うかね？　……そうれみろ、くれやすまい……いいか、これが三十五円の値打ちがあるつてのはな、ほかでもない、これに三十五円はらつてくれる人間がいるからさ。物でも人間でも、値打ちつてものはな、他人がそれにいくら支払つてくれるかできまつちやうものなんだ。金を払うやつがいりやア、それが値打ちになる……世の中にはな、だいたい詐欺なんてものはありやせんのだ……（引用は初出誌による）

何度読んでも惚れ惚れする、この上なく見事な資本主義の原理の説明である。感心した人は他にもいて、例えば田中千禾夫は戯曲「千鳥」（五九年作）中で引用している。人類の不幸は、これ以上に合理的な品物の生産・流通の方法を今に至るまで見つけられないところにある。社会主義を信奉していた当時の安部公房は、いや他の方法があると思っていたろうが。社会主義者ではない女たちは、これには反論できないが、といって大庭を信用するわけにはいかない。そこでトシエは、殺人事件の目撃者を知っていると言って、彼を牽制しようとする（3）。大庭と深川は死人の写真を買いたい旨のビラを電柱に貼って歩く（4）。近所の主婦が死んだ義弟の写真を売りにくる。大庭は幽霊の真偽を改めて深川に糺すが、深川は本気だとわかるだけ。大庭は半信半疑。とはいえ、前述した理論からして、幽霊が本当にいようといまいとしょせん大した問題ではない（5）。大庭の真意がわからず疑心暗鬼のボス連（6）。監視中の箱山が大庭に見つかる。大庭は逆に記事にするよう依頼する。社長が渋るなら、目撃者がいると言えばいいのだ、と。箱山が見守る中で、死人の写真が大量に貼られた垂れ幕が降ろされ、深川は自分の幽霊を介して、部屋いっぱいにいる他の幽霊たちの特徴を聞き、登録する（7。以上第一幕[4]）。

記事のおかげで、幽霊は市民の間で評判になる。先の主婦は、祟られてはかなわないと、写真をとりもどしにくる。大庭はそれを高く売りつける。他にも幽霊は、病人の治療や労働運動のスパイを依頼される（8）。さらに講演依頼までできて、幽霊人気は鰻登り。大庭はだいぶ金回りがよくなる。この頃から深川は幽霊に殴られるようになる（9）。幽霊はミサコに興味を持っているらしい（10）。箱山はミサコから深川のことを聞き出す。彼と幽霊はかつて戦友だった。南方のジャングルで敗走中、水が残り少なくなり、ついに水筒をどちらのものにするか、賭けで決めることになる。深川が賭けに負け、目をつぶって死を待つうち、気づいてみると戦友は気が狂っていた。深山は彼を置き去りにして来たのだった。話を聞くうち箱山は、自殺を目撃する（11）。大庭はボス連を集め、幽霊後援会のための出資を依頼する。そこへ箱山が、幽霊が本当にいるのかどうか確認するためについに自殺者が出たことを報せに来る。ところがこれでまた大庭は事業を思いつく。いつ死んでも身元確認に手間取らないように、死後の一切の世話を約束する幽霊保険と、幽霊は死んだときの服装のままなので、死んでからもファッショナブルな幽霊服。最初は弱みがあるからしかたなしに話を聞いていたボス連も、つい乗気になる。鳥居は愛読している「投資経済論」の一節を読みあげる。「資本は磁石のように万物を引きよせ、引きよせられたものは資本に変つて、さらに物を引きよせる」。あまりのことの成り行きに呆れた箱山が彼らを詰ると、大庭は鳥居に言って彼を馘にさせる（12）。ミサコは深川を責めるが、彼は大庭と会って以来幽霊は元気になったと言う。トシエまで交通事故現場の写真を売っているのを知ったミサコは、最後の手段として目撃者のことを警察に訴えるべく、母に迫る。それはつまりトシエ自身だったので、あきらめざるを得ない（13。以上第二幕）。

　幽霊後援会の発会式。会長である市長に、幽霊保険加入者第一号の記念バッジが贈呈され、幽霊服のファッションショーもある。その後、深川の通訳で幽霊の挨拶。幽霊は自分が会長になると言い出す（14）。大庭は新しくできた幽霊会館へ引っ越し、元の家にはミサコが残っている。箱山がやってきて、今度の顛末を小説にまとめ、雑誌社に売るつもりだと言う。幽霊や市長が出ているラジオ放送が始まる。幽霊は市長になり、またミサコと結婚したいと言い出す。ミサコは電話で大庭に、絶対にいやだと告げる（15）。幽霊会館の治療室では幽霊が患者をみている。役員室ではボス連が善後策を協議している。その両方に深川の母を名乗る老婆が入り込むが、すぐに追い出される。市長職はともあれ結婚の件は、幽霊服のモデルをしていた娘をミサコの代りにあてがうことで話がまとまる（16）。ミサコは老婆と連れの男に出会う。役員室へ連れてこられたモデル嬢は、金で幽霊の花嫁を引き受ける（17）。治療室でモデル嬢がさかんに幽霊を誘惑しているところへ、ミサコの手引きで老婆と男がやって来る。男は本物の深川だった。今まで深川を名乗っていた幽霊男は、ジャングル中で賭けに勝った後、苦悩のあまり自分を深川だと思い込み、本物に連れられてジャングルを抜けたところで捕虜になり、生き別れた。彼は誰も犠牲にしていない。こうして幽霊は消えた。実母である老婆といっしょに彼は去り、大庭一家もついでに逃げ出す。残されたボス連は恐慌をきたすが、モデル嬢が救いの手を差し出す。もともといなかったものをいることにして今日までできたのだから、今後もいることにすればいい、自分には幽霊が見える、と。箱山からこのことを知らされた大庭夫妻もまた、一計を思いつく。大庭が、殺した老人の幽霊が見えることにすればいい。幽霊商売はまだまだ続く（18。以上第三幕）。

　欲望と資本の回転を軸に、グロテスクだが軽快に展開するドラマ。集団で歌い踊り、噂話をし、時には個別に写真を売りにくる主婦や患者などにもなるコロスの使い方も秀逸。演出は「どれい狩り」も手掛けた日本を代表するブレヒティアンの千田是也、音楽は当時新進の黛敏郎、美術は安部真知、演技陣には三島雅夫（大庭）や田中邦衛（深川）など、おのおの人を得て、上演が大成功に終わったのに不思議はない。私は九八年の串田和美演出による新国立劇場の公演を見ただけだが、演出には賛成できなかったにもかかわらず、十分に楽しめた。しかし、象徴としての幽霊を、作品の構造から考えた場合、なお多少の問題があるように思う。最後にそれを検討しよう。

安部公房にとって幽霊とは結局なんだったか。単行本『幽霊はここにいる』（新潮社五九年刊）の「あとがき」には、「幽霊の正体は、歴史と社会と人間と三つの相の関係からうみだされる、もっとはるかに複雑なものなのだ」と言われる。この後を引用する。

たとえばこの戯曲では、はじめ幽霊は、死者の記憶である。死者の記憶がなぜ幽霊になるのかというと、まだ論理化されていないものが、論理化を求めて私たちにせまるからである。論理化されてしまえば、それでたいていの幽霊は消えてしまう。幽霊とは要するに、まだ論理化されない現実の部分が、すでに論理化された部分とのあいだでひきおこす、摩擦音なのだ。それは当然、意識の歴史的段階に対応する……

ところがこの戯曲の登場人物たちは、幽霊の論理化をこころみるどころか、おそれ気もなく商品として金もうけの道具につかいだす。すべて一度は商品という門をくぐって、社会的存在物になるのが、社会のしきたりであることを考えれば、幽霊が取引されたって、なんの不思議もないわけだ。というより、商品そのものが、すでに物質界での幽霊的存在なのではあるまいか。（後略）

深川（本名は吉田）の心は、戦場での苛酷で不条理な体験を過去のこととして整理することができず、幽霊を産み出す。やがて幽霊は、忘れられた多くの死者の代表にさえなるから、この時点で相当な威力を持つ。大庭の思惑通りの転換が起きるのは第二幕の最初の、8景である。コロスが三人の市民になって順番に登場し、最初の主婦は死者と関わった過去のために幽霊を恐れるのだが、後の二人は、姿は見えずたぶん神秘的な力がある、幽霊の現在の属性に期待する。それが存在して役に立つと信じられる以上、幽霊は商品として流通可能なのである。

もっとも、思い込み以外に、効用が証明されるわけはない。実際はないんだから。そこに着目すると、この幽霊は単なる商品というより、貨幣のアナロジーではないかと思えてくる。それ自身の使用価値を持たず、価値を産み出すわけでもないが、純粋な交換手段として人間の欲望を直接乗せて流通するため、最も強力な商品となるのが貨幣だからである。そう思えばまた、大庭たちしたたかな連中が、「仮題・人間修業」の理事とは違って、いるともいないとも明確に証明できない幽霊なら、勝手にいることにしてしまえばいいだけの話だということに、ぎりぎりまで気づかない理由もわかる。彼らは幽霊の存在を信じたわけではなく、その商品価値を信じることにして事業を始めた。倒錯ではあっても、貨幣に価値があると信じる程度の倒錯だから、絵空事ではない。とはいえ、幽霊たちが、誰の目にも見えるようになったら、それはつまり幽霊の供給過剰であり、インフレによって価値が崩壊してしまう。そこで大庭たちは、稀少な幽霊——稀少だからこそ価値がある幽霊の、要求を無視するわけにはいかず、振り回されることになる。初演のパンフレットで千田が言っている「このサギ師が商品そのものの魔術性によってキリキリ舞いをさせられる面」（「稽古場にて―安部公房・千田是也両氏にきく」一九五八・六『全集8』）はその意味では実現されている。

しかしその商品自体が、市長になりたいの結婚したいのと、まことに人間臭い欲望を抱くのは、「商品そのものの魔術性」からは明らかに逸脱している。幽霊の効能＝商品価値に期待してその存在を認めたとき、人格や意志までいっしょに認めてしまったので、この事態を招くわけだが、一方ここでの幽霊は、冒頭の、過去の現存化であることからも逸脱し、あくまで前向きに（?）、この世に関わろうとする。といって、自分を殺したものに復讐するために、あえてそのものの力を得ようとする、「仮題・人間修業」の幽霊のような、ロマンチックな心理的な動因も消されている。結局大庭たちと同じ次元の俗な欲望に過ぎず、その思いがけない生々しさへの不安を、吉田は幽霊＝自分自身に殴られるというナイーブさで表現する。このような人物像から、扇田昭彦は「実はイデオロギーの左右を問わず、純粋に見える人物や良心的と言われる運動にもしっかりと内在する権力志向に醒めた批判を向けた作品でもある」（「『幽霊はここにいる』――千田是也との共同作業」）と読み取る。安部の醒めた目というのはその通りだと思うが、そこまでの批判意識があったかどうかは疑問である。

いずれにしろ、冒頭で鏡を恐れた吉田が、自己確認を果たせば、彼にとっての幽霊は合理化され、劇は終わる。一方商品となった幽霊は、このアイデンティティー探しの構造を超えて生き延びる。そういう二重構造を観客に伝えるためにこそ、幽霊を含めた登場人物は、ごく平凡な欲望で動くだけの者にまで単純化されなければならなかったのである。千田是也がブレヒトから学んで追求した「叙事詩的演劇」は、このようにして日本で実現した。

注

（1）福田恆存の「ガリレオ・ガリレイの生涯」批判は、「私の演劇白書十一」（『芸術新潮』一九五八年五月号、後に『私の演劇白書』新潮社同年に収録）にある。

（2）島崎藤村原作、村山知義脚色、久保栄演出の「夜明け前」二部作は、第一部が新協劇団の第一回公演として一九三四年に、第二部は三六年に上演されている。

（3）「制服」は最初一幕もの（五景）として『群像』一九五四年一二月号に発表された。私のシノプシスはその範囲のものである。

（4）初出誌では第4景で第一幕が終わっている。誤植かどうか不明だが、その後の刊本（単行本『幽霊はここにいる』、『安部公房戯曲全集』新潮社一九七〇年、『幽霊はここにいる・どれい狩り』新潮文庫七一年、『安部公房全作品9』七二年、『全集8』九八年など）はいずれも第一幕は7景までで、長さのバランスからしてもこちらのほうが適当と思われるので、それに従った。

〈参考文献〉

清水邦夫「劇作家としての安部公房」『国文学　解釈と鑑賞』一九七一年一月号
清水邦夫「現代の幽霊――安部公房の戯曲をめぐって」『国文学　解釈と教材の研究』一九七四年八月号
安部公房・他『安部公房の劇場』創林社　一九七九年
扇田昭彦『「幽霊はここにいる」――千田是也との共同作業」『ユリイカ』一九九四年八月号
ナンシー・K・シールズ　安保大有訳『安部公房の劇場』新潮社　一九九七年（原著は一九九六年）

安部《あべ》公房《まさふみ》（一九二四・三・七～一九九三・一・二〇）

東京生まれ。一歳で父母とともに満州の奉天に渡り、中学校まで過ごす。中学時代に自宅にあった新潮社版『世界文学全集』や第一書房版『近代劇全集』を読み耽る。成城高校時代にはドストエフスキーに傾倒する。四三年東京帝国大学医学部に入学、翌年敗戦が近いという噂を聞いて肺結核の診断書を偽造して帰省。四六年苦渋をなめた末に引揚船で帰国。四七年単身上京して東京大学に編入する。この年結婚し、翌年にかけて埴谷雄高や花田清輝と相識る。四八年東大医学部を卒業、『近代文学』同人となり、真善美社より長編小説「終わりし道の標に」を刊行する。五一年日本共産党に入党、短篇小説「壁」で芥川賞受賞。五五年「制服」「どれい狩り」「快速船」の三戯曲が相次いで上演される。五六年チェコスロバキア作家大会に新日本文学会及び国民文学会議の代表として出席、このときの体験は五七年の「東欧を行く」（講談社）にまとめられている。ポーランド・ハンガリー動乱を機に、共産党批判の言葉が目立つようになってくる。五八年「幽霊はここにいる」で岸田演劇賞受賞。六二年共産党を除名される。この年刊行された長編小説「砂の女」（新潮社）は翌年読売文学賞を受賞した他、数カ国語に翻訳され、フランスで最優秀外国文学賞を受賞するなどして、海外で最もよく知られた現代日本文学の一つとなった。小説の代表作は他に「他人の顔」（六四）「燃えつきた地図」（六七）「箱男」（七三）「方舟さくら丸」（八四、以上すべて新潮社）など。演劇では千田是也演出の俳優座で「巨人伝説」「石の語る日」（ともに六〇）「城塞」（六二）「おまえにも罪がある」（六五）「未必の故意」（七一）を上演した他、青年座に「友達」劇団雲に「榎本武揚」（ともに六七）を提供した。六九年「棒になった男」をプロデュース・システムで自ら演出したのをきっかけに、七三年演劇グループ「安部公房スタジオ」を結成、「安部システム」と呼ばれる独自の俳優訓練法を開発し、「愛の眼鏡は色ガラス」（七三）「緑色のストッキング」（七四）などの他、旧作も上演する。次第に文学を離れ、視聴覚イメージを重視する方向に向かったこの活動は七九年の「仔象は死んだ」のアメリカ公演まで続いた。七二～七三年新潮社より『安部公房全作品』全十五巻刊行、九七年同社より『安部公房全集』全三〇巻予定で刊行開始。

田中千禾夫「マリアの首」

初出　『新劇』一九五九（昭34）年四月
初演　新人会　一九五九（昭34）年三月十二日〜十八日　俳優座劇場

林　廣親

1　メッセージの見えにくさ

田中千禾夫の作品から一つを選ぶとすれば、そのテーマの問題性からいってやはり「マリアの首」だろう。『現代日本戯曲大系　第四巻』（三一書房　一九七一）の「解題」は、「五〇年以後、『教育』（五四年）『肥前風土記』（五六年）『火の山』（五七年）と大作を発表してきた作者は、罪と救い――神の存在、男と女の相克――女性崇拝・憎悪というテーマに、さらに反戦・平和というテーマを加えて、作者にとって最高であり、戦後の日本戯曲史上の代表作といえる本作品を完成した。」と述べている。確かに「反戦・平和」への関心がモチーフの一つであっただろうことは疑えない。作品発表のほぼ一年前に当たる昭和三十三年の二月、長崎では原爆遺跡の保存問題が大詰を迎え、やがて三月の始めに浦上天主堂廃墟の撤去が決まって、四月にはその工事が行われた。〈戦後〉の節目を象徴するようなその出来事を背景に取り込んだことで、この作品はおのずから戦後史と切り結ぶ性格のものとなり、また「反戦・平和」の願いに通じるものとはなっている。しかしそのつもりで、読みに踏み込んでみると、この戯曲の内容はその種のメッセージの一般性から予想されるものとずいぶん異なっている。リアリズムにふさわしい社会的題材を取り込みながら、台詞も人物の関係も抽象的で、現実的な了解を阻む印象が強い。題材とドラマツルギーのそうした組み合わせゆえに、この戯曲のテーマは実は容易には見極め難い気がするのである。

「マリアの首」の大枠をなしているのは、被爆した浦上天主堂の廃墟からマリア像を盗み出し秘匿しようとする物語だが、その展開自体は現実的なドラマの契機をほとんど含んでいない。幕開きから終幕までほぼ一昼夜の劇の時間は、事の成就に向けてほとんど滞りなく進行し、その企てに対立する人間は登場しないからだ。ただし、唯一つその成就を阻む存在があるとすれば、それはマリアの首にほかならない。劇は忍が石像の首に取り付いたまま凝固する形で閉じられている。それをマリアの首がやがて持ち上がること、すなわち企ての成就を暗示する幕切だと解釈するならば、作品の枠組みをなす物語は、どのようなドラマもついに生みださなかったことになる。

むろん、そこに解釈の余地を残したことでこの作品は論じるに足るわけで、マリアの首がついに持ち上がらないのだと解釈すれば、神と人との対立という形而上的なテーマをめぐるドラマへの契機がそこに読み取れるだろう。しかしながら、仮にそれがこの劇の主眼なら、物語の時間はむしろそこからさらに先へと動き出さねばならないはずだ。したがって、テクストの範囲での了解としては、マリアの首が持ち上がるのかどうかは分からないとしなければならない。言い換えれば、マリアの首が持ち上がるかどうかは問題ではないということだ。この終幕が、なんらかのメッセージを持つとすれば、ラストシーンでの鹿と忍という二人の女の対照性を通してのみ見いだされるのではないか。それがどのようなテーマに通じているのか。この疑問を念頭において私なりの読み解きを進めてみたい。

2　忍と鹿の関係について

第一幕は、「取りこわしも近い古びて荒れたバラックの合同市場」。いわゆる闇市の名残の場所である。娼婦の鹿とその客引をする忍にからむ人物との対話によって、物語の背景となる長崎の〈現在〉や、主要な人物の性格および関係性が描き出される。「インノミネ」という合言葉で結ばれた鹿と第三の男そして忍は、戦争の惨禍の永遠の証人とすべく、被爆したマリアの石像を少しずつ盗みだしている。なお「インノミネ」というのは一般には〈キリストの御名によって〉という意味だが、この作品では〈マリアの…〉と解した方がよさそうだ。計画はほぼ終わりに近く、残っているのはマリアの首だけで、彼らは雪の降る日を待って最後の行動にかかろうとしている。

鹿と忍はどちらが主役とも言い難い。二人の出会いのいきさつは分からない。そうした説明をまったく抜きにした点で、この作品はリアリズム的な理解を拒むところがあるが、彼女らの紐帯が何に由来しているかということに関しては、後述のようにさまざまな暗示を通じていやになるほど説明されている。とりあえず言えば、一つは女性という存在にかかわる怨念であり、そして被爆によって狂わされた人生である。ただし二人の体験は必ずしも同じではない。だから二人の女性は図式的に言えば、楕円の二つの焦点のようなものだととらえるのが適当だろう。

彼女らは、女性であることの不幸と、過去の体験にこだわり続けることにしか生きることの意味を見いだせない。その苦しみとまたそのような自己の生をいとおしまざるを得ない孤立の思いを体現している。ただし両者の性格は同じではない。鹿が夜毎男に身を売りながら心は全く閉ざしているのに対して、忍はかならずしもそうではない。同じく男性を憎悪しているようでも、自分に慕いよった老いた男の孤独を知って、信者でもない彼を仲間に誘っている。

さて、登場人物の関係でまず目立つのは鹿と矢張の組み合わせだろう。鹿の境遇はまことに劇的なのだが、ケロイドを負った女を原爆の悲劇の生き証人としてアメリカの街頭に立たせようとする平和運動家らしい矢張と、それを自分だけの聖寵の印と信じることで生きている鹿との関係は、根本的な対立原理を含んでいる。したがって、その描かれようによっては、被爆者の心の救済と反核運動のありかたを中心的主題とした社会性の強い劇が生まれ得たはずである。しかしながら、両者の対話は終始教理問答めいた平行線を辿るだけで、対話を通じての自己発見や心情の変化が来たされることはない。対話する二人の間にどのようなドラマも生まれようのない対話である。

次に忍と次五郎だが、鹿は病身の夫と幼児を抱えた生活を送りながら、かつて原爆の焼け跡で出会った男への怨念を捨てることができず、やがて死に瀕した相手と再会する。劇的境遇の点で忍は鹿よりもむしろ勝っていると言えるかも知れない。また次五郎と彼女の対話はまさしく劇的であり、事実それを通じて彼女は初めて自分の本当の心と向き合うのである。

ところで、坂本病院を舞台にした第二幕は、『田中千禾夫戯曲全集　第一巻』（一九六〇　白水社）のテクストの場合、鹿と矢張の対話の場と、忍と次五郎のそれが、時間軸に沿って連続するだけである。ところが、昭和四十一年の再々演の際に補足されたテクストによれば、次五郎との対話がクライマックスにさしかかったところで、忍がついに彼の膝にすがる場面と、二人の様子を密かに窺っていた鹿がそこに登場して、「裏切りはゆるさんぞ。」と激しく忍を叱責する場面が挿入されている。作品のテーマを読み解く上で、この加筆はきわめて重要な意味を持っているのではないか。

3　「白鞘の短刀」の意味

鹿によって糾弾された忍の〈裏切り〉とはなにか。改めて忍の性格について考えて見よう。この戯曲にはいくつかの詩的な台詞があるが、最初に置かれた「しのぶの短刀」は最も難解だろう。

「スカートの下には白鞘の短刀、／預かりもののこの刀、／元の持ち主に返すべきこの刀。／しのぶ、しのぶ、／しのぶとはあたしの名。／あの男を見たら、そっと近寄り、／ぐさっ！　持主に返すのだ。――中略――ああ！　あたしはあたしの必然を、／絶対を消したい、消したい、だのに、／だのにそれを邪魔したもの、／何物かをあたしに預けた男、／断りなしに預け去った男、／あの男が憎いのだ。」

なぜ短刀が、彼女の存在の必然と絶対を支配し、彼女の〈いのち〉の自由を拒むのか。次五郎は、被爆直後の街の防空壕で生き残った娘を助けたが、その折に母親の形見の指輪を奪った。短刀はその時に彼が落としたものらしい。過去のいきさつの説明はそれで一応はつくようだが、しかし短刀を託されたといい、それが自分の自由を奪ったという忍の思いはいかにも即自的で分かりにくい。

　二人の過去の出会いが実際にどのようなものであったのか。女達にリンチされた後の「かぶらされた袋のなかで／あたしは抵抗を止めていた。／あのとき、焼け跡の防空壕のなかのあたしのように……——中略——恥と怒りと自己嫌悪が燃え、」という忍の台詞から、次五郎がかつて彼女を犯したのだと解してよいのなら、忍の執着のありようも理解しやすい。しかし次五郎の台詞にはそれを裏付けるものを見いだしにくい。結局忍と次五郎についても、過去の物語は漠然として、具体的に追求しようがないようになっていると考えるほかない。つまりそれは、人間関係の現実的で合理的な解釈に慣れた観客の習性をある程度まで満させながら、結局のところ突き放すことによって、観客が個別の事情を超えた象徴的な次元での解釈に向かわざるを得ない仕掛けだろう。

　ちなみにこの戯曲には至るところに象徴的な言葉がちりばめられている。「雪」、「星」、「緑」（＝樹木）、そして「深い小さな水源池」（＝泉）と、いずれもマリア信仰に関わる生命力や清浄さのイメージに通じる言葉である。

　忍が肌身はなさずもっているという「短刀」もまた、現実的な物語の次元の意味の背後に、より高次の物語に通じる象徴的意味を託されたものではないか。憶断を承知で言えば、「白鞘の短刀」は『旧約聖書』「創世記」の始めにあるアダムの肋骨の象徴である。そう解釈すれば、次五郎と忍の焼け跡での出会いの物語には、男と女の原初的な神話が重ねられていることになる。

　女は男の白い肋骨の一本をもとにして造られた。「断りなしに預け」られた「短刀」は、女性存在の男性に対する愛慕と服従の神話の象徴である。それを身の中に持つがゆえに、女性は男性への従属と原罪の科を思わねばならない。「あたしに刀を預けたもの、あたし以外の必然をおしえたもの、」という詩のフレーズは、男性と女性を類別する神話的な思想の支配を暗示している。忍も、そして鹿も、それを超えた個としての人間の生の自由に憧れつづけて、男性に対する不信と憎悪に閉じこもっている。

　神話的な類別に反発しながら、実は類別的な思想こそ彼女たちの生のより所であったともいえるだろう。忍は泣き崩れて次五郎の膝にすがり、「いっそのこと、うちば、うちば……」というが、その続きの言葉は何だろう。「殺して欲しい」というのか。何れにしても忍は言うなれば〈アダムの骨〉を元の持ち主に返して、「自由」になるという誓いをそこで捨てようとしたのだ。それは鹿にとっては、男に対する屈服であり裏切にほかならない。

4　神話の呪縛を超えて——忍の物語

　「忍の短刀」という詩については、解釈の問題に加えて、もう一つ見落とせない問題がある。その詩が実は夫の桃園から与えられたものだという設定である。次五郎との対話を通じて、忍は次五郎に対する愛を自覚する。「白鞘の短刀」（アダムの骨）を返すことによってしか、女性存在に科せられたあらゆる不条理を超えられないと思っていた彼女は、その時、女性であることをみずから選び取ったのだといえよう。それは鹿が思ったように、男性への屈服をのみ意味するのだろうか。

次五郎　――略――自由になることがそんげん大事かことかね。え?――中略――　おうちひとりで、いったい、どんげん満足のあるて言うとですか、え?　……ほらほら、その証拠に、おうちは、ぐったりがっかりしとるじゃなかか……刀ば預かっとればこそ、おうちにはいのちのあったとさ。

忍　（必死に）いのちば越えて、越えて……

次五郎　越えられるもんへ、はは……おうちの自由とは、いのちの自由でん、魂の自由でんなかとじゃもん。

忍　ああ!

次五郎との対話は、男性女性という類別的思考が生み出す対立関係の意識こそが忍を苦しめてきたことを語り、またその関係を引き受けつつ「もっと先のほう」を想い希求し続けることにしか、人間としての生き方はないということわりを暗示している。次五郎を刺せずに泣き崩れた時、忍はおそらくそのような生の入り口にいる。両性の対立と憎悪の苦しみを超えるためには、それぞれの存在の不条理を引き受けて生きるしかない。また、そのようにして生きることによってのみ、忍は与えられた〈神話〉の呪縛から脱して、彼女自身の生の主体になりうるのだろう。

忍の物語のプロットには、そうした生の逆説が込められているのではないか。第三場での夫の桃園との対話で、「ああたはそうやって、もういのちは卒業してしもうて悟ったごたることば言うこともできるでしょ。ばってん、うちは、うちと子供はこの先、どげんして生きてゆけばよかとですか。」と嘆き、また「ああ、誰かに聞いてみたか……先のほう、先のほう、いったいどこにあるとですか。お願い!誰か教えてくれまっせ。お願い!」と忍は言う。

忍は困惑し力を落として見えるのだが、鹿があれほど望んだマリアの首に手を掛け得ず、「しかるに、やおら忍ひとり、身を起こし、マリアの首にとりつき、渾身の力をしぼって持ち上げようとつとめはじめた。」というこの劇のラストシーンは、彼女の中に新たな生に立ち向かおうする力が生まれたことを思わせるのである。

5　鹿とは何者か

さて、鹿の方に目を向けて見よう。彼女は母の産褥での死を代償にしてこの世に生を得た女である。年齢からいって母親の死は原爆とは無関係だから、「こうして母は死んだ。こうして女が罪に死ぬとき、こうして女が罪に生きるとき、罪から免れたあなただけが、私たちの奥をのぞくことができる。あなただけが私たちを知っている。」（第二幕第一場）と言う台詞は、原罪ゆえに生みの苦しみを負うとされた聖書の神話を暗示して、聖母たるマリアの恵みを希求する彼女の心のありようを告げている。

彼女には、その上に被爆者としての苦しみが加わっている。それは原罪と異なる偶然がもたらしたものに過ぎないが、彼女が生きる限り逃れられない宿命と化している。その二重の苦しみから自分を救済しうるものは、同じく被爆したマリア以外にないというのが、彼女の動かし難い気持ちなのだ。その醜いケロイドこそは、「聖寵」のしるしであり、原罪と理不尽な偶然の支配を宿命づけられた自己存在のすべてに復讐する「自由」と「正義」を保証するものだ。そう信じることによってしか彼女は生きられない。昼間は看護婦で夜は娼婦という生活は、「私自身に復讐する自由すら選ぶ」という絶望的な意志の体現である。他者との連帯以前に彼女は自分を持て余している。矢張との対話はそのような彼女の孤独な心情を際立たせるだけだ。

鹿はひたすらマリアの方を向いている。したがって「私は、あなたの首が欲しい！」という彼女の執着が一つのドラマとしての焦点を結ぶべき所は、マリアの首が語りかける終幕の奇蹟の場にしかないはずだが、その時を迎えた彼女はにわかに力を失って見える。それはなぜなのか。

「鹿　（つぶやくように）マリア様！／罪から免れたあなただけが／私たちの奥をのぞくことができる。／あなただけが私たちを知っている！／だからあなたの前でこそ／私はほんとの私になりたい！／……／ああ、だめ……だめ……」

他の三人が現れた後、鹿は「ケロイドのあなた様は、あの八月九日の火と風の証人としてぜひとも入用ですばい。」と祈っている。その連帯の名分にもかかわらず、彼女の心の奥底には他者とは決して共有できぬ自己存在への絶望と執着がある。その決定的な矛盾が彼女の力を奪うのかも知れない。マリアの語りかけも彼女を立ち上がらせ得ない。

もちろん平和運動など、そのような彼女の心の救済とは無縁のものだろう。この作品のメッセージは少なくともその点については迷いがない。けれども、鹿の苦しみにどのような救いがあるかについては、この作品は答えを出していない。また出しようもないだろう。例えば「小さな自我意識を捨て、ついに無原罪の母マリアへの讃仰に作者の思想が結実」（石澤秀二「田中知禾夫とそのドラマ」『現代の演劇Ⅰ』平9・5　勉誠社）したという作家論を含めた評価があるが、そうとは思えない。むしろ、鹿の性格に託された問題をアポリアのままに置いたからこそ、この作品はなお価値を失っていないのだと思う。

鹿があれほど望んだマリアの首に手を掛け得ず、忍ひとりだけが動かないマリアの首を持ち上げようとするラストシーンは、聖書の神話的呪縛を超えることを願いつつ、自己の現実の生と格闘しようとする女の姿を肯定するかに見えるが、作品のテーマはそこに止まり、被爆の悲劇にかかわるモチーフは、テーマとしてはついに結実し得なかったのではないか。

＊＊

さて、論じるべきことはまだあまりにも多いが、紙数の関係でこのこの辺りで止めざるを得ない。おわりに作品の位置付けについて、多少のメモを加えておく。初演の舞台について、山川方夫は「これをおそらく『佳作』と呼ぶであろう現今の創作劇の状態に、私はある不満、ある焦立ちをおぼえる。」と述べ、「舞台は作者の孤独な独白にのみ終始し、すくなくともそこに私のみたのは『ドラマ』ではなかった。」（『新劇』昭34、5）とほとんど全否定の評価を記している。またその後の上演に際しても、ドラマチックな感動の不発を指摘したものが多い。

山川の評にはまた次のような感想がある。「例えば、私はむしろ第一幕、鹿が買った男に身をまかせているあいだ、じっと不完全なマリアの石像をかかえていた片脚の男が、男がかえり鹿と目を合わせたとき、急速に近づくドラマの予感に胸をふるわせることができた。」また、忍ぶについては、『なしてああたとうちは夫婦になり、夫婦であることばつづけてきたじゃろ』と彼女もいう、ドラマは（……筆者注）その夫との関係にのみあるのではないのか。あとは彼女の観念の鎧が立てる騒音なのにすぎない。」とも述べている。山川が見たかったドラマとは、要するに「おふくろ」の再現であろう。この感想を引き合いに出したのは、その種のドラマに至る契機を幾つも備えながらそれを放擲して顧みなかったというのが、この作品の重要な特徴であり、社会的な視野の広狭にかかわらず、近代戯曲が追求してきたリアリズムの伝統に対する最初の徹底的なアンチテーゼとして、この作品は戯曲史のなかに位置付けられてよいのではないかと思うからである。

また、読者の多くにとっては距離を置いてしか感じられない生硬な形而上的議論が、ともかくも劇的なイリュージョンを持って感じられるのは、長崎弁と詩を組み合わせた文体の力に外ならない。それは成功したと言うべきだが、主題は理解されなくても劇らしい雰囲気はかもされるという、ある意味で極めて危ういものを含んだ試みであったには違いない。そのような実験を敢えてしたことをどう評価するかは難しい問題であるにしても、読者を置き去りにしかねない奔放で饒舌な言葉の世界にこそ、この戯曲の新しさがあったに違いないし、今日でも色あせぬ魅力がある。

〈参考文献〉

山崎正和「鎖された成熟――田中知禾夫序論」昭53・3『文藝』
菅　孝行「方法化された原罪――田中知禾夫における女性と戦争――」昭57・10『テアトロ』
デイヴィッド・グッドマン「原爆戯曲の意義」『現代の演劇Ⅰ』平9・5　勉誠社

田中千禾夫《たなかちかお》（一九〇五・一〇・一〇～一九九五・十一・二九）

明治三十八年長崎市に生まれ、大正十二年慶応義塾大学仏文学科に入学。昭和二年予科三年在学中に、岸田国士、岩田豊雄

らが始めた新劇研究所研究生となり、昭和七年『劇作』創刊と共に同人に加わった。翌年三月『劇作』に「おふくろ」を発表して注目され、同八月築地座により初演の運びとなった。その後「蝿」「橘体操女塾裏」「僕亭先生の鞄持」を発表、昭和九年十一月に、辻村澄江と結婚した。

昭和十年の「風塵」発表後、戯曲の製作は休止期間に入ったが、文学座創立に参加、俳優育成の仕事の他演出に携わり、昭和十八年には移動演劇隊を率いて北海道を巡演した。昭和十九年、家族と鳥取に移住、在郷軍人としての訓練などを受けつつ終戦を迎えた。

昭和二十年十月、『三田文学』の依頼で「ぽーぶる・きくた」を脱稿、戯曲製作を再開し、「雲の涯」(昭22)、「修羅」(昭23)、「女猿」(同)等の発表を続けた。昭和二十三年京都に転住、大阪歌舞伎座の演出などの仕事を経て、昭和二十六年、俳優座の座員となり、以後同座で俳優の育成、演出に当たった。またこの頃、大阪中央放送局のために、三十数編の放送劇を書いている。

昭和二十八年、「教育」脱稿し、東京中野区に転住。二十九年「教育」俳優座初演を演出。昭和三十年には読売戯曲賞を受賞し、『田中知禾夫一幕劇集』(未来社)を出した。この時期より「肥前風土記」(昭31)、「火の山」(昭32)等力作の発表が続いた。中でも昭和三十四年の「マリアの首」は、戦後戯曲文学の金字塔と評された。以後も、『八段』(昭35)、「伐る勿れ樹を」(昭36)、「月明らかに星稀に」(昭37)、「鈍琢亭の最後」(同)など斬新で実験的な試みを重ねた。俳優座の座付作者として、「千鳥」(昭34)、「自由少年」(昭39)、「あらいはくせき」(昭43)、「冒険・藤堂作衛門の」(昭45)、「八百屋お七牢日記」(昭49)、「鍵の下」(同)などを執筆し自ら演出することも多かったが、作家演出家としての仕事は、新派から若手劇団まで広汎な関係にわたっている。

また『物言う術』(昭24)を初め、理論的な著述についても積極的であり、昭和五十三年の『劇的文体論序説　上下』(白水社)では、『竹取物語』から唐十郎、別役実、つかこうへいまでを取り上げて、劇の文体の本質としての口唱性を説き、また劇を支える物語の有効性を論じようとした。

田中の作品の多くには、カトリック信仰に関わる問題の色濃い反映が認められる。『日本現代文学全集一〇三』(昭55、5　講談社)所収自筆年譜には未信者と記しながら、晩年には入信(一九八九)している。生まれ育った長崎の風土や、昭和二十七年に入信した妻澄江との関係からいっても、千禾夫が信仰の問題に生涯深い関心を持っていたことは疑いようがなく、難解な作風を理解する鍵もそこにあるだろう。

演劇の現場との関わりに加えて、昭和四十一年からは桐朋学園の演劇科専任教授として学校教育にも携わった。昭和四十二年『田中知禾夫戯曲集』(全七刊　白水社)が完結している。

秋浜悟史「ほらんばか」

井上理恵

初出　『新劇』一九六〇（昭35）年四月号
初演　劇団三十人会　六六（昭41）年一〇月二二日～二五日　俳優座劇場

1　学生演劇出身

一九五一年の地方の演劇状況について岡村春彦は「当時札幌の芝居といえば北海道大学や東京の大学の演劇部のいわゆる大学演劇と専門劇団では新協劇団、前進座ぐらいのもので」[1]と記した。当時の大学演劇部の存在が現在とは比べものにならないくらい大きかったことをこの一文は告げている。その大学演劇部の地方公演用に書いた「英雄たち」（『新劇』五六年一一月号）が秋浜の第一作である。学生演劇の主流派で彼は芝居を作っていた。これは早大演劇科三年の時に早大自由舞台の地方公演のために書いた作品だ。「敗戦による大人たちの変貌と戦後民主化の挫折を」それを「観た者によって描かれた」作品で、「若い英雄たちの解放された関係は、戦後民主主義による教育を素直に吸収した健康さによってささえられており、当時の読者に新鮮な印象を与えた」[2]と評価されている。

秋浜は一〇歳で敗戦を迎えた。それが戦後の六三三制教育を受けた劇作家の最初だといわれる所以で、自立演劇出身の二〇年代生れの堀田清美、宮本研とも、木下順二の弟子であった三一年生れの福田善之とも異なる純然たる学生演劇出身の劇作家だ。あるいは学生演劇出身の劇作家（演出家）は秋浜が始めであるかもしれない。

2　「ほらんばか」

「英雄たち」で岩手の方言を使い、農家の若者に愛と自由とアメリカと民主主義を語らせた斬新な戯曲は、たしかに戦後日本の明るさが辺鄙な農村にまで行渡り、希望にあふれていたことを物語る。「ふるさとの幼な友だちの日に焼けた赫ら顔」を浮かべてその一人一人に手紙を書くつもりだったという（公演プログラム）[3]。

「ほらんばか」ではその若者の挫折と恋愛の成就を描く。これまで東北地方の方言は都会の言語に比して〈汚い〉とか〈いなかっぺ〉という表象の代弁であった。それを秋浜はこの戯曲で美しい東北弁として登場させたのである。もちろん「英雄たち」と同じ岩手弁だ。これが舞台全体を美しく象徴している。

春になると「ばか」になる〈ほらんばか〉の充年《じゅうねん》、その充年と相愛のさち、そしてさちの妹なち、三人のドラマは部分的なリアリズムを越えて問題の深刻さとは裏腹な幻想的な世界を生み出した。渡辺浩子はリアリズムと抽象画の橋渡しをした作品という。

西村博子によれば、秋浜は牛のガス抜きや放牧の条件などでは実際に獣医に取材しているという。牛の腹にガスが溜まったときは「腹の左側さ水ぶっかけてな、それから縄さタールぬりたくって牛っこの口の中さおしこむのよ、吐き気がでれば、ま、なおるつうことだべな」と語る充年は決して〈ほらんばか〉ではない。「村の中に新しいものを持ち込もうとした人間」は村の構造の中では「気違いでしかない（略）村の中で、およぐつもりなのにいつのまにか村の外のはずれものにされている」（秋浜悟史「三十人会公演No.12パンフレット」）そんな人間を描く。東北の村にコルホーズを作ることを夢見た工藤充年（苦闘十年だという）は、実際に狂っているのか、あるいは狂人を装うのか……装うなら、その理由は……？

さち　昔、昔つうても、おらがまだ小学校のことだったが、この牛小屋で何十頭もの牛っこが一時に死んだよ、伝染病でな。
なち　まんつ、はあ！（噛んでいた草を、あわてて捨てる）

さち　ほらんばか、大学出はったばかりで、もちろんまだ白痴ではなかった。村さかえってきて、あの人は、若衆たち集めてな、集団農場つうことで、酪農百姓を共同ではじめたのよ。なにしろ、寝起き共にすることから、牛乳売った金みんなでわけることから、一事が万事新式でな、共産党だつうことだったよ。[4]

充年は戦後の新しい教育を受けて民主的な農村経営をこころみていたのだ。「あの人は、今日は県庁、明日は東京と、外さ出はって陳情だ、かけあいだつうことが多くてな、そのうち留守の時牛っこの伝染病が流行ってよ、一晩のうちにころっころっと死んでしまったそうだ。あの人さえいれば、獣医も立派につとまる人だから、むごい騒ぎにゃならなかったべがなあ」（さち）という。それ以来春になると「ばか」になって「昔のおのれの牛小屋のまわりうろついて、ほら事語りにあけくれる」。この狂気が嘘か真か不明だ。

明らかなことは充年がさちを好きなことだ。さちは幸に通じる。

充年　（さちに抱かれる）お前、なあして、このごろ遠くなったのだ？
さち　お前、なあして、このごろ遠くなったのだ？……（笑う）嫁に行くかもしれねえもの。縁談があるのだ。
充年　嫁に行くかもしれねえもの。んだかえ、今年も縁談だけはあるのか。……（これも笑う）聞いてたぜえ、うわさは耳にしてた。嫁入り話は、んでも、またすぐぶっこわれるのだべが。（さちの胸に頭をすりつけようとする）

さち　んにゃ、まとまりそうだ、結納とりかわすまでになってる。（略）

もはや選り好みはしねえ。今年は嫁に行く。つかれた、まっと生き方にずるくなってもええのだ。

充年　おらが相手では不足か、ほらんばかでは聟にできねえのか。（略）

さち　お前、腹の虫治まらねえのかえ、かくし男では？

充年　（くずれて、笑い）治まった。おら、どういうことでも、治まり方だけは、こころえてる。

さち　ほらんばか！（男におそいかかり、口をうばう）

さちは彼の狂気を信じ、「ほらんばかでなかったらなあ」と思っている。何故、彼は春になると狂うのか。充年は「春になると、きまって毎年、おらのさちが、よそさ嫁に行くつう、つう、つう。んで、春になるとはげしい心がすえて、春になると、きまって毎年、おらの頭が、白痴に」なるというが、嫁入り話が先か、狂気が先かは描かれていない。

酪農に失敗したから狂ったのか、さちが嫁に行くというから狂うのか、あるいは狂気を装って挫折を回避しているのか……村人たちが彼を狂人にしたてあげるところはない。このドラマのはじめから「ほらんばか」になっている。

これまでのリアリズム戯曲との明らかな違いは、狂気の原因もあるいは狂気を装う理由もドラマの中に書き込まれていないことだろう。わかっているのは充年とさちが互いを求めあっていること、充年がさちを殺して永遠にさちを―幸を手に入れることだ。強烈な狂気のようなエロス表象の美しさ、これもこれまでの戯曲では表現されなかったことだ。秋浜戯曲は彼以前と以後、つまり六五年以降の戯曲に登場する猥雑さやエロス表現への先鞭をつけたといっていいかもしれない。

戦後の演劇青年たちから「戦中非転向の新劇の星」（岡村春彦前掲書四五三頁）と称された久保栄に秋浜悟史も畏怖の念を抱いていたという。秋浜は久保戯曲の、特に「火山灰地」の詩に惹かれた。北海道方言があの土地特有の叙情を表現するのに最適な役割を演じたように、秋浜の戯曲でも岩手方言は固有の詩情を表象している。

この戯曲が発表された一九六〇年五月は、政治の季節であった。安保阻止国民会議の統一行動や全学連のデモが連日国会を取り囲んでいた。「ほらんばか」がいつ起筆され、擱筆はいつか定かではないが、さちを嫁にやらずに牛小屋で殺し、二人の関係を永遠のものとしたところに秋浜の希望が仮託されているとみてもいいのではないだろうか。

そして第二次世界大戦後の新しい戯曲―不条理劇〈神は永久に来ない〉からずっと待ち続けなければならなくなった人々を描いたベケットの「ゴドーを待ちながら」（一九五三年）が、この年の五月二四日、文学座によって初演されている。わたくしたちは、ヨーロッパ流非リアリズムの系譜を手に入れる。秋浜の「ほらんばか」はこの国のリアリズム戯曲の詩的領分から登場した自前の非リアリズム戯曲の始まりに位置する作品の一つといっていいだろう。

注

(1)岡村春彦「解説」『現代日本戯曲大系』四巻　三一書房　一九七一年八月　四五〇頁

(2)「解題」『現代日本戯曲大系』三巻　三一書房　一九七一年七月　四七五頁

(3)渡辺浩子（参考文献）より引く。

(4)「ほらんばか」『現代日本戯曲大系』四巻前掲　三二六頁

〈参考文献〉

『秋浜悟史戯曲集』秋浜悟史戯曲刊行会　一九六七年

『しらけおばけ―秋浜悟史作品集』晶文社　一九七〇年

菅孝行『想像力の社会史　作劇の時間構造』未来社　一九八三年一一月

渡辺浩子「秋浜悟史と『ほらんばか』」『現代の演劇II』所収、勉誠社　一九九七年五月

秋浜悟史《あきはままさとし》（一九三四・三・二〇〜　）

岩手県渋民村（現玉山村）出身。早稲田大学演劇科卒業。学生時代は早大学生演劇集団・自由舞台に所属。卒業後一九五八年に岩波映画社へ入社。岩波労組で六〇年安保反対闘争に参加。挫折からの出発は三十人会でふじたあさやとともに始まる。

「冬眠まんざい」（六五年一〇月）、「しらけおばけ」（六七年五月）、「アンティゴネーごっこ」（六七年一〇月）、「幼児たちの後の祭り」（六八年一一月）、「おもて切り」（七〇年一月）と立て続けに発表。その後は演出が主になる。

六七年〜七三年まで劇団三十人会所属。「ほらんばか」作・演出で第一回紀伊国屋演劇賞（六六年）、「幼児たちの後の祭り」（六八年）で岸田戯曲賞（一四回）受賞。

日本で初めての公立高校（県立宝塚北高）に演劇専攻コースが置かれたとき、秋浜はそこの指導教官として赴任、以来高校、及び大学の演劇専攻コースの教授として俳優を育成している。

「ほらんばか」は、「英雄たち」「リンゴの秋」「冬眠まんざい」と共に「東北の四つの季節」と名づけられ春・夏・秋・冬の四季の戯曲の一つである。

椎名麟三

「天国への遠征」（一幕）

川和　孝

初出　『新劇』一九六一（昭36）年一月号
初演　劇団青年座　一九六〇（昭35）年一二月　俳優座劇場

第二次戦後派作家と呼ばれる人に、埴谷雄高、武田泰淳、大岡昇平、三島由紀夫、野間宏、椎名麟三、梅崎春生、福永武彦、中村真一郎らがいる。即ち、一九四五（昭20）年敗戦となった日本に、軍隊での戦争体験（武田、大岡、野間）、マルクス主義体験（埴谷、野間、椎名、武田）を共有した作家たちが、いっせいに登場したのを指している。

椎名麟三の「天国への遠征」は、日米安全保障条約締結に反対する闘争の盛上った一九六〇（昭35）年に執筆され、創立以来創作劇のみを上演することを標榜していた劇団青年座によって、川和孝の演出で俳優座劇場において初演された。日本の実存主義作家の優れた一幕劇である。

この戯曲を書くにあたって作者は、「役者がどう考えても考えようのない役を設定しよう。というのは、作者も演出者も、もちろん役者も死んだことはないので、死んだ人ばかりを登場させる戯曲を書こう」としたのである。演技者というものは、魚屋の役ならば、いつも見ている魚屋の姿をイメージし、銀行員ならば、それらしき銀行員の服装や態度を表現しようとする。死人を演ずる役者は、このような従来の自然主義的な演技を破らなければならないわけで、それを役者がどうするか楽しみで、新劇の自然主義的演技に絶望しつつ、新しい演技、新しい演劇への企みとして書いた作品なのである。

「天国への遠征」の舞台は、人間が死んでから行くところ。といっても天国でも地獄でもない。何千億年たっても、何万兆年たっても息をしないで死んだままでいるところ、純粋すぎるところ、真空以上ですることなすこと凡てが無意味なところである。

舞台上手に枯れた木が二本、下手に大きな石を集めた山がある。その他は、空漠としていて、ホリゾントも空の色に蔽われている。石の山の上に、ボロボロの布をたくさん身に巻きつけた古代人風の老人が、退屈そうに腰を下ろしている。

そこへ、地上で不合理、矛盾を否定し、純粋すぎる生き方をしてきた若い男が、その純粋さの証明として身体より大きくて、重い石を背負って登場する。さらに地上で矛盾を愛し、罪、けがれ、裏切りをも愛し、誰でも愛した若い女が、その裏切りの愛故に殺されて、愛の証明としての重い石を背負ってやってくる。さらに、もう一人、信仰の故に地上の悪を超えて純粋に生き、信仰の故に愛し得ぬものをも愛した中年の女が、信仰の印としての重い石を背負ってやってくる。

若い男は、その中年の女の純粋を「無責任」とし、若い女は、その中年女の愛を「無関心」として認めない。おのおの「純粋」「愛」「信仰」を絶対化していて、それぞれ「命」「誇り」「栄え」としている。そのように絶対化されてしまった意識が、「モノ」としての重い石が、それぞれの自由を圧迫し、束縛しているのである。

この三人に向って「悪魔」と呼ばれる老人が、皆さんの石は自分が貸し与えたものだから返却してほしいと迫る。「自分の主義主張に絶対性を与えることが、私にとって現代の狂気であり、さらには死である」という作者椎名麟三の主張が、この悪魔の存在を生かしている。

結局三人は「死の国」に、いつまでもいつまでもいなくてはならず、どこまで行っても行きどころのないことに耐えられず、自殺を図ろうとするのだが、重い石に阻まれて自殺できず、ついに、「いのち」より大事にしていた重い石を悪魔に返却して死の国を脱出する。おのおのが、新しい自由へ生き返えることができたのである。

この芝居は、喜劇としてわかりやすく、面白く書けているせいか、椎名戯曲の中で、最も上演回数の多いものではないかと思う。今私達が生きているこの世界こそ天国ではないかという作者のメッセージの力強さも、この戯曲の上演に魅力を与えているのだろう。

椎名は、ピランデルロの「門」カフカの「変身」安部公房の「制服」ワイルダーの「わが町」サルトルの「出口なし」など、死人が登場する芝居に特に興味を持ち、一九五四（昭29）年に書かれた「制服」に対して「先を越された」とくやしがっていたのが想い出される。

死を演技者がどう演ずるか。精神的な死と肉体的な死を描き、二重の死「死んで死ぬ」という二重否定を通して生きることを問うている作品である。

人間は必ず死ぬ、ということを承知していながら、他人の葬式には、しおらしくおくやみの言葉をのべ、周囲の参列者にも死者の冥福をいのったりしているのをみて、椎名は、生きながら死屍となる自己に対決する自分を「死んだらおしまいだ」と言い続け「死ぬまで生きる」ことを実践して、一生を終った作家といえよう。

椎名麟三の残した戯曲は、「家主の上京」「相宿」「終電車脱線す」「第三の証言」「自由の彼方で」「生きた心を」「タンタロスの踊り」「蠍を飼う女」「天国への遠征」「夜の祭典」「われらの同居人たち」「不安な結婚」「姫山物語」「鳥たちは空を飛ぶ」「無邪気な犯罪」「長すぎる瞬間」「荷物」「悪霊」と一八篇存在する。「小説と比べると五分の一の量になるが、小説一つ書く五倍かかった」とか「小説は年に何本も可能だが、戯曲は年に一本しか書けない」とよく口にしていたのが忘れられない。

〈参考文献〉

『椎名麟三全集』冬樹社　一九七二年
『椎名麟三戯曲選』姫路文学館　一九九七年

椎《しい》名《な》麟《りん》三《ぞう》（一九一一・一〇・一〜一九七三・三・二八）

姫路市書写東坂に生れ、一九二〇（大9）年父母が別居し、一九二四（大13）年四月に姫路中学校（現在の姫路西高等学校）に入学。一九二六年一五歳のとき、父の約束不履行のため、大阪の父の家へ出かけたが相手にされず、そのまま家出し、果物屋の小僧、見習いコックなど職を転々。その間専門学校入学者資格試験に合格。ベーベルの『婦人論』を読み、社会主義の方向を決定づけられた。

一九二九（昭4）年一八歳のとき、母が投身自殺未遂。これを機に六月宇治川電鉄（現・山陽電鉄）に入社、間もなく労働運動に参加。一九三一（昭6）年日本共産党青年同盟員となり七月入党。宇治電キャップとして活躍。八月の一斉検挙直前に東京へ逃亡。のち検挙され神戸へ護送された。翌年執行猶予となり上京。一九四〇（昭15）年『新創作』の同人となり精力的に原稿を書き、いくつもの小説を発表している。

敗戦二年後、即ち一九四七（昭22）年三六歳のとき二月号の『展望』に「深夜の酒宴」を六月に「重き流れのなかに」を発表し作家として認められるようになった。

一九五〇（昭25）年三九歳「赤い孤独者」を執筆中、思想的に行きづまり、絶望の果にドストエフスキーに賭けて一二月二四日日本基督教団上原教会で、赤岩栄牧師により受洗。

小説のほか、戯曲、ラジオ・ドラマ、テレビ・ドラマ、映画のシナリオなどにも目を向け、最も影響を受けたドストエフスキーやキルケゴール、ハイデッカーなど哲学者との関連と受洗後のキリスト教に対する姿勢が、椎名作品を読みとる鍵であり、愛、自由、信仰といったキーワードにも注目すべきで、同じ戦後派作家の安部公房、三島由紀夫の戯曲と読みくらべるのも、戯曲作家椎名麟三の検証に役立つと思う。

とにかく、今迄の日本に、いやこれからの日本にも生れない実存主義作家の戯曲である。

寺島アキ子

「ああ青春」（一幕）

初出　しろかね会編『一幕物戯曲集〈職場・学校劇のために〉』弥生書房　一九六一（昭36）年
初演　不詳

馬場辰己

寺島アキ子には『したたかに生きた女たち』（学習の友社　一九八二年）という戯曲集がある。ここに「三人の花嫁」「かあちゃんたちの明日」「夜明け前のカチャーシー」の三本の作品が収められている。この書名は、収録作品の題名から取ったものではなく、作品に登場する女たちの生き方を表したものとして付けられている。タイトルの女性について、寺島はこの戯曲集の序文に、次のように書いている。

わたしには、戦後をしたたかに生きぬいてきた女たちへの共感がある。これらの戯曲の女主人公たちほどではないにしても、わたしもまた、戦後をしたたかに生きてきた女の一人だからかもしれない。空襲、満州への疎開そして引揚げで、すべてを失ったわたしは、母をかかえ、戦後の年月を生きてきた。その体験が、同じ時代をしたたかに生きぬいた女たちに共感させるのかもしれない。

寺島にはまた、『働いて愛した女たち』（学習の友社　一九八一年）というエッセイ集がある。寺島がこれまでに出会った素晴らしい女性たちについて書き綴ったものである。ここに取り上げられた人の多くは、作家、教師、農民、美容師、婦人運動家といった仕事をしている女性たちだ。しかも、男に負けない仕事をしながら、人を愛し母親として子どもを生み育てた人でもある。この本のタイトルにも寺島の思いが込められている。

「したたかに生きた女たち」「働いて愛した女たち」。そのような女性たちに寺島は共感を覚えるのである。

戯曲「ああ青春」は、そうした寺島の共感をもとにして書かれた作品である。戦後活躍している女実業家のところに戦死したはずの恋人が訪ねて来て、二人の恋の顛末が語られるという話を、喜劇的な雰囲気で描き上げている。

舞台はねじくぎ製造会社の社長室である。女実業家として知られる社長の実光百合子に工場から納品が完了したと電話が掛かってくる。電話に出た女社長は新規の注文に応じた生産体制をとるよう指示し、詳しくはこれから工場で打ち合わせすることにした。打ち合わせ後、今日は同業者との宴会、税務署員の接待と立て込んでいる。さらに「あの人」と会う約束がその後に控えている。この会社が忙しくしていられるのも「あの人」のおかげなのだが、いい歳のわりにエネルギッシュなので忙しいといいささか重荷にも感じる。出かける前に、週刊誌記者の用件を手短に片付けようと待たしておいた記者を呼び込んだ。実業人の「青春を語る」欄の記事を取りに来た記者が差し出した名刺を見て驚いた。レイテで戦死したはずの古川英夫である。予期せぬ再会に動揺を隠せない百合子だった。電話が鳴った。今夜の宴会の確認を求める同業者の安井からだ。その電話で気を取り直し、互いの身の上話などを語り合ううち、百合子はインタビューに応えるかたちで自らの初恋について語りだす。徴用先の軍用機製造工場で勤労奉仕に来ていた大学生とぼろの取り合いをした。それが彼との最初の出会いだった。その学生が忘れられなくなり、待ち受けて差し上げた配給の乾パン。空襲下二人だけの防空壕で、一人しゃべりつづける彼の息づかいを聞いていたこと。そして、プレゼントされた口紅について語り始めたとき、また電話が鳴った。税務署員の接待場所となっている千鳥のおかみから今夜のことで打ち合わせてきたのである。接待の段取りは済ませたが、もう一つの約束は面倒くさくなってきた。百合子は記者に促されるまま話をつづける。入営の前夜、二人で焼け跡を歩いた。いきなり押し倒してきた彼の顔をひっかいて逃げ帰り、翌日見送りにゆき、頰の傷を見て泣きながら笑ったこと。すれ違う兵隊の一隊の中に彼の姿を探し求めたり、検閲で出せない手紙を何通も書いては焼き捨てたことを語った。電話が鳴った。「あの人」からの今夜の誘いである。しかしその約束を断った百合子は、今夜は付き合ってくれと古川を誘う。話をここで切り上げたい百合子だったが、事の成り行きを知りたがる記者の期待に応えて恋の結末を語りだす。彼が戦地から帰還した晩、真っ先に駆け付けた百合子を尻目に彼は男たちに誘われるまま女遊びに繰り出していった。そんな彼の裏切りを許せなかった。二度と彼を訪ねなかったし、再出征の挨拶に来てもあたりさわりのない態度で接した。しかし彼が戦死したとの知らせを聞いて、はじめて許すことができた。死んだ恋人のために一生分の涙を流して泣いた。そこまで語って突然、女社長は大きく笑いだした。涙はあの時に流しきったとの思いがこれまで自分を慰め支えてきたからだ。が、これからは空だった骨箱の思い出にすがらずに生きてゆこうと決意する。古川は言う。内地へ帰ってすぐ訪ねたが消息が知れなかった。その時再会していれば二人の運命も違ったかもしれないと。その言葉を女社長はきっぱりと否定する。死んだから許したと。秘書からの電話が鳴った。女社長は予定通り出かけるといって受話器を置く。古川に向かって、あなたとあたしの意見が一致しないのは、男はロマンチストで女はリアリストだからと言って、笑いながら電話をかけ、「あの人」に言う。今夜伺うから待っていてください。

寺島は戯曲「三人の花嫁」について「現在と過去が二重写しになる手法を使った。」と言っているが、この作品にも同様な手法を用いている。現在とは、ねじくぎ工場を経営し、同業者の宴会に顔を出し、税務署員の接待に気を使い、歳のわりにエネルギッシュな「あの人」とお付き合いをし、週刊誌記者のインタビューに応じるしたたかな女社長の世界である。そして過去とは記者とのインタビューで女社長が語る古川英夫に恋する実光百合子の世界である。この二つの世界がストーリーの進行とともに舞台上で二重写しになってくるのである。

二重写しの手法を使う上で重要な働きをしているのが、電話である。電話は都合六回使われている。開幕当初の工場からの電話。古川英夫が登場してからかかってくる同業者からの電話。女社長の青春が語られている時の千鳥の女将からの電話。初恋物語が佳境に入ってかかってくる「あの人」からの電話。その後の急展開があって後の秘書からの電話。そして閉幕時、女社長が「あの人」へかける電話である。開幕当初の電話で女社長の世界が設定される。その女社長の世界は、その後古川英夫が登場し、初恋物語が展開してゆく中で、電話によって受け継がれ展開してゆく。このようにこの作品では電話を使うことで、恋する女性としたたかな女社長の二つの世界を表現している。

この作品の主人公は、ねじくぎ工場の経営者としてしたたかに生きる女社長として登場する。そして終幕では、当初予定していた行動を取ろうとする女社長として終わる。出だしと終りの女社長の姿勢は一見同じように見える。しかし、女社長の姿勢には大きな違いが生じているのである。古川英夫に再会し初恋物語を語り終わった女社長には、新たなる決意があった。その心境の変化を女社長は次のようなせりふで語っている。

古川の戦死の報を聞いて泣き明かした。「あたし、よくその時のことを思いだすんですよ。泣きたいときにね。そして、あたしは、あのとき一生の涙を流してしまったんだわ、そう思うと、不思議に気が静まるんです。……でも、もうその思い出ともお別れね。これからは、泣きたいときには泣くことにしますわ。おおいにね。」

女社長はこれまで、古川を愛したことを自分の慰め支えとして生きてきた。しかしこれからはその思い出に縋ることなく自らの意志で生きてゆくというのである。

その決意を行動で示したのが最後の電話である。最後の電話は、外からかかってきたそれまでの五回の電話とは違って、「あの人」に自らかける電話である。女社長にとって「あの人」との約束は、開幕当初、重荷に感じられていた。それがやがて面倒くさくなり、ついには勘弁してもらうことにするのである。その彼に反古にした約束を再び取り付ける電話をするのである。それは重荷もあえて背負い込んでいこうとする意志をしめす電話である。つまりそれは主体的に生きようとする意欲に満ちた行動なのである。女社長実光百合子のひたむきな態度、寺島はそれを「したたかな女」として共感を持ってこの作品で造形したと言えよう。

この作品はコミカルなタッチで画かれているのが印象的な作品である。軽快なすべりだしもコミカルだが、その後も笑いを誘う個所は随所に見受けられる。くりかし鳴らされる電話も笑いを誘うが、この作品が醸し出す可笑しさは「男性はロマンティストで、女性はリアリスト」と女社長のセリフにあるような、男女の対比とその食い違いの描き方からくる。女社長が語る初恋物語は、男に愛された女の物語ではない。ましてや女が愛した男の話などではない。男を愛した女の話として、愛を示す女の行為が語られるのである。そのため一方の当事者である古川は語られる恋の影のような扱いとなっている。その上古川は「若者はどんな環境のなかでも恋をするって言いますからね。」とロマンティックな恋物語を女社長から聞き出せると期待している男である。そのため女社長が「なんとなくうちでぶらぶらしていたもんですから、ま、お婿さんを物色中だったのね。」と冷めた口調で語り出し、二人の最初の出会いはボロの取り合いという百合子に、期待を裏切られた古川はそうじゃなかったと口走ることになる。以後次々と恋のエピソードが百合子の口から語られて行くが、そのたびに見せる古川の戸惑いや違和感、食い違いを、百合子は、あるいは無視し、またはピシャリと押さえ込む。そこが笑いを誘うのである。

数少ない女性作家として戦後創作活動を行ってきた寺島は、「戦後をしたたかに生きる女」「働いて愛した女」を好んで描いてきた。そしてこの作品では女実業家実光百合子を登場させたのである。恋にも仕事にも自らの意志で積極的に取り組む女性である。その姿勢に女らしくないという印象を受けるとすれば、ともすれば既成の女性イメージに囚われがちな自らのうかつさを思うべきである。そのうかつさを古川英夫に仮託させ、この作品にコミカルな要素を与えている。その軽妙なタッチが戦争を背景としたこの作品を面白いものにしている。手堅くまとめられた佳作である。

〈参考文献〉

寺島アキ子『したたかに生きた女たち』学習の友社　一九八二年、『働いて愛した女たち』学習の友社　一九八一年

寺島《てらじま》アキ子《こ》（一九二六・六・一七～　）

本名寺嶋秋子。中国の大連市に生まれる。一九四三年文化学院を卒業後、劇団東宝演劇研究会に入り、子役として舞台に立つ。敗戦を疎開先の満州で迎えて一年後に引揚げ。処女作「モルモット」を雑誌『テアトロ』（昭和二三年一月号）に発表。続いて発表した「陽をあびる女たち」（『テアトロ』昭和二三年九月号）は、昭和二三年十一月に新協劇団により上演された。その後、同劇団によって昭和二五年「生活の歌」、昭和二六年「秋に寄せて」が上演される。山代巴の「荷車の歌」（昭和三十五年文化座上演）や住井すゑの「向かい風」（昭和四十年文化座上演）等を脚色する一方、ラジオドラマやテレビドラマのシナリオを多数てがける。昭和五十年、文化座上演の「三人の花嫁」が、芸術祭優秀賞と東京労演賞を受賞する。

芳地隆介

「人間蒸発」（一幕三場）

菊川徳之助

初出　『テアトロ』二三一号　一九六三（昭和38）年一月号
初演　全逓東京中郵演劇部　一九六二（昭和37）年十一月　赤坂公会堂

1　違った特徴

「人間乾期」（一九七四）「黄金の海を見ていた」（一九七七）「茜色の海に消えた」（一九八四）「国境は見えなかった」（一九九〇）そして「華、散る」（一九九七）といった芳地隆介の代表的な作品は、所謂、感情同化を基底とする作品とは、一味違った特徴を持っている。つまり、演出者が戯曲を分析し、役者が台本の台詞を正確に忠実に発していれば対話が成立し、ある種の情感が伝わって観客を感動させるというドラマティックな作品ではないのである。芳地作品は、上演者が戯曲と向き合って、作品を立体化する必要がある。勿論、どんな戯曲でも、多かれ少なかれ、演出者の構想があって舞台化（立体化）されると言えるが、要は、度合いの問題ではなく、質的・構造的に劇的演劇とは違った演劇的表現を求めている。その発想の基点になったと言える作品が、「人間蒸発」という一九六二年の芳地隆介初期作品である。一九七五年には「人間乾期」「幽霊はどっちだ」「日本幽霊協奏曲」で小野宮吉戯曲平和賞を受賞しているが、「人間蒸発」はこの作家の顔が見えはじめた作品と言える。全逓文学の神田貞三「ゾーッとする話」をモチーフにしているが、その後の芳地戯曲の構造を生み出して行く源になっている。

2　死んでまで働く主人公

「人間蒸発」は、一場が「吉田松造の家の居間」、二場が「郵便局集配事務室」、三場が再び「松造の居間」、となる一幕三場の戯曲である。物語は郵便局の集配員・吉田松造なる人物が死んだ日の出来事である。松造の息子たちが、葬式の相談をし、死に方によって退職金がえらく違うなどと話している時、家族に信じられない出来事が起こる。その出来事とは、布団に死んでいるはずの父＝吉田松造の姿がないのである。死体がなくなっているのだ。医者が確認していった死人なのにである。家族は慌てる。

次郎　どうするんだい一体！
健一　確かに生きていたんだよ。
憂子　生き返ったのよ。
次郎　（イライラしている）そんなこと言っている場合じゃないだろう！　死人がいないいんじゃないか！　死体がないんだぜ！
（中略）
憂子　そうだ、警察へ届けたら。
文江　警察？
憂子　そうよ、行方不明なんだもの。捜査願いよ。
文江　だって朝から、健と二人でここにこうしていたんだもの。お父つぁん出かけりゃ直ぐわかるよ。
健一　だけどそりゃ分からないよ。おやじは何時も影がなかったもの、空気みたいだったもの。

松造の存在は、影が薄いどころか影がなかったのである。四〇年間真面目に働いて来た父親の姿が、家族（妻・文江、長男・健一、次男・次郎、長女・優子）にとっては空気のような実体のない存在になっていたのである。家族が郵便局へ電話をしてみると、なんと、吉田松造は出勤して、郵便を配達しているというのである。

並木　はっ……何だい、いきなり入ってきて。
松造　ハイ……。
並木　びっくりするじゃないか、幽霊じゃあるまいし。
松造　どうも……。
並木　まだ行ってないの、一号便に出かけたんじゃなかったの。
松造　自転車の具合がどうも。
並木　自転車の故障なら、前の日に修理しておかないと困るじゃないか。
松造　ハイ……。
並木　今電話があったよ。電話も変ならあんたもおかしい。居るんだか、居ないだかさっぱりわからない。
松造　ハイ……。
並木　不思議な人だよあんたって人は。生きてんだか死んでだかさっぱりわからない。

松造はいつものように出勤してきたのだ。そして、いつもの赤い自転車に乗って、四〇年続けて来た配達という仕事を、死んだと思われるこの日も続ける。ところが、四〇年間忘れることなく捺印していた出勤簿に、今日は印がないのだ。松造が死んだのは確かだ。

死人Ａ　じいさん。
松造　……。
死人Ｂ　じいさん。
死人Ａ　忘れちまったのかな、去年ダンプカーにいかれちまった俺だよ。

死人B　一昨年、療養所からあの世送りにされちまった俺だよ。

松造　……。

（中略）

死人A　到頭行っちまいやがった。死んでまで仕事をしなけりゃ気がすまないなんて、よくも慣らされたもんだ。

死人B　四十年も同じことやってりゃ、人間だって化石になっちまうってことさ。

死人A　機械ならスイッチを切りゃ止まっちまう。

死人B　仕末におえねえのは人間さ。それよりお前渡したのかパスポート。

死人A　あっ、いけねえ。

死人まで出て来て、あの世行きの通行許可書を渡そうと言うのだ。警察が姿なき死人を探し始める。しかし、郵便局員並木は出勤して来た松造の姿を見ている。さらには、松造の行きつけのパチンコ屋のメリーちゃんも松造に会ったという。そして、郵便物も配達されているのだ。警察もこの奇妙な出来事に右往左往する。松造誘拐事件、郵便犯罪事件と推理したりもする。人々の推測もかけめぐる。

優子　お父さん、まさか復讐じゃないでしょうね。

次郎　復讐？

優子　そうよ。わたし達ろくなことやってないじゃないの、あんたは黙ってお父さんの貯金おろし借金の穴埋め、わたしは黙って家を飛び出すしさ、まともなのは健一兄貴だけじゃない。

次郎　だけどよう……。

（中略）

優子　わたしどうして生まれてきたのかしら、本当に生きてんのかしら。

健一　誰にも、そんなことわからないよ。

優子　まさか、わたし捨子じゃなかったんでしょうね。

文江　優！

優子　何もかも信じられないわ、そう言えば、わたし誰にも似てないじゃない。

家族の動揺は深まる。だが、いつの間にか寝床には松造の死体がある。松造は郵便配達を終えた時、布団に戻ったようだ。テレビ体験談に出て、死んだ父親が生き返った話をして賞金を貰おうなどと言っていた家族も、布団の死体を見て一瞬ギクリとする。複雑な影を落として幕は降りる。

　人間が死んでまで自分の仕事を全うする、という人間と労働の関係が問われ、家族や職場の人々と主人公との関係のありようが描かれる。しかも、ナチュラルな現実描写ではなく、幽霊や死人を登場させる手法で観る者の感性を刺激していく。作者芳地は郵便事業に勤務した職場作家の出身である。この作品世界は自分の現場を描いている。しかし、現場を写実主義的に描いてはいない。勿論、幽霊を登場させる手法は目新しいことではないが、死んでまで働くという、現実にはありえない話――死体が郵便配達をするという行動――を肉体化したところに新鮮さがあり、それが現実に起こり得るかもしれない、という話に転化させる発想に、作者の既成感覚への挑戦が見える。さらに、主人公と関係を持つ人間群像が描き出され炙り出されるところにも、この作者の創作態度の基点がみえる。

芳地隆介二五歳の時に、演劇雑誌「テアトロ」一九五九年十二月号（一九五号）に「三六協定」という作品が掲載された。二作目の作品である。それ以来「人間蒸発」「太陽に向かって涙を流すな」「蒼い波のあとに」「橋のある風景」「人間乾期」「日本繁栄学入門（共作）」「黄金の海を見ていた」が「テアトロ」に掲載され、テアトロ社刊の新選一幕劇には「幽霊はどっちだ」が入っている。「芳地隆介戯曲集」や未出版のものを入れると、今日まで着実に作品を書き上げて来ている。そして、職場作家から専門作家になっていった宮本研や大橋喜一らと同じ道を歩みながら、芳地は、それまでの劇作家たちが生産現場をナチュラルに描写して、ドラマを構築しようとしていた創作方法とは、異質なものを持って書き進んで行った。ただし、「人間蒸発」上演当時は、〈人間疎外をうたいあげるだけ〉の作品と否定的に見られていた。つまり、〈生産現場を描け！〉〈芝居からウソを追い出せ！〉〈人間を描け！〉などのスローガンに込められた行動的に生きる肯定的主人公をリアルに描くという観点から見れば、「人間蒸発」の主人公は闘争姿勢のない、ただ疎外されているだけの人物である。そのような人物の形象は、現状を批判しているだけの犬の遠吠えでしかないということになる。確かに、感情同化という手法での舞台においては、そのような危険性はあるであろうが、作者は、悲劇的な人間の描写に喜劇的手法（叙事的とも言っていい手法）を持ち込んで、観客が主人公の全体像を客観的に、批判的に見られるようにしている。この意味においては、常に戯曲表現（戯曲構造）の実験と、アクチュアルな問題を追求していった作家の一人であり、創作は現在も粘り強く続けている作家であると言える。

3　作品の描かれ方

「茜色の海に消えた」という作品で、海岸に裸で流れ着く若い女が登場する。〈かもめ〉と名づけられる。ヒロインである。この主人公と他の人々との緊張関係の中から、劇的なドラマが生まれる、というのがオーソドクスな戯曲の展開である。観客は主人公に視点を合わせて見つめる。ところが、「茜色の海に消えた」では、ヒロイン・かもめが途中で消えてしまう。主人公を追いかけた観客の視点はどうなるか。混乱が起こるだろう。主人公ヒロインと見えていた〈かもめ〉は真の主人公ではなく、彼女と係わる周辺の人々――彼女と係わることによって変化していく人々、その人間たちが真の主人公となる、という構造が見える。ヒロインの行動に感情同化していく回路で見ていると大いなる誤解が生じる。それ故、創造者側はかもめと人々との関係、人と人との関係を立体化（創造的に）していかなければ、単なる、主人公の霞んで行く戯曲になってしまう。そして、人と人との関係を立体化するということは、ヒロインあるいは登場人物の人間的味わい――感情移入に導く情感、情緒ではなく、人間の関係によって浮かび上がってくる状況が問題になってくる。つまり、人間の情緒、情感よりも、人間の置かれている場所や環境といった社会状態が問題となり、登場人物がその状態を感知する――認識まで行かなくても――、そして、それらの状況をどのようにすれば変えられるか、ということを考える方向へ広がっていく、問いかけの劇なのである。どのように認識するか、どのように変えるかは、俳優や観客の創造力（想像力）に預けられる。勿論、作者自身にも跳ね返っていくことになる。

「人間蒸発」は、主人公なる人物が存在する。死体になっても仕事をする吉田松造である。松造の行動はこの劇の核になっている。しかし、松造がこの舞台に登場するのは、三場面の内の第二場だけである。その第二場も三分の一の登場にしかすぎない。死んでまで配達するという最も重要な彼の行動は、彼自身によっては舞台に示されないのである。彼が配達する場面はないのである。松造が一軒一軒丁寧に、死んでまで配達している行動と情景は演劇的であるはずだ。だが、作者は、このような情感に溢れる場面を描かない。しかし、劇の世界は松造の存在が充満している。それは、家族や刑事や職場の人間が語ることによって成立し、また、人々の想いに・観客の身体に、松造の行動が創造的に浮かび上がる構造が採られている、といったためであろう。そしてまた、主人公松造が、単なる感情移入を誘う悲劇の主人公ではなくて、同情すべき悲劇的側面と批判に曝される滑稽な側面が複合的に描かれているところにもあるのだろう。この後の作品の原型となる要素がジワッと滲み出ている作品と言える。

〈参考文献〉

野村喬編『新選一幕劇』テアトロ　一九七五年
芳地隆介『芳地隆介戯曲集　人間蒸発・人間乾期』土曜美術社　一九七六年
芳地隆介『芳地隆介戯曲集　幽霊哀話』連合出版　一九八八年

芳《ほう》地《ち》隆《りゅう》介《すけ》（一九三四・八・一〇〜）

香川県生まれ。日本大学中退。全逓演劇サークル協議会、その後、全逓演劇サークル協議会と全電通東京演劇集団合同作業（通称「ていでん」）の場で作品を書き続ける。一九六三・六六年に国民文化会議戯曲賞、一九七六年に小野宮吉戯曲平和賞を受賞。現代演劇センター真夏座に「華、散る」（一九九七）「何処へ」（一九九八）を書き下ろす。映像制作にも関心の深い人。いくつかの映像作品がある。「演劇会議」に〈リアリズムを考える〉、〈リアリズムを考えるⅡ・・手法的思想と思想的手法〉を書く。文章も多い。ゲストゥスの会（故・千田是也主宰）会員。

野口達二
「富樫《とがし》」（一幕）

初出　『青年演劇一幕劇集』3　未来社　一九六二（昭37）年
初演　板東鶴之助、花柳武治ほか　一九六三（昭38）年四月　東横ホール

神山　彰

1

野口達二は、いわゆる「商業演劇」の世界で活躍した劇作家だが、歌舞伎の世界に多くの作品を提供した。このことは、野口の劇作術の骨格に影響している。つまり、野口は、既に多くの観客の記憶にある劇中人物や伝説や、歴史的物語を、その記憶から巧みに導き出すことによって、多くの作品を紡ぎだしたということである。

生涯五十五作ある戯曲のタイトルの多くを見れば、そのことは納得できよう。『富樫』『陸奥の義経』『百合若』『西郷隆盛』『静御前』等々、これらの主人公は、現在の若年層は知らず、一世代前の、一九七〇年代までの観客層には、広い世代に渡って何も説明せずとも、あるイメージを共有できる人物達であった。

言葉を変えていえば、かつての狂言作者たちが、いくつかの「世界」という観客の共有し得る物語と人物をもとにして、趣向を練り、工夫を凝らして、従来と異なった芝居を作りあげていく手法を、「新歌舞伎」の作者までは知っていたといえる。或いは、芝居の主人公は、講釈、話芸の世界で、目に一丁字ない人々にまで知られている、盗賊や芸人や遊女だった。だが、やがて無名の主人公が、何の前提もなく登場するようになる。多くの日本の「近代劇」と呼ばれる戯曲は、そういう無名の等身大の人物が、主人公として、多様な情動に捕えられるところに、観客は興味を引きつけられる。

その文脈でいえば、野口達二は、伝統的な劇の記憶に捕われ続けた劇作家である。ここでいうのは、「歌舞伎」という「伝統演劇」の記憶に、という意味では決してない。どこの国の演劇でも、かつては、常識だったような、過去の演劇に込められていた豊穣なさまざまな記憶を、巧みに引用して作って行く劇作法を、野口は知っていたという意味である。外国の著名な近代劇でも、作中の人物像や台詞やイメージが、独自の個性を担っていると同時に、決してそれだけではなく、彼の地の伝説や伝承的人物やそれ以前の演劇の記憶をも内包しているかは、よく知られている。

執筆当時の野口は、雑誌『演劇界』の編集者で、一九六〇年に『オール読物』の一幕物戯曲の懸賞の第一回に応募して、次席入選した。当時の選評（同誌一九六〇年七月号）は「このまゝ上演出来るものではあるが、新鮮味に乏しい」（中野実）「勧進帳（歌舞伎）をなぞって書いた部分が、苦心の割には逆効果」（戸板康二）「達者な筆であるが、どこか安易」（菊田一夫）「六〇点。趣向が飛躍しすぎて、作品にまで消化されていない。切腹の後の言葉なども長い」（北条秀司）と手厳しいが、これらの評を逆に見れば、野口が如何にそれまでの歌舞伎や新歌舞伎の劇作法の記憶を巧みに用いているかが分る。

演劇史的な意味では異なるが、坪内逍遥から、岡本綺堂、真山青果に至る系譜の成功した歴史上の人物を題材とした戯曲でも、それぞれの方法で、かつての演劇的記憶を十分に利用し、そのイメージを引用して、人物を造形している。そういう記憶の世界から断絶していくのが、「現代的」劇作家であるならば、野口の劇作法は本質的に「過去」のものであり、そこにこそ、この時代にあっては、その美点があったように思う。そして、野口は、現在では「新歌舞伎」と呼ばれる明治期以来の歌舞伎の系譜に繋がる、歴史劇・時代劇を書く最後の世代に属していた。

2

本作『富樫』も、そのような手法を前提としている。歌舞伎の演目中、最も人口に膾炙している『勧進帳』の登場人物を主

役にし、その物語を下敷きにしているのは、そのタイトルを見ただけで、少なくとも初演当時の観客は類推することができたのである。その手法によって、多くの筋立ての説明的な部分を省くことができ、観客に多くの連想を導くことができた。

初演にあたり、『勧進帳』と本作の関りについて野口はこう書いている。

> あの幕切れをみて、判官主従の落ちのびた平泉とは、馬の背のような奥羽の山脈を、一つへだてた後三年に落ちのびて果てた富樫——、弁慶がヤンヤノ喝采を受け花道を退くとき、定式幕のかげにフッと消える富樫が、弁慶と同じ無人の客席の花道を、土地を捨て、生活を捨てて、それこそ虎の尾を踏む思いで、やはりみちのくへ落ちのびる——その姿にあわれを感じないではいられなかった。古典の、型の中に生きる富樫に、別の血を通わしたかった。（「落人・富樫」、『東横ホール筋書』一九六三年・四月）

実説の富樫のその後は二説あって、作者自身『富樫記』には、その後は鎌倉によく仕え、信を得て栄えたともあるが、『孔雀城伝説』や、秋田の大曲市に近い『左衛門屋敷』に伝わる伝説によると」（「幸せな作品『富樫』」、『歌舞伎座筋書』一九七二年・三月）やはり奥州に落ちのびたというので、作者としてはその落人としての富樫に興味を持ったのである。

晩年の野口は、『オール読物』の一幕物戯曲に次席入選した「そ

の作品を、与えられた上演時間に合わせて三分の二に縮め、締めたのがいまの形であ」り、「歌舞伎十八番で知られている『勧進帳』を裏から書くとあって、〝山伏問答〟の件りを、どう異なる書き方をするか――腐心した想い出が懐かしい」(『野口達二戯曲撰』演劇出版社・一九八九年)と回想している。その腐心、工夫は、第二場の門答の様子を問い詰める弟兵衛と、それに淀みなく答える左衛門とのやりとりに生かされている。

本作の構成やテーマは、次のように述べられるだろう。加賀の国の武家・富樫家の長男左衛門と弟兵衛は、兄は正義感の強い一徹な武士、弟は京で学問に励んだ理論家と性格は異なるが、互いに尊重し合いながら、育った。しかし、源氏の兄弟の不和による事件で、頼朝の命令に背き、義経一行をわざと見逃したという疑いが起り、その処置をめぐり富樫兄弟も対立する。大義とは何か、家の価値とは何か、人が守るべきものは何か、人間の誇りとは何かという問がその対立のなかで語られる。しかも、それだけではなく、兄弟の少年時からの時間の流れのなかでの相克という、もう一つのプロットも隠されている。弟は少年時に、兄と裸馬に乗っていた際に落馬して脚を悪くして、京で学問を修めた今日でも、屈折した心情を持っている。兄の初恋の女性・鈴と弟が結婚するのを、兄がすすめたのも、少年時の落馬事故の責を感じているからなのだ。兄弟の関係を借りて語られる、人間誰しもが持つ愛憎、相克、葛藤等々が、この戯曲の根底に潜んでいる。

3

文治二年(一一八六)の春。源氏の兄弟頼朝・義経兄弟の不和は、加賀の国の郷士・富樫家にも影響を及ぼした。義経主従が山伏姿となり、奥州に落ち延びたと噂があり、頼朝方は、富樫家もその一つである警護方に、山伏は真偽を問わず斬り捨てろと命じていた。

富樫家では、弟兵衛が妻鈴と結婚の頃の思い出を語り、鈴はようやく懐妊したことを告げていた。そこへ兄の左衛門が帰館した。兄弟は少年時に思いを馳せ、裸馬に乗って遊ぶ内、落馬した弟が脚を不自由にした責任を、兄がずっと気にかけていた事を語る。そのため、兄は弟を京にやって学問させ、自分の愛していた鈴を、弟がそれと知らずに愛しているのを知って身を引き、結婚させたのだった。仲良く語り合う兄弟。

しかし、職務に関しては意見が対立する。折から引き立てられてきた山伏を、兄は見逃して遣れというが、弟は命令である以上従うとして、斬り捨ててしまう。(第一場)

別の日、弟の留守中に、兄が義経一行と見られる山伏たちを通過させたと聞いて、弟は憤る。その様子を詰問する弟に、もしそれが義経一行であっても、自分が責を取って死ねばよいと兄はいう。弟は、それでは、この富樫の家は潰される、これから追っ手となって、義経一行を捕えるしかないと主張する。兄は富樫の家は断絶しても、秀れたもののふとしての富樫の名は残るというが、弟は世は勝ち残った者が正しいとされる、富樫家は単に謀反者とされるだけだと反駁し、追っ手となるべく家を出る。しかし、時すでに遅く、誰やらの密告により富樫家に討手がかかっていた。それに気づき戻った弟は、兄が死装束で自死しようとしているのを見て、それを軽率で卑劣となじる。兄は、武士として当然の決心として、逆に弟に対し、お前には死ぬ覚悟はあるまいと笑殺する。弟は、それを恥辱と受け取り、自ら立腹を切る。驚く兄に対し、弟は、子供の頃から慕ってい た兄に卑怯者呼ばわりされて生きていられぬといい、兄の考えの愚かさを身をもって訴える。討手が迫るなか、兄は自ら館に火を掛け、号泣し、弟と来世の再会を約束する。(第二場)

4

中村哲郎は本作を論じて「テーマが兄弟間の愛憎と相剋であるのも青果や有三の諸作を部分的に想起させるが、さすがに戦後派の青年だった野口の本作には、スタインベックの小説『エデンの東』や欧米映画の影などが見え隠れしていて、それらが哀しさや若々しさとなって、この一作を作者の青春の記念碑に昇華させ、さほど珍しくない兄弟愛の劇に一つの輝きを与えた」と述べている。(『演劇界』二〇〇〇年三月号)

本作は、黙読でなく、音読してみると、耳から入ってくる台詞としての成熟度が印象的で、当時三十二歳の劇作家の第一作とは思えないところがある。特に野口達二個人を知る人にとっては、安藤鶴夫が「あの秋田弁で、合の手に〝あのう…〟のうが入りながら、話をきいた時には、ちっともおもしろくなかったが、作品になってみると、きツといきのひきしまった、きりりとした作品になっているることにびっくりした」(『東横ホール筋書』一九六三年四月)というのに頷くだろう。今日再読すると、野口が第一作からそういう観客の耳から入る台詞の律動や、意味の取り易さ、観客に知らせるべき情報を幾人もの人物の台詞でさりげなく繰返させる劇作法、視覚的な効果の計算などを、巧みに用いていたことに改めて驚くのである。

野口は、その意味では、その実直一筋という印象よりもはるかに、現場での芝居作りに向いた「玄人」だった。著書『舞台という空間』末尾の「幕間独語」という随筆で、芝居の世界でいう「座元、役者、見物」に親切に作るという「三親切」に加えて、「自己…即ち作者」を加えた『四親切』の芝居」という事を言っているが、野口はよく、舞台の実際を心得ていた。野口には『板』(舞台の上の作品)が、『空間』がすべてであって、他に頼るべきなにものもない」という覚悟があって、舞台に「背を向けている人達を、どう、舞台の方に向かせ、芝居のなかに引き込むか」を常に考えていた。

そのための劇作法が過去の演劇術の応用だった。「いわゆる掛け合いの呼吸に似たものを、意識して書く必要に迫られる。それが、出合、語りかけ、対立、問答、詰め寄り、啖呵、和解、あるいは口説、濡れ、意見、愁嘆等々(略)新しい芝居を書くとき、その一々を昔ながらに書く必要はないが、知っていて、その作者の個性的な技法で書いたせりふと、知らずに書いたとではかなりの違いがある」(「幕間独語」)というのは、その秘訣を語っている部分といえるだろう。

5

野口達二は、劇作や著述家以外の仕事としては、演出の仕事も行っている。私は以前勤務していた国立劇場の制作室という部署で、野口の演出作品には、担当者として幾度か一緒に仕事をする機会を得た。野口の演出というより、仕事ぶりは、まさに実直そのものの感じだった。野口の演出は、一般社会での賛辞が、そのまま評価とはならない芝居の世界で、「実直」が必ずしも評判がいいとは限らない。つまり、決まりきった型物に近いような演目や端場や軽い場面や、脇役が中心となる場では軽く流す「融通」の方が有り難いのが、制作者としての私の本心だった。しかし、野口はいつもペースを変えることなく、相手が誰であっても、どんな演目でも、どのような端場めいた場面でも、同じような配分と力で稽古を進めた。分りきった「定式道具」しか飾りようがない芝居でも、装置の打ち合わせは複数回行った。そういう野口の仕事振りは、戯曲の作法にもよく現れている。

野口は次の言葉をよく好んで、引用し、秋田の故郷の文学碑にも刻まれている。「芝居とは、日本人の〈心・魂・情・念〉のうねりの詩である。祀りであり、感動である」。野口はこの言葉を、よく口にも出して語ってくれた。私はその言葉の意味には、実のところ共感するところ些か乏しかったが、それを口にして自作を語る、生真面目な、古臭い「演劇青年」ぶりには、感動すること大きかった。『富樫』についても、その主人公の難読漢語の連続する台詞が何故必要なのか、それを初演時の坂東鶴之助(現・五世中村富十郎)が実によく憶えたこと、毎日駄目を出すので、演出では商業演劇の世界でもベテランだった村山知義に辟易されたことなどを訥々とした熱弁で語ってくれたのを思い出す。

野口は秋田土崎の人で、本作の舞台でもある東北の土地への思い入れも強いように見受けた。演劇の世界では、必ずしも評価されていなかった青江舜二郎を盛んに褒めるのだが、その理由がどのように聞いても、結局、同郷の先輩だからという以外に見当たらないような話し振りもよかった。つまり、野口は、極めて古いタイプの演劇人だったのだ。というより、私は野口の、とにかく古いところに共感を持った。野口が劇作家としてデビューしたのは一九六三年、東京オリンピックの前年だった。あの頃から、アングラ隆盛期を経て七十年代以降今日まで、新しい感覚を競う劇作は盛んなものであるとはいえ、その逆に、それ以前の価値観が見捨てられるのを野口は憤懣やるかたない思いを抱いていた。勿論、それが排他的、独善的な言説ではかなわない。しかし、野口の古さは、別に強くそれを「伝統」だの「正義」だの主張するのでないところにあった。野口は、ただそれが好きで、あの「心・魂・情・念」の世界を信じていたから、そうしていただけなのだ。

他の劇場で上演される野口の作品の、私は好い観客ではなく、幾度か見た新作も、率直にいうと、一夜の娯楽としては堅く、それ以上のものを求めるとしたら、逆に不足を感じたものだ。しかし、その後に会う時の野口が「どうだった」というのに対すると、社交辞令でなく「よかったですよ」というのが常だった。私は決して追従したのではない。「先生のいつも変らない古いところは本当にいいです」という意味では、確かに感動したのである。その意味でも、やはり『富樫』は野口の傑作である。ここには、作者の肉声が響いて、人物に生動感を与えている。こういう生真面目で一本気な作品が、歌舞伎の新作の一番目物（歴史劇・時代劇）から消えるのは、私のような古い気質の人間には淋しい。

　私が職務として一緒に仕事のできた「商業演劇」の劇作家は、川口松太郎も北條秀司も宇野信夫も、この野口達二も、気質も作風も人物も全く異なっていたけれども、共通しているのは、彼らは、時代の流れや「国際的評価」などと関りなく、驚くほど、その世界を信じ、愛していることだった。そして、同時に彼等は非常に「営利」を重んじていた。それと、彼らの自作の世界への信頼と愛着とは矛盾しなかった。それどころか、生活者としての職人たちがそうであるように、これほど自分達が信じて働いている仕事が、商売や営利と結び付かないとは、考えもしなかっただろう。私は彼等のそういうところが実に好きだった。現今の「新しさ」を競い、「国際的評価」とやらを受ける劇作家や演出家の舞台にたまさか接し、その客席のなれあった反応を見、それを論評する人々のしたりげな声を聞くと、この人たちは本当にこの舞台を信じ、愛着がもつことがあるのだろうかと余計な心配をすることがある。そんな時、ほんの一瞬でも、野口の、あの秋田訛りの、重く、ゆったりした懐かしい声を思い出すのである。

〈参考文献〉

野口達二『野口達二戯曲撰』演劇出版社　一九八九年
野口達二『舞台という空間――野口達二戯曲集』新潮社　一九七六年
宮越郷平『心・魂・情・念のうねり――劇作家　野口達二』演劇出版社　二〇〇一年
中村哲郎「グランド歌舞伎・『富樫』」（『演劇界』二〇〇〇年三月号）

野口達二《のぐちたつじ》（一九二八・三・八～一九九九・二・二二）

　秋田県土崎に生れる。早稲田大学文学部芸術学科で、民俗芸能を中心に学ぶ。アルス社で「演劇グラフ」、演劇出版社で「演劇界」の編集を始め、多くの歌舞伎・演劇関係図書の編集を担当する。昭和三十五（一九六〇）に、文芸春秋社と明治座との提携企画だった「オール読物」の「一幕物戯曲懸賞」の第一回に応募し、『富樫』が佳作入選となる。昭和三十七年に演劇出版社を退職し、劇作家となる。翌年四月『富樫』初演以後は、多くの劇作を続け、生涯に五十五本の戯曲を書いた。他の代表作に『義朝八騎落ち』、『女優須磨子の恋』、『草の根の志士たち』、『若き日の清盛』、『肥後の石工』等がある。また、歌舞伎の入門書を中心に著書も多く、特に編集者時代の経験を生かした『歌舞伎』（文芸春秋社）は視覚的な要素を巧みに使った構成の先駆として評判が高かった。他に『歌舞伎再見』（岩波書店）、『歌舞伎の美』（鹿島研究所出版会）、『歌舞伎　入門と鑑賞』（演劇出版社）『芸の道に生きた人々』（さらえ書房）などがある。その他、松竹株式会社の季刊雑誌『歌舞伎』の編集長として、十年間に渡り貴重な仕事も残した。演出家としても、歌舞伎十八番の『外郎売』『景清』のほか、自作品は勿論、新人作家の新作歌舞伎も手がけるなど、新作歌舞伎の後進の育成、指導にも熱心だった。第十三回サンケイ児童出版文化賞、第十八回長谷川伸賞、昭和五十九年度大谷竹次郎賞のほか、平成五年（一九九三）紫綬褒章を受章した。

第二部　戦前からの劇作家たち

小山祐士

「瀬戸内海の子供ら」

野村 喬

初出 『劇作』一九三四（昭9）年四月
初演 劇団築地座 一九三五（昭10）年四月二七〜三〇日 飛行館ホール

1 鬱屈の時代の悲歌

『瀬戸内海の子供ら』が同人雑誌『劇作』に発表されて間もなく岸田国士は、「彼が、一切の理論と風潮に拘はらず、その『身についた文学』を徐々に築き上げ、戯曲に於て、『詩』と『散文』の交錯する一点を確実につかみ得た」「小山君は、瀬戸内海が生んだ有数の詩人であり、この戯曲は、新劇史上、記念すべき代表作品の一つたることを、私は敢えて信じる」（「瀬戸内海の詩人」）と、最大級の讃辞を呈した。

この岸田の評言は、一九二四年前後から岸田が一貫して求めて来た戯曲美、すなわち演劇の本質における文学の発揮に、『瀬戸内海の子供ら』が適合していると認めたからであろう。

たぶん、多くの人は、戯曲の題名から瀬戸内海の島々が浮かぶピクチャーレスクな光景を想像するかも知れない。

実際、「所」の指定がある箇所には、「瀬戸内海の小さい島」で「該島は山陽線沿線の工業都市X港の西南約数町の海中に横たわりて、つとに、端麗優美なるその風光を以て称揚せらる」と案内記からの引用を借用して示される。この一帯が、国立公園に指定されるという噂もちらほら出ている。第一幕では、七森正彦の家の庭先、一面の芝生、老松二、三本、右手に出入口の階段のついた家の一部分が見え、正面奥に蔦や蔓ばらのからんだ低い生垣があり、その向うに細い道、さらにその向うに島々を浮かべた静かな海、と措定された舞台ということになっている。「時」は、「晩夏より秋にかけて」となっていて年代の指定がない。これが結構曲者であって、発表時から推定すると、一見執筆前年のような感じもあるが、わたしは一九三〇年ごろと見たい。作者の、この作品の前作の『十二月』と、ほぼ同じ時期を考えるといい。理由は、これから先の所論によって判断できよう。

X港の有力者の田尻家の当主は登場しない。当主の妻の田尻タミには三人の子供がある。長男の亮一、長女の元子、次男の振次郎であり、元子は七森正彦に嫁いでいる。戯曲の題名は、すなわち母親タミと三人の子供らをめぐる、解決のない一種の離散に至る経緯を描いている。その展開を、あらまし述べることから書く。

〔第一幕〕七森正彦は四十一、二歳。帝大理学部出身であったが、前の冬、東京の会社の人員整理で、妻元子の実家の別荘に来て、地元の鉄柱会社に再就職して、会社の鍍金の仕事を良くしたために重役のおぼえもいい。が、それに満足するだけで、知的な興味の薄い男。以前には女性問題の前科があり、深呼吸の方法に凝ったり、今は戦争物の読書、たとえばツェルピトフスキーの戦線物語に読み耽ったりしている。元子は三十四、五歳。夫婦の間に子供はない模様で、実家の父が以前に作り上げた島の海岸の埋立地の売却問題と、妻夏江と離婚した兄の亮一の今後、弟の振次郎の結婚などを、五十五、六歳にみえる母親と共に心配している。この春、帝大工学部を卒業し造船会社に勤めている二十四、五歳の青年の振次郎は、勤務先に命じられ、巨大タンクを設営する仕事で三ケ月間、故郷のX港に戻って来て、姉の家に寄宿している。

母親タミは亮一が離婚した夏江ともう一度復縁できないものかと願っているが、どうも亮一は港の楽器文具店ハイカラ堂の奥さんとあやしい関係にあるらしい。また、振次郎に縁談があり、せっかく就職したのだから早く身を固めて欲しいと思っているが、こちらも縁談に乗って来ない。ハイカラ堂の奥さんは夫の常吉との間には子供もありながら、浮気者でカラッとしてじめじめした恋愛とは無縁の女性、三十五、六のやや美人。

だが、矢沼千枝子という二十五歳になる非常な美人の女性が登場して来るに及んで、波紋があらわれて来る。彼女は、老いた宣教師のミス・フランシスの屋敷に寄宿して、港の女学校で英語や音楽を教えるほか、ピアノと英語の個人教授をして暮らしている。神戸女学院を卒業した千枝子は神戸でキリスト教の牧師をしていた亡父と親しかった関係でミス・フランシスのもとをたよって来ているが、一度は結婚して別れたとも言われる。彼女が腸チブスに罹った時に熱心な看護をして救ったミス・フランシスは只今、神戸に避暑をしている。振次郎の中学時代の友人の今井定夫は、鯛の浜焼と粕漬とで有名な海産物問屋の息子で、同じ大学の佛文科を卒業したが、就職口がないまま、余技の絵が独立美術展に入選したり、音楽で時間潰しをしている模様だが、矢沼千枝子とつきあって来たらしい。他方、振次郎も中学校の頃に会話がうまくてミス・フランシスに可愛がられた縁もあって千枝子と知り合っていたが、今度の帰郷で恋愛感情を持つようになって、家柄・血統も良い四国の県会議員の娘との縁談が持ち込まれながら、耳も貸さないありさまである。

〔第二幕〕旧暦の盆の九月上旬、盆踊りの時節。島の海岸の喫茶食堂「はたはん」の家。此処の主人の旗はんは早稲田の学生のとき、恋愛結婚をして中途退学して店をはじめた。彼の年上の妻は写真師をしている。振次郎と千枝子との関係は、家の中と外での他人目を気にした逢引で、今井からはロマンチックな恋愛かとからかわれている。その今井に千枝子は顔を合わせると、妙にぎごちない。他方で、埋立地売却問題の方は、田尻タミが実印が見当たらないとうろたえている内に、亮一が村井という男と登記所に行ったというのを聞いてハッとする。亮一は錨会社社長の桑田に売ったと言う。「自分勝手な気持で、こんなに急に売った動機は、振次郎達に、東京に家でも建ててやりたい、あの二人に、人並みの生活をさしてやりたい。ただ、そう思ったからなんだ」と語る。両親と一緒に住むのが具合が悪いだろうから、こちらに来て泊まるように正彦が言う。

〔第三幕〕十月初旬の月のきれいな夜。七森家のちょっと凝った和洋まがいの一室。正面いっぱいにガラス障子があり、その外側に縁側があり、海が向うにある。振次郎が会社に命じられたタンク工事は完成し、帰京の日が近づいた。亮一は神戸高商時代の親友で、満洲に行って成功している友達から誘われて、満洲に行こうとしている。矢沼千枝子との間が変わったため、姉の元子は振次郎に東京に立ちにくいだろうと聞く。弟は、自分だけを愛していると思っていたら、フランシスさんの家に居る時、今井が、彼女に手紙と一緒にネクタイピンを突き返しにあらわれた。それ以来、会っていなかった振次郎は、変な別れ方をしたくないと思って十日後に彼女の家を訪れたが、玄関に鍵がかかっていたものの、奥の部屋に灯しがついていて、彼女の啜り泣きが聞こえた。たしかに今井が居る模様だった、と語る。いよいよ、明日は帰京するらしい。母親のタミは「そりゃ矢沼さんて人は変な人じゃない。もちろん、悪い人でもない。女学校の音楽の先生をしとられるだけに、人品のある立派な人じゃんす。やさしそうでもあるし。ほいでも、あの人は、港にいらっしゃる前に、一度お嫁に行かれたそうじゃし、それに港でも、なんだか妙な噂があるらしいし……」と語り、他方で、夫と埋立地売却のお金は全部、亮一と振次郎にやり、島の別荘で隠居しましょうと言ったところ、「おまえが言わんでも、ちゃんと、わしの腹の中で」決心はついていた、ただ、成り上がりの桑田に売って、別荘に引っ込んだと言われるのがくやしいから、また商売を始めるつもりだ、と「お父さんらしい言うたら」と話すのだった。ハイカラ堂が来て矢沼さんが明日の朝、港を引き揚げて、よそへ行ってしまうらしいと告げる。亮一はそれを聞くと、無理に振次郎を千枝子のところへ行かせた。

今夜八時半出帆の別府行きの遊覧船が楽隊の行進曲の見送りを受けつつ出て行く時刻になった。それを見ようと正彦は望遠鏡を取りに行こうとして、振次郎の出発を延ばして、明日は船遊びをしようと言う。タミは「誘ってあげるといい、矢沼さんを」と言ったあとに涙ぐむ。一家の別れの前の記念写真を撮影するために呼んだ旗はんの奥さんの「こんばんわ!」と呼ぶ声がするうちに幕が降りる。

2　日本のチェーホフ

小山祐士は、『瀬戸内海の子供ら』によって〝瀬戸内の劇詩人〟と言われるようになったが、もう一つ〝日本のチェーホフ〟とも呼ばれた。学生時代に築地小劇場に入り浸った作家は、岩波版『チェホフ戯曲全集』(上下二巻)をくりかえし読み、築地で上演された翻訳劇の中でチェーホフを最も愛していたから、いくらかくすぐったくはあったが、とても満足したらしかった。

『瀬戸内海の子供ら』をはじめとして、瀬戸内の島々を描いた戯曲（放送劇脚本を含む）を数多、世に送り出したこの作家ではあったが、決してチェーホフの戯曲の翻案らしいものはない。どの作品でもロシアの作家が描いた人間関係と似たシチュエーションは見当たらない。

ただ、『瀬戸内海の子供ら』全三幕の終わり近く、別府行きの遊覧船が出帆するときの楽隊の行進曲演奏は、あの『三人姉妹』の幕切れで、軍楽隊の奏でる行進曲に似ていなくはない。

しかし、それを非難することは全くない。後に書くが、この作家は中学時代から音楽が好きで、作曲家を目指したことさえあった。戯曲に描かれた場所が絵画的であることは確かだが、むしろ、劇中にしばしば、音楽に関する会話があり、また使用する音楽を指定している箇所がある。ラモー、プーランク、グルック、ショパン、スカラッティのソナタとかの話があるかと思えば、グルックのガボットとか、ボッケリーニのミニュエットとか、ラジオから静かな管弦楽（ヴァイオリン・コンチェルトのような物）とかの指定である。むろん、ハイカラ堂が楽器店であり、矢沼千枝子が音楽の教師をしていれば、今井定夫が音楽もやっている点を考慮しなければならない。ハイカラ堂は、長唄の「松の緑」を口ずさむし、田尻の母親に「賎機帯」や「勧進帳」の話もして、稽古をすすめたりする。

つまり、『瀬戸内海の子供ら』は、ピクチャーレスクでもあるが、いっそう音楽的でもあった。

そんなことがチェーホフ的であるのではなく、多くの戯曲に起こるドラマ的、あるいはシアトリカルな事件が生じていない点にこそチェーホフ的と言われた理由があるらしい。むろん、『桜の園』の別荘売却に比較すれば、埋立地の売却は、住む家を売るのではないから、さらに事件としては小さいのかも知れない。また、ワーニャが小説家をピストルで撃ったり、トレプレフが服毒自殺したり、トゥーゼンバッハ男爵が決闘で殺されることもない。

あるのは、振次郎が終幕の後に東京へ戻り、矢沼千枝子がひとりで島を去ろうとしているし、亮一が友達に誘われて満洲に渡ろうとしていて、田尻の子供らが別離の時を迎えようとしていることだけである。しかし、いったん島に集まっていた人々が散り散りになって行くことは、シェイクスピアからイプセンなどの近代戯曲に至る間のドラマチックな悲劇にくらべて、やはりチェーホフ的ではないか。大詰での母親タミのすすり泣きは決して号泣でないからこそ、悲歌もしくは、心にしみるようなエレジーなのである。

いわゆる『劇作』派の人のなかから、阪中正夫の『馬』、田口竹男の『京都三条通り』、真船豊の『鼬』などの台詞に方言を生かした戯曲があらわれたわけだが、それらは芝居にすぐれてリアリティをもたらしたとは言え、小山祐士が『瀬戸内海の子供ら』で使った広島方言もしくは瀬戸内方言ほど美しく舞台に響いたことは、かつてなかった。

たとえば、第一幕で母親が元子に言う台詞で、

母親　苦しい思いをしても、辛い目に合うても、人の一生。生きてる間のことじゃけ、そりゃ仕方がないけど、でも、自分の気持が身内の者にまで判ってもらえん、これほど情けない事は、なんぼーにもありゃせんけ。

とか、ハイカラ堂が亮一に語る台詞で、

ハイカラ堂　ほんまに、ボッコウ、気がくさるけ。港に百貨店ができてからというものは、うち方なんか何もかも、ほとんど原価で売りようるんじゃけな。

とか、特別な難しい言い回しは全く無いにもかかわらず、i音で終わる台詞表現よりも、e音もしくはo音で末尾をしめくくる方言の音楽性が、あたかもイタリア・オペラに使用されているa音やo音の感覚に近い感じがあった。わたしは、チェーホフの用いたロシア語の方は、モスクワ芸術座の舞台に接しても全くわからない。だから、比較しようがないのだけれども、感情の流れが台詞の中から立ちあらわれる感覚があったと思う。

作者が書いたところによると、『瀬戸内海の子供ら』は、方言で書いた私の最初の戯曲である。方言は私の生まれ育った福山市の方言を使った。しかし、男の方言は、私のねらっている雰囲気をこわすような気がしたので、故意に方言を使わなかった。爾来、私には瀬戸内海地方を舞台にした戯曲が多いのだが、ひとつの作品を書くたびに、こんどは何処の町の方言で書いたものかと、私はいつも迷う。近くても京都と大阪と神戸の言葉が違うように、同じ大阪のなかでも幾つもの大阪弁があるように、福山言葉は独得な言葉であるが、三里東の町では備中言葉を遣い、三里西では尾道言葉を遣い、三里南と三里北の町では、その方言がだいぶ違うからである」と言い、さらに「私の戯曲のなかの方言は、大抵、小山製の、小山流の方言である。(中略)聞いたこともない偽方言を創ることもある」と記している。(「私の演劇履歴書(一)」)

チェーホフの戯曲の人間関係を翻案的につかった箇所は一つもないのだが、それでいて、一種の共通するところは、妙にデカダンスな人間関係が描かれている点を重視したい。結婚している夫婦でない男女の間に、はっきりとしたラネーフスカヤ夫人の愛人よりも、それとなく、肉体的関係があることを描く手法は、マーシャやアーストロフなど多い。同様にして、『瀬戸内海の子供ら』では、亮一やハイカラ堂や今井定夫や矢沼千枝子の台詞や台詞の行間にちりばめられている。

これは、時代の鬱屈した気分の内にたちのぼる頽廃性と言っていいだろうが、それゆえにこそ、芝居を生き生きとしたものにする。小山祐士は、『劇作』同人であったばかりか、一九三四年一二月創刊の『青い花』の同人にもなった。ドイツ浪漫派の詩人ノヴァーリスの詩集名にあやかった誌名のこの雑誌は、今官一・太宰治を中心に伊馬鵜平・壇一雄・津村信夫・中原中也・山岸外史・木山捷平らに小山祐士も加わった。しかし、一号を出しただけで、翌年に創刊される『日本浪曼派』に合流して、同人は解散した。『青い花』創刊以前から、太宰治とは井伏鱒二を媒介として飲み友達になっていた小山祐士は、太宰らと共通するデカデンツを備えていて、それが男女間の肉体関係をしぜんと肯定していた、と言える。

後年、『泰山木の木の下で』公演に際して、田中千禾夫は「表題のつけ方からいえば『小魔家の聖女』とか『二人だけの舞踏会』から推察されるもので、そこには優美という言葉の精神性、倫理性に背反するものが見出される。つまり一足飛びにいえば頽廃の美である。いい女房を持ちながら浮気をし、芸術的には行きつまって自殺にまで行く。例えば太宰治のような。そういえば太宰は小山君の友人でもあったらしいが、そういうデカダンスの好みが、この作者には秘蔵されているのである」と指摘している。その頽廃ぶりを、ただ小山祐士の好みと言い切ることが出来るかどうかはともかくとして、他の『劇作』派の作家とちがった面を裏書きしていよう。

3　戦火を予感させるもの

わたしは、さきに、『瀬戸内海の子供ら』に描かれた状況は、一九三〇年頃と推定したが、本作の前に『十二月』（『劇作』発表時には『十二月の街』だったが、その翌月の築地座公演に際して、演出者の岸田国士の言にしたがって改題された）の中を流れる「セントルイス・ブルース」の憂鬱な情感をそのままに、作者は呼吸していた。築地座の公演パンフレットに「小山祐士の風貌」という随筆を書いた原千代海は「彼は何時も三十度角位に背を丸めて、両手をズボンの衣嚢に突込んで、足を引摺りながら憂鬱さうに街を歩いて居る」と描写している。この姿勢を晩年に至るまで保っていたのだが、若い時から「憂鬱だよ」というのが口癖だった。

作中の七森正彦は四十歳代はじめの男だが、彼は日露戦争の本を熱心に読み耽っている。逆算すれば、その戦争は正彦の中学時代になる。多感な青年が血沸き肉躍る想いを、読書によって回顧している光景ではないか。彼より十歳年下の亮一が第三幕になって友人の誘いに乗って満洲へ行く、と言うのとは違っているのではないか。亮一にとって満洲は一山あてるためではない。一九二八年にはじまる金融恐慌にはじまる不景気は、当世風にいえばリストラクチャーのような人員整理をともない、大学は出たけれど……のような御時世で、大正末期から燃えさかって来た労働運動、各種の社会運動、とりわけ青年学生をとらえた思想問題、端的に言えばマルクス主義とアヴァンギャルドもしくはモダニズム、政府官憲と無産政党、特に共産党との対決は、文化運動の中に波及していた。デスペレートな感情が、高等教育を受けた人々に強い影を落としていた。

小山祐士は、この情勢下に学生生活を送り、会社員生活に入りながら、戯曲に自分の途をさぐっていた。慶応義塾で学んだ六年間、すべての公演に通った築地小劇場は、小山内薫の急死によって劇団築地小劇場と新築地劇団に分裂したが、プロレタリア文学運動の影響下に勃興しつつあった演劇運動の合同で結成された左翼劇場が勢いづいて二つの劇団に働きかけ、劇団築地小劇場を解体の方向に追い込み、新築地劇団と共にプロレタリア演劇同盟（プロット）を結成して行った。築地小劇場の分裂の際、孤立を守ったのが友田恭助と田村秋子の夫妻で、一九三二年二月に久保田万太郎・里見弴・岸田国士らを顧問に迎えて築地座を旗揚げした。同じ月（発行誌では三月となっている）に『劇作』が阪中正夫と菅原卓を中心にし、岸田国士と岩田豊雄を相談相手にした同人雑誌として創刊された。築地座と『劇作』とは劇団と戯曲雑誌として性格は異なっている。しかし、指導者を同じくし、両者共に〝跳梁をきわめる〟左翼演劇に対して歯噛みしながら、地味に演劇・戯曲の本質を追求しようとする共通点を持っていた。

革命運動に奉仕する主人持ちの左翼演劇に同調することを好まなかった小山祐士の周囲にも、思想上で左翼的な人物は多数居たにちがいない。慶応の劇研で一緒だった絲山貞家や生江健次は左翼演劇の方に行った。『十二月』の発表当時は噂だけで登場は伏せられた藤井得行という組合活動家を、戦後の改訂で出している。また『瀬戸内海の子供ら』でも、戦後の改訂版では第二幕なかば、旗はんの台詞の中に、田尻家で昔働いていた勘やん爺さんの一人息子の松助が今は「九州の方に行って地下にもぐりこんでいる」との消息が伝えられている。一九二八年三月一五日のいわゆる三・一五事件、二九年四月一六日の四・一六事件という大検挙があったことを確かめていい。

他方で、一九三一年九月一八日の奉天郊外での満鉄線路爆破にはじまる満洲事変、翌三二年一月の上海事変は、戯曲のどの部分にも影を落としていない。もし、意識していたら、戦後の改訂で必ず復活したのが、この作家の特徴である。

さきに引用した作者の自作戯曲の解説で、生まれ育った福山方言を使用したとあった。X港から遠くない島とあるのは、まさしく広島県福山市の瀬戸内海に突き出た岬の前に横たわる仙酔島だと推定できる。福山は広島県の東部にある工業都市だが、その海岸の鞆の浦は天然の良港で平安時代、あるいはその前から瀬戸内交通の要衝として知られて来たが、殊に仙酔島は観光地として今日もにぎわっている。『瀬戸内海の子供ら』の舞台に、けだし、うってつけの場所であった。

さて、いまだ満洲事変は勃発していないのにもかかわらず、戦争のにおいは確実にただよって来ていた。第三幕、大詰近いあたり、次の台詞とト書が記されている。

正彦　おや、軍艦が通ってるよ、石切島の、南側を……。

一同、気まずい沈黙。

遊覧船の楽隊演奏が聞こえて来る直前である。なにげなく挿入された台詞とト書、それは軍靴の音にも似た満洲事変の予兆だった。もとより、戯曲の中で声高に時勢批判を示す小山祐士の作風ではなかった。さればこそ、重い意味がこめられていた。離れ離れになって行く子供らとの別れに田尻タミの啜り泣きに胸をしめつけられて幕が降りて行ったのは当然であった。幕が閉じたあと、どうなるのか、振次郎と千枝子との恋はなどの結末は示されていない。むしろ、たしかな戦火を象徴する瀬戸内海を行く軍艦の航跡の暗示するものの方が……。

『瀬戸内海の子供ら』は、一九三五年四月二七日から三〇日まで東京・田村町の飛行館ホール、同年六月二一日から二四日まで大阪の文楽座で、岸田国士の演出、劇団築地座によって公演され圧倒的な好評を博した。橋本欣三の装置、松永昌司の照明。配役は田尻タミ＝田村秋子、亮一＝友田恭助、振次郎＝黒井洵、七森正彦＝東屋三郎（宮口精二）、元子＝竹河みゆき、矢沼千枝子＝腰原愛子、今井定夫＝太田克己、ハイカラ堂の奥さん＝杉村春子、現金屋の主人＝松井修、旗はん＝長沢史郎、その妻＝白田トシ、七森の女中＝馬野都留子。戦後の上演は、一九六七年二月一六日より三月一〇日まで、東京新宿の朝日生命ホールほかで劇団民藝が、菅原卓演出、松山崇装置、山田晴康照明その他のスタッフ、細川ちか子、垂水悟郎、中尾彬、宇野重吉、三条泰子、草間靖子、伊藤孝雄、奈良岡朋子、日野道夫、清水将夫らの配役で公演をおこなった。

4　作家の肖像

小山祐士《こやまゆうし》は一九〇六（明治三九）年三月二九日に広島県福山市笠岡町の肥料問屋を営む父福蔵、母キチの次男として生まれた。一九三一年三月に慶応義塾大学法科を卒業して東京銀座の桜田機械会社の営業部に入社し、その後三七年三月退社、四一年にワカモト製薬会社に入社し文化事業部主事になったが、放送脚本の仕事が多くなり、四五年四月に岡山に疎開して自然退社のかっこうになる。三四年に中張喜久子と結婚し、二男一女をもうけた。一九八二年六月一〇日、急性心不全で死去、七八歳。

以上が、生活者としての小山祐士の経歴だが、こまかいことは、当人は語りたがらなかった。だから、慶応に何年に入学したか、はっきりしない。誠之館中学は、維新前は福山の藩校として有名であった。小山家の祖先は福山藩の家老職も勤めたことがあると聞く。にもかかわらず、作家が中学を二四年に卒業し、二六年に慶応法科に入学したとある年譜は釈然としない。当時の学制では、予科三年本科三年だったから、当然、慶応には二五年もしくは、それ以前に入学していなければならない。この作家は、母が音楽好きだった影響で幼い頃からオルガンをガルゲイ女史に学び、東尋常小学校の唱歌の時間に教師に代わってオルガンを弾くこともあったという。二二年（小学校を卒業し中学に進んだのが一六年だから、落第でもしない限り、五年制度の中学はもう卒業していた筈である）に上京して上野の東京音楽学校に入学志望で、声楽を沢崎定之、須藤五郎に学んだと年譜にある。福山市の小山家は裕福でもあり、かつ祐士は次男だったから、そのぶん自由だったのであろう。わたしが生前の作家と歓談の折、ちらと自分も官立の高等学校を受験したこともあった、と洩らした。東京の一高か、それとも岡山の六高かは分からない。たぶん旧家の両親が望んでいたのだろう。

音楽家になることを希望しなかったのではあるまいか。

結果として音楽学校は断念した。両親の要求を拒めなくなって進学したのが慶応法科だった、と言えよう。わたしの推測では二五年に慶応に入った筈である。なぜなら、「私の演劇履歴書」で、築地小劇場開場に先立って、二四年春の慶応義塾内の大ホールでの演劇講演会に小山内薫が来た時、まだ三田の学生でなかったと書いているからである。入学して祐士はすぐ演劇研究部（略称、劇研）に入った。誠之館中学時代に受験雑誌『考へ方』の文芸欄に短い戯曲を投稿し入選したことがあった（選者は藤森成吉の由）と書くから、音楽家の途はかなわなかった代わりに、劇作家を志す遠因はあったことになる。三田の劇研は小山内びいきであったからだろうが、一方で『劇と評論』という雑誌を指導する小山内を頼って、『舞台新声』という雑誌を劇研は出していた。この『舞台新声』には「カンバスになる海の風景」や「三角と四角の日記」を発表していたが、雑誌は長続きしなかった。けれども、当初は劇作家になるつもりはなく、同郷で中学の先輩だった井伏鱒二の家に出入りして文学青年たちとのつきあいが多かった。

小山祐士がはじめて岸田国士に会ったのも、実は井伏鱒二が、ある日、突然に岸田の家に伴って行き、彼を紹介したためであった。そうして岸田国士が催す戯曲志望の青年の会合に出席して、少年の日に戯曲を書いた経験から、自分の方向を定めたらしい。岸田国士が当時出していた季刊雑誌『悲劇喜劇』の編集助手をしていた阪中正夫と知り合い、やがて慶応の先輩である川口一郎と菅原卓と知り合って行く。不思議なことに川口と菅原とはアメリカのコーネル大学に留学して知り合った仲だった。

こうした仲間が集まって、やがて一九三二年の『劇作』創刊に結びつき、小山祐士は創刊号に『翻へるリボン』を発表したが、筆名には小山浩次を使用した。本名を名乗るのは『十二月の街』からである。同じ表題のクープランの曲の流れる中、大学を出て就職のあてのない憂鬱な青年の情感を描いた作品である。『劇作』同人に慶応義塾の出身者が多いのは偶然だった。決して久保田万太郎の縁ではなかった。最年長が川口、その一年下に阪中、さらに二年下に菅原、田中千禾夫と小山とは、小山が早生れだったために同学年と言っても、田中はフランス文学科で大学では劇研にいなかったため全く無縁だった。菅原の弟の内村直也は、さらに四年下だから、菅原とのつきあいで知ったことになる。この中で、真ッ先に世に出たのは、雑誌『改造』の懸賞に応募して当選した阪中であったが、その後に川口の『二十六番館』が注目を浴び、築地座によって上演された。田中の『おふくろ』と小山の『十二月』は相前後して雑誌に掲載され、築地座の舞台にあがったことに意義がある。

はっきり言って、『劇作』は飯沢匡、内村直也、森本薫と次々と劇作家を生み出したことになるが、田中千禾夫、小山祐士、飯沢匡の三人だけが、熟成の出来た劇作家だと言える。

『瀬戸内海の子供ら』の反響が如何に大きかったかと言えば、昭和九年に文芸春秋社が制定した芥川賞の第一回が石川達三『蒼氓』に与えられた後の第二回（昭和十年前期）に『瀬戸内海の子供ら』が選ばれて、新聞にまで発表されたのだが、小説でなくて戯曲であり、かつ築地座の上演より一年前に雑誌発表されていたということで、芥川賞の第二回は該当作なしになったことでも判る。

「私の演劇履歴書」によると、第一回の時、その『道化の華』が次席で落ちた太宰治が東中野の上落合の小山の家に夜遅く来て「こんどの芥川賞は、君の『瀬戸内海の子供ら』に決まったよ」と羨望したらしい。太宰はこの賞を受けたいばかりに銓衡委員の佐藤春夫に哀願していたという。幻の芥川賞受賞だったのだが、その理由の一つは、この作品の築地座公演の大成功によることが如何にも大きかったためもあるとは言え、昭和年代に入ってから、最もすぐれた戯曲であることは、岸田国士も認めていたのである。

その後の小山祐士の劇作活動は終戦までの間、文学座の上演した一幕物の『魚族』を除けば、『夕凪』『月夜』『雨の庭』とあるものの、放送劇を多数執筆したが、舞台上演の戯曲は無かった。

戦後、妻の実家のある岡山県玉島市を中心にした演劇活動をした後、四九年に『蟹の町』を携えて上京し、生活費の多くをNHKのラジオドラマで稼ぎ、商業演劇でも獅子文六原作の『自由学校』や『椿姫』の脚色をしたりしながら、やがて五六年に『二人だけの舞踏会』を発表し、岸田演劇賞を受賞すると同時に俳優座の公演で、俳優座劇場開場以来の大入り記録を取るに至った。さらに翌年に俳優座で上演された『蟹の町』が毎日演劇賞を受けた。

一九六〇年四月二五日にNHK芸術劇場で放送された「神部ハナという女の一生」が、その年のNHK芸術劇場第一位に推された。これが、戯曲『泰山木の木の下で』に書き直されて六二年一月にいったん雑誌『新劇』に発表されるが、かねて放送劇の戯曲化を求めていた劇団民藝の宇野重吉が上演のためにテキストレジーをおこない、三幕戯曲を二幕に改訂し、その年五月に公演にこぎつけた。

宇野重吉の演出、伊藤熹朔の装置、穴沢喜美男の照明、斎藤一郎の音楽など、最高のスタッフに加えて、女主人公の神部ハナに北林谷栄、木下刑事に垂水悟郎、須崎刑事の村岡章、小使に信欣三、磯部の奥さんに南風洋子らのキャストの演技とあいまって、大成功をおさめた。ほんとうに何度も何度も公演数を重ねた。とりわけ、劇中の主題歌「わたしたちの明日は」の唱い手に宇野重吉が毎度出演して見事な出来映えを示した。

内容は——内海の段々畑のある月ケ島に、夫と九人も生んだ子供をすべて原爆で失って一人で住む神部ハナを木下刑事が訪ねて来て、薬による堕胎幇助の罪で逮捕する。お婆さんは敬虔なクリスチャンだったが、実は木下刑事もまた父親が牧師だったし、彼は秘密にしていたが、原爆被災をして妻との間にもうけた奇型児の子を持っていたし、さらに夫婦とも後遺症からガンに罹っていて、やがて刑事をやめる。ハナ婆さんは、島をあげての無罪嘆願もむなしく、裁判で懲役一年一月に決まったが、そのときは既に重い白血病で入院の身となり、死を迎えるのだった。

ハナ婆さんの好きな泰山木は、作家が五三年以来住んでいた世田谷区松原の居宅の庭に、劇団から贈られて植えこまれた。

並行するかのように、俳優座のために書き下ろした『黄色い波』を千田是也演出、東野英治郎主演によって上演、ついで、文学座から大量退団者が出て劇団雲が結成される騒ぎの最中に、『日本の孤島』を作者自身の演出で三津田健・杉村春子主演で上演した。これ以後、作家は放送劇から遠ざかり、舞台戯曲に専念する。

一九六五年五〜六月の第二次訪中新劇公演にあたって、書下し戯曲執筆の要請に応じて、『日本の幽霊』を書いたのも、その一つである。東野英治郎・杉村春子・村瀬幸子その他、新劇合同の多彩な顔触れの俳優を千田是也・阿部広次演出で北京・南京・上海・広州の各地で上演し、同年一一月に俳優座が劇団単独キャストで公演をおこなった。

以後の主な仕事として、六七年に劇団民藝で委嘱の庄野英二原作『星の牧場』をミュージカルに脚色上演、翌年には、『薔薇よりも孔雀だ』が東野英治郎客演・杉村春子主演の文学座公演。七〇年に『冬の花』が文学座・俳優座提携公演、七七年に『金木犀はまだ咲かない』が文学座創立四十周年記念公演のために執筆された。『星の牧場』は宇野重吉演出、東野と杉村の主演による文学座、もしくは両劇団提携の公演はすべて木村光一演出。六七年から『小山祐士戯曲全集』全五巻が刊行され、毎巻「私の演劇履歴書」という長大な回顧録を書き下ろした。

六九年四月、芸術選奨文部大臣賞を受賞、七五年一一月、紫綬褒章を受章した。七八年に発病入院し、八二年六月一〇日永眠。富士霊園の文学者の墓に納骨、墓碑に代表作『瀬戸内海の子供ら』と刻まれている。

〈参考文献〉

『小山祐士戯曲全集』（テアトロ、一九六七〜七一年）
野村喬『戯曲と舞台』（リブロポート、一九九五年）
小山祐士記念事業実行委員会『瀬戸内の劇詩人　小山祐士』（福山文化聯盟、一九九二年九月）

後記　本文中の戯曲引用はすべて『小山祐士戯曲全集』を底本としている。

宇野信夫「巷談宵宮雨《こうだんよみやのあめ》」

野村　喬

初出　未詳
初演　菊五郎・多賀之丞・友右衛門ら　一九三五（昭10）年九月　歌舞伎座

1　近代世話物の傑作

『巷談宵宮雨』は、初演に先立つ七月に書かれた。その年の正月の東京劇場で、前年に作者が『劇と評論』に発表した『吹雪峠』が二代目市川左團次らによって上演されて好評を得たために、松竹の大谷竹次郎社長が次作を拝見したいと作者に申し入れていた。書き上げて松竹に持参すると、大谷は、それを伊香保で夏を休養にあてていた六代目尾上菊五郎に届けた。菊五郎はすぐに読んで、早速にこれを上演したい、「坊主の方をやりたい」と言った。その言葉通りに九月の歌舞伎座で初演の運びになった。

作者の随筆「おはぐろ溝の古本屋」によれば、

もともと私は、これを誰にはめて書いたというわけではない。まだ、『吹雪峠』一篇しか上演してない駆け出しの人間が、そんな器用な真似ができるわけがない。しかし、太十の役は、六代目のような人が演じれば……位には思っていた。だから、上演がきまり、坊主を六代目、友右衛門が太十ときいた時、内心いささか驚いた。まだその頃私にとって六代目は、直次郎や新三役者であった。すっきりとしていなせで、それでいて心理描写のゆきとどいた役者であった。

（『菊五郎夜話』所収）

とびっくりしている。また、『巷談宵宮雨』の思い出を綴って、

当時は中車も歌右衛門も存命で、勿論羽左衛門、左團次も活躍していた。そしてそうした役者らの合同する興行が多かった。そこへ六代目が珍らしく一座で、歌舞伎座をあけることになった。『宵宮雨』はそれにとりあげられたのである。狂言は『天竺徳兵衛』『江島生島』『宵宮雨』『関三奴』であった。稽古中六代目は前景気を心配して、「どうだい景気は?」とそばの人に訊いていた。

「虻もたからねえじゃァ困るからね」

六代目のその声音は、まだ私の耳にある。

六代目に初めて会った日のことも懐しい思い出だ。歌舞伎座の三階で本読みのある日、私は先へ行って頭取部屋にいると、六代目が麻の服を着てお供をつれてやって来た。

頭取が私を紹介すると、

「私ア菊五郎です」と六代目は言った。その声音も、私はハッキリと覚えている。頭は少しく白かったが、まだ五十を出たばかり、黒眼がちの眼は生々して、六代目は溌剌としていた。

(『私の戯曲とその作意』所収)


作者の随筆をまた説明するのも何だが、今日では解説しておかないと、わからない人もあるだろう。

明治の三十年代に、五代目菊五郎、初代左團次、九代目市川團十郎が続け様に亡くなった。関西で京都から大阪へと新派・歌舞伎の興行を手がけて成功を収めていた白井松次郎・大谷竹次郎の双子の兄弟でつくった松竹の大谷が新富座に進出し、遂に歌舞伎座を傘下に入れた明治四十年代になると、東京ではそれまでの市村座、新富座、歌舞伎座、明治座、本郷座と言った主な劇場の内、新富座や本郷座は隆盛をきわめていた新派の拠点になり、歌舞伎座は芝翫改め五代目中村歌右衛門に、十五代目市村羽左衛門、後に十一代目片岡仁左衛門のいわゆる三衛門が中心になり、新しく出来た帝国劇場では高麗蔵改め七代目松本幸四郎、五代目尾上梅幸、七代目市川中車、七代目澤村宗十郎ら、明治座は莚升改め二代目市川左團次、團子後の二代目市川猿之助のものだったが、やがて松竹の手に落ちた。

そのころ江戸三座の一つであった市村座は、田村成義によってまだ青年になったばかりの初代中村吉右衛門と六代目菊五郎を中心として言わば若手歌舞伎の看板を死守していた。

岡本綺堂の『修禅寺物語』などの新作から歌舞伎十八番『鳴神』などの復活、さらに小山内薫と組んで自由劇場と新風をもたらす左團次の人気もさることながら、孤立状態の吉右衛門と菊五郎とに寄せる青年観客の喝采を味方に奮闘をする市村座だったが、帝劇に続いて、とうとう一九三〇年に松竹の興行力に陥落した。新しく出来た東京劇場を拠点とする左團次に対して、菊五郎は歌舞伎座の座頭歌右衛門に対しては客分であった。八月は毎年のように猿之助が一座の奮闘公演をしていたが、残暑の九月を市村座以来の尾上多賀之丞・尾上菊次郎・大谷友右衛門らの一門だけで興行ということであった。

六代目は、兼ネル役者の宣言をしそうになった程、立役・道化役から女方まで実に幅広い役柄を持ち、かつ踊りの名手であった。

しかし、六代目は、好敵手の左團次同様に、新作歌舞伎の大好きな役者で、明治の末に市村座で田村成義に新作をやりたいと直訴して、狂言座という団体を別に組織して長谷川時雨の新作をやったりした。大正期に山本有三の「坂崎出羽守」「同志の人々」、小山内薫の「息子」、鈴木泉三郎の「次郎吉懺悔」「生きてゐる小平次」をやり、昭和初年代に真山青果の「血笑記」「聞多と春輔」、山本有三の「盲目の弟」、長谷川伸の「一本刀土俵入」「暗闇の丑松」「刺青奇偶」など、生涯に百数十本の新作を演じた。それでも「私としてはまだまだ物足りません」（芸談集『藝』）と言っているほどであった。

この六代目の前に、自分をすっきりとしたいなせな役柄の直次郎役者、新三役者としてしか知らない作者があらわれたのは、大きな喜びだったらしい。

ちょっと回り道をしたが、ようやく『宵宮雨』の梗概を――

第一幕。明後日は深川祭という夏の夕方、墓地近い深川黒江町寺門前の遊び人太十（四十歳）の住居、伯父の竜達（六十歳）が女犯の罪で捕らえられていた牢から許されてころがり込んで来ている。太十の女房おいち（三十七歳）は、汚い上に疥癬だらけの竜達を嫌がっているが、亭主の方は、伯父がきっと金を隠し持っているから面倒をみてやろうと言う。裏の家は早桶屋徳兵衛で、折から姪のおとら（十五歳）が奉公に出ている佐賀町の久庵という今年七十になる色気違いの家から逃げ出して来たのを太十は、もうすぐくたばるだろうから、それまでの辛抱と慰める。

それまで長い間、寝ていた竜達が起き上がり、甥の太十に対して遂に金百両を金杉の寺の一隅に埋めてあるのを掘り出して来てくれと頼む。

第二幕。夜半過ぎ。おいちは蚊帳の中で眠っている竜達がしきりにうなされているのを気味悪く思っている内に、太十が戻って来るのを待ち兼ねた竜達が起きる。甥から金を受け取ったばかりで、そのまま竜達は蚊帳の内に入る。翌朝になり、太十はたまりかねて催促すると、二両しか出さないのを怒って叩き返して、さっさと出て行けと怒鳴る。裏の早桶屋に太十が行き煙草を一服吸っていると、そこへ石見銀山鼠取りを売る勝蔵がやって来る。ふと、思いついた太十は彼から鼠取りを貰う。深川祭の宵宮とて太鼓の音が響く。

第三幕。夜になった。祭囃子の聞こえる中、太十の家で、竜達はおいちのこしらえた鯰鍋の膳の前で酒を飲んでいる。血筋は有難いと朝の争いを忘れたかのように上機嫌である。竜達は自分の娘のおとらにしきりに会いたがる。そのうちに、竜達は頭がクラクラし、胸が悪くなって来た、己は先に寝るぜと言うので、蚊帳の中へ入れるが、さかんに苦しむてい。知らなかったおいちに対して、太十は鼠取りを鍋の中に入れて食べさせたと言う。相好変わり身体中が紫色に腫れた竜達の懐から金を奪うと、伯父の死体を入れた葛籠を車に乗せて去る。その直後、竜達が「今、帰ったよ」と戻るので、おいちが驚くと「己ァ死なねえ、死んでたまるか」「百両返せ」「おとらは何処にいる。」「おとらに逢いたいよ」「太十の帰って来るまで待っていよう」と言うなり、蚊帳の中へ。やがて太十が戻って来たのに対して、おいちが「伯父さんは、帰っているよ」という。川の中へ捨てて来た太十が笑うので、女房が蚊帳の中をのぞくと、竜達がいない、と、おいちは帯をとられてズルズルト引っ張りこまれ、うめき声がするのを聞いて行くと、既に死体になっている。

そこへ裏の家の女房おとまが、今、丸太橋から水死人があがったのを見ると、おとらの死骸だった、と言って来た。

丸太橋の袂では、大勢の人々が水死体を取り囲んでいる。太十が花道からあらわれて橋を渡ろうとすると、しゃがんでいた竜達に、「オイ、太十や、太十や――」と呼ばれて振り返り、「あっ、お前は」とすさる。竜達がそばへ寄る、太十はもんどりうって川の中へ。竜達は橋の上から水面を見こむ、雨が沛然と降りだす。死骸に向かって竜達が手を合わせ、幕が降りる。

2　役者のつくる人物の表象と肚の中

このように、『巷談宵宮雨』は怪談劇である。

しかし、幽霊劇である点はすべて共通しているのだが、たとえば四世鶴屋南北の『東海道四谷怪談』でもなければ鈴木泉三郎の『生きてゐる小平次』でもない。前者は江戸の市井の頽廃ぶりの生世話物で因縁のある小道具がからまり、後者では近代的心理劇の描写が利いている。

それに対して、宇野信夫では、人情噺のかたちを芝居に持ち込んで、互いに慾の皮の打算を持った伯父と甥の葛藤、女犯の結果として生まれた娘に会いたいという執念をすさまじく燃やす悪坊主の、幽霊然としていない姿を如実に描く劇となっていた。

此処で、世話物と言っているのは、町人社会の出来事を芝居にしている意味、反対語は時代物で、武家社会の出来事を題材にするもの。ついでに書くと、世話場というのは町人や浪人の貧しい家での愁嘆事を演ずるのを言う。つまり、『宵宮雨』で言えば、早桶屋の徳兵衛のところに来て、おとらが勤めの辛さを訴える場面も、その一つである。

作者はさきに引用した『宵宮雨』についての随筆で、

稽古中、六代目は太十役の友右衛門とセリフをとりかわしながら、「どうもいやな爺だ」「下等な奴だね」そんなことを言って、まわりの者を笑わせた。六代目は、心から此の竜達と云う下等で助平でケチな坊主に興味を持ち、真底からそれになりきってくれた。作者の私がこれを見て、うれしくない筈はない。それに私もまだ若かった。芝居の中の事情も深くは知らず、云はば希望に充ちていた頃のことだった。私のこしらえ上げた人物が、こうして今六代目にのりうつりつつある――そう思うと、たまらなくうれしかったものである。

と記した。五十歳を超えた役者と、やっと三十歳を過ぎようとしていた作者との年齢差は、あまりに大きかった。いま、最も充実している俳優の菊五郎を、まぶしい存在として一挙手一投足見逃さなかったにちがいない。役者にはめるつもりはなく、太十を六代目のような俳優が、と思っていた作者とちがって、竜達を取った菊五郎の意図を作者はまだ分からなかった筈である。

宇野信夫が『巷談宵宮雨』の着想を得たのは、「私はその頃漫然と昔の人情本を読むことを楽しみにしていた。春錦亭柳桜の嬉しの森というボール表紙の本も、そんな雨の日に読んだ。それは後で知ったことだが、此の『うれしの森』は、講釈の方では（森鏡台院）として口演する人もあり、（安永邪正録）と固苦しい演題で読む人もある。私はふと此の本の、とある一節――或る博徒が、金欲しさから叔父の坊主を殺してしまう――を非常に面白いと思った。私は、この話を基にして、この殺される坊主を、慾の深い、いんわいな坊主にした。太十という博奕打の住居を、寺門前の花屋にした。坊主が美しい娘をもっていることにした。隣に早桶屋をこしらえ、季節を、八幡様の祭礼の頃にした。油蝉の鳴く熱い日や、宵宮の太鼓の聞えてくる雨もよいの晩や――人物、背景、情調――『宵宮雨』を書いてから、私はあまたの戯曲を書いたけれども、これ程私の好きなものの揃った作を書いたことがない」と記した文章に明らかなように、人情本『うれしの森』の坊主殺しの一節からであった。

下町の祭の中でも、深川八幡の祭には太鼓の音がひとしおお囃子の響きをかきたてる。その季節におぞましい殺しが起きる。早桶屋に来て、今の境遇を嘆き身投げまで思った坊主の娘おとら、そんなことを全く知らずに娘に会いたいと言う破戒坊主の竜達、伯父がきっと金を隠しているにちがいないと踏む博奕打の甥の太十、世間から見れば、みんな一種の心身障害者のようなタガのはずれた存在である。

こうした登場人物だけでなく、作者はじめじめした下町によどむ空気や暑熱の季節感の生活ぶりを写していた。幕開きに、油蝉と木魚の音をあしらい、桂庵婆おきちが、太十の判で世話

宇野信夫「巷談宵宮雨」

したおとらが居なくなったと苦情を言いに来たのを、おいちがなだめた挙句、

おいち　取越苦労にも程があるよ。（中略）明後日がお祭で
　　この通り仕事をせかれていますから、うちの人が
　　帰ったら心あたりをさがさせましょう。

と言う会話一つで、八幡祭と、うちの人と、心あたり（それが裏の早桶屋の前提になる）の三つを一挙に示すセリフであった。

そういう人物・背景・境遇を愛した作者もまた、大正末年から昭和初年の異常を来した時代、不景気で労働運動・社会運動もさかんになっている一方で、エロ・グロ・ナンセンスの文化が流行もする世相の中、働きにも出ず、父親の持つ家に住まい、父親の東京に持つ家作から入る収入をあてにして、漫然と暮らし、貧乏な寄席芸人と小料理屋で飲み食いして話を聞いたりするのを楽しむ、いわば余計者の日々を送っていたのであった。

彼は、下町に住んで、当時のはやりのヨーロッパの小説の翻訳物だのフランス映画も好んだが、どちらかと言えば、人情本から南北全集や円朝全集まで、寄席芸能の講談や落語をさらに愛した。そうして古本屋で見つけた『うれしの森』を読んだ。

わたしが孤高を持していた宇野信夫氏に親しくしていただいたのは、その晩年であった。作家は絶えず電話をかけて来た。そうして時々会っては御馳走に預かった。多趣味の人で書も良くしたが絵もうまかった。たびたび日本画の個展も開いた。音

曲で清元や常磐津も語った。わが家には、その色紙がいまだに多くあるし、ホールでのおさらい会で常磐津『三世相』などを聞かされた。ただ、浄瑠璃のうちで、義太夫節をあまり好んでいなかった。たしかに、近松門左衛門の作品を相当多く歌舞伎劇化した際には『曾根崎心中』などの劇化をおこなったが、十八世紀半ばの義太夫浄瑠璃全盛期の作品には、むしろ関心度は薄かったように記憶している。

ということは、しばしば多くの歌舞伎通が、丸本歌舞伎というか竹本劇というか、「忠臣蔵」だの「菅原」や「千本桜」だのから入って行くほどには、青年時分の作家は、大歌舞伎には近づかなかったのではあるまいか、との推測が成り立つ。

他方で、六代目は、むろん田村成義に育てられ、吉右衛門と共に後に菊・吉時代と尊敬されるほどの大看板になり、全盛期の丸本歌舞伎の大役を身につけて来た。音羽屋の代々はたとえば「忠臣蔵」の勘平に三代目（俳号梅寿）以来の型をこしらえた程だが、怪奇劇の「天竺徳兵衛」に名を得たり、生世話物の怪談劇も特異にした。五代目が、音羽屋の始祖の松助以来の得意とした狂言を集めて〝新古演劇十種〟を制定（正確に書くと、九種しかなくて、後に六代目が「身替座禅」を追加した）したなかにも、「刑部姫」や「古寺の猫」「一つ家」が入っている。六代目は、いわゆる〝家の芸〟としての新古演劇十種の内、「土蜘」や「茨木」（舞踊劇ではあるが、能採物であっても怪奇劇でもある）は上演したけれども「刑部姫」「古寺の猫」などは演じなかった。

では、怪談や幽霊劇が嫌いだったのかと言えば、そうではなかった。それに対する回答を出したかった。それを『巷談宵宮雨』に見つけたということになる。「時代精神を取入れた、所謂現代の『国民演劇』」としての新作が六代目の理想だったし、家代々の怪奇劇を現代の精神で示そうとした俳優の目的にかなうものであった。

当然ながら、若い作者の新作だからこそ、大道具・小道具から衣裳まで、さらに舞台効果などを含め、主演者の六代目が演出責任を果たすことが出来る。既に長谷川伸の「一本刀土俵入」や「暗闇の丑松」の演出で定評のあった菊五郎が、舌なめずりして『宵宮雨』の演出をおこなったわけであった。

こうして、六代目菊五郎と宇野信夫は、出会うべくして接点を持った。一九三六年の『雪地獄』『人情噺小判一両』、三八年の『髑髏妻』『露時雨』の怪談劇、三九年『春の雪解』、四〇年の『江戸の夢』『初松魚』『維新の次郎長』、四二年の『河豚太鼓』、そして戦後の『初ごよみ』、最後の『俥』まで、十二篇の脚本を六代目のために書いた。それは必ずしも菊五郎一座のためとばかり言えない。佳作『人情噺小判一両』は吉右衛門との顔合わせで実現したのだし、『宵宮雨』のような怪談劇ばかりでなかった。『小判一両』は西鶴を原作とする脚本での人情劇であり、守田勘彌のために『江戸好息子気質』、市川段四郎のため『雪の夜がたり』、吉右衛門・猿之助のために『堀部彌兵衛』、松本幸四郎のために『春の霜』、さらに新派のために『吉原堤の仇討』や『蛇姫様』を書いた。

ついでに言うならば、『春の雪解』『河豚太鼓』は岡本綺堂「半七捕物帳」の劇化であり、『蛇姫様』はむろん川口松太郎の小説の劇化であった。

しばしば、歌舞伎は誤解されている。歌舞伎を古典劇だと。とんでもない。伝統的な演技を身につけた歌舞伎役者によって演じられるかぎり、歌舞伎は伝統芸能にちがいない。だが、三百年もの間、同じタイプの芝居をやって来ているのではない。大坂・道頓堀の竹本・豊竹二座で起こった義太夫浄瑠璃の脚本を移入したり、鶴屋南北その他の狂言作者が生世話を書けば、たちまち歌舞伎の趣向は大きく変化する。そのことは近代歌舞伎も同じである。明治末から岡本綺堂らの新作があらわれたのを皮切りに、昭和初年では松居松翁にしろ、吉田絃二郎にしろ、十数人の作者たちが、ほとんど毎月の劇場の新作戯曲を書いていた。その内で真山青果がトップの存在だったが、綺堂だの岡鬼太郎だのは、歌舞伎に通暁していたかも知れないが、晩年の綺堂は一種の枯淡な心境劇だし、鬼太郎は劇評の神様になっていた。むしろ、歌舞伎を知らなかった吉田絃二郎などの方が清新な魅力を作り出した。それを利して、吉右衛門は一代の清正役者になった。歌舞伎を熟知していたり、淫していることは邪魔になった。

宇野信夫が昭和十年代に忽ちの内に、作者として躍り出たのは、菊五郎や吉右衛門が清新な作者を待望していたのと合致したからであった。この作者が、いわゆる大歌舞伎に通じていなかった点が、むしろ幸いしたとさえ言えるだろう。人情本や寄席芸能を愛していた新作者は、坪内逍遥や真山青果のような史劇を書こうとしなかったし、出来るわけもなかった。それが成功したのだから面白い。

それゆえに、六代目菊五郎は、名優と言われるのである。実は江戸時代でも、名優と後世から讃えられる役者は、その生きた時期に必ず新風を吹き込んだ。この事情は明治の名優と言われた九代目團十郎も五代目菊五郎、さらに下って二代目左團次や初代中村鴈治郎も同じであった。後世に残る新作を見事に作り出してこそ、名優の名をほしいままに出来る歌舞伎の不思議な生理がある。決して、いわゆる古典狂言の役々だけの成功によるのではない。

その起点になった『巷談宵宮雨』は、初演以来六十余年、今も名作として舞台にのぼり続けている。

3　独立した作家としての六十年

宇《う》野《の》信《のぶ》夫《お》は本名信男、一九〇四年（明治37）七月七日、埼玉県本庄町に生まれた。実は、さまざまな辞典類、たとえば『演劇百科大事典』（大山功）、『日本近代文学大事典』（落合清彦）、『新潮日本文学辞典』（永平和雄）の記述などは、この生地からして間違っている。みんな東京にしている。はじめ父君はランプ屋をしていたが、稼業がうまく行かないために、一家をあげて熊谷に越し、染物屋をした。そこで小学校を経て熊谷中学に進み、二三年に慶応義塾大学に入学した。父親は染物屋に転じてから、稼業に成功し、東京の浅草周辺に次々と家作を得た。その一軒に寝起きして学校に通った。予科から本科の国文科に進み、二九年に卒業した。

折からの不況でもあり、両親が就職をせまらなかったから、家作からあがる家賃を生活費にして、読書と寄席通いをして、最初は小説家を志していた。一種、谷崎潤一郎の作品に似たおもむきがある『櫛』は、後に小説集『白鬚橋』に収められている。「櫛」を読んだ友人が戯曲に書き直したらとすすめ、その戯曲を慶応の先輩の水上滝太郎に送って掲載されたのが習作戯曲「おかのと文吉」で、続けて「父親」を『三田文学』に発表した。この「父親」は後年に六代目が最後に演じた『俥』の中に生かされた。「父親」→「俥」は決して信夫の父のことを描いたものでなく、浅草で知った朦朧車夫の話を題材にした作品。さらに三三年に『ひと夜』を瀬戸英一らが編集していた『劇と評論』に発表、それが友田恭助の目にとまり、同年一〇月、築地座によって飛行館ホールで上演された。この『ひと夜』は、作者の住居の隣の日蓮宗行者の住まいに、年に一度、焙烙灸の集まりで収入を得て酒を飲む中年男を見舞う近所の男女のいざこざを描いた作品だった。

れっきとした新劇の劇団で上演された『ひと夜』を、四十年余たって、築地座の後身ともいうべき文学座にかつて居た金子信雄夫妻が主宰するクラブ・マールイで観た。その翌年に『劇と評論』に発表した『吹雪峠』が、三五年一月の東京劇場で左團次一座によって上演された。こちらは、甲州路の山中、孤絶した猟師の山小屋に身延参りの夫婦が来ると、そこには妻のかつての夫が居た。息詰まる睨み合い、自分を捨てて駆け落ちした男女は殺されることを覚悟するうちに……。左團次の直吉、猿之助の助蔵、松蔦のおえんの配役も良く、成功した。築地座は決して規模の大きな公演をしなかったが、そこで陽の目を見た信用が、いきなり大劇場の興行に飛躍し、次には松竹の大谷社長が次作を直接見せてくれということになり、雑誌発表をすっ飛ばして持ち込む。それが、『巷談宵宮雨』だったわけである。

新劇から歌舞伎へ、不思議なようだが、運命的な出合いだった。さらに言えば、作家の言によると、少年時代、室生犀星・鈴木三重吉・小川未明が好きだったそうである。いわば抒情的な出発をした宇野信夫は、青年期になって時勢と環境と読書によって生活の匂いのたちこめ、情欲や金銭欲の蠢く裸の人間のエゴイズムを、戯曲にあらわしていた。六代目菊五郎や初代吉右衛門その他が演ずる世話物を書くことで、彼は〟昭和の黙阿弥〟〟今南北〟と称されるようになって行った。六代目が生涯演じた新作百数十本の内、宇野作品十篇は最も多い。戦末に六代目のすすめで清元延寿太夫の娘と結婚をし、四四年に長らく住んだ浅草を去って西郊の杉並区西荻に居宅をかまえた。何かにつけて、六代目は作家の導き手であった。

第二次大戦が終わって四年、四九年七月一〇日、その六代目が世を去った。亡くなる月に、彼の書いた『怪談蚊喰鳥』を東劇で猿之助たちが演じた。その年の一二月の三越劇場で近松門左衛門作『生玉心中』を海老蔵（後の十一代目團十郎）、七代目友右衛門（現・雀右衛門）たちが演じた。続けて『心中重井筒』を同じ座組みに書いて、宇野信夫は近松の世話物の劇化に新生面を切り拓いた。

その後も、近松物を何本も手がけた中で、最も成功を博したのが五三年に南座・新橋演舞場で二代目中村鴈治郎と中村扇雀（現・鴈治郎）が演じた『曾根崎心中』であった。

いわゆる近松世話物浄瑠璃に対する関心は、世話物作者にとって当然のなりゆきだったかも知れない。だが、それだけではあるまい。不惑の齢に達したころに、人間観をより深く成熟させた宇野信夫はかつて青年期に読過した作品を、改めて再発見したと言っていい。

それが、近松のみならず、森鷗外や谷崎潤一郎らの作品に及んできた。五一年七月、東京の歌舞伎座と大阪の歌舞伎座との両方で森鷗外原作『ぢいさんばあさん』の作者による劇化上演がおこなわれた。鷗外の歴史小説と言っても、たかだか二十枚前後の短編を全三幕に仕立てた傑作で、時の猿之助・時蔵、仁左衛門・鴈治郎が演じて成功し、これまた今日まで絶えず上演されている。

同様に、五五年七月、東京宝塚劇場で中村勘三郎の彌市・木下藤吉郎のち秀吉の二役、歌右衛門のお市の方と淀の方の二役で初演された谷崎潤一郎原作『盲目物語』の上演は、その後も配役は替わっても長く上演されて来ている。脚色作品は『高瀬舟』や『宮本武蔵』から『さぶ』や『山椒太夫』まで多いが、それほど上演頻度は高くない。

一九六〇年には、しばらくぶりに『不知火検校』を勘三郎・勘彌・芝雀（後の四代目時蔵）のために書いた。歌舞伎での世話物の創作は、ほぼこれで最後になる。口癖のように、世話物こそが歌舞伎の真骨頂を示す、今の若い人の新作はみな歴史劇や時代物ばかり、批評家までがそれを良しとしている、と言った宇野信夫にとっても、丁髷をつけた人物が出て来れば、すなわち歴史劇か時代劇かと思ってしまう風潮に見切りをつけた感じであった。

書き下ろした創作劇では、七〇年五月の国立劇場で上演の『柳影沢螢火』が特に傑作である。柳沢彌太郎のちに吉保を実川延若、おさめを中村芝翫、護持院隆光を市川猿之助、桂昌院を片岡我童で演じた。表題の中に柳と沢とを割り込んであるように、柳沢騒動を描いた劇である。六幕一一場の時代物脚本。内容は元は御家人で今は浪人の柳沢彌左衛門の一子彌太郎が何時かは大々名になる望みを抱いていたが、父がお犬様を打擲したかどで面前で蹴殺された。かつて父の朋輩だった曾根権太夫のすすめで、桂昌院に近づいて近習に取り立てられた彌太郎は、性が合わない護持院隆光から告げ口をされて将軍綱吉に着物の下の腹掛けを見せる羽目に陥る。その腹掛けには「浪々の身を三百石お取立て、その御恩忘るべからず」とあった。綱吉は五百石に加増、名前の一字から吉保の名を与え、用人にした。桂昌院のすすめで、吉保は幼馴染みの女おさめを女嫌いの綱吉に取り持った。側室のお伝・おさめの両人が懐妊するが、お伝が宿した胤は近習のものと判明したが、桂昌院はおさめの胤はそなたのものだろう、おさめの前で自分を抱けと言うが、吉保は彼女を絞め殺す。大詰、権太夫が桂昌院殺しを口走って井戸に落とし殺す、隆光が犬猿の仲と見せて世間をたばかって来たが、余生を安穏に送りたいから、連判を破りたいという時、大事を洩らすつもりかと斬り殺す。螢の光が飛び交う内、吉松君はまことは上様のお胤と告白するおさめをも手にかけ、「天下を望んだ吉保が、真実得たはただ一つ、女の心」と切腹するのだった。

柳沢吉保の野望と敗北を描いた読本「護国太平記」を題材とした歌舞伎脚本は寛政五年正月に大坂の中の芝居上演の辰岡万作・近松徳叟の「けいせい楊柳桜」が最も早いが、文政二年五月には江戸の玉川座で鶴屋南北の「梅柳若葉加賀染」があらわれている。南北は奈河亀助の「加賀見山廓写本」の構成を利用して書いたので、一見すると加賀騒動物のようにも感じられるが、多賀大領が将軍綱吉、松林尼・お柳が将軍側室お鮫の方、長谷部重左衛門が井伊掃部頭、望月帯刀が柳沢吉保、花房一洗が英一蝶、木屋辰五郎が淀屋辰五郎をあてこんであるのは「護国太平記」と同じである。その後、明治八年八月に河竹黙阿弥が「裏表柳團絵」を書いた。裏表とあるのは裏が世話物、表が時代物と交互に筋を運んであるからで、実際は南北と同様である。ただ、注目すべきは、世は明治になっているから遠慮なく表側の人物名を将軍綱吉公、柳沢吉保、おさめの方など実名を使用している。種本が同じだから、若干の変更はあるものの、筋運びは似ている。

宇野信夫と南北・黙阿弥とは、全く別個であることが判る。オリジナリティが発揮されている。何よりも、宇野脚本はお家の宝紛失という江戸歌舞伎特有のパターンを使わない。ただ、黙阿弥の書いたものと登場人物名が共通するのは致し方がない。また、南北とでは、献上の茶に毒を入れてあったという謀が共通し、吉保が最初は御家人でも何でもなかった点が共通する。「梅柳若葉加賀染」序幕の螢飛ぶ宵の庭園の趣向を大詰の六幕目に持って来たのは宇野脚本であった。この庭園は、駒込の六義園だが、実際にもそれは柳沢の造園したものだった。鮮やかに利用した作劇である。

国立劇場は、一九六六年に開場の後、年に一回は新作歌舞伎を上演する計画で、大佛次郎や三島由紀夫が既に書き下ろして来た。しかし、宇野信夫によって、はじめて後世に残せる作品を得たと言っていい。その後、司馬遼太郎や榎本滋民などの新作が今日まで上演されてはいるが、高い成果は得られていないことで判る。『柳影沢螢火』はその年の芸術院賞を得て、宇野信夫は七二年に芸術院会員に推挙された。

国立劇場と同じ年に開場した新しい帝国劇場では、七四年に『花の御所始末』を書いて、市川染五郎（現・幸四郎）の足利義教、先代幸四郎（白鸚）の畠山満家、中村又五郎の安積行秀などの配役。これは、もともとは中国隋朝の煬帝を描いた未上演の『皇帝』を、室町時代に置換した作品で、父子相互の間の争いを主題にした。わたしがシェイクスピアの薔薇戦争期を描いた史劇の感があると評したら、作者はひどく喜んでいたのを覚えている。

　宇野信夫は、歌舞伎以外にも当時もっとも多くの見物を集めた長谷川一夫の東宝歌舞伎、さらに新派や新国劇や前進座にも脚本を書いたが、なんと五九年には宝塚歌劇星組に『黒あざ姫と炭焼』を書いている。寿美花代・毬るい子・神代錦が演じた。その後、オペラ化もされたため、間口はますます広くなったし、やがて前述の『ひと夜』を上演した金子信雄に依頼されて八三年に『墨つぼ』と『泪橋』を若い頃の小説を劇化して与えた。二百篇を超える最後の戯曲は、八八年五月の国立劇場で前進座が上演した先代河原崎国太郎と中村梅雀、山村邦次郎ら配役の『後家おまさ』であった。

　この作家は世に出てしばらく後に、最晩年に達していた岡本綺堂のもとに師礼をとろうとしたが、岸井良衛らが居て、妨げられた恰好となり、ついで長谷川伸の集まりにも顔を出したが、此処にも早くからの門下が多かったので、ついに師というものを持たなかった。彼が慶応の学生の頃には、築地小劇場が開場して小山内薫を中心にした慶応劇研とその機関誌『舞台新声』が新劇青年の熱を煽ったし、また先輩の久保田万太郎とか国文科の折口信夫とか、やがて三田派と称される山脈が形成されていたらしい。しかし、宇野信夫は一切、三田派に近づかなかった。小説や戯曲の習作をしていた頃に水上滝太郎に原稿を送って、『三田文学』に掲載されたことは前記したが、それだけであった。そのためであろうか、創作劇の脚本執筆者を育てたいと考えて、六五年一二月から雑誌『戯曲』を隔月で発行した。それはたいへんな努力だったたが、結果的には、宇野信夫のもとに集まって来る劇作家志望者は得られなくて、個人雑誌に化した。

　晩年、作家は常に日本語の乱れを嘆き、芝居に用いるセリフのことばを大切にすることを、多くのエッセイに書いた。

　一九八五年、文化功労者の栄誉に輝いたが、九一年一〇月二一日に永眠した。享年八七歳。

　わたしには、晩年の宇野信夫がいつも口癖のように「どうせ、ぼくが死んだら、世間は『宵宮雨』の宇野が亡くなったとしか言わないだろうよ」と言っていたことばが、いまだに耳朶に残っている。

〈参考文献〉
『宇野信夫戯曲選集』全五巻（青蛙房、一九六〇年）
宇野信夫『私の戯曲と、その作意』（住吉書店、一九五五年）
野村喬『歌舞伎評論』（リブロポート、一九九五年）

後記　本文中の戯曲の引用は、青蛙房版『宇野信夫著作集』を底本として使用した。

真船豊

「中橋公館」(四幕および終曲)

初出 『人間』一九四六(昭21)年五月
初演 俳優座 一九四六(昭21)年九月 大阪毎日会館

小倉 斉

1 「人間の追求」というテーマとの格闘

一九三四年(昭9)九月、飛行館ホールにおける創作座第一回公演において、岡田禎子の「数」とともに取り上げられた「鼬」により、真船豊は演劇界にはなばなしく登場した。一九三四年は、プロレタリア文化運動が最後のとどめを刺された年であり、プロレタリア演劇運動も、七月にプロット解散声明を出し、完全に崩壊する。また、村山知義の「新劇の危機——新劇団大同団結の提唱」(『中央公論』一九三四・七)が、新築地劇団ほかの各劇団に大きな波紋を投じ、九月には新協劇団が創立され、いわゆる新協・新築地時代が幕を開けることになった。一方、一九三二年(昭7)二月から友田恭助・田村秋子らによる築地座が、雑誌『劇作』による新作家の作品を取り上げ、芸術主義の舞台を築きつつあった。その築地座からの脱退組が結成したのが創作座で、真船にデビューの機会を与えた旗揚げ公演は、新協の結成と時を同じくして行われたのである。プロレタリア演劇の壊滅とともに新劇の組織的転換が起こり、プロレタリア演劇の時代からリアリズム演劇の時代へと急変する年が一九三四年(昭9)であり、真船豊はそうした転換のただ中に脚光を浴び、劇作家としての地位を確立したのである。

その後真船は、「鼠落し」(『新潮』一九三五・一)「鉈」(『新潮』一九三五・五)「孤舎」(『改造』一九三五・七)「山鳩」(『文芸春秋』一九三五・一一)など、一作ごとに手法的実験を試み、流行作家としての道を切り開いていく。主に農村を舞台にして赤裸々な人間の欲望を独特な方言のリズムに表現してきた真船は、人間内部の暗さへの追求から「人間風刺」の方向へと、次第に創作の幅を広げていく。「太陽の子」(『新潮』一九三六・四)「裸の町」(『改造』一九三六・四)「鬼怒子」(『中央公論』一九三六・七)「見知らぬ人」(『中央公論』一九三六・一二)「遁走譜」(『中央公論』一九三七・八)「黴」(『改造』一九三八・四)「廃園」(『中央公論』一九三八・七)など、いずれも高い評価を得た。

この時期の真船豊について、平野謙は以下のように述べている。[1]

真船氏はしきりに一作は前作の反撥・反動からうまれたといい、両面葛藤の統一というが、実際にはアンチ・テーゼもそれの統合もみられはしないのである。その作家態度を一度根底から崩してしまわないかぎり、氏の全制作の基調はどこまでいってもただ一色の現実観念化があるにすぎない。

平野の評言は一見否定的ニュアンスを帯びているようだが、決してそうではない。何故なら、平野が言うところの「現実観念化」とは、処女作以来真船を執拗に捉えて離さなかった「人間の追求」という茫漠たるテーマとの格闘が強いたものにほかならないからである。そして、真船における現実の観念化は、その人間性格の理解の仕方に最も明瞭に現れている。再び平野の言を借りよう。

人間平生は勝手な熱をあげているが一旦ドタン場に追いつめられた場合どんなネをあげるか、音色はいろいろとあろうが、その人間の本音はそうした時のネ以外にあり得ない、そこにおいて人間の赤裸々な性格がもっともむきだしに露呈される——これが真船氏の性格理解の定式である。それゆえ氏は必ずその主人公を一度ドンづまりまで突き落し、そこでどんなネをあげるか執拗に実験してみる。そうした劇的シチュエーションの構成にのみ氏の戯曲制作の契機を把んで来るのだ。「鼬」から「廃園」にいたるまで終始一貫した重大な徴表である。ここに私は氏における現実観念化の具体的な在り方を見る。

2　大陸体験がもたらした転機

こうした「人間の追求」というテーマとの格闘およびその結果としての「現実観念化」の方向は、やがてひとつの転機を迎える。一九三九年（昭14）初めて満州、北支を訪れた真船は、新興満州国の現実に圧倒されて帰国。その体験は「松花江の月」（『新女苑』一九三九・一一）「人の影」（『日本評論』一九四〇・一）などの苦渋と混乱に満ちた世界として表現された。例えば「孤雁」（『改造』一九三九・九）「孤雁」第一幕には弟の亡妻の通夜のため満州から帰って来ている有光高樹によって「満州国は若い者の天下だ」「あの新しい国を、念頭におくこと無くして、ねえ、いったい君達は、これから内地で、何が出来るといふんだね？」「あの国は、何もかも新しいんだよ。新しいといふ事はだね、君、人間が生きるといふことなんだ！」といった盲目的とも言うべき満州礼賛の言葉が発せられる反面、高樹の父影樹の強引な引き抜きで、官庁の係長の職をすて、転職したものの、南洋の一精糖会社における小作人の管理所員として赴任せざるを得なくなり、運命を狂わされてしまったことを怨みに思っている人物、すなわち帝国の植民地政策の犠牲になった日本人が登場する。真船は初めて大陸の地を踏んだ時、満州国というものに対する「実に得体の知れぬ驚異」を感じ、内地に戻ってからも「いったいこれから、内地の日本人はどうなるんだらう」と何かひどく恐怖を感じたという。(2) 満州の現実を目の当たりにし、外側から捉えた内地の状況から感じた脅威が「孤雁」に形象化されたのである。

一九四二年(昭17)、真船は再び満州、北支を旅行。一九四四年(昭19)三月には北京へ渡り、六月帰国。九月再び渡満、ハルピンに独居して年を越し、翌一九四五年(昭20)長編小説「雁の影」を執筆、八月に北京に移り、敗戦を迎えた。永平和雄の指摘(3)にもあるように、北京での敗戦の体験が戦後の「喜劇」「ファルス」という「特異な系列」を形成する原因になったことはほぼ間違いない。

3 「中橋公館」の世界

ハルピン滞在中真船は、「中橋公館」と題した三〇〇枚に及ぶ戯曲を完成させているが、この戯曲が敗戦時に新京で失われたため、その後編として帰国後同じ題名で書かれたのが「中橋公館」(4)である。作品は、真船が北京で寄寓した小橋龍助一家をモデルに、敗戦の年の夏から冬にスポットを当て、敗戦を契機に露呈された日本人の醜態、周章狼狽ぶりを、作者自身の悲哀を込め、風刺的に描き出していく。

中橋公館は五〇年以上も中国で阿片患者の治療に尽くして家族を顧みることをしなかった老医師中橋徹人の家である。夫のわがままを許し子供への愛に生きてきた老妻あや。父の代わりに一家の柱となってきた長男勘助(妻と別れ、その一人息子は内地の航空隊にいる)。そのほか三人の娘と孫たち。中橋家の人々は敗戦の衝撃をそれぞれに受け止めるが、頑固一徹な徹人だけは依然として大陸での夢を捨てきれず、色々と画策する。結局勘助らが引き揚げ、老妻あや、夫と死別した末娘愛子とともにハルピンに残った徹人は、ついに断ち切れぬ島国的な血統の絆を嘆息する。

概要を示せば以上のようになるが、特筆すべきは、「孤雁」のモチーフとなった「始めて大陸の地を踏んだ時」感じた「得体の知れぬ驚異」の内実が、「向うに渡つて生きてゐる日本人」(5)「大陸日本人の最後のすがたを哀しく歌った」「中橋公館」によって描き出されたという点である。

敗戦時、満州国は、満州国皇帝が退位した瞬間に消滅してしまう。当時、満州はまずソ連軍によって占領管理された。そこへ国府軍が来て体制が変わる。次いで八路軍による国府軍の追い出し、といった具合に、枠組みが二、三ヶ月で変わっていく。政策の違いで、体制ばかりか、市内の様子までもが変わっていく。境界がないと思っていても、突然新たな境界ができ、それが呼吸のようなリズムで日本人たちに希望を抱かせたり、絶望させたりしていた。ある日突然別の政権に支配されたり、境界ができたりするというのは、島国の日本本土に住んでいる人間には想像できない世界である。しかし、大帝国の周辺地域では普遍的に起こりうることで、最近でも旧ソ連の周辺や東欧圏には似たような状況がしばしば見られる。「国境や国家というものは不変ではなく、ある日突然変わってしまうもの」。日本人がそういう体験をしたのが「満州」という現場であり、「満州」の記憶なのである。

最近〈ディアスポラ（離散）〉という概念とともに、故郷を捨てたり変えてしまう国籍離脱などの問題がしばしば議論される。「終りし道の標べに」（一九四八）で敗戦直前から直後の「満州」を描きながら自分という存在と故郷との関係への問いかけを試みた安部公房は、小説というジャンルで〈ディアスポラ（離散）〉のテーマを取り上げた先駆的存在である。

外地に置いてけぼりを食った日本人の敗戦記録として書かれた「中橋公館」もまた、〈ディアスポラ（離散）〉のテーマを取り上げた作品である、と言えよう。状況の変化と共に刻々と変わる風景を目の当たりにし、「大変ですよ……見ましたか？　町のありさまを……もうガラリと変りましたよ……またたく間に、ガラリと町の風景が変りましたよ」と息せき切ってやって来た長谷政治（長女茂子の夫）が発する次のような言葉には、国家が成立せず、政治の力が機能しない外地に置き去りにされようとしている日本人の狼狽ぶりが端的に現れている。

われわれ、日本居留民は、明日から、いったいどうしたらよろしいのですか？　明日から、捕虜ですか？　それともも……死刑ですか？　とんと分らん……

（中略）

こんなことなら、日本の政府は戦争に敗けた時は、万が一、もし吾れに利あらずして敗北した時は、国民として、かくかくの処置をとるべしといふ風に、ちやんと教育しておいてくれるとよかったんだと、わしはつくづく思ふですよ……（中略）内地の人民はどうか知らんが、かうして、中国環視の真唯中に晒されてゐるわれわれ日本人は、どうにも身の置きどころがないですよ……もう少し潔く敗けたことを立派な態度で示さんことには、中国人に笑はれますからね？（中略）こつちは敗戦国民になりさがつたんぢやからなア

ところで、当時の満州国には「憲法」と「国籍法」がなかった。つまり、「満州国とは何か」「満州国人とは一体何か」という規定がなかったということだ。「国籍法」がないわけだから、強いて満州国民をあげるならば、皇帝溥儀一人ということになる。したがって、八月十八日午前一時の溥儀皇帝退位が、そのまま満州国消滅を意味したのである。それは日本人街の日本人にとって非常に劇的な体験であった。

では、なぜ「国籍法」がなかったのか。それは、満州が日本人の出稼ぎ先でしかなかったということと関わっている。満州国の実質的な権力は政府を牛耳る日本人官僚と、さらにその任免権を持つ「関東軍」にあり、満州は日本の対満事務局を通じて、日本軍の軍事・行政支配を受けていた。例えば、奉天は、一定額の市民税を納めた二十五歳以上の男性が選挙権と被選挙権を持つ、一種の自治都市である。市議会員の定員は五分の一

が中国人で、五分の四が日本人であった。満州国の人口三千万人のうち、日本人は八パーセントだから、きわめて少数の日本人が各都市の自治権を持っていたことになる。しかし実権を持っていながら、彼らは最後まで日本国籍を離れなかった。満州で一財産築いて、老後は日本で、と考える出稼ぎ日本人が圧倒的に多かった。つまり満州国人にはなりたくないのである。だから、「国籍法を作れ」という声はあっても立法化はされなかった。その結果が、あの敗戦後の悲惨な状況である。国家というものは、国民と国土と主権の三つがそろって成立する。しかし、実体としての国民が存在しないわけだから、敗戦時に誰も何もできなかった。国家が成立し得ない混乱状況が満州国の現実であった。

「中橋公館」の舞台北京も同じような混乱状況に置かれていたはずである。そんな中で、五〇年以上も中国で阿片患者の治療に尽くして来た中橋徹人はきわめて稀な存在であった。第一幕で日本の無条件降伏を知った徹人が次のように言う場面がある。

日本が軍の力や政治の力で、こんな所まで異民族を抑へ込んどる……わしのこの仕事も、その力を背後に背負つとるから、こんな偉さうにしとれるんぢやなからうか……

単なる出稼ぎ意識からではなく、大陸に根を下ろし、阿片患者の治療に全力を注いできた徹人であるからこそ、その日本人批判は説得力を持っている。ただし、こうした認識が、大陸の広大な自然を背景になされた点を忘れるわけにはいかない。

わしは、この間、蒙古の奥で、阿片病者を看とつたんぢやが、夜中に、ふとその包小屋から外へ出たんぢやがの、もうえらい星空でな、かうわしの全身が、その星の透き通つた空に包まれてしまうた……しいんとして音一つ聞えないその大地の、茫漠とした中にの……わし一人立つとつたが……すると急に……どういふものか、総身がぞつとして了うてな（間——）わしは日本人ぢやが、かうして今はわしも命の恩人ぢや言うて、多勢の異民族に拝まれとるんぢやが、今に、こいつ、どう世界がひつくりかへるものやら分らん……すると、それでも、わしがやつとることは、果して何も変りないものかどうか……？

満州・中国大陸の無限の広大さ、そこにうごめく人間存在の極小のちっぽけさ、という思いが徹人を捉えているが、これはそのまま真船豊の思いでもあった。大陸の広大ですさまじい世界に対する脅威と憧憬が、真船に新たな人間観察の方法を教えてくれたのである。そしてそれはやがて、人間に距離を据えて観察し、そこに哀しくも滑稽な営みを発見する「ファルス」作家の眼につながっていく。敗戦の混乱が、そのバランスのおかしさをさらに増幅させたとき、真船戯曲は「人間風刺の喜劇」から「ファルス」に変貌を遂げるのである。

それにしても、徹人の楽天主義はとどまるところを知らない。「日本人全体が、このわしに見習うたら、間違ひないんぢやがね……常にもりもりと大飯を食らひ、常にもりもりと太いくそをたれ、己が実力ただ己れ自身の実力をもつて、ひたすら天と大地と付合うて無理せず存分に生きて行くことぢや！」という台詞は滑稽ですらある。ただし、真船豊はこうした人物を決して否定的に描いてはいない。

ここで思い起こされるのが、坂口安吾「FARCE に就て」(『青い馬』第五号、一九三二・三）の次の一節である。

ファルスとは、人間の全てを、全的に、一つ残さず肯定しようとするものである。凡そ人間の現実に関する限りは、空想であれ、夢であれ、死であれ、怒りであれ、矛盾であれ、トンチンカンであれ、ムニャムニャであれ、何から何まで肯定しようとするものである。(中略) つまり全的に人間存在を肯定しようとすることは、結局、途方もない混沌を、途方もない矛盾の玉を、グイとばかりに呑みほすことになるのだが、しかし決して矛盾を解決することにはならない、人間ありのままの混沌を永遠に肯定しつづけて止まない所の根気の程を、呆れ果てたる根気の程を、白熱し、一人熱狂して持ちつづけるだけのことである。

いささか独断的な「ファルス」論ではあるが、「全的に人間存在を肯定」すること、「人間ありのままの混沌を永遠に肯定しつづけて止まない」ことが「ファルス」の根本精神であるならば、「中橋公館」に登場する人物に注がれた真船の眼差しには、明らかに「ファルス」精神の萌芽とでも言うべきものが見られる。

ところで、家庭を顧みることなく自分の理想を追い続けた徹人に対し、常に批判的立場に立つ長男勘助にも触れなければならない。甥の春夫によって「伯父さんは、実に清廉潔白な人格者ですよ……あんな日本人はこの北京に一人も居らんです……第一肚が据っとる……支那人の中にずっと入って交際しとる……全く万事に私心が無い……偉い人ですよ、全く……」と評価された勘助が、顔も精神も「全然支那人になつて了つとるんぢやないか知らん」「絶対に殴られたりせんですよ……向うで自分らと同民族の同血人だと思っとるらしいんだもの」という春夫の言葉が終わるか終わらないかのうちに、まさにほんの一歩で自分の家の門という所で中国人に襲われる場面がある。勘助には「あゝいふ真心を打込んだ付合ひになると、もう支那人だとか日本人だとかそんな垣根は無いなア」とまで言う友人宋啓光がいたり、「この家の日本人の主人が」「非常に教育のある深い情のある人だから、自分は甘んじてこの家でアマ」として雇われているという女性がいたり、「ジヤンクイの為なら日本へ行く」とまで言うコック兄弟がいたりする。だが、中国人と深い親交を結び、中国人に慕われているはずの勘助がいとも簡単に中国人に襲撃されることで、「他者」としての中国人像の分裂の問題が急速に浮上してくる。自分達と共鳴する中国人と、敵対する中国人とをあえて二つに分けて考えざるを得ないということになるわけだ。そしてそれは、大陸日本人の置かれた不安定な位置を自ずと示すことになる。あるいは、「大東亜共栄圏」の解放という「大義名分」を引きずり、大陸へ渡ったものの、志半ばで引き揚げざるを得なかった「時代の犠牲者」の内実を明らかにすることにもなる。

最後に、この作品中最も重要な人物と思われる愛子について触れておこう。そもそもこの作品では、女達の眼差しが男達の醜態を相対化する場面にしばしば出くわす。日本の敗戦を知り周章てて中橋の家にやって来た長谷政治が靴を履いたまま畳の上に上がり込んだ様を女達が笑いながら見る場面や、「癇癪持ちのぢれつ子の、がむしやらな子」良介（勘助の一人息子）を話題にした際のあやの言葉「家は、男がみんな、気性がそつくり」、同じく幸子の言葉「三代揃つて、よう性格が似とつたら世話無しやわ……おかげで家の女どもは、えらい苦労をする」など、その典型である。愛子は中橋家の末娘で、夫と死別し、会社勤めをしながら、家計を助け、春夫に「愛子叔母さんが、男だつたら、きつと偉くなつたよ」と言われるほどの気丈な女である。しばしば胡同が襲われ、危険な状況の中、母親のあやに「あんた、着物を脱いで、洋服を着なさいよ……それ、男のズボンをおはきなさいよ……きちんとして、寸分の隙のない風をしとらんと、女子は危ない……」と言われ、「あゝ、女はこれだから嫌ねえ……何でも半人前で、足手まとひでねえ……ちつともしやんと独立した人間になれんのだもの……情けないわ……あゝ、妾も男だつたら、こんな時、どんな気楽か知れやしない……」

と応じるあたりに、自立への強い志向が現れている。

勤務先に中国政府の接収員が複数やって来て鉢合わせをし、大騒ぎになった際の中国人ボーイの見事な対応ぶりとその後の日本人社員がボーイをさんづけ・先生づけで呼ぶというありさまに、彼女の批評眼は鋭く反応し、中国政府の滑稽さと敗戦国民の現金さを皮肉っぽく指摘する。そんな彼女の眼が捉えた大陸の日本人と内地との関係や日本という国の閉鎖性は、作品全体の中で重い意味を持つ。

内地へ帰つたつて妾達は、同じ乞食になり降るのよ……だつて、内地に上陸した途端、もう身よりもゆかりもありやしないんだもの……どうせ妾達は支那で生れて、支那で育つたんだもの……内地になんか一度だつて、お世話になつたためしがない……今さら、おめおめ帰つたつて……まるで、日本の方が妾には外国に見えるだけのもの……

(中略)

妾は日本といふ所、大嫌ひ……いや、怖いの……薄情で利己主義で、ケチケチしてゐて、高慢ちきで、とても大陸生れの帰り者なんて誰もまともに対手にしてくれんぢやないの

何かに取り憑かれたように蒙古行きを画策する父徹人や年老いた母あやとともに中国にとどまることを選んだ愛子のこの言葉は、大陸で生まれ育った日本人たちの哀しい現実を浮き彫り

にするだけではない。「人の親として、吾が子の為に、親としての義務を果すために」内地へ帰る決意をした勘助、中国での全身上がリュックサックにたった二つというのを情けなく思いながらも帰国を決意した長谷政治ら、大陸から引き揚げていく者たち、とりわけ男たちの行く手が決して平坦なものではないことを示唆しているのだ。さらには、「日本といふ所、大嫌ひ……いや、怖いの……薄情で利己主義で、ケチケチしてゐて、高慢ちきで」という台詞は、現代日本の閉鎖性を批判する言葉として読み替えることも十分可能である。

テキストを今に活かすヴィヴィッドな読みが可能かどうかで文学作品としての価値が決まるとすれば、愛子は「中橋公館」の現代的意義を支える重要な登場人物なのである。

注

(1)「真船豊私論」(『テアトロ』一九三八・一二)。
(2)『真船豊選集』第四巻〈あとがき〉(一九四八・一〇　小山書店)。
(3)『近代戯曲の世界』(一九七二・三　東京大学出版会)。
(4)『人間』(一九四六・五)に発表。一九四六年一二月、桜井書店刊。
一九四六年九月、俳優座により大阪毎日会館で初演された。
(5)『真船豊選集』第四巻〈あとがき〉(一九四八・一〇　小山書店)。

*『中橋公館』の引用は『真船豊選集』第四巻(一九四八・一〇　小山書店)所収本文によった。なお、適宜現行の字体・書体に改めた。

〈参考文献〉

千田是也「真船豊の作品」『演出演技ノート』一九四九年　八雲書店
戸板康二「太陽の子・真船豊」『日本演劇』一九四九年九月
大島勉「真船豊論」『テアトロ』一九六七年六月

真船《まふね》　豊《ゆたか》(一九〇二・二・一六〜一九七七・八・三)

福島県生まれ。早稲田大学英文科在学中社会主義に触れ、卒業目前で中退。人間修行を志し、北海道、九州などを放浪する。一九二六年「水泥棒」でデビュー。一九二七年八月シングの影響を受けた「寒鴨」を『早稲田文学』に発表、同年一一月同誌掲載の「残された二人」とともに秋田雨雀に激賞された。一九三四年「鼬」によって劇作家としての地位を確立する。一九三六年には「太陽の子」と「裸の町」が映画化された。一九三九年、四二年、四四年と渡満を重ね、同地で終戦を迎える。戦後の代表作は「中橋公館」(一九四六)「善光の一生」(一九六三)などだが、「雀の宿」(一九四六)「黄色い部屋」(一九四八)に始まるファルスと名付けられた喜劇的作品が多数生み出され、創作活動の中心となった。なお、一九三五年からラジオドラマの創作も手掛けているが、この方面での活躍は戦後になってとくに目立ち、「ねむり猫」(一九四八)「仏法僧」(一九四八)などの代表作が発表された。

北条秀司

「王将」三部作（全十幕十二場）

岩井眞實

初出　『王将』（北条秀司戯曲選集1）　青蛙房　一九六三（昭38）年
初演　第一部　新国劇　一九四七（昭22）年六月　有楽座
　　　第二部　一九五〇（昭25）年一月　大阪歌舞伎座
　　　第三部　一九五〇（昭25）年一一月　南座

1　「王将」の成立

一九四七（昭22）年六月、新国劇劇団創立三十周年記念公演として有楽座で初演された「王将」三幕四場は、「坂田名人伝」と副題されていた。評判は上々で、続編がつくられたため、さかのぼってこれを「王将」第一部と称している。

作者北条秀司は演出も兼ね、装置は浜田右二郎、配役は坂田三吉に辰巳柳太郎、妻小春に外崎恵美子、関根名人に島田正吾がつき合った。

「王将」の構想は、主人公三吉を演じた辰巳柳太郎から持ち込まれたものらしく、辰巳はその動機を次のようにコメントしている。

　戦後すぐの混乱期でしたから、日本人は皆、心まですさんでいた時分のことですよ。そこへ進駐軍が入ってくるとね、生活のすべてが一変して、日本人は日本人である誇りすら捨てて、アメリカ一辺倒になってしまった。そんな日本人に、なにか精神を高揚する芝居はないかと探していたんです。そんなときにね、たまたま将棋の世界で、自由奔放に生きた坂田三吉の話を耳にしたんです。そういう三吉の生き方やど根性を芝居にできたら、少しはすさんだ心がやすらぐのではないかと思いましてね

（「辰巳柳太郎　その大衆性とリアリズム」『新国劇七十年栄光の記録』）

赤穂出身で大阪弁はお手のものの辰巳は、これも大阪出身の北条に相談をもちかけた。

　そこへ辰巳から長距離電話がかかって来た。「今日の企画会で将棋の鬼坂田三吉の話がでたんやが、どうやろう」という相談だった。一ト言聞くなり、わたしは全身に電気がはしった。これはいい、これは行けるゾと思った。こんなこともめずらしい。

その頃、織田作之助が雑誌「改造」へ「可能性の文学」という名評論を発表したのをわたしは読んでいた。大阪の将棋気ちがいと言われた無名無頼の坂田三吉の、八方破れの爆弾将棋を、戦後の風潮と合わせて激讃したものだったが、不覚にもわたしはそれを読み流していた。が、いま辰巳の口から、それを芝居に……と聞いた途端、猛犬的棋士と猛犬的俳優とが、猛犬的作家の胎内で、ピタリと一つになった。この瞬間「王将」の成功は約束されたと思う。「おもしろい。やろうッ」と、わたしは辰巳に吠えついた。

（『演劇太平記』）

はたして、公演は大好評を得、北条は「王将」の続編を執筆することになる。が、次にいうように、北条は当初第一部で完結したものにするつもりだったらしい。

はじめから三部作などにする気はなかった。上演してみたら望外の好評であり、すぐ大映が映画にしたりしたので、第二篇を書く気になった。それがまた好評だったので、第三篇を書く気になった。

（『王将』後記）

「大映」の「映画」とは、一九四八（昭23）年一〇月に封切られた阪東妻三郎主演の「王将」（脚本・監督伊藤大輔）である。天下の阪妻も、「王将」を撮るときには新国劇の芝居に何度も足を運んだというから、北条の「やはり三吉は辰巳のものだ」（『王将』後記）という指摘は的を射ているというべきだろう。ちなみに辰巳も一九五五（昭30）年、新東宝で「王将一代」（脚本菊島隆三・伊藤大輔、監督伊藤大輔）を撮っている。

それはさておき、「王将」第二部三幕四場は一九五〇（昭25）年一月、大阪歌舞伎座で上演され、続いて第三部四幕が同年十一月、京都南座の舞台にかかった。

浦西和彦の「北条秀司作品上演目録」（『信濃の一茶』所収）によると、「王将」は第一部が二十六回、第二部が七回、第三部が六回、合わせて延べ三十七回の上演回数を誇っている。やはり浦西の調査によると、舞台で上演されたものに限っても生涯に二二六本もの作品を書いた北条だが、これほどの上演回数を記録したものはない。特に第一部の二十六回という数字は、「太夫《こったい》さん」（一九五五年初演）の十三回、「京舞」（一九六〇年初演）の十二回、「霧の音」（一九五一年初演）・「浮舟」（一九五三年初演）・「佃の渡し」（一九五七年初演）・「狐狸狐狸ばなし」（一九六一年）の十一回、「紙屋治兵衛」（一九六一年初演）の十回などと比較すると抜群と言わざるを得ない。

なお、映画化についてもひと言加えると、右の二度の他、一九六二年「王将」（東映東京）、一九六三年「続・王将」（東映東京）、一九七三年「王将」（東宝）の三度、映画化の記録がある。

2 「王将」の評価

このように名作の名をほしいままにする「王将」だが、それは辰巳のひらめきに始まり、北条への電話となり、北条の「全身に電気」を走らせた。これは先に述べた通りである。

そして北条は非常な執念で「王将」に取り組むことになる。「王将」三部作の執筆には四年半が費され、その間他には小品しか書いていないから、「三部作を完成させるために全精力を傾けたのであろうことは想像にかたくない」（小幡欣治「北条秀司と「王将」」、講座日本の演劇7『現代の演劇』）。

また、辰巳という役者の資質が「王将」の成功に大きくあずかっていることも議論の余地はない。北条も「「王将」が成功したのは、辰巳柳太郎という役者を主演者に得たためだ。」（『王将』後記）と断言する。

それにしても、もし第一部が好評を博さなければ第二部はなかった。またもし第二部が不評であったなら第一部の評価に水を差したであろうし、当然第三部もなかった。さらにもし第三部が好評でなければ、「王将」三部作全体がこれほど評価されることはない……などと、成功譚もある一定のスケールを超えると、偶然とも必然ともつかぬ仮定法がいくつもついてまわって、本来の価値判断を曇らせていくことになる。

ここは二十世紀の「戯曲」について論じる場であるから、論点を整理するためにも演技の問題には立ち入らないことにする。演劇は舞台に上がってはじめて完成するものだが、辰巳もその後継者もなきいま、演技の面から「王将」を論じる意味があるとも思えない。

むしろ「王将」という戯曲の中に、次世紀に引き継ぐべきものが少しでもあるのかということについて考える方が実がありそうである。

「王将」は演劇という枠組み自体を問うような戯曲ではもちろんない。俳優の肉体の力を信じ、稽古場や舞台でのハプニングを期待する戯曲でもない。せりふの改変は北条の最も嫌うところだ。

要するにこの戯曲に新しいものはなにもない。二十世紀末あるいは二十一世紀からみれば、これが商業演劇か芸術的演劇か、あるいはいわゆる「中間演劇」かという議論も、ほとんど意味をなさない。いまさらこんなことを確認するのは、よほど演劇という枠組みにゆさぶりをかけることを意図して書かれた戯曲でなければ、戯曲一般の問題点は結局は劇作上の技術・技巧のレベルに収斂していかざるを得ないと考えるからである。

ここでは第一部の第二幕第二場に絞って考えるが、その前にひとまず、第一部の梗概をあらあら記しておく。

明治三十九年初夏、大阪天王寺付近の貧民窟。素人の将棋指し坂田三吉は、賭け将棋の資金に高利貸しから金を借りて、家財を一切差し押さえられる。女房の小春は子供を連れて自殺まで考える。一方三吉は、新聞社の将棋大会で関根七段に敗れる。雪辱を誓う三吉だが、さすがに女房の自殺未遂を聞いて将棋をやめると約束する。（第一幕）

それから八年たった大正二年の春、場所は京都木屋町の旅館の二階座敷である。三吉は関根と対局して勝利した。後援する政治家や新聞記者は無邪気に祝福するが、娘の玉江だけは三吉

の将棋の品の悪さ、拙さを見抜いている。（第二幕第一場）

その夜、小春と二人きりになった三吉は、玉江に図星を指されたことを認め、一からの修行を誓う。小春もまた三吉に連れ添うことを約束する。（第二幕第二場）

さらに八年たった大正十年の秋の一日、場所は東京芝山内の大きな料亭の一室。新名人になった関根金次郎の祝賀会が別室で始まろうとしている。世話人達が大阪の悪口を言って捌けたあと、紋服姿の坂田三吉が現れる。三吉は関根の名人就任を祝うために来たのだが、晴れがましい場に出られずにいる。そこで三吉は大阪で別れた夜啼きうどん屋の新吉と再会する。その後三吉は関根との会見を果たす。そこへ大阪から小春の死を知らせる電話がある。三吉は電話を通して題目を唱え続ける。（第三幕）

3 「王将」における技巧

実際の上演についての評価はさておき、戯曲としての「王将」第一部の出色といえば、第二幕第二場であろう。

鴨川を見下ろす旅館の二階、しんみりした夜、聞こえるのは尺八の音、どこやらの鐘の音、そして夜啼きうどんの鈴の音のみである。人物は三吉と小春のみ。途中三吉が盤をひっくり返したり、題目太鼓をたたくなど、多少の動きはあるが、全般的には夫婦の会話だけで構成される静かな場である。変化に乏しく、旨味がないという意味において、作者がこのような場面を好んで書くことは少ないと思われる。

しかしそれゆえに、逆にこういう場面を面白く見せることができれば、おのずと作品全体の評価は上がることになろう。

第二幕第二場は、「王将」三部作の中でも「詩趣に富んだ場面」（小幡前掲論文）として評価されているようである。しかし、「詩趣」の背後には、周到に計算された北条の技巧が隠されている。

いま述べたように、外から聞こてくるのは尺八、鐘、夜啼きうどんの鈴の三種類である。これらは初夏の京都の風情を伝える効果音としての役割を負っているのではない。音は人物の葛藤の起点となり、盛り上げ、あるいは急に話題を逸らせ、強弱、緩急をつける道具として働いているのである。

この場面を1～7のシークエンスに分けて、その構造と音との関係を少し丁寧にみていくことにする。

1 尺八の音によって外に注意が向けられ、三吉は出ていった玉江を思い出す。

磧の方で尺八の音がきこえ出す。

小春　今時分、まだ磧に出てはる人があるねんな（独り言のように呟きながら坐る）

三吉　（盤を見たままで）……玉江は戻って来よったか。

〈後略〉

2　三吉の頭に玉江の鋭い言葉が甦ってきて、三吉は今日の将棋を省み、いよいよ自分の拙さを認めざるを得ない。

　尺八の音。

三吉　（とつぜん盤をひっくり返す）

小春　どないしはったん？　階下《した》の人に怒られまっせ。

（電灯を点ける）

三吉　（ベソを掻いたような顔で）わいの負けやッ。玉江の言いよった通りやッ。

〈後略〉

3　小春が玉江の言うことなど気にするなとなぐさめるので、三吉は玉江がいかに正しいかを説明しなければならない。そこにも尺八の音がある。

　尺八の音澄む。

間。

三吉　（やや自分を取り戻した語調で）……小春、わい今日の将棋で、二五の銀を打ったったんや。

小春　そうやそうだんな。

三吉　負けかかってた将棋が、その銀でぐっと持ち直して来よったんや。みんなもそれを褒めてくれた。そやけど、今から考えると、あれは苦し紛れに打った手やった。ええ、もうどうにでもなれッと思もて、半分自棄《やけ》のやんぱちで打った銀やった。

小春　（言葉なし）

〈後略〉

4　三吉の述懐の間、尺八は鳴り続ける。それが止んで沈黙が訪れたとき、局面は次の段階に進む。三吉は題目太鼓を持って物干台に駆け上がり、狂気のように太鼓をたたく。これが唯一登場人物が出す音である。

　尺八はいつかやんでいる。

三吉　（凄まじい形相になりつつ）八年間わいはなにして来たんやッ。ただ、関根に勝ちたい、関根に勝ちたいだけの一心で、肝心の将棋の道を忘れてしもとったんやッ。阿呆ッ。阿呆ッ。坂田三吉の阿呆ッ。（頭を掻きむしらんばかりに身悶えしたが、突然ぬっくと突っ立つ）そや。も一ぺんやり直しや。いろはのいの字からやり直しや。

小春　何処イ行きなはるねんッ。

三吉、それには答えず、羽織をふり落とし、夢中に床の間の題目太鼓を手にすると、脱兎の如く廊下から物干し台に駈け上がる。

小春　あんたッ。（ともに駈け上がる）

三吉　（東山の方に向かって）妙見さん。頼んまっせッ。（大声で怒鳴るが早いか、狂気のように太鼓を叩きだす）なむみょうほうれんげきょうッ。なむみょうほうれんげきょうッ。

〈後略〉

5　題目太鼓を頂点として、二人の会話の調子は少し低く、しかし内容はより強い決意へと変わる。当然音は尺八から別の音に変わらねばならない。ここでは鐘の音が使われる。

鐘の音が川をわたってきこえて来る。

小春　鐘の音がきこえてる。……知恩院さんの鐘やろか。

鐘の音つづく。

三吉　（低く）小春。

小春　へえ。

三吉　わい、お弟子さんをみんな断ってしもたらいかんか。

小春　（ちょっと無言）

三吉　どうやら暮らしが楽になったばかりのとこやけど、そんな時間が惜しなった。わいはまだまだ他人《ひと》の事どころやない。わい自身を本物にせんならんねん。

小春　……わては貧乏は慣れてます。あんたがその気やったら、わてなんぼでも貧乏しまっせ。

〈後略〉

6　三吉と小春が再出発を誓い、どこまでも一緒に生きていくことを確認しているそのとき、こんどは夜啼きうどんの鈴の音が聞こえる。小春の身体を気遣う三吉の言葉は、逆に第三幕における小春の死の伏線となる。

夜明かしの夜啼きうどんの鈴の音が、遠くきこえ出す。

三吉　腰の方たのむわ。（よこになる）

小春　へえ。（しずかに揉む）

鈴の音近くなって来る。

三吉　夜啼きの鈴の音きくと、新やんを思い出すなあ。……東京へ出て行きよったきり、葉書一枚寄越しよらんが、どないしよったやろな。

小春　ほんまにどないしたんやろなあ。……けつねうどんひろめに行くねんちゅうて、えろういきって行かはったけど、……うまい事いかんのンやろか。

三吉　彼奴も嫁はん死なさんだら、あのままずっと大阪に居よったかもわかれへん。……相当気イ落としとったさかいな。（顔見上げながら）お前も長生きしてくれないかんで。

小春　（嬉しさを包んで）……わてはもういつ死んでもええと思もてます。あんたこそ長生きしてもらわな。

三吉　阿呆言え。お前に死なれたら、わいは将棋がさせんようになったしまうがな。

〈後略〉

7　三吉は今日の棋譜をたどるうち、眠りにつく。そこに尺八が聞こえ出し、また目覚めては棋譜を口にする三吉。しかし再び将棋の鬼と化したにみえた三吉の口からは、小春をいたわる寝言がはからずも漏れる。

三吉　〈略〉……えらい男や。ほんまに名人やなあ。……玉江が褒めるのは当たり前や。……七三の飛車。……七七の金。……同桂成り。……同銀。（うとうとして来る。しかし、眼底にはまだ盤があるらしい）

尺八がまたきこえ出す。

三吉　……五六の金。……八八の銀。……同成り香。（睡気が襲う。……だんだんと声がカスれて来る。しかし、まだ眼底から駒が去らない）……六六の角。……同じく金。……七四の香。（遂に眠りにひき込まれる）

尺八の音。

小春　（凝っと見ていたが、気がついて、脱ぎすててあった羽織を手にし、そっと腰に着せる）

三吉　（寝言を言う）……小春。

小春　（低く）へえ。

三吉　……生きてくれよ。……わいが死ぬまで、…生きててくれよ。

小春　（寝言と知りつつ）へえ、……生きてまっせ。

三吉　……生きてくれよ。……たのむで。（眠りに落ちる）

小春　（凝っと顔を見ている。——そっと眼を拭く）

尺八の音つづく。

幕

以上、1～7を整理すると、

1尺八／2尺八／3尺八／4題目太鼓／5鐘／6鈴／7尺八

のように、音の配列だけをみても、起承転結が見事にできているのがわかる。しかも、前述のごとく、当初は第一部で完結する予定であったから、クライマックスである最終幕・第三幕の小春の死へつながっていくよう計算されているのだ。

ここではほんの一端を示したに過ぎないが、少なくとも「王将」三部作の成功を支えているのがこうした作劇上の技巧であることは理解されよう。

近年、松尾スズキ演出の「王将」を観た。北条が観たら激怒するに違いないほど、原作はずたずたに改変されていたが、そういう「王将」も可能ではある。しかし、たとえば第二幕第二場で考えたような問題について松尾スズキは無頓着であったように記憶している。戯曲を上演するということは、作者の技術・技巧の謎を解くことが前提にならなければならない。その意味で松尾演出は敗北であった。

そして少なくとも北条秀司という作者が、そういう謎解きの作業に堪えうる作者である限り、北条の戯曲は生き続ける価値があると言わざるを得ない。

北条秀司《ほうじょうひでじ》（一九〇二・十一・七～一九九六・五・十九）
大阪市西区北堀江西長堀に生まれる。本名飯野秀二。関西大学専門部文科卒業。岡本綺堂に師事する。一九三七（昭12）年、「表彰式前後」で劇作家デヴューし、続いて「華やかな夜景」を発表して好評を博す。
一九三九（昭14）年の綺堂没後は長谷川伸に師事、以後「閣下」（一九四〇）、「王将」三部作（一九四七～五〇）、「霧の音」（一九五一）、「井伊大老」（一九五三）、「太夫《こったい》さん」（一九五五）、「京舞」（一九六〇）など、多くの作品を残した。その作風は叙情的かつ娯楽性に富み、かつ技巧的である。また、歌舞伎・新派・新国劇からミュージカルに至るまで、商業演劇全体に広く作品を供給し続けたということも作者としての大きな特徴である。
一九五二（昭27）年と一九五六（昭31）年の二度、毎日演劇賞受賞（一九五二年の賞は、辰巳の「王将」と島田の「霧の音」に対して贈られた）。一九六五（昭40）年『北条秀司戯曲選集』により芸術選奨文部大臣賞、一九六六（昭41）年読売文学賞、一九七三（昭48）年菊池寛賞、一九七八（昭51）年大谷竹次郎賞、一九九〇（平2）年日本演劇協会特別功労賞などを受賞。一九八七（昭62）年文化功労者に選ばれる。

三好十郎

「その人を知らず」

初出　『人間』別冊作品集　一九四八（昭23）年六月
初演　文化座　同年同月　三越劇場

由紀草一

1

三好十郎は息苦しい。太平洋戦争を挟むわが国近代最大の危機の時代にあって、状況から要請されたことに全身で答えようとする姿勢を常に見せる一方で、実に頑固で、妥協を知らない。そのために、受けなくてもいい傷まで受けるし、絶えず孤立する。そしてその過程の大部分を、言葉にして残した。まことに稀有なことと言わねばならないだろう。にもかかわらず、彼を少しでも知ると、このケースを除いてあの時代を考えることは無意味ではないかと思えてくる。それはどうやら例外なのではなく、あまりに典型的過ぎて、突出してしまったようなものだからだ。

というのが私の見方だが、ここで他の人の意見もみておこう。西村博子『実存への旅立ち』巻末には、日本演劇学会昭和六十三年（一九八八年）春季大会でのシンポジウム録「三好十郎をめぐって」（司会藤木宏幸）が掲載されている。演劇研究者（西村）、劇作家兼演出家（秋浜悟志）、演劇ジャーナリスト（宮岸泰治）それぞれの説がコンパクトに出ていて、便利である。西村は「三好十郎というのは生涯のうちで、二転三転というか、ざっと数えて五転ぐらい転身を重ねている作家」だとして、「一貫したものはあると思うのですが、表現とそれを支える思想が、必然性を持って何度も変化していくところ、そんなところに惹かれ続けてき」たと言う。これに対して秋浜は、「転向というのは外圧に対して屈するというところにそういう言葉が出てきた理由があり、西村さんがおっしゃいます変化、私などは人間の発達というふうにつかまえたいわけですが、そういう点から見ると、たいへん初一念的な、最初に信じたところから外れなかった人、あるいはその外れ方の飛躍の仕方の一貫性にのみ生き方の基本を置いた人」だと断ずる。こう並べると、二人ともほとんど同じことを言っていることに気づく。要するに、三好十郎に対して、通常の転向論などなんの意味もない。彼は自らの内部の必然性によってのみ、表面的なイデオロギーを変える。そして爾後も、その必然性はとことんまで内面的に追求されるのである。

最後に宮岸は、敗戦の前後三好十郎は「どこにいたのか」を問題とする。元来三好は、「疵だらけのお秋」(一九二八)のお秋、「斬られの仙太」(三四)のお妙、「おりき」(四四)「崖」(四六)のおりき、「その人を知らず」の友吉など、純粋無垢な(というより、自己犠牲も厭わないくらい献身的)存在に惹かれるところがあった。「おりき」ではそれが日本の農民の理想像とされたわけだが、敗戦を挟むこの時期に、時代に流されながら「物からはずれまい」とする三好には、このような存在が必要だったのだ、と。続けて、「そして、精いっぱいやったのだからと納得する。その場合、戦争の歩きだしのところで、しかしそれだけでよかったのかという問題が、今日からみたときどうしても出てくる」と宮岸は言う。「精いっぱいやったのだからと」何を納得するのかと言えば、戦争に負けたことと、その敗戦の事実の前で変わらなければならなかったこと、の双方を、であろう。西村は敗戦直後の三好について「自分の体内を流れる健康な血や、庶民としての善意、そんなものを信じることで敗戦後の荒廃を切り抜ける」と言った。二人の見方は表面似ているが、変わり方の積極面をどの程度に評価するか、決定的に違っている。

宮岸は自著「劇作家の転向」(『劇作家の転向』所収)ではもっと遠慮なく言っている。三好は戦中戦後を通じて動かない「日本の原像」とでも言うべきものを、老農婦おりきで造形した。純粋無垢な存在はそれ自身のうちに矛盾がなく、ゆえにどんな時代でも変化しない。おりきは終戦一年前の「おりき」では全力を挙げて増産体制に協力し、つまりは戦争をバック・アップしようとするが、終戦一年後の「崖」に再登場すると、「負けたくはなかったが、負けてよかった」と、敗戦を肯定する。一方で、「国のためなら笑って死のうと思いこんだ気持ちが、なんでこの後も、そのまま消えてなくなるもんで無え。人間、一生懸命にやった事あ、無駄にゃならねえもんだ」(「崖」)と、過去をも肯定しながら、である。それでも矛盾はない。彼女は農民として、どんな時代でも一生懸命自分の仕事をやるだけなのだから。宮岸は、それを美とするのは、三好が、農村のエートスと軍国主義を結びつけた戦中の国策にまで後退した地点に立っていたからだ、とする。「だからおりきを、結局は過去にこだわらず、過去を背負わないからいつも変わらなく見えるという順応主義によってしか描けなかった」(「劇作家の転向」)。これによってまた、三好の劇からは変容の可能性を孕む劇的な対話が欠如してしまう。そもそも、不動のものをよしとするなら、その先いかなる展開も期待できないからだ。おりきが登場する二つの劇では、「崖」の闇売り拒否の姿勢に、わずかに社会と対峙する緊張が出ているだけで、あとは登場人物それぞれが、おりきの圧倒的な存在感によって、元気づけられるだけである。松竹新喜劇に同じようなパターンの人情ものがたくさんあったように思う。外国にも例がないわけではないが、いずれにしろ、通俗的な劇とされるべきであろう。

宮岸とは立場が違うが、私も「おりき」の通俗性を高く評価する気にはなれない。「ほかの者あ、大概理屈を言ってから、その理屈がのみ込めてから、はじまる。ばさまは理屈言わねえ。やらなきゃならん事は、やるべし。そんだけだ」と、村の百姓に言われるおりき、「へえ、ホントの理屈なんてもなあ、そんなしちめんどうなもんで無えさ。一年生が見ても、わかりきってら。……そのわかりきっている事を、いろいろにひねくり廻す奴が段々事をむずかしくしてしまうのよ」と自ら言うおりきの、言っていることには（それもまた一つの理屈なのだが）半分賛成する。しかしこれを理想化するのは、それ自体インテリの観念過剰の現れではないのか。「うん、あたりめえの、ばさまだ。どこの村にだって同じようなばさまの二人や三人、いつでも居るべし」と言うけれど、確かによく働くばあ様はいても、おりきほどみごとな気組みの人など現実にはめったにいるものではない、と、農家ではないが農村出身の私などは思う。しかしこれは、三好十郎がどの程度に農民の実体を知っていたのかとは（かなり知っていたろう）別のことである。プロレタリア作家として劇作を始めた彼が、結局は労働者、農民を犠牲にしてもよしとする、いわばスターリニズムをどうしても脱却できない共産党から離れる（「斬られの仙太」にこの過程が象徴的に描かれている）、そのための拠り所として、底辺に住む者たちの純粋無垢が必要だった、この過程がすでに彼の観念上の都合だったのである。果てしもない議論に疲れきって、そんなものとは無縁に、しっかりと地に足をつけて生活しているらしい大衆に引かれる、それが何より彼がどうしようもなくインテリであるしるしであり、言葉の真の意味で通俗なのだ。

けれども、三好十郎に関してはこれだけでは終われない。彼はただ観念的なだけでなく、観念をどこまでも推し進めることができた。観念のご都合主義が、少なくとも主観的には必然性に昇華するまで。そしてその結果、文字通り、身動きできなくなるまで。そこに彼の真骨頂がある。純粋無垢なものにしても、いつも無条件に賛美されたわけではない。「その人を知らず」では、その恐るべき危険性が追求されているのである。が、先走りは慎しんで、彼の「戦争責任」に関してもう少し検討しよう。

2

「劇作家の転向」で三好が「はじめて、〈マルクス主義に対する〉疑問でも批判でもない、まさに主体において転向を意識にのぼらせた」とされた作品は「浮標」（四〇）である。この作品で三好の分身と見られる主人公の画家久我五郎は、「恥さらしな話さ、しかしね、自分の気持ちだけは真面目だった」と言う。ここから宮岸は、転向を恥じる感覚が「自分の気持ち」の誠実を言い立てる虚勢を産み、かつてのともにファシズムと戦った同志との亀裂をますます深くした、と論じる。「これをなお思想的転向と呼べるかどうか疑問であるが、日本の代表的な転向の一つの型だったことに変わりはない」と。とても首肯できない。右の台詞のとり方一つとっても、宮岸は誤読している。少し詳しく引用する。

尾崎　君が一頃左翼的な団体に近寄つて行つた事だつて、今から考へると、理智的に思索した結果と言ふよりも、感情的になんとなく弱い者の味方をしたいと言つた風な、言はゞまあ一種のセンチメンタリズムだつた。

五郎　うむ。センチメンタリズムも確かに有つたな。自分に果たしてあんな所でいつまでも戦って行けるだけの力が有るか無いかを考へきれなかつた。又は、有ると思ひちがへてゐたからな。徹頭徹尾、自惚れだつた。身の程を知らな過ぎた。その証拠に、あの連中の言ってゐた唯物論などと言ふものだつてドンづまり迄突きつめて行くと、僕にや信じられなかつた。……それでまあ、直ぐにおん出てしまつたけど、……考へて見りやどつちにしても、恥さらしな話さ。……しかしね、自分だけの気持は真面目だった。人間として下劣な動機で以て動いた結果では無かつた。

このように、五郎が恥じているのは転向ではない。官憲の圧力に屈して志操を曲げたわけではないのに、何を恥じることがあろう。そうではなく、唯物論もよく納得できていたわけでもないのに、左翼運動に飛び込んだことが恥ずかしいと言っているのだ。思うに、公式的な左翼に近い宮岸には、左翼運動からの脱落ではなく、運動への参加のほうが恥ずかしいという感情は、よく理解できなかったのだろう。それ以上に、戦争を肯定する思想となると……。たぶん海外ではそう珍しくはないのだろう、地球上から戦火の途絶えた時期はほとんどないのだから。しかし戦後日本では、それは最も認めがたい考えである。宮岸ならずとも、そんなものは堕落した思想だとすぐみなしがちになるのは当然である。が、「浮標」は非常に力強い戯曲であり、時局に阿るところから出たなどとはとうてい信じられない。創作の動機は、真性のものだったのである。いっさいの先入観を取り去って三好十郎の悲劇が横たわっている。彼の実像に迫ることはできないだろう。作品に向うのでなければ、彼の実像に迫ることはできないだろう。

五郎は、妻美緒の死を目前にして、生涯最大の危機に直面している。「……以前には唯何となく、俺がこれだけ大切にしてゐる奴が死ぬなんて筈は無いと思ひ切つてゐた。そいつが、つまり俺の本能的な信念が、少しグラついてきた」「……つまり俺の画の一番根本的な要素は、今言つた人生に対する言はゞ盲目的な信頼だつたんだね。美緒の事でその信頼の根本がゆるんだ、……俺の画の根本まで一緒にゆるんぢやつたんだ」と、五郎は尾崎に言う。美緒が死ねば、彼の芸術もその他すべてがだめになりそうだ、と。だから彼は、何よりも彼自身が生きるために、必死で美緒を看病するとともに、誰よりも大切にしてきた彼女の死をどうにかして納得する道を探さなければならない。考えてみれば途方もないことである。人間はいつか死ぬ、この誰もが知る平凡な事実に、理由を見つけずにはおかない、と言うのだから。ギリシャ悲劇のヒュブリス（傲慢）の罪に非常に近い。その探求は、次のようなところに到達する。

でも、人間は一刻一刻に死んでゐるんですよ。少しづゝ、一刻一刻に死につゝあるんです。(中略)人間の身体だつて、毎日々々死んで行く細胞の墓場です。新しい細胞は、墓場の上にしか生れて来ないんです。……戦争が有つてゐます。戦争が有つてゐます。戦争……それがどんなものだか、あなたに解りますか? 解りますか?……赤井に子供が生れようとしてゐますよ。子供?……それが何だか解りますか? 同じ事なんですよ。同じ事なんだ。赤井は向うで倒れるかも知れません。多分、どうもそんな気がします。そんな気がしていけない。えゝい畜生! 彼奴も死ぬ!……その後で子供が生れる。彼奴の子供が生れる。いくら考へても、どんな訳があるのか解らん。しかし、生れる。……あなたの、身体だつて同じだ。美しいですよ。僕は画描きだから美しいものは見える。美しい。あなたの中で始終何か死んでゐるものがあるからです。同じだ。美緒もさうです。美緒も同じだ。

生と死は対立するものではなく、連続している、でもなく、同じものの両面なのである。生命とは、刻々に死に、また新たに生れる過程そのもののことだ。ゆえに、生が美しいとするなら、死もまた美しいとしなければならない。このような思想は、三好が始めてではなく、また最後でもないだろう。少々特殊なのは、そのとき彼の国が戦争をしていて、思想が現実の戦争と結びついてしまったことだ。

……要するにな、俺の言ひたいのは、万葉人達の生活がこんなにすばらしかつたのは、生きる事を積極的直接的に愛してゐたからだよ。うれしくつてうれしくつて仕方が無かつたのだ。自分の肉体が、生きる事が、うれしくつて仕方が無かつたのだ。逆に言ふと、来世だとか死んだ後の神様だとか、そんなものを信じてゐなかつたからこそ、奴さん達は今現にいきてゐる此の世を大事に大事に、それこそ自分達に与へられた唯一無二の絶対なものとして生き抜いた。死んだらそれつきりだと思ふからこそ此の世は楽しく、悲しく、せつない位のもつたいない場所なんだよ。死ねば又来世が有つたり、変てこな顔をした神様がゐてくれたりすると思つたら、此の世はなんの事あ無い手習い草紙みたいなもんだ。いゝくら加減に書きつぶして置けばいゝと言ふ気にもなるんだ。神だとか来世だとかを考へ出したのは、小さく弱くなつた近代の人間の謂はゞ病気だよ。そんな事を考へて置かないと此の世に生きる事の強烈さに耐へ切れなくなつちやつたんだ。病気だ。俺達はみんな病気になつてゐる。誰も彼もみんな病人だ。…わかるかい?……そして、この病気を治してくれるのは、昔の、俺達の先祖が生きてゐた通りに生きて見る以外に無いよ。自分の肉体でもつて動物のやうに生きる以外に無い。動物と言つて悪けりや、一人々々が神になるんだ。……今、戦争に行つてゐる兵隊達が、それだよ。動物でもあれば、神々でもある。日本の神々が戦つてゐるんだ。戦争をすると言ふ事は、最も強烈に生きるといふ事だよ。さうじやないか。理屈もヘチマも、宗教もイデオロギーも、すべてを絶した所で、火の様になつて生きてゐる！　それが戦争だ。いゝか？
……俺達は万葉人達の子孫だ。

このような言葉の裏付けの弱さ――例えば、戦争の現実を完全に切り捨てているとか、万葉人なんぞという概念が本当に成り立ち得るのか、など――をあげつらうのは簡単だが、たぶんあまり意味はない。ここにあるのは、目の前の死をなんとか乗り越えていこうとする必死の意志であり、それほどまでにこの死には、つまりこの生には、意味があるというかけがえのない証だからだ。他に何もこの生を、死を、掬い取ることができないなら、沈黙するしかない。そこでならすべてが許される。戦争さえも。そもそも善悪の彼岸の問題なのだから。

しかし、言葉とはやっかいなものである。一人歩きして、美緒の死の向うまで行ってしまう。おりきは、この五郎の言葉をもっと単純化して語り、そこでもやはり戦争は肯定される。「峯の雪」（四四年）の、生涯を美の追求一筋に生きてきた老工芸家は、戦地で働く者の姿に動かされ、戦争の実用に供するための焼き物を作り始める。これが三好自身の姿の比喩だとすれば、彼は右の引用文から連想されるようなファナティックな戦争賛美者ではなかったのである。そして、終戦が来る。

「崖」によって三好自身の問題としての敗戦を考えることはできない。これは、日本人全般にとってのそれを扱った劇だからだ。やがて、「廃墟」（四七年）で良心的歴史学者の一家を通じて敗戦の実存的な意味が探られ、痛ましい「猿の図」（同右）も書かれる。後者に登場するシナリオライターその名も三芳重造は、戦争中は軍部にかしづいて自ら出征まで志願し、戦後は映画界の「戦犯」の追放を叫ぶ。本気なのか、演技なのか、それはついにわからない。どちらもよく回らぬ下で長広舌を揮う彼を身近に見た、遠縁の娘で女優志願のツヤ子は、吐き気を催す。なぜこれほど激しい自己戯画化が必要だったのか。たぶんそれは、「浮標」で到達した場所から一度ひきかえして、再び「しちめんどうな理屈」へと戻るための手続きだったのだ。もはや何物も単純には肯定できない。人間が身体と思想をもってこの世に生きる意味は、理念より、醜い現実の形態に即して探求されねばならない。そうでなければ、三好は何も書くことはできなかったろう。かくして、「その人を知らず」が生れた。

3

一九四〇年十月十五日というと、「浮標」の発表直後のことになるが、この日の三好の日記に次の記述がある。

佐々木〈孝丸〉の奥さんから昨日聞いたことで、ひどく自分を打った話がある。
　佐々木と同じ荻窪署に、既に丸一年間も留置されている一家四人の家族がいるが、それが、先日聞いた（彼女が）所に依ると、その一家はカチカチのキリスト教徒であるが、その家の長男は特に狂信に近い男で、かねて軍籍が有ったが、一年前、召集を受けたら、その男は「自分はキリスト信者であり、キリストの教えに依れば、人を殺す勿れとあるから、自分は出征して人を殺すことは出来ないから」と言って、軍服を抱えて軍隊に返しに行った由。勿論、当人は直ぐに軍法会議にかけられているし、そして、その一家もその様な長男を出したことが怪しからんと言うので家族全部が留置され取調べられているとのこと。

宍戸恭一『三好十郎との対話』によると、この青年は灯台社の責任者明石順三の子明石真人。灯台社とは、エホバの証人として知られる「ものみの塔聖書頒布協会」の前身で、ニューヨークに本部を置くウォッチ・タワー社の日本支部である。現在でも聖書の文言を過剰に金科玉条とする傾向があり、戦闘に関する行為は厳禁しているこの団体の方針に従い、三九年第一師団野砲第一連隊に入隊した明石は、同じく灯台社の村木一生、三浦忠治とともに、『汝殺すなかれ』という聖書の教えに従って、殺人道具である兵器を返上したい」と申し出、不敬・抗命罪で軍法会議にかけられ懲役二、三年の刑に処せられた。明石順三夫妻は息子のこの行為を全面的に肯定したため、同じく拘留され、たらい回しにされた挙句、荻窪署で佐々木と出会った。なおこの結果、灯台社は弾圧された。

「浮標」の戦争賛美の台詞を書いたばかりの三好であったが、この話に強く揺り動かされた。日記の続きを引用する。

キリスト教には、なるほどバイブルの中に「汝殺す勿れ」とある。だからバイブルを文字通り信じ、神及び天国をそのまま信じていれば、なるほどそうなるであろう。

自分には或る意味では、それほど文字通りにバイブルの文句を信じると言う事が少し滑稽に感じられるし、又そんな人間の心理状態は理解出来ない。同時に、そんな男が、バイブル自身の裡にある諸矛盾をどんな風に調和させて受取っているかも、自分にはわからない。何か非常に浅薄な、反省力や理解力の不足した人間があって、それが或る全く動物的な大きな動機から宗教に入れば、そんな風になるのかとも思う。自分がこの話から打たれたのは、そんなことでは無い。事の是非善悪でも無い。まちがっているとしても、その男ほどに「なり切って」いれば、そこには最早なんの問題も無いのではないかと言う点だ。既に「神」が彼にとって絶対であり、至上であり、全である。そのためには、自分などはいつ死んでもよいのであろう。ましていわんや死よりも小さい此の世の刑罰や苦しみは彼にはなんの事をも意味しないであろう。彼を裁くことは出来る。そして現世にとって彼を裁くことは必要であろう。しかし結局に於て、彼の主観に於て、そんなものはなんであろう。

勿論、出征キヒの一つの手段又は口実ではないかと言う事は考えられる。その場合は軽蔑に値するし、憎むべきエゴイズムである。いや、出征キヒで無くとも、これは憎むべき、軽蔑すべきエゴイズムかも知れない。

しかし、かかる狂信者を、どうすればいいのか？　どう出来るのか？

それから八年たち、敗戦となり、戦争が絶対的に否定される時代を迎えて、三好は改めてこの青年の行為の意味に向き合う。『三好十郎作品集第二巻』(河出書房五二年刊)の「あとがき」には、「その人を知らず」の製作動機につき、次のように記されている。この青年の話を聞いたとき、会いたくなったが、憲兵隊に捕まっていたのでは面会もかなわない。からしばらくの間、終戦になっても、始終彼のことを思い出していた。ついには青年のイメージが心にへばりついてしまったようにも感じたが、考えてみればまだ一度も会ったことはない。彼を捜し出そうかと思い立ったが、奇妙なことに、それが恐くなっていた。

怖いという気持ちの中には実にさまざの複雑な深い要素が含まれている。それはいくら説明しても、説明したりない。結局は、「怖い」という一言でしか表現できない。私はこの青年をシンから愛している。同時に、それと同じ強さで憎んでいるのである。それはちょうど私が自分自身を愛しているのと同じ強さで憎んでいる事と全く似ている。そして、私が自分自身を全く憎まず、ただ愛するだけになり得るかどうか(そうなりたいのだが)わからないと同様に、この青年を全く憎まずに、ただ愛することが出来るようになれるかどうか(実にそうなりたいのだが)まだ私にはわからない。このような場合に、私に出来ることといえば、その事を作品に書いてみる事しか無いのである。それでこの作品を書いた。

二つの文の調子は違うが、一貫していることは、三好の、この未知の青年に対するアンビバレンツな感情であろう。彼は、自己の理想の一つとした首尾一貫性、節義とも言うべきものをそこに見出だした。だから、憧れると同時に、深く憎まずにはいられなかったのだ。三好の戦争賛美は、時局便乗ではなく、生のために思索を重ねたの結果であったが、そうであればなおさら、戦後まで持ちこすことはできなかった。そうしようとすれば、失われるものはあまりにも多すぎる、彼自身の内部にも、外部にも。こういう顧慮のない一途な理想追求は、ついに相対的でしかないこの世にあるにしては、美しすぎて危険極まりない。一方この美しさを鏡として我が身を振り返るなら——三好は疑いもなくそれができる人だった——自分の醜さはよく見える。「その人を知らず」では、主人公片倉友吉より、彼によって否応なく自己の信仰の限界を思い知らされ、救い難く傷ついていく人見牧師の姿にこそ、自身が投影されているのである。

以下は作品(全一一場)の概要である。

(1)人見牧師が憲兵の尋問を受けている。クリスト教は殺人を禁じているのか、と。常ならば当たり前ですむこの戒めも、戦時下で、戦争反対のために使われるとなると話は別だ。「猿の図」の三芳のように、人見もまたしどろもどろに、必死に弁解する。教義の解釈はいろいろにあり得るのだし、教義より国民としての義務を優先させなければならない場合もあり得る、云々。途中で、どうやら思想犯として逮捕されたらしい雑誌記者浮田が部屋をまちがえてやって来る。彼は電気ショックによる拷問を受けて精神に異常をきたしたらしく、いきなりペラペラと喋り始める。それは、（北一輝を思わせる）天皇中心の社会主義こそ自分の理想だという内容で、話の中身だけなら人見のより一見ずっと筋が通っている。彼は最後には下士官に喉を締め上げられ、失神してボロきれのように引きずられて去る。それを見ていた人見は恐怖に震え出す。聖書の、山上の垂訓の件を朗読させられているうちに（「殺すなかれ」「おのれの如くなんじの隣人を愛すべし」その他）、覚えず失禁する。本当の問題は、表紙の見返しに書いてある文字が目に入ってからわかる。その聖書は、彼が洗礼を施した片倉友吉に与えたものだった。下士官に背を押されて、その友吉が入ってきて、「人見先生……助けてください」と言ったきり、倒れる。

（2）友吉の勤める東亜計器工場の人事課長室。課長が友吉の父義一に話している。義一は終始無言で、強い逆光のために姿もシルエットしか見えない。話の内容は、友吉はアカではないにしろ、戦争反対者であり、国賊なのだから、もちろんやめてもらわなければならない、友吉の弟明も、他の皆からいじめられて、よく騒ぎを起こすから、気の毒だがやめてもらいたい、と。

（3）東亜計器工場内で、徴用された人見の妹治子が、同僚の静代と仕事をしながら話している。喋るのは主に静代である。彼女はまず、明に対する迫害を怒る。次に、友吉への憤慨をぶちまける。なるほど、こんなわけのわからない辛い戦争はいやだ。しかし一度始まってしまったものを、いやだと言ってもどうにもならないではないか。そうしたら第一、今までに国のため皆のためと信じて戦い、死んでいった者たちはいったいどうなるのか、と。最後には、大人しく弱々しい友吉が、なぜあれほど大胆なことができるのか、ヤソ教とは本来そういうものなのか、と治子に尋ねる。治子には答えられない。この部屋の隅に明がやってくる。彼は兄を怒り、来年早々志願すると言う。同僚の北村がそれを宥める。

（4）警察署の柔剣道場。友吉は殴られて息も絶え絶えに倒れ、義一は竹刀を持って昏倒している。人見は脅えて座っている。友吉は憲兵隊から警察にたらいまわしされてきた。彼を打ち据えたのは、家の立退を迫られるなど、周囲から友吉のため責められている義一である。警察の幹部が二人やってきて、友吉との押問答が始まる。彼は皆に迷惑をかけたことは詫びるが、出征は頑として拒むからである。問答の内容は以下のようなもの。①同胞を殺している敵が憎くはないのか→こちらも相手を殺している。どっちが悪いではなく、戦争が悪いのだから、すぐにやめなくてはならない。②このままでは友吉は必ず殺されるが、出征すればうまくすれば助かるかも知れない→エス様が禁じることをすれば、地獄へ落ちるから、殺されてもできない。③友吉は狂信者だ。現にキリストで見かねた人見が口を出す。③友吉は狂信者だ。現にキリスト教国であるアメリカでも、誰も戦争に反対せず、進んで参加しているではないか↓それは向うのキリスト信者もまちがっている。

人見　そ、そんなふうに思うのは君のゴーマンさだ。世界中の人間がまちがっていて、自分だけが正しいと思うのはゴーマンさだ。いいかね?信仰上の事は、神の国のことだ。霊に関することだ。しかし、われわれが生きているのは、この世だよ。この現世だ。つまりケーザルによる社会だ。われわれには霊も有るが、肉体も持っている。肉体には、食物も必要だし、食物のためには、戦うことも必要だ。そのためには、しかたがなければ戦争もしなければならぬ。つまり、われわれが生きていくため――肉体を生かしていくためには、好もうと好むまいと、必然的に戦わなければならんのだ。肉体自身が、そのままで一個の戦いだからね。つまり、戦争というものは、肉体にとって、やむにやめない、つまり運命なのだ。避けようとして避け得られない結果なのだ。そのように、われわれは生みつけられているのだ。そういう肉体を持ちながら――そういう肉体をたもち、永らえて行きながら、その必然の結果である戦いだけを否定するという事は、ムジュンしているんだ。いいかね?　すなわち――

友吉　ですから、ぼくは、死刑になってもいいんです。

人見　君一人は、それでいいかも知れんさ。しかし、君の親兄弟や、今の聖戦で、総力をあげて戦っている全国民はどうなるかね?　みんな、死ねばいいのかね?　……そらごらん!　君はまちがっているんだ。まちがっている!　絶対に、この――だから、どうか頼むから、眼をさましてくれたまい。私は――

友吉　だけど、僕を導いて、信仰をあたえてくださったのは、先生じゃありませんか。洗礼もあの――。ぼくがいっているのは、おとどし、先生がぼくに教えて下さった通りですもん――

人見　(ギクッとして、黙り、友吉を睨んでいたが、やがて苦しみのために、上体をうつぶせに畳に倒し、両手を額の所に組み合わせる)ああ!　神さま!　私は――(下略)

空襲警報が鳴り、刑事たちは防空壕へ逃げる。義一は今度は友吉の首を絞める。

(5)　人見兄妹の会堂。信仰をなくしかけている人見のために、治子が祈る。人見は呟く。「われ、その人を知らず。この時、にわとり三度鳴きぬ。ペテロ、外に出でて、いたく哭けり」。これはペテロがイエスを見捨てたときの言葉である。同じように、今、人見は友吉を見捨て、ついでに神を見失おうとしている。友吉は強く、美しい。自分は弱い。けれど、友吉以外のたいていの者がそうではないか。つまり、神が人間をそのように作ったのではないか。それでいて、弱さ醜さを思い知らせようとする神を、どうして信じられよう。
(6)片倉一家が住む横穴壕。北村が心配してたずねてきている。工場をやめた明はやけになって酒をあおり、妹の俊子は眼を悪くする。母のリクは意味不明のことをしゃべる。俊子は、友吉を恨んでいない。義一も、友吉はまちがっていないのかもしれない、と呟いて外へ行く。彼は首を吊って死ぬ。
(7)友吉の入れられている監獄。同房の三人の囚人が語り合っている。どんなに拷問されても音をあげず、便所掃除を引き受けて一年間一日に二度、なめるようにきれいにしてきた友吉は、不気味がられもし、自然に一目置かれてもいる。空襲。狭い中で右往左往する囚人のために、友吉は賛美歌を歌ってやる。
(8)終戦後。東亜計器工場はストに入ろうとしている。そのための集会で、まず社会主義者の細田が、先の戦争は侵略戦争であったこと、社会主義体制にならなければ、資本家による労働者の搾取はやむことがないこと、などを話して喝采を浴びる。次に、仕事をもらえないかとやってきて見つかった友吉が話すよう求められる。徴兵忌避者の彼は、英雄視される資格はある。いやがるのを、無理に壇上に押し上げられた友吉は、まず皆に詫びる。皆が一生懸命戦おうとしているときに、信仰のために戦争を拒否したのは、仕方がなかったこととはいえ、すまなかった、と。このへんで既に、友吉と他の者との食い違いは明らかである。そして、ストライキなどよして、会社側と話し合えば、と言って、ブーイングを浴びる。細田だけはそんな友吉を好意的に見守っている。
(9)6と同じ。痴呆状態になったリクは、義一と戦争で明を失ったことが耐えられず、何者かへの——それが友吉と重なることもある——抗議のため、断食をする。俊子は不自由な眼のまま、兄のために時計の修理の注文を取って歩いている。北村から父の死の直前の話を聞いた友吉の顔に、始めて苦悩の表情が浮かぶ。そこへ治子がたずねてくる。彼女もまた信仰を無くした。戦争中、懐疑に悶える兄を見ていたときには、辛かったが、まだ持ちこたえていた。終戦後、彼が教会を再開して、めんどうな教義を口にし始めたのを見ると、なぜか本当に信じられなくなった。それで、兄のもとを飛び出して、生活のためにダンサーになろうとしている。友吉の苦しみは増す。次に、7に登場した囚人の一人で、スリで闇屋の貴島が来る。彼は友吉に傾倒して、一種の弟子になっていた。治子は彼に就職の斡旋を頼む。
(10)5と同じ。人見は、教師だったときの教え子で日系アメリカ人の木山や、信者の婦人といっしょにクリスマスの準備をしている。友吉がたずねてくる。彼は、荒れた生活をしている治子のことを告げにきたのだった。人見は信仰を失うきっかけになった友吉への反感を押さえることができない。木山は、良心的兵役拒否者の友吉に興味を持ち、戦争について様々に尋ねる。既に米ソの冷戦は始まっていた。友吉は、皆が自分のようにすれば、戦争はなくなるはずだと、自分でも気づかないうちに、権威ある者のように語る。実際、権威はある。実行したのだから。しかし——

人見　君が実行したために、君のお父さんは死んだ。明君は苦しんで、ヤケになって、戦死した。そいから私などもーいや、私の事など、なんでもないが――それから、ヤミや不正は絶対にしないという君の行き方のために、君のお母さんも――肺炎だというけど、ホントは栄養不良が原因しているんじゃないかね？　――そんなふうな、それは或る意味で――自分の信念を生かすという事はけっこうだけど、その事だけのために、他の人をみんなギセイにするという意味で、それはエゴイズムと言えない事はないんだから――

友吉　ええ、それは、あの――（人見の言葉で打ちくだかれ、にぎりしめた両手をブルブルとふるわせ、やがて、イスからすべり落ちて、ユカに膝を突く）

木山　……（しんけんに）片倉さん！　しかしですねえ、自分がですねえ――つまり、自分の国が、いくらそんな気もちになってもですねえ、向うの相手が、相手の国が、あくまでガンコに自分だけの意見を押し通そうとする場合は、それでは、どうしたらよいのですか？

友吉には答えられない。ただ、許し合ってくださいと訴えるだけだ。そのために神様を引きずりおろすことが必要なら、そうしてもよいから、と。このときの友吉は、キリスト者というより、絶対平和主義者になっているわけだ。「殺す勿れ」をあくまで押し進めた、当然の論理的帰結ではあるが。

(11)ガード下。警察の娼婦狩りに、貴島と、治子を探しに来た友吉が引っ掛かる。貴島は友吉を逃がそうとして、こんな奴は知らないと言うのに、友吉は嘘がつけない。眼が不自由な俊子と、体を悪くしている治子はなんとか目こぼしされる。友吉は警察のトラックに乗せられて、俊子に治子を託し、なお何か言うが、それは列車の轟音にかき消される。

4

ここから改めて、三好十郎の戦後の問題を考えたい。

三好が、中野重治のように軍部の圧力に屈したとか、杉浦明平のように日本浪漫派にだまされた、とかいうなら簡単である。戦後になってから、正しい道（ほとんどイコール共産主義）にもどればいいだけの話だ。彼の「転向」は、そういうことが始まる以前に起きている。以後、終生共産党と相容れることはなかった。といって、保田與十郎のように、戦争遂行の過程で垣間見たと信じた「日本の美しさ」に立て篭もる道も選べなかった。

「廃墟」の主人公歴史学者柴田欣一郎は次のように述懐する。

なるほど私は、戦争中だからと言うので、自分の講義のやり方を曲げたりはしなかった。その点はハッキリ言える。しかし、私は愛国者だ。日本を愛している。……だから、とにかく、戦争に負けたら、たいへんだと思った。

負けさせたくなかった。……指導者たちの、とんでもなくまちがった考えのために、悪い戦争が始まってしまった事は知っていた。——たしか、教室でもハッキリその事は君達に言った事があるね?（清水ガクンとうなずく）——が、とにかく、始まった戦争に負けたくなかった事は事実だ。

このうち、「指導者たちの、とんでもなくまちがった考えのために」云々の部分は三好のものとして聞くことはできない。彼がこの認識に達したのは確実に戦後のことだったろう。一方、「始まった戦争に負けたくなかった」のは戦中の正直な気持ちだったと思われる。「その人を知らず」では、3場に登場する勤労動員された女学生静代が口にする。たぶん、多くの日本人がこの気持ちだったろう。この点で三好は、一般庶民とほとんど径庭はないのである。ただし庶民なら、すべての庶民がそうだとは言えないがおりきのような庶民なら、過去は過去として、戦後の現実にはまたそれなりのやり方でたくましく生きていくことができる。三好はインテリだった。知識は過去に属するものなのだから、それによって生きる者は過去をそう簡単にご和算にするわけにはいかない。いや、過去を問い続けることは彼にとって、現在を生きることと別のことではない。「人の目はごまかす事はできる。恐ろしいのは自分自らの裁きだ」と柴田は右のせりふのすぐ後で言う。そう、「浮標」のあの言葉を書き、あの地点にまで至った者にとって過去は「問わねばならない」などという生易しいものではない。むしろ過去のほうこそ、「現在の自分とは何か」と厳しく問うてくるのである。このようなものを内部に抱える者は、一見後向きに生きなければならない。

今でも私は迷っている。わかった事は一つも無い。だのに私は自殺はしないだろう。……お前は死んだ。妻よ。私の中から何か大きなものを根こそぎ持ち去ってどこかへ行ってしまった。私は自分がどう言うわけでここにこうして生きているのか、生きておれるのか、まるでわからない。なるほど、お前はそこに居る。そこに私と並んで座って私を見つめ、こうして私が原稿用紙に書いている文章を読み、私の頭の中の考えの流れを見ている。お前はどこへも行きはしない。だのにお前はもうどうしようも無い遠方に行ってしまった。私は悲しんではいない。私の目に涙の影は無い。しかし前向きに進んで生きようとする気分も無い。喜びの明るい色のひとかけらもない。明るくはないが暗くも無い。そうなのだ。ほんとうに、生きて行きたいとは、まるで思わない。だのに私は自殺しようとは思わないし、自殺しないだろう。

私の瞳孔は拡散してしまったのだ。既に何一つ見ない。しかしすべてを見ている。そして、ただ見ているだけだ。阿呆のように、ただ見ているだけだ。見えているものの意味をわかろうとはしない。この眼は既に「意味」に疲れてしまったのだ。この眼には、生まの荒くれた現実のひとにぎりが映るだけなのだ。だからもう私は芝居は書きたくないと同時に実は書けもしないのだ。意味のハッキリしない現実のコマギレだけを並べても芝居にはならぬからだ。(後略)

右は戦後最大の問題作「冒した者」(五二年)冒頭にある言葉である。台詞なのかどうか、なんの指定もないのでわからないが、劇作家である登場人物「私」の述懐であるとみなしてさしつかえない。それでは「私」＝三好かというと、少し問題があって、三好は「私」とは違って、「意味のハッキリしない現実のコマギレだけを並べて」芝居を現に書いているのだ。三好のような作家にとって、書くことは即ち生きることであったろうことを思えば、現実の三好の方が作中人物「私」より、少しだけ生きることへの執着が強いと言えるだろうか。ただしやっぱりコマギレを並べただけでは芝居にはならないので、三好はバラバラの断片を結びつけるための糸というか、話の焦点は用意している。それは「私」の知り合いの須永という演劇青年である。彼は恋人と心中しそこない、その後の成り行きで彼女の実母と義父、それにたまたまその場に居合わせた米屋の三人を殺害している。それでいて、なぜそれが悪いことなのか、わからない、と言う。「私」が、君だって殺されたくはないだろう、と言うと、須永は、いや別に自分はいつ殺されたってかまわないのだ、と答える。なるほどこれでは、殺人は悪、を納得させることはできない。あとの登場人物たちは、彼の行為を解釈したり、利用したりしようとするが、誰にも彼を裁くことはできないし、改心させることもできない。

この作品の寓意はいったいなんだろうか。私は「冒した者」は「その人を知らず」を裏返した作品という側面もあるのではないかと考えている。この世の秩序の中に生きる者にとって、戦争中に「絶対に人は殺せない」と言うのが困り者であるように、平時に「どうして人を殺してはいけないのかわからない」などと言い、言うだけでなく実行までするのはたいへんな困り者だ。その存在によって秩序を支えているかにみえる倫理道徳が相対的であることが露にされてしまうから。ただしそれだけなら一種の意地悪にしかならない。いつの時代でも、善悪は畢竟相対的であることを免れないし、「なぜ人を殺してはいけないか」を万人に必ず納得させることはできない。それは単純な事実である。文芸としてことさらにとりあげるのなら、、まず、この問が作者の内部の必然と結びつく部分があり、その上で現代という時代でそれを問う意味がなくてはならない。

後のほうから言うと、作者の念頭には原爆があった。須永は言う。

> 人間は原爆を発明しちゃったんです。人間が築きあげて来た科学が自然にそういう所まで来てしまって、そいで原子力が人間の自由になってしまったんです。もう後がえりする事は出来ないんです。見てはいけないものを見てしまったんです。物質の一番奥の秘密のようなものを――神

さまだけしか知ってはならないものを、人間は知ってしまったんです。そいで、ですから、広島に最初に原子爆弾をおっことした人は——又は、おっことす事を決定した人は、その人は人間がしてはならない事をしてしまったんですよ。神さまでなければしてはならない事を、やっちゃった、つまり、踏み越えてはならない線を向うへ一歩、犯してしまったんです。……いえ、僕はその人をとがめようとしているんじゃありません。僕にはとがめる資格はありません。それに、どうせ人間は原子力の秘密を握ってしまったんですから、おそかれ早かれ誰かが武器にそれを使ったでしょう。ですから、人間全体に、それに就いては責任があるわけで——ですから善い悪いの事を言ってるんじゃありません。ただ人間は原子力で人を殺したと言う事で、犯してはならない所を犯してしまったと思うんです。以前、刀で人を殺していた、その刀が鉄砲になり、大砲になり、機関銃になり、というような事とは、実はまるで違う事が起きてしまった。……原子爆弾を作って、それを使ったという事で、人間は実は自分の今までの歴史を根こそぎスッカリ変えてしまったのです。神が生きものを創造したことが世の中のはじまりだとするならば、その時から今までの事をすべて台無しに叩きこわしたのが原子爆弾で、ですからすべてがまたゼロから、始まるものなら始まるわけで、つまり創世記——そういう所に僕らは立たされている。立たされてしまったんです。そうじゃないでしょうか?

……僕が言うのは、そんなトテツもない、自分たちに取って根本的に決定的なことが起きてしまってるのに、しかもそれを自分の手で引き起こしてしまったのに——つまり犯しちまっているのに、人間はその事に気が附いていないんじゃないかと言うことを、それを僕あ——。

こういう見方をする人は今でもいると思うので、あえて私自身の考えを述べるが、原爆の発明、というか原子力開発はそんな大それたことではない。なるほど化学変化と物理変化の根本的な違いはあるものの、自然の中のエネルギー利用という点に関しては、火を使うことの延長にあるとみなしてさしつかえないものだ。太陽は地球ができる以前から核爆発を続けているわけだし。もちろん理想を言えば、原子爆弾などこの世の中から消えるにこしたことはない。マスタードガスやサリンや、その他あらゆる武器、つまり人殺しの道具がそうであるように。しかし一方で、インテリである須永は、原子力が使えるようになった以上、いずれは誰かが兵器としてそれを使うようになるのは人間の必然であることを認める。そしてこの認識のためにいっそう困難な場所に追い込まれることになる。

話をすすめるために、右の須永=三好の原子力観を認めたとしても、原爆発明以後の、創世記以前の世界に住む我々にはもはや、善悪の価値基準もない、だから人を殺した、と結びつけると、屁理屈にもならない。作者がそういう結びつけ方をしているわけではないが、そうともとれないことはないこのような一見理路整然とした長広舌のために、須永は、例えばアルベール・カミュの創造したムルソーに比べて、「実存主義的殺人者」としてのリアリティーも衝撃力も薄くなっている。作者の意図は別のところにあったろう。人間がその気になれば人間自身のみならず地球全体をも滅ぼせるほどの、身に過ぎた力を持ってしまった時代に、相変わらず色と欲につられて蠢く人々の奇怪さを、どういうわけか善悪の彼岸に、従って当然人間臭い欲望をまるで棄却した境地に立ってしまった青年を鏡として浮かび上がらせようとしたのだと思われる。そしてこの境地なら、三好は妻の死に際して一度立った覚えがある。彼の主観の上で、それは絵空事ではないのである。客観的には、個人的な事由と人類全体の問題を同列に置く詐術とみなされかねない。しかし、この詐術が禁じられたら、文芸が社会と相渉る道筋は断たれてしまうだろう。「奥さんに死なれた事が、そんなに、あなたにこたえたんですかね」と問われた「私」はこう答える。

　ハハ、そうさ、そうかも知れんね、フフ。……とにかく、どうも僕など、もう、個々人の生死の問題、つまり自分がどう生きてどう死ぬかと言う、つまり生命観と言うか——そんなものと切り離すことの出来るような形では、社会革命の事にしろ戦争の事にしろ、もう考える事が出来なくなって来た事は事実のようだね。

　では、このような個人は、このような世界に対してどのような立場を取り得るか。この作品ではそれは「三十八度線の上に立つ」「第三の道」と呼ばれている。

　三十八度線は線だからね。線には幅は無い。その上に人は立てない。そこに立とうとした、立って南北朝鮮を妥協させ統一に導こうとした金九などは、その瞬間に殺された。生きておれないんだな。……そう認めたよ。

　朝鮮半島の分断に象徴される自由主義と共産主義の対立が国際社会の根幹を形成しているとき、日和見主義ではない形でその「中間」に立つなどということは、現実にはなしえない。そもそも「中間」などないのだから。もしそれが多少とも現実に有効であると認められたら、どちらの側にとっても裏切り行為に見えるから、殺されるしかないだろう。しかし、理念的に、一切の対立を止揚させる立場、少なくともその可能性を示すことはできないだろうか。生きることにすっかり倦んでいる「私」よりはもう少し積極的に、三好はそこを目指して評論活動を続けた。とりあえずの政治思想的立場としては、絶対非暴力主義・無抵抗主義の形をとる。それは、対立する両陣営をひとしなみに滅ぼす力を秘めた核兵器に対抗する唯一の手段でもあると考えられた。以下の引用は、「冒した者」執筆中に書かれたと考えられるエッセイ「抵抗のよりどころ」からのものである。

　私は今後、どこの国のだれかが私に武器を持たせてくれても、ていねいにことわって、それを地べたに置くでしょう。武器というのはサーベルから原子兵器にいたるすべての人殺しの道具です。外国人がくれても日本人がくれても、地べたに置いて、使いません。

そうすると、ばあいによっては私は処罰されるかもわかりません。それは怖いし、イヤです。なるべくそういうことにならないように相手にたのみます。しかしどうしても処罰されるのだったら、それを受けます。たぶん、即座に殺されるということはないだろうと思います。いずれにしろ怖いが、しかし武器を取って人を殺すほど怖くはないでしょうから。

こうして彼の理想は友吉に近づく。四十八年までの三好が愛しつつ憎み、憎みつつ愛したあの友吉に。一つの信念に立って動かないものは、美しくも残酷である。神の領域に足を踏み込んでいるからだ。彼らは殺人を絶対に拒否するかも知れないが、戦争で迷うことなく敵を殺すかも知れない。これといった理由もなく人を殺すのかも知れない。それだからこそ、原子爆弾というまったき非人間的な最終兵器（と三好は信じていた）とそれを生み出した人間の科学力や体制に唯一対抗できるかも知れない。しかし、人間なら必ずひきずっているこの世のしがらみを捨て去ることができるのか、できるとしてそれは正しいことなのか。

右のエッセイは最後に次のように問いかける。自分が殺されるまではまだ我慢するとしても、罪もない同胞が殺されていくのを黙って見ていられるか。その段階に立ち至ってもなお武器を取らないでいられるか、と。その答えは「ハッキリわかりません」である。わからないのは自分の弱さだ、と三好は言う。人間がこの弱さを克服できないものなら、いずれまた殺し合いが起こる可能性はある、その後生き残った人々が完全に強くなってくれることを望む、と。これは希望と言えるだろうか。

友吉は自分の信念のために家族に塗炭の苦しみを負わせた。それほどの犠牲をはらいながら、彼は誰も救えないし、ほとんど支持もされない。それが現実にはない「三十八度線の上」に立とうとする者の宿命だ。友吉より知識があって、例えば純粋な信仰に燃えたキリスト教徒の十字軍が「異教徒」にどれほど残酷なことをしたか、などということを知っている三好には、ここまで至るのがそもそも容易ではない。ただ彼は、終幕の友吉のように叫び続けた。今は届かない声が、いつかは届くことをわずかに期待して。

三好十郎は、日本では稀有な観念的な作家である。この国の文芸作品を「観念的」というと、普通批判になるが、それは作家が「観念を生きる」ことを十分になしえなかったからだ。三好は一方で「しちめんどうな理屈」「近代人の病気」を嫌いながら、いつもそこに立ち戻り、観念と現実の間を果てしもなく往復する宿命を生きた。彼の悲惨と栄光のいっさいがそこにある。

〈参考文献〉
宮岸泰治『劇作家の転向』未来社一九七二年
三好まり『泣かぬ鬼父三好十郎』東京白川書院一九八一年
宍戸恭一『三好十郎との対話――自己史の追求』深夜叢書社一九八三年
西村博子『実存への旅立ち――三好十郎のドラマトゥルギー』而立書房一九八九年
田中單之『三好十郎論』菁柿堂一九九五年

三好十郎《みよしじゅうろう》（一九〇二・四・二三～一九五八・一二・一六）

佐賀県生まれ。幼少期に父母と生別し、親戚中をわたり歩く。県立佐賀中学時代、絵画に才能を示した。二〇年早稲田大学予科に入学、二二年同大英文科に進級し、二四年頃より詩作を発表するようになる。苦学しつつ二五年に大学を卒業、同年「浮標」のヒロインのモデル坪井操と結婚、また草野心平主催の詩誌『銅鑼』の同人となる。二六年『アクシオン』を創刊、左翼詩を発表し始める。劇作家としてのスタートは二八年の「首を切るのは誰だ」「疵だらけのお秋」から。三〇年炭鉱ストライキを描いたプロレタリア戯曲「炭塵」によって広く知られるようになる。三三年妻操死亡。三四年発表の「斬られの仙太」翌年の「幽霊荘」によってマルキシズムから決別する。三五年寺島きく江と再婚、脚本家としてPCL（東宝の全身）に入社、三九年まで在席。その後戦争の進展の中で「浮標」（四〇年）「をさの音」「三日間」（四二年）「俺は愛する」「獅子」（四三年）「おりき」「峯の雪」（四四年）などの名作を発表する。敗戦後の再出発はいずれも戦争中の自省をこめた「崖」「稲葉小僧」（四六年）「廃墟」「猿の図」（四七年）などからだが、四六年には戯曲研究会を主宰し、秋元松代、石崎一正などの劇作家を育成した。戦後の代表作は「その人を知らず」（四八年）「胎内」（四九年）「炎の人」（五一年）「冒した者」（五二年）それに未完に終わった大作「神という殺人者」など。劇作の傍ら、共産党や知識人を批判しながら戦後の「逆コース」の流れを撃った多数の社会時評を遺した。作品集としては『三好十郎作品集』全四巻（河出書房五二年）『三好十郎の仕事』全四巻（学芸書林六八年）などがある。

岸田國士
「椎茸《しいたけ》と雄弁《ゆうべん》」（三幕六場）

阿部由香子

初出　『世界』第五十一号　一九五〇（昭25）年三月一日
初演　俳優座　一九五一（昭26）年六月十五日～二十八日　三越劇場

1

昭和十七年という年は、岸田國士の生涯において辛く悲しい年であったに違いない。その二年前に引き受けた大政翼賛会文化部長を辞任し、妻秋子を失って、満身創痍の岸田は昭和十九年からの三年間を長野県飯田市の郊外で農耕に親しみながら過ごす。再び筆を執るのは昭和二十二年一月からで、『時事新報』に小説「火の扉」を連載した後、三月からエッセイ「宛名のない手紙」を発表しはじめる。

> もうすでに私は「何かをしようとする」自分のうちに、底しれぬ別の淋しさを発見する。もの云へば唇寒しの、あの心懐とやゝちかい、しかし、それともいくぶんちがつた、一種の空虚感である。（「『大事なこと』とは」「宛名のない手紙」昭和23年3月）

もはや、自分が何かを伝えようとしたところで、それが訴えかけたい相手に伝わりはしないのではないか、無意味な行為に終わるのではないかとあきらめつつも、岸田は日本という国のあり方や日本人をターゲットにした激しい批判を重ねていく。その内容は、政治のあり方、教育問題、精神性、はたまた顔や声にまで及び、次第に日本人に限定できないような人としての理想へと広がっていく。つまり、本来人間がのびやかに生きていける理想的な状態があるはずなのに、日本人はそれに反して様々な不自然さにがんじがらめになっているように岸田の目には映っているのだ。その不自然さを「畸形」と呼んで多くの具体例を交えながら挙げつらっていく「日本人畸形説」を始めとする日本人論からは、ヒステリックな叫びのような岸田の生の声が聞こえてくる。

一方、戦後の創作活動で目につくのはたくさんのコントを残していることと、戯曲においては意識的に喜劇を書こうとした点である。「速水女塾――四幕と聲のみの一場よりなる喜劇」（昭和23年）「女人渇仰」（昭24年）「椎茸と雄弁」（昭25年）「道遠からじ

――または海女の女王はかうして選ばれた――」(昭25年)「カライ博士の臨終」(昭26年)、とこの五つの戯曲を並べてみてもそれぞれ題材も長さも文体も異なる為、岸田が何をもって喜劇としているのかあまりはっきりとは見えてこない。しかし、劇作を続けるにつれて「現代における喜劇の存在理由」をますます強く感じるようになった心境を次のように言っている。

「喜劇」はまづなによりも、人間と時代とに対する深い悲しみから生まれるものだといふことを、わたしは信じる。かなしみがかなしみのまゝに終れば、それは、絶望に通じる。わたくしはそこに立ち止まらないためにあらゆる鞭を自分に加えた。灰色のかなしみから、褐色の憤りが煙のやうにたちのぼるのを自然の結果とみるほかはなかつた。だが、その時はじめて、自分のうちに鬱積した「笑ひ」が出口を求めてやまないのを知つた。「喜劇」は外になくして、内にあつたのである。(『道遠からん』あとがき」昭25年11月)

つまり、エッセイと創作とでは表現形式に違いこそあるが、目に映る日本人の姿に幻滅し、悲しみながらもそこから滑稽に見える様相をすいくいとって笑ってみせようとした態度は共通しているといえよう。誰かしらを笑わせよう、楽しませようとするのではなく、笑ってしまうことであきらめて、乗り越えていこうとするのが岸田の喜劇なのである。

しかし、「外になくして内に」みとめた喜劇とは果たしてどのようなものであったのか。それを探るにはやはり彼が残した喜劇を見ていくしかなかろう。ここで五つの戯曲の登場人物達の言葉に目を向けてみると、彼らの多くが自分の本当に言いたいことをなかなか言わない(あるいは言えない)でいる人達であることに気付く。本音を隠してやりすごしたり、我慢したり、相手を騙したりする人々の姿が劇を成り立たせているのである。

日本人の畸形的と思はれる最も甚だしいところのひとつは、人前でものを云ふ時、自分の云ひたいことはなんであらうと、まづどんなことを云つたらいゝか、をしか考へないことである。(「日本人畸形説」「宛名のない手紙」昭和22年5月)

と岸田自身も多分に意識していたと思われる日本人独特の建前と本音のズレが、皮肉なおかしさを生み出している。なかでも「椎茸と雄弁」はそのカラクリをみごとに喜劇に昇華させることに成功した作品である。

岸田國士「椎茸と雄弁」

2

舞台は「全体を通じ黒無地の幕を背景とし、人物の動きを規定する最小限の小道具を暗示的に配置する」ように指定されていて、装置も衣裳も装飾的なものではなく、「一ノ一」から「三ノ二」まで六つの短い場面が次々と流れるように進行する。

場所は、とある農村。ここには椎茸の栽培を農家の副業として広めようとしている二つの会社がある。その片方の昭和農産工業社の社長アカハラは、県会議員や農務省への饗応費が膨大にかかるような旧態依然のやり方を変える必要があると思っているが、実際に具体的な改革案は思いつかずに取りあえず部下のナベタとノロミを怒ってみたり、商談はお茶一杯で済ませることに決めるくらいが関の山である。そこへ椎茸の研究をしている色眼鏡なる人物がやってきて、椎茸栽培奨励の講演をしてまわろうと思っているから旅費だけでも援助をお願いしたいと申し出る。しかし、アカハラにはあっさり断られ、ライバル会社の東亜産業社長アオガサキの所でも態よく追い払われてしまう。

　それでも色眼鏡は、村人達を集めて椎茸栽培について語り始める。一体彼がどのようなことを語るのかといえば、まずはこれまで信じられていた「ホダ木の重量の一割を収穫するのに一年間」というデータを六年間に訂正する。当然それを聞いて椎茸栽培に見切りをつける農民達がでてくる。では、彼の目的は農民達に正しい情報を伝えて騙されないように助けてあげることなのかといえばそうではない。ノロミとナベタに営業妨害だと責められると

色眼鏡　営業妨害になる？　よろしい。僕は営利本位、悪辣な商業主義と飽くまでも闘ひませう。農民の無知に付け入つて、無責任な数字をならべ、徒らに大衆の射幸心を募らせる君たちのやり口に僕はもう我慢がならんのだ。しかし、僕は椎茸栽培の有利な事業である所以と、その将来性については、確信をもつて自説を主張するつもりです。

と答えるように表面上は正義感に満ちた言葉を発する。しかし、婉曲的な表現を使いながらどんどん村の椎茸熱を冷ましていってしまうことが狙いなのである。そのような思惑はセリフやト書きによって明確に説明されることはない。すべては色眼鏡が発する言葉によって伝えられている。例えば、いよいよ困ったアカハラとアオガサキが彼を買収して講演をやめさせようとする場面でも簡単には承諾しない。

アカハラ　どうしても講演がなさりたい？
色眼鏡　口を封じられるのは死も同然です。
アカハラ　それなら栽培に関することを除いて、あなたの最も得意とされる椎茸の　歴史についてだけ、お話を願うやうにしたら？
色眼鏡　歴史だけでは物足らんですな。
アカハラ　なに、歴史だけと限らんでも、椎茸そのものの植物学的研究も結構です。たゞ、栽培の理論および実地については、一切触れないといふ……。
色眼鏡　それで、たつた六ケ月の生活費ですか？
アカハラ　いや、ご希望によつて、そこはもうすこし……。
色眼鏡　掛引はやめてください。いくら出せるんです

か？

といった具合にみごとな駆け引きで、一年間二十万円の生活費をせしめることに成功するのだが、最も痛快な場面は最後に用意されている。幕が下りる寸前に、色眼鏡は一人で舞台へ戻ってくると、見物席の観客に向かって次の一言を残し、「見得」を切って去る。

色眼鏡　いづれまた、椎茸の栽培にふれなければなりますまい。それまでどうかお待ちください。

武器も権力も使わずに、口一つで色眼鏡が金を手に入れることができたのは、この村でそれまで成り立っていた会社と農民達との関係の隙間にうまく入り込んだからである。アカハラやアオガサキの会社の、何か困ったことが起こればすぐに金を払って解決する方法や、農民達の、椎茸栽培は儲かると聞けばすぐに飛びつき、難しいと分かるとたちまちやめてしまうような習性は、目の前の問題をその場しのぎでしか対処しない日本社会の一面を顕現させているだけでなく、このおかしな構造が簡単には改善されないであろうことも最後の場面によって示したのである。

そして、前述したようにそのような社会の有り様を滑稽に見せている要因は、彼らが話す言葉と、その裏には常に本音が隠されているところにある。色眼鏡やアカハラだけではなく農民達もすべて自分達の利益のことしか頭に無い。だから、色眼鏡が講演の後でどこかの家に宿泊させてもらえないかという段になると、

サタ　どら、わしは、まだ薪割りを終へてないから、お先へ失礼するよ。（退場）

ノブ　しまつた。山羊をおつぽり出したまゝ、すつかり忘れてゐた。（退場）

キン　おれのところの嬶は、ちつと気が変になつてな。お客をみると鎌を持つて飛びかゝるんだ（退場）

という具合に急に態度を変えるくらいのしたたかさを持ち合わせている。こうした裏の心理や感情をはさみこまずに、口にする言葉と表面にあらわれる動きのみで表現するスタイルは、岸田がコントと称して書きつづった作品群にも認められるであろう。

3

反対に戯曲「女人渇仰」には、本音を語る老人が登場する。これまでの人生を振り返りながら、甘えられなかった母親や自分をがんじがらめに束縛しながらも自分の女になりえなかった妻や、始終顔色をうかがいながら一緒に暮らしている娘について長々と語る。ただし、ホテルの一室で、すでに眠ってしまった

とある少女の寝顔をみつめながら語るのだから閉ざした自己の中の言葉でしかない。

老人　おふくろからも、女房からも、現在一緒に暮らしてゐる娘からさへも得られない、なにかしらやさしいもの、すべてがゆるされるやうなものが、不思議にお前のなかにはある。お前はなによりも女なんだ。

自分が共に生きてきた女達には幻滅しきったゆえに、たまたま街で出会った少女に自らの幻想を重ねる老人は、惨めさを通り越して滑稽である。岸田の初期戯曲「ぶらんこ」や「紙風船」においても閉塞した空間の中で夢想する男達が描かれてきたが、彼らののびやかな夢に比べて老人の場合は全くの幻想でしかないことがすでに悟られているゆえになおさら虚しい。さらに、老人は後半部分で家に帰って娘と対決することで「今日といふ今日、お前つていふ娘がよくわかつたよ。」とお互いの関係に明るい兆しを見出すことが出来るのだが、「家」から逃れたかった男が、結局「家」に戻ってきて「おやぢ」として認めてほしがる姿もまた皮肉であろう。

しかし、「椎茸と雄弁」における虚の言葉に満ちた関わり合いよりも、「女人渇仰」の老人のようにたとえ自らの惨めさをさらけ出しても娘と共にあろうとする生き方こそが、「畸形」の治療法であると岸田は考えていたのではなかろうか。昭和二十四年一月から翌年三月まで『悲劇喜劇』に連載された「対話」において、編集者から「作家として内面的な……いままでので満足できない、もつと違つたところにゆきたい、それがドギツイものを求めているといふんぢやないのですか。」と尋ねられた岸田は、それはないと答えた後

自分が孤独であるといふことに対して、それに満足することはむしろ一種のエゴイズムだといふ反省があるわけだ、もつととにかく人と共にあるといふことを考へなけりやいけないといふ……しをらしいでせう。

と続けている。

劇作家岸田國士の戦前の仕事について語られる時に、頻繁に引き合いに出される例の「何かを言ふために戯曲を書くのではなく、戯曲を書くために何かしら言ふのだ」という言葉の「戯曲を書く」の部分を訂して「何かを言ふために生きていくのではなく、生きていくために何かしら言ふのだ」としてみると、それはまるで色眼鏡である。戦後の岸田は「何かを言ふために」再び筆を執ったが、喜劇を書く上で「外になくして」自分の「内に」も日本人的な「畸形」を認めたのではなかったか。理想主義者が喜劇を書くことは、まさに自らに刃を向ける仕事であったのである。

〈参考文献〉

渡辺一民『岸田國士論』岩波書店　一九八二年

阿部好一『ドラマの近代』近代文芸社　一九九三年

岸田國士《きしだくにお》（一八九〇・十一・二〜一九五四・三・五）

　東京四谷右京町において軍人を父に持つ家庭の長男として生まれる。陸軍士官学校卒業後、久留米の連隊に配属となるが、退官して東京帝国大学仏文選科に入学。大正八年に渡仏し、フランスの演劇運動やモスクワ芸術座の舞台に刺激を受ける。

　帰国後、戯曲創作や評論活動によって日本の文壇や演劇界に新風を吹き込むだけでなく、新劇協会、築地座、文学座を始めとする劇団での演劇活動にも携わっていく。岸田の指導の下、多くの劇作家や俳優が育っていった。

　初期の「チロルの秋」「紙風船」等の一幕物から中期の「牛山ホテル」を始めとする多幕物を執筆した後、昭和十一年「風俗時評」によって戦前の戯曲創作を休止し、以後十二年間は長編小説が創作活動の中心となる。

　昭和十五年、明治大学文芸科長を辞任し、大政翼賛会文化部長に就任。一年九ヶ月務めた後、二人の娘とともに長野県飯田市郊外の片田舎へ疎開する。昭和二十二年、出版社などの励ましを得て帰京するが、十一月に公職追放を受命し、孤独感と虚無感を一層深めることとなる。

　戦後の戯曲は昭和二十三年に文学座のために書き下ろした「速水女塾」をはじめ、世相を風刺した喜劇の傾向が強い。また、昭和二十四年の「ある夫婦の歴史」（『苦楽』）を皮切りに十六編のコントを残しており、福田恆存が「自分でよく知つてゐる内面心理の世界を、わざと知らん顔をして、外部から行動だけを描こうとする。重荷を背負はねばならぬ必然性にそつぽをむいて、それを背負つてゐる姿のおかしさだけを描こうとする」（「解説」『ある夫婦の歴史』昭和30年　池田書店）と指摘するようなスタイルに特徴がある。

　昭和二十五年八月、文学の立体化運動といわれる「雲の会」を結成。美術家、音楽家、映画人などと共に新しい豊かな芸術を生み出そうとする目的のもと、阿部知二、臼井吉見、小林秀雄など総勢六十三人を会員とする組織であり、アリストファネスの喜劇「雲」にちなんで「雲の会」と命名した中村光夫、岸田が最も期待した後輩作家、福田恒存らが中心となっていた。

　昭和二十六年七月、公職追放解除となるが、三年後の三月、文学座公演「どん底」の最後の舞台稽古中に脳卒中で倒れて永眠する。

村山知義

「死んだ海」（二幕五場）

初出　『世界』一九五二（昭27）年七月号
初演　新協劇団　一九五二（昭27）年六月二一日〜二四日　読売ホール　六月二六・二七日　隅田劇場（浅草・松屋）

祖父江昭二

1

「死んだ海」は、作者・村山知義の戦後の代表的な戯曲と言っていい。

村山は、一九二一（大10）年、ベルリン大学で原始キリスト教を学ぶつもりで東大哲学科を退学。翌年ベルリンへ出発。その地で第一次大戦後にヨーロッパを席巻した表現派・構成派などの前衛芸術運動に魅せられ、学業を断念。一九二三年に帰国し、「意識的構成主義」と銘打った小品展を開き、柳瀬正夢らと前衛美術団体マヴォを結成。一九二四年に開幕した築地小劇場がその年暮に表現主義の劇作家・G・カイザー「朝から夜中まで」を上演する際、演出家の土方与志が舞台装置と衣裳を村山に依頼。村山は斬新な日本最初の構成派の「三階建ての構成舞台」を提出し注目を浴びた。これが、結局、彼の活動の主要な分野となった演劇の世界での初仕事となった。

村山は、この世界で舞台装置・衣裳・劇作（脚色を含む）・演出と多分野で活躍するが、そのほか児童文学・小説・絵画・装幀・映画監督・シナリオ・翻訳等の諸分野にも広く手をのばした。こういう村山の中軸の仕事は、演出なのか劇作なのか、あるいは美術なのか、意見がわかれるかもしれない。

ただ、与えられた課題に応じ、村山の脚色を含む劇作の仕事に視線を注ごう。その面の仕事を集大成した『村山知義戯曲集・上下』（新日本出版社、一九七一・三、六）を刊行する際、作者自身、「一九二五年から四十五年間に書いた戯曲の数は、脚色、翻訳、ラジオ・プレイ、テレビと映画のシナリオを含めて、百九十五篇に達している」（「自序」上掲『戯曲集・上』）と証言している。「演劇運動　万歳」と述べて村山がこの世を去ったのはその後の一九七七（昭52）年三月二二日。その間に戯曲「ミケランジェロ」（『民主文学』一九七五・一）、「ベートーヴェン」（同上誌七六・四）を発表しているから、この数はもう少し増える。

こういう驚くほど多産な村山の劇文学群の中から代表作をあげるなら、戦前では「暴力団記」（『戦旗』一九二九・七）、「志村夏江」（『プロレタリア文学・作品増刊号』一九三二・四）。脚色では島崎藤村原作「夜明け前・二部作」（『テアトロ』一九三四・一一、三六・三）、E・オニール原作「ああ、荒野」の「初恋」（『テアトロ』一九三七・二）などをぼくは思い浮かべる。むろん異論はあり得よう。戦後の代表作としては、この「死んだ海」、あるいはそれを含めた三部作（第二部「真夜中の港」『世界』一九五二・一〇、新協劇団　同上年一二・二～一三隅田劇場。第三部「崖町に寄せる波」『世界』一九五三・九　新協劇団　同上年一一・一一～一七　読売ホール　一九～二四　飛行館）をあげるのがおだやかではなかろうか。

あとで紹介するが、作者自身、そう思っていたふしがある。いま『戯曲集・下』に収められた戦後の十六作品を代表的な見本として取り上げてみると、それらのうち、他人の小説の脚色（それに準ずるものを含む）が九作品。現代日本の素材を扱ったものは、「死んだ海」三部作を除くと、わずかに二作品。扱われた素材で戯曲ひいては文学作品を評価するのは愚かしいことだと思うが、現代日本の社会が提起する課題に劇作家として正面切って答えようとした一面を持つ村山知義にとっては――実は村山にとっても――、何を扱うかということはゆるがせにできないことであろう。その意味でも、一九五〇年代の初頭の政治的な転換期にあった日本の漁業が、中小の漁船所有者たちや漁業労働者やそれにかかわる民衆たちが、ぶつかっていた問題と、その問題の民衆的な解決を目ざして努力していた人びとの生活と戦いとを描こうとした「死んだ海」を、あるいはその三部作を、多産な村山知義という劇作家の戦後の代表作と位置づけるのは、ごく自然なことだろう。

村山は、この作品を『戯曲集・下』に収める際、巻末に付した「解説（下巻）」の中でこう書いている。少し長くなるが、引用する――

一九三二年「志村夏江」を書いた直後入獄し、その後、日本はまっしぐらにファッショ化し、社会主義的なものどころか、ヒューマニスティックなものさえ否定され〈「社会主義的なもの」こそ「ヒューマニスティックなもの」の凝集であるというとらえ方を七〇年代になってもしていないところに村山あるいは村山たちの問題があるとぼくは思うが、ここでは指摘するだけにとどめる――祖父江〉、戦争に突入してしまった。戦争がすみ、一九五二年になって、つまり、二十年めに、やっと私は日本の労働者階級のたたかいを、しかも共産党員を登場させて描くところにまで達した。時は以前とは異なり、文化、芸術の分野でも、統一戦線の時期であり、われわれの創造すべき作品は必ずしも労働者を観客大衆とし、そのテーマも労働者階級のたたかいを描くことに集中せねばならないことはなくなったが、しかし、労働者のたたかいを描き、労働者階級を観客にすることの重要性は相変らず存在する。新劇団はたくさんあるが、この課題を自分の主要な課題とし、また、それを仕上げることのできる劇団は新協劇団の他にはないので、その役目を引き受ける決心をしたのだ。

つまり、村山は、前衛芸術家として出発し、一九二〇年代から三〇年代前半の激動期に革命と芸術との統一を志してマルクス主義的な革命的芸術家へと自己形成していった。そして、「志村夏江」に凝縮された、「日本の労働者階級のたたかい」を、しかも非合法下の「共産党員」と想像し得る若い女性の姿を描いた。しかし、逮捕・投獄され、結局、「転向」(変節)。出獄後、新協劇団の創設に参画し、その指導者の一人として戦争とファシズムの時流に抵抗する良心的な演劇活動をつづけ、再び逮捕・投獄。戦中は公然とした活動はできなかった。

敗戦後、一九四六(昭21)年二月に新協劇団を再建し、日本共産党に再入党し、ほぼ五年後に描いたのが、この「死んだ海」。いじょう以上の文脈から、それは「志村夏江」の戦後版と位置づけることが許されるかもしれない(と書いても、「志村夏江」の戦後的復活と意味づけているのでは決してない)。

ただ、「志村夏江」が描かれたころ、そして、その戯曲の世界が設定されている時期に、日本の共産党は非合法の政党であった(戦前の日本で共産党が合法化されたことは一度もない。発達した資本主義国では唯一の例外)。「死んだ海」の時代にはむろん共産党は合法的な存在ではあった。しかし、戦後の日本を支配していたアメリカ占領軍は、米ソ対立の「冷戦」という国際情勢を背景に共産党員とその同調者(と見なされたもの)を「追放」することを指示し、官公庁・企業等によって強行された(いわゆる「レッド・パージ」)。その出発点で占領軍最高司令官マッカーサーは共産党非合法化を示唆する声明を出し(五〇・五・三)、そのあと(六・六。朝鮮戦争勃発の直前)、共産党中央委員全員の、翌日、機関誌『アカハタ』の編集幹部の「公職追放」を指令、共産党は半非合法状態に追い込まれた。だから、作者が「志村夏江」執筆後「二十年目に、やっと私は……共産党員を登場させて描くことができるところにまで達した」と感慨深げに回想しているが、「死んだ海」三部作でははっきり「共産党員」と名のって活躍する人物は、当時の現実を反映してであろう、登場していない。

2

「死んだ海」の劇世界の「所」は「千葉県銚子から南四キロのある漁港」。前出「解説(下巻)」には、「そのころ新協劇団員だった岡田英次が、その故郷、銚子のすぐそばの外川《とがわ》という小漁村をモデルにして、戯曲を書くといいと思うのだが、という。彼に連れられてその漁村を訪ね、漁夫たちとまじわっているうちに、是非書きたいと思い出した。漁夫の家に下宿し、毎日、話を聞き、付近を歩き廻ってしらべた。一たん引き上げてからも、何度も出掛けた。銚子の漁業共同組合もしらべた。/こうして、『死んだ海』ができて『世界』に発表し、さらに引き続いて、二部、三部ができた」とあり、作者が現実の漁村・漁夫たちと取り組み、モチーフを得た作品であることがわかるが、ともかく作中の「田崎」は仮構の漁港。「時」は「一九五一年冬から翌年初めにかけて」。初出・初演のほぼ半年前の「時」が設定され、作者の姿勢がきわめてアクチュアルであったことを示している。

戯曲の第一幕第一場と第二場、第二幕の第一場のそれぞれ冒頭は、固有名詞を持つ登場人物とは違う、たとえば「漁夫A」、「納屋の者1」といったやや抽象的あるいは一般的に設定された人物によるナレイションあるいはディクラメイションで始められる。その表現を借りると、ここは暖流の黒潮と寒流の親潮の「二つの流れが衝突し」、「プランクトンを繁殖させ」「イワシの大群を……成長させる」ところ。「ひたすらイワシの漁獲に五千の命を賭けている」「戸数一千の漁村」である。

だが、「戦争が敗北に終るとこの国は／アメリカの兵士に踏みにじられ／この港から南へ弓なりに続く九十九里浜に／恐竜の首のような高射砲が立ち並び／絶え間なく実弾を海に振りそそいで／魚を追い散らすようになってから三年を経、五年を経た」。その結果、かつては「年にいくたびかは大漁《たいりょう》にめぐまれ」たこの漁夫たちには「もう質草とてなくなった」。つまり、「命とよろこびを約束してくれた海は／ついに死に果てたのだろうか？／死んでしまい、もう生き返ってはくれないのだろうか？」というなげきにも似た問いが投げかけられる。「死んだ海」はこの問題的で深刻な事態に根差す題名。

この田崎漁港には揚操網《あぐり》でイワシをとるアグリ船の親方が九軒。その中の一軒、一ヵ統（三艘一ト組）の持ち主の笹島伝十郎、屋号が「タヌキ屋」。その船頭だった澄川重二郎の未亡人・お吉は、「たった十八」の時、「生れつきのばか」の「地主の息子に押しつけられ」、息子・定行を生むが、「小間物屋」の「行商」の男と、「奥州は三春〔福島県〕くんだりから、はるばる東京さ駆け落ちし」（〔〕内祖父江補足。以下同じ）、その男とは別れたらしく（第三部ではっきりする）、「二十四の年から七年間つうもの、あっちこっちの紡績工場を歩き廻って、組合運動して」、「野バラのお吉」と言われた「組合の女闘士」だった。「三十の年の暮」に重二郎に「見込まれて」結婚。娘の「君子ができてすぐに、コーガン炎とかでよォ、……そいから十七年間つうもん、夫婦のまじわりはなかったけんどよォ、おらあ不足とも何とも思わねかった」。「今でもこうやって、父っつぁんの戒名、肌身離さねえだよ」と親しい矢島新蔵（すぐあとでふれる）には述懐するが、いまは薩摩揚等の行商をし、この地域の主婦の会の会長でもある。彼女はこの三部作に一貫して登場する主要な人物の一人で、作者がかれらを描くことを自負した「共産党員」の一人。

駆け落ちしたお吉に残され、三春で育った父親ゆずりで「生れつき頭弱い」定行は、育ててくれた「ばんば」（祖母）が死に、田崎に来て、いまは「タヌキ屋」の「納屋」の者（住み込みの徒弟）として年季奉公をしているが、そのつらさのために「納屋さへ帰んのやだ」と「泣言いう」。お吉は「ほかの者にいじめられやしねえか」と心をいため、同じ「タヌキ屋」の「納屋」の者で、「精悍な、知的な顔」と「ト書き」に描かれる横山太一郎に「定ちゃんをかばってやってくれよなあ」と頼む。三春から来た当初、「ばんば」を恋しがって泣いていた定行の姿を見て、「世の中が真暗んなったような気ィした」お吉だが、「床屋のおかみさんが、ありゃあ愛情に飢えてるだから、愛情を注いでやりゃあ直るだっていってくれてよォ、あの言葉でおらあ助かっただよ」と金沢にもらす。この戦前の「組合の女闘士」の経歴を持ち、いまは「共産党員」でもある女性がかかえている個人的な問題をどうとらえ、どう切りひらいていったらいいのか。その方向を示唆している。

他方、この話相手になった三十歳の男・金沢敏夫は、やはり三部作のすべてに一貫して登場する主要な人物の一人で、田崎漁船従業員組合（略称水夫組合）の書記。「法政大学出の法学士」で――「法学士」にひきずられ、不用意につけた仮構の大学名が実在する大学名と一致したのかと想像するが――、主要な登場人物の中では唯一の知識青年。彼に好意を寄せる君子（お吉の娘）の問いに答え語るところによると、生家は「小石川は伝通院前の袴屋」で「職人を八人使っても手が足んねえ位」。ただ、「戦争の始まりに（一九四一年一二月ごろ）、長わずらいのあと、親父が死んじまった時、おらあ大学の一年。空襲で家は丸焼け。やっと大学は出たけんど、スッカラカン……、おッ母さんの実家《さと》が銚子の船主……で、母一人子一人で引揚げて来た……が、その家も没落……、……おッ母さんも肺炎で死ぬ」。「五年前に法律んなった水産漁業組合法」に基き「銚子漁業協同組合ができたんで、事務員に雇ってもらった」が、三年前、「船方の歩合引上げスト」に「同情スト」をやり、その「首謀者としてクビ」。ここの「従業員組合書記」になったと語る。金沢は、「組合で三千円出すつうのを、……財政上二千円以上出せねえ」と「当人が頑張った」という人間。そのため、活動のかたわら「わだつみプリント社」という名前をつけたガリ版印刷の仕事をして生計を補っており、「おら『わだつみプリント社』の臨時雇だよ」と称して君子はしばしば金沢のところを訪れ、仕事を手伝う。彼も「共産党員」。

いまひとり、三部作に一貫して登場する主要な人物に矢島新蔵がいる。彼は、「今よりもっとひどかった」「タヌキ屋」の納屋で「十三の年から六年も年季〔奉公〕をし」、「その間にエンジンの技術、ちゃんとおべえこんで」、いまでは「タヌキ屋」の「エンジ」（機関士）。固定給のない一般の船方より月給取りの「エンジ」の方が生活がまし。ほとんどの「エンジ」は、納屋で育ち、見込んだ「親方が月謝出して、銚子の講習会さやってくれたから」資格を取ることができる。新蔵もその一人。しかも新蔵の父・健二郎は「タヌキ屋」の「船頭竿張り」（船長）、兄・健一はその「船方」で、親方とのかかわりは深い。「タヌキ屋」（笹島）は、「鞄持ち」（秘書）の亀島安三を介して長女・松枝との縁組（「婿入りの話」）を新蔵に持ちかけるが、新蔵は相愛の女性・小島カネ子がいてことわる。新蔵の恋人・カネ子は、「寿司屋の女中」だが、もとは『山サ』の女工で、えらいしっかりした女だ」と新蔵自身が紹介する（第二部の冒頭では「山サの組合で、さんざんあばれて、そいでクビんなっ」て、「寿司屋の女中」になったということがわかる）。新蔵は、そういう女性と愛し合い、親や兄の強い反対を押し切ってカネ子との結婚を実現する青年である。また、第一幕第二場の朗誦で「魚を閉じこめ」た網をあげる「いくさのような騒ぎ」をくり返す「合間合間に／エンジの新蔵が話してくれる／〔小林〕多喜二の「カニ〔蟹〕工船」の話——／工場の労働者たちの話——」と語られる。彼もまた共産党員。カネ子もすでにそうである可能性が強い（第二部以降では確実にそうである）。

　こういうそれぞれ個人的な性格も経歴も違う三人の「共産党員」が、個人的な愛情の問題をかかえながらも、この田崎漁港の船主や船方たちがぶつかっている問題のより民衆的な解決のために模索し努力していく。そういういとなみの中で最も重要な展開を見せるのは、実は彼らが直接指導はしなかった「タヌキ屋」の納屋の者たちの「自然発生的に出て来た」闘争であった。

3

　お吉の家に金沢、新蔵が訪れ、「ドカン」の補償金（米軍の実弾演習による損害を「終戦処理費」から補償）の問題等について話合う。そこへ「鞄持ち」の亀島があらわれ、たとえば「タヌキ屋」は持船三艘を戦中に徴用され沈没。「三そう造るにゃあ百八十万からかかった」船の補償金は「たった三万七千円」。戦後、「金借りて、やっと船仕たてりゃあ、利子に責められる」、とこの地域の親方層の内実を教え、問題をつきつける。また、仲介した松枝との結婚話をことわった新蔵には「おらの納得できるような女を連れて来て見せてくれよ」と言い捨てて去って行く。

　そこへ定行がかけつけ、同じ納屋の者の浦上啓一が一昨日から頭痛。「昨日はがまんして沖さ行った」が、また痛くなり、熱もある。親方に言っても、「薬もくんねえし、医者呼んでもくんねえ。働きに出ねえもんに飯食わせることねえって、おとついの晩から何も食わせてくんねえだ」と訴える。「今まで、まさかそんなこたあしなかったがなあ。シケで気がちいっと狂ったんでねえか」と新蔵が言い、ともかく金沢が「掛け合い」に行く。やがて「金沢が興奮して、蒼ざめて跳び込んで」きて、「ハンストおっ始まったぞ！」と告げる。つまり、金沢が笹島と交渉していたら、「隣の納屋で聞いていたみんな」が、「病人に食わせねえんなら、おれたちも食わねえって、ハンストおっ始めた」。

　「あの納屋にゃあ、音頭取るもんいねえでねえか」といぶかしく思う新蔵に、「太一郎と定ちゃんが音頭取ってるらしい」という金沢の説明を聞いたお吉は、「ばかだ、ばかだっていわれたあの子が——」（傍点原文。以下同じ）と涙を出す。「愛情を注いでやりゃあ直る」ということばにお吉が救われたと作者は描くことで示唆的な伏線を敷いていたが、その解決の方向をこういうところに見出すのは、科学的な社会主義の思想を導きの糸としてきた劇作家・村山知義らしい展開だろう。

　ただ、「四年前にイタチ屋の納屋のもんがやったことあったけんど……次の日にゃあもうだめになった」という先例があり、金沢は、「孤立してやったってだめなんだ」が、「おらまだどの納屋のもんともさっぱり近しくねえかんなあ」と悩む。新蔵は落着いて、「みんなに知らせべえ。そいでできるだけ多勢で応援に行くんだ」と提起する。

　しかし、「一着マ」（屋号）の納屋の者の松山伝次がかけつけてくるが、「どこの納屋の者でも、親方の目え光ってっから、とっても出られやしねえよ」というのが現実。この伝次は、「親父さんが残してくれた家を、兵隊から帰ってくるなり売り飛ばして……、バクチと酒と田中町〔遊郭〕さ注ぎ込んで、僅か二年のうちにスッカラカンになっちまった」三十歳の男。しかしいまは「納屋の者に身を落として、……一生懸命やってる」ので、お吉は「大《てえ》したもんだ」と「感心し」ている。君子に好意を持っているが、君子は相手にしない。話を戻すと、伝次以外に納屋の者がかけつけてこないだけでなく、「主婦の会」の集まりも悪い。

しかも、かけつけて来た駐在の警官は、「旦那の了解なしに人の家ん中さん入りゃ、家宅侵入罪だぞ」とおどし、応援を阻止する。いっしょに来た、組合執行部に当る「実行委員会」の堀田源蔵——『一着マ』の船頭竿張り」——も、金沢を、「うちの組合はな、親方に楯つくストライキなんてこたァやねえだど。書記は実行委員会のいいつけ実行すりゃいいだ。……アカとして振舞おうっつうなら、書記やめてからにして貰いてえな」とおさえつけようとする。

「そんな組合なら、おら、いつでも——」と「憤激」する金沢を、「興奮するでねえ」と新蔵が「押しとどめ」、「じっくり土台から固めてかかっだ」、「まず、従業員組合を強いもんにすっだ」とはげます。彼はまた納屋の者たちに、「従業員組合がなってなかったで、この上やっても、はあ、見込みはねえ。病気の者は沖ィ出なくても飯を食わせるつうこんを約束させただけで、今度は我慢しなく〔ち？〕ゃなんねえ。だが、お前たちがハンストやるべえ、と立ち上ったことは大した意義のあることだったど。おらも金沢さんも頭どやしつけられただ。……だがなあ、一軒の納屋のもんだけじゃ駄目だ。みんなもっとつながらにゃァな……明日からといわず、今からだ。……みんなで万才やって、今日はこれで解散すべえ」と音頭をとり、「『タヌキ屋』の納屋のもん、万才！」と叫び、「みんな、それぞれの気持で万才をとなえ」た。定行は、「わーッと泣きわめきながら、……外へ跳び出」していった。

こういう事件・経験を通して、太一郎、定行、伝次といった納屋の者はそれぞれ社会的な自覚を深めていき、まだ十代後半の笹島の次女・杉枝も君子もやはり同じように自立した女性であろうとして成長していき、金沢と君子とのかかわりはより深まっていく。「タヌキ屋」の船方たちも金沢の家へ出入りするようになっていく。

その反面、杉枝によると、「おらんち、いよいよむずかしいらしいよ。魚が来ても、船出す油の都合つけんのが四苦八苦だっつうもんな」という状態（そういう状態で第二部にも登場するが、一年後、一九五三年六月の第三部第一幕では『タヌキ屋』がぶっつぶれたで……」というせりふが語られる）。

金沢への信頼が少しずつ深まっていったのであろう、「あとからあとから、いろんな人が来たなあ。こんな天気だってによォ」と留守をよそおって代りに応待した君子がつぶやき、「帰ったよ、みんな」と声を掛け、お吉、金沢、新蔵がかくれていた物置から出て来て、会議をつづける（共産党の地域細胞〔支部〕会議であろう）。その会議で、設立時にかれらが加入を見合せた漁業協同組合の民主化、水夫組合の強化、船頭竿張りの選挙制の実施、「働いてもりょうがなけりゃただ」という船方の賃金の歩合制の改革、船主・船方の共同経営という名目のため貧しい船方に「事業所得税」がかけられ、「船員法」の適用外で健康保険にも加入できない……といった不利益の改善等々の問題点が列挙される。また、納屋制度がつちかった「封建的な感情」が制約して船主への要求として出すことがむずかしいといった主体的な問題点も話し合われる。しかも、「いくら船主にぶつけてみても、その船主自身が没落しかけ」、「追い詰められて、納屋制度を廃止」するかもしれない。が、「どんなにむずかしくても」「納屋の者をまとめとくべえ」ということに落着く。

これまでは「ほかの家の納屋の者たあ、まるでつながりがねえ」状況の中で、伝次が、「アグリの親方九軒のうち」「納屋持ってる六軒みんな聞いて廻」り、その実状を探り、「みんなで時々会って、話でもしあおう」というので、「おとつい初めて」八人集まった。「納屋の者も労働組合入れてくれ」というのが、「まあみんなのいってること」だと太一郎が補う。この集まりに「納屋の会」と名前をつける。

そういう報告がされ、一同が高まっているところへ、新蔵の婚約者・カネ子が銚子から「柳行李を背負い」、「いつ来てもいいつったもんだかん」、「おら来ちまっただよ」と姿を見せる。雨に濡れたカネ子が着換えて、田崎の「共産党員」たちと「納屋の会」のものたちのコタツの集まりに入り込み、「この膝つき合わせたグループ」へライトが当り、幕となる。

この戯曲「死んだ海」では、日本人にとってはきわめて重要な食料源を長い歴史を通して供給していながら、農業ほどには知られていない漁業という産業がいま（一九五〇年前後に）かかえている問題を大づかみに読者・観客にわかってもらうため、作者は、日本漁業の中では有数の漁場、銚子周辺の地域に焦点をしぼり、いくつかの問題を提示する。いかにも戦後的な、占領軍の実弾射撃による被害とその補償金の獲得をめぐる策略、水産業界での巨大資本の育成と小さな船主たちの切り捨てを実行する政府の漁業政策、封建的な納屋制度の実態とそれに制約される漁夫たちの意識と行動――そういった諸論点を戯曲世界の枠組として解説的に描かざるを得ず、その点でこの「死んだ海」のドラマトゥルギーは拡散的にならざるを得ないという難点を蔵しているとぼくは思う。

しかし、そういう問題点をかかえこみながら、展望が持ちにくい、打開が困難な現代日本漁業の現実に抗し、それと立ち向い、生きる権利を追求しようとする漁民たちとその先頭に立って戦おうとする「共産党員」たちを描き、かつそのことを作家的な課題として自負しているところに、この戯曲の特徴があり、そのことによって戦後の戯曲世界全体の中で特徴的な位置を占めていよう。

しかも、その「共産党員」たちを単に政治的な人間としてのみとらえようとせず、とくに「愛情」の問題をかかえた人間として描こうとしているところに戦後の村山の作家的な志向の特徴の一つがあるようにぼくには思われ――そのことを指摘した村山論はないが――、その意味でも、「死んだ海」は村山の代表作の一つであり、戦後的な達成の頂点をかたちづくっていると言える。この志向は、しかし突然の噴出ではない。この作者の深部に根づいていた。ただ、既成の価値の転換を試み、喝采を浴びた前衛芸術的な発想やマルクス主義のやや機械的な受容によるイデオロギッシュな人間把握等が、この性向をおさえてきた。しかし、三〇年代後半、自由な創作活動がより追いつめられた時、「芸術的な大衆劇」の創造を意識して脚色した「初恋」（前出）は、無器用でも素直に人を愛することを人間存在・人間関係の原点としてたたえた戯曲であり、おさえられていた村山の自然がよみがえった面がある。この戯曲は、自他ともにあまり重視されてこなかったが、しかし村山の「全戯曲のうちで……一番たくさん上演され」（「解説（上巻）」『戯曲集・上巻』）、「非常に一般に愛され」（同上）た。そのことをかみしめていたはずの村山が、二十年間、中断を強いられた「共産党員を登場させて描く」という課題に応えようとした際、戯曲「初恋」に凝集していた「愛」への志向、つまり、愛情による相互信頼や愛情・結婚をめぐる自由意志の尊重の底にある愚直な人間賛歌性を積極的に取り入れ、重層的な人間像の描出に心がけたと理解するのはこじつけではないはず。

4

　第二部・第三部についてはごくかいつまんで説明する。第二部「真夜中の港」（四幕七場）は、田崎漁港を中心に「一九五二年春から初夏にかけて」のことがらが描かれ、新蔵とカネ子の結婚式で幕が開く。そして、新蔵の家での共産党員の細胞（支部）会議で幕が終る。この新しいタイプの新蔵夫婦がつくる枠組の中で展開することがらは二つ。前半は、新蔵とのかかわりでその結婚式に来た銚子の「利根丸四艘の船主」、「科学なくして漁業なし」という開明的な一面を持つ鹿島徳太郎の行動。その軸は、北洋漁業が戦後初めて許可され、持船の第三利根丸が「千葉県の代表として行く」。漁獲量は船団中第一位でも、母船を持つ大会社が決定的に有利な結果となる。「タヌキ屋」などより規模の大きい六十トン級の船の持主・鹿島でさえ漁業経営がむずかしいことが示される。

　後半は、「一着マ」神谷孫十郎の持船のエンジ（志田一郎）が事故死し、組合事務所に十三人ものエンジが集り、それを機に「機関士組合総会を開」き、低い夏期の月給の値上げを要求。船主を代表して神谷が三七五〇円を五二〇〇円に値上げすることで決着。「真夜中の港」のできごとである。だが、「タヌキ屋」は「増額分の出せる見込みはねえ」とひそかに新蔵に言う。新蔵は筋を通しつつ、「漁をした揚句、……五千二百円は出せなかった、つうんなら、それはその時の話合にしべえ」と答える。

　こういう二つの問題的な事態の展開のあと、新蔵宅で支部会議が開かれ、カネ子のほかに新たに太一郎も参加している。会議が進み、ドカンの補償金は「二倍以上に殖えた」が、「船方一人当りは、……去年と変りゃしない」。船主で「つぶれそうなのはタヌキ屋だけ」。「補償をもっと下の者にもたんと来るようにしろ、つう要求を水夫組合として出すようにすればいい」とカネ子が言い、戦いの方向が見えてくる。そういう中で父親の健二郎が戻ってきて、新蔵との仲もほぐれてくる印象を与えて幕。

第三部「崖町に寄せる波」(四幕)は、「今年(一九五三)の六月初めから八月末まで」で、「田崎にある澄川お吉の家」にしぼられる。彼女はガンで入院し、あと三、四年の命と言われ、息子の定行はヒロポン(覚醒剤)中毒。

そんな時、三春から駈け落ちして三年目に棄てたが、「シンから惚れたのはあの女だけだ」と語っていたお吉の「初恋の男」を知ることになった亀島が、その男・川見駒太郎をつれてくる。お吉は「その一ト言で、恨みつらみも――すっかり忘れちまっただよォ」と「泣き伏す」。「今までのつぐないに」、「これから、できるだけのことをして、お前の力になる」。「君子の実の父だということ」でこの家に住むと川見は申し出る。ねらいはこの家を自分名儀に書き替えることだった。

金沢たち、共産党支部のものは心配する。ヒロポンが欲しくて靴を二足掻っ払った定行は、「二十日の拘留」で出てくるが、定一郎、啓一、伝次たち、「一着マ」の船方仲間とあらわれ、台所にあった出刃包丁をふりかざして「泥棒!出てけ!」と川見を追い出す。

金沢は、「今までのやり方」は、お吉をただ「引っ張って来ちまった傾向があった」から、「何かのつまずきに遇うと、ガクッとなっちまっただなあ」。「もう四年しか生きらんねえつうことがわかったら、どんな気持になるものか、……やっぱし誰かに縋りつきたくなるに違えねえよ」、「もしおらたちに、同志つうもんがなくて、信念つうもんがなくて、ああいう境遇になったら、……」と反省しながら、お吉に同情《シンパシイ》を寄せる。

このことばにも触発され、すでに共産党に入っている君子は金沢に求婚。二人はみんなに協力してもらって、進もうとはげまし合う。

彼らは、懸案の補償金の問題で従業員組合の総会を開けと要求する戦いの先頭に立ち、その署名運動も成功。活発に署名運動をしてきた定行は、「母ちゃん、……早く行ぐべ」とお吉の手を引き、総会の開催を告げる花火があがって幕となる。

お吉の人間的な動揺を、他の共産党員たちがいたわりはげましながら、ともに手をとり合い戦っていき、若い彼ら全体の成長と、お吉・定行親子の自己回復とを重ね、統一的な追求を試みたところに村山知義らしさがあるだろう。

(引用は『村山知義戯曲集・上下』によった)

〈参考文献〉

菅井幸雄「村山知義の演劇史的位置」『民主文学』一九七七年七月。のち菅井『演劇創造の系譜』青木書店　一九八三年一〇月

勝山俊介「解説」村山知義『死んだ海――村山知義戯曲集戦後編――』〈新日本文庫〉新日本出版社　一九八二年一二月。のち勝山『「死んだ海」・村山知義の仕事』あゆみ出版　一九九

七年七月。勝山のこの単行本全体が有力な参考文献。
祖父江昭二『初恋』への思い」『民藝の仲間・二九一号』劇団
　民藝　一九九六年三月
井上理恵「研究動向・村山知義」『昭和文学研究・第40集』昭和
　文学会　二〇〇〇年三月

村山知義《むらやまともよし》（一九〇一・一・一八〜一九七七・三・二二）

　東京市神田区（現東京都千代田区）末広町で父知二郎、母元子の長男として生まれた。ここで母方の祖父が三春堂《さんしゅんどう》医院を経営していた。父は伊達藩の支藩亘理《わたり》藩の代々藩医だった遊佐家に生まれ、貧しかったので開業医の村山家へ養子に行き、苦学して東京帝大の医科に学び、卒業直前の一八九九（明32）年に元子と結婚。間もなく肺結核におかされ、転地療養が目的であったのか、海軍大軍医（大尉相当官）になり、横須賀近辺の走水《はしりみず》に住み、一九〇七（明40）年に空気がいいという沼津で村山内科医院を開設。しかし一九一〇年父は逝去。一九一二年に帰京。一九一三（大2）年私立開成中学入学。母の師内村鑑三に師事。中学二年の時、母がつとめる婦人之友社の『少女之友』に短篇「二人の伝道師」掲載。母元子はこのころ同誌上に多くの短篇を発表。四年のとき、水彩画が日本水彩画会展に入選。一九一八（大7）年、高校（旧制）入試準備中、ショーペンハウアー、ニーチェなどに熱中、キリスト教棄教。九月旧制一高入学。文芸部委員になり学内誌に小説を発表。二一（大10）年一高卒、東京帝大哲学科入学。ベルリン大学で原始キリスト教を学ぶつもりで暮れに東大中退。翌二二年一月、処女出版の童話画集『ロビン・フッド』（婦人之友社）刊。ベルリンへ出発。表現派・構成派の美術・演劇・舞踊に魅せられ学業を断念。秋、ミュンヘンの万国美術展に二点入選。二三（大12）年一月帰国。

　五月、「村山知義、意識的構成主義的小品展覧会」開催。七月、柳瀬正夢らと前衛美術団体「マヴォ」結成。翌年（一九二四）七月、機関誌『Mavo』創刊。十一月、芸術論集『現在の芸術と未来の芸術』（長隆舎書店）刊。十二月、築地小劇場公演のG・カイザー作・土方与志演出「朝から夜中まで」の舞台装置と衣裳を担当。日本最初の構成派の装置として評判を得て、以後、演劇の世界に入る。この年岡内籌子《かずこ》と結婚。二五（大14）年七月、今東光と同人誌『文党』創刊。九月、池谷信三郎、河原崎長十郎らと心座を結成、旗上げ公演の一つ、カイザー作「ユアナ」を翻訳・演出。

　十二月、日本プロレタリア文芸聯盟創立大会に出席、美術部員になる。一九二六（大15）年一月、心座第二回公演で自作「孤児の処置」（『テアトル』一九二六・三）演出。二月、三月、共同印刷争議への資金カンパのためプロ聯美術部員として街頭で似顔絵を書く。三月、日活映画「日輪」（村田実監督・三上於菟吉原作）のセットとコスチュームを担当。四月、JOAK（現NHK）から自作ラジオ・ドラマ「出帆第一日」演出。十一月、自作「勇ましき主婦」（『演劇新潮』一九二六・一〇）を新劇協会で演出、好評を博した。

　前衛的な芸術家として多面的に活動してきたが、一九二六（大

15）十月、ひそかに再建された日本共産党の合法的な大衆機関紙と言ってよい『無産者新聞』創刊一周年記念の「無者者の夕」の舞台装置を柳瀬と担当、プロ聯の他のメンバの試みに強い感動を受け、マルクス主義に接近。同月、スタンダードな戯曲の公演を目ざす左翼的な劇団・前衛座の創設に参画、その同人。翌十一月、その旗上げ公演、A・V・ルナチャルスキー「解放されたドン・キホーテ」の装置を柳瀬と担当、また俳優として「ムルチオ伯」を演じた。同月、最初の小説集『人間機械』（春陽堂）刊。一九二七（昭2）年二月、マルクス主義的な文学者の集団・文芸戦線社の同人になる。五月、心座で自作「スカートをはいたネロ」（『演劇新潮』一九二七・五）の演出、装置担当後、心座を脱退。六月、プロ聯後身の日本プロレタリア芸術聯盟が、福本和夫の理論に心酔した中野重治たちのグループとそれに共感できなかった反「福本主義」のグループとの対立に基き分裂した際、後者に属し、労農芸術家聯盟を結成。これにともない前衛座も分裂し、プロ芸残留派の佐野碩・小野宮吉・久枝栄二郎らは、前衛座を脱退し、移動演劇集団として活動していた「トランク劇場」を「プロレタリア劇場」と改称し、プロ芸所属の劇団とした。前衛座に残留の村山・佐々木孝丸らは、この劇団を労芸所属の劇団に改組、「スカートをはいたネロ」などを演出。以後、プロレタリアの演劇運動で戯曲・演出・装置の三分野で活躍。ついで一九二七年十一月、労芸が山川均を支持するグループとそれに反対するグループに分裂、村山は後者に属し、蔵原惟人らと前衛芸術家同盟を創設。同時に前衛座を前芸所属の前衛劇場と改組、旗上げ公演で自作「ロビン・フッド」（『改造』一九二七・一二）の演出・装置を担当。

村山知義「死んだ海」

一九二八（昭3）年三月、「三・一五」の大弾圧に抗し、前芸とプロ芸と合同、翌四月、全日本無産者芸術聯盟（ナップ）を結成。これに応じ、前衛劇場もプロレタリア劇場と合同し、左翼劇場を名のった。その第一回公演で自作「進水式」（『文芸公論』一九二七・四）の演出・装置を担当。十月、国際文化研究所の創設に参画、その所員。同年暮、ナップの全日本無産者芸術団体協議会（ナップ）への改組に対応し、翌二九（昭4）年二月、その傘下団体として東京・左翼劇場を中心に日本プロレタリア劇場同盟（プロット）が結成、その中央執行委員。七月、「暴力団記」（『戦旗』一九二九・七）が佐野碩演出、左翼劇場で上演（検閲により「全線」と改題）。一九二三（大12）年に京漢鉄道の労働者の組合結成に対し軍閥が暴力団などを使って弾圧。ゼネストをもって立上がった組合の指導者が虐殺され、中国革命運動史上で著名な「二・七惨案」に材を取った戯曲。作者自身も感心した佐野の好演出もあり大きな成果をあげ、代表的な文芸評論家蔵原惟人は「現代日本のプロレタリア戯曲の最高を示すもの」と評価し、村山の代表作の一つである。十月、前出国際文化研究所がプロレタリア科学研究所と改組、その中央委員。一九三〇年二月、徳永直原作・藤田満雄・小野宮吉脚色「太陽のない街」を演出。五月、治安維持法違反で検挙、十二月保釈。三一（昭6）年五月、日本共産党入党。蔵原らとともに日本プロレタリア文化聯盟（コップ）結成のため尽力。十月、コップ成立に応じ劇場同盟は演劇同盟（プロット）に改称、その中央執行委員長、コップ中央協議会協議員。三二年四月、「志村夏江」（『プロレタリア文学・臨時増刊号』一九三二・四）が杉本良吉演出で左翼劇場によって上演されようとした舞台稽古の朝、いわゆる「コップへの大弾圧」の一環として検挙。この間、河原崎長十郎・中村翫右衛門らが歌舞伎界の革新のため創設した（一九三一・六）前進座にも変名で参加し、深いかかわりをもった。

一九三三（昭8）年十二月、「転向」（変節）して出獄。翌三四年三月、懲役二年執行猶予三年の判決に服す。五月、「転向」小説のはしり「白夜」（『中央公論』）を発表。その反面、プロットを含む新劇の沈滞状況を「新劇の危機」（『新潮』一九三四・七）と論じ、「新劇団大同団結の提唱」（『改造』同上年九）を試みた。この「転向」者の「提唱」が押し立てられ、プロットは七月に解散。平行して中央劇場（左翼劇場が改称）の大半、新築地劇団の一部、美術座の全員により新たに新協劇団が九月に結成。十一月、島崎藤村原作・村山脚色・久保栄演出の「夜明け前・第一部」で旗上げ公演。以後、新協劇団の中心人物の一人として主として演出面で活躍。その代表的なものは、久板栄二郎「断層」（一九三五）、M・ゴーリキー「どん底」（三六）、久板「千万人と雖も我行かん」（三八）、本庄陸男原作「石狩川」（三九）など。この期には「夜明け前・第一、二部」（『テアトロ』一九三四・一一、三六・三）、「初恋」（『テアトロ』三七・一）、「石狩川」（『テアトロ』三九・一一）など、脚色の仕事はあるがオリジナルなものは見られない。ただ「白夜」などのほかに、大衆的な長篇小説『新選組』（河出書房一九三七・一一）、『天国地獄』（有光社三九・三、四）を執筆している点にひとつの特徴が見られ、この線は戦後も『忍びの者・五部作』（理論社一九六二・一〇、六五・三、六七・一、六、七一・七）というかたちでくりひろげられる。またこの期には新派の井上正夫が脱皮をねらって井上正夫演劇道場を三六（昭11）年四月に結成、その指導、協力を求められ、以後、新派・歌舞伎の演出も行い（新派の演出は二八年八月が最初だが）、戦後もつづけられている。しかし戦後体制下の良心の灯であった新協劇団は一九四〇（昭15）年八月、「自発的解散」を命じられ、村山たちは検挙。四二年六月、保釈。四四年四月、控訴院判決（懲役二年執行猶予五年）。四五年三月、朝鮮へ、七月、満州（東北三省）へ行く。

敗戦により四五（昭20）年十二月、帰国。翌四六年二月、新協劇団を再建、その中心人物として活躍したが、戦前の新協の力は持ち得ず、しかも日本共産党のいわゆる「五〇年問題」（内部分裂）の影響で薄田研二らが脱退（中央劇場を創設）。「死んだ海」第三部の上演の際は、妨害されたという。しかし、一九五九（昭34）年二月、新協と中芸とは合同、東京芸術座を結成、死去までその主宰者として活躍した。なお妻・籌子は四六年八月死去。翌年三縄はま子（芸名清洲すみ子）と結婚。

戯曲を集大成した『村山知義戯曲集・上下』（前出）があり、一九七四（昭49）年、演出四〇〇回を記念してテアトロ演劇賞を受賞。未完に終ったが、『演劇的自叙伝・全四部』（東邦出版社・東京芸術座〈第四部〉一九七〇・二、七一・八、七四・五、七七・四）がある。

久保栄

「日本《にほん》の気象《きしょう》」（五幕）

祖父江昭二

初出　『新潮』一九五三（昭28）年六月号
初演　劇団民芸　一九五三（昭28）年五月二一日～六月八日　第一生命ホール

1

「日本の気象」の作者・久保栄は、のちに改めてふれるが、二部作のドラマ「火山灰地」（『新潮』一九三七・一二、三八・七。久保栄演出・新協劇団一九三八・六～七）の仕事などによって、戦前・新劇史の最も高い峰々の一つを築いた。その久保が、戦後、恐らく「火山灰地」に見合う大作をと心中ひそかに期して、筆をとったのが、この五幕の戯曲「日本の気象」である（『久保栄全集４』）。

一九四五（昭20）年八月、ポツダム宣言の受諾を告げる天皇の録音放送はすでに流されていた。東京郊外に疎開していた海軍気象部の分室では、特務班長・室生中佐が、連合軍の進駐に先立ち、不必要なものはすべて焼き捨てよと指示。調査研究班の技手（準士官待遇の軍属）中尾敬吾は、ここにあるのは、特務班関係のものは別として、気象プロパーの大事な研究資料ばかり。それを焼いては、たとえば津久井技師（調査研究班員）の半生のテーマ、北方海域の霧の調査研究などは、今後つづけられない。敗戦と同時に、われわれの仕事がゼロに還元されるのは「反対」と異議を申し立てた。しかし、「気象と戦争を、一つに考えたくない」と主張する中尾に、室生は、霧を利用して海軍が「キスカ島の撤退」（一九四三・七・二九）という撤収作戦を完遂できたのは、津久井技師の半生の調査と無関係だったとは言えまいと反論し、当の津久井も「不満だろうが、どうか任せてくれないか」となだめ、焼却が始められた。黙祷のあと、火をつけたのは、敗戦の衝撃で自殺をはかり、中尾にとめられた若い男子技工士の宅間良夫であった。

焼却作業を見張る中尾のところへ、気象台本台勤務の親友・田代義孝が、アメリカ軍の先遣隊を出迎えるため、明日、降伏反対の軍人たちがいる厚木へ死を覚悟して行くと告げに来た。そして、戦争中、気象班関係の事故で人を殺すまいと言い合せ、良心的だと考えていた自分の甘さがつくづくいやになったと語り、後事を託して帰っていく。

焼却を見守る中で、戦時下に気象部もかかわった「風船爆弾」のことが話題になり、中尾は、われわれの科学力ギリギリだった「風船爆弾」と原子爆弾との決定的な落差をかみしめ、「要するに、物量の差か」と受けとめる若い技工士たちに「そんなもんじゃない」と問題のありかを見つめる。

中尾の恋人・夏枝は戦時下に移動演劇隊に入り、広島で被爆し、かろうじて東京に戻ってきているが、彼は見舞いにはいかない。戦後の活動のためにはいま実力者の機嫌を損じたくないとひそかに考え、いやいや広島へ行った夏枝の気持が洞察できなかった中尾は、「僕は、軍の名においてでも、ここで研究がつづけられる。が、芸術は、そうはいかない」、移動演劇に参加したがる「おまえは……ただの露出狂だ」と当り散らしたとふりかえり、「命がけでつくった調査資料が、……灰になってゆく」のを「歯をくい縛って、……見つめているのが、いちばん夏枝をとむらうことになるんだ」と、夏枝の年下の友人で、見舞いを強くすすめる女子技工士の堀川真佐子に語る。結局、見舞いに行くことを中尾に説得できた堀川は、一足先に帰ると言い、彼女をひそかに愛している宅間が送って行った。

その年の初秋。襲った豆台風を予測できず、原因追求の新聞記者の問いに答え、八十島台長は、戦争による測候所の破壊等々の状況のもとでは空白だらけの天気図しか作成できない、つまり敗戦が原因だと説き、しかし、「今度、極東空軍の管下にはいることになっ」たから「心配御無用」と展望を明るく描いて見せた。しかし、それは、この特殊な技術官庁が、戦後、かたちは違っても、本質的には戦時下と同じ質の制約を負わされたことを意味した。

むろん戦時下の日本とは逆に禁圧されていた労働組合を占領軍は当初は奨励し、職場内の文化要求をみたす動きを推進するような変化も当然見られた。

それぞれが何がしかの希望を抱いて再出発しようとしている敗戦直後の状況の中で、霧の研究では権威であった元・海軍気象部技師の津久井は、気象台本台の予報課調査係長の位置につくが、軍による研究資料の焼却を認めた結果、気象研究の中心点にいながら、研究者としては何ひとつ主張できない人間になったと意識し、辞表を提出する。

その時、気象台嘱託の辞令がおりた元・陸軍気象部員・技術中佐の小日向は、津久井に対し、戦争傍観者どもの批判に屈し退職することは、軍からの転属者を迎え入れない口実を与えるから、再考すべきだと対照的な姿勢を見せる。

田代は、戦争中の実績で通信業務の再建を佐藤予報課長から依頼されるが、戦時下の自分のあり方を、「大きなマイナスを働きながら、眼さきのちっぽけなプラスにすがりつこうとする気休めみたいなもの」と反省し、しばらくじっとさせといてくれと彼なりに再出発を模索する。

この機会に婦人科学者を志した田代の妻の信子は、矢吹予報部長の配慮で、宇宙線実験室へ移る。

また、技工士の宅間は、敗戦直後、分室の解散以前に、堀川を送ったあと、そのまま故郷に帰ってしまったが、生魚を加工する家業に満足できず、本台を訪れ、中尾の尽力で本台の雇員になった。

2

時は進み敗戦から二年目の春（一九四七・三）。米ソ対立のけわしい国際関係を背景に、対抗的な二重の性格がからみ合った「民主化」・「戦後改革」が進行する中で、第一回参議院選挙（一九四七・四）に立候補するため八十島は気象台をやめ、選挙事務長を田代に頼む。しかし、田代・中尾を含めた組合執行部は、八十島の無所属からの立候補に反対し、結局、恩師に当る八十島の依頼を田代はことわる。だが、八十島は、開戦決定の御前会議に出席などの経歴のため、占領軍の「公職追放」のB項に当り、追放。

この時、極東空軍気象隊に着任したばかりのF中佐が、日本の気象官庁は冗員が多すぎるから整理すべきであるという個人署名の通達（「Fノート」）を本台に送ってきた。組合側は、官側と共同して対応しようと提起した。

中緯度の偏西風が噴流構造をなしているというアメリカのジェット・ストリームの研究が豊富なデータを基礎に実証している論文を読み、日本の気象学を代表した八十島は、「一種の落伍感を味わわされる」と語って退く。

台風の目を扱う中尾は、水準の高いアメリカの気象研究を視野に入れながら、自分の新しい研究の問題点を打開するため、異分野で先進的な素粒子論グループの集まりにも参加したりする。ただ、そういう研究課題そのものが、原爆で恋人を失った中尾の心の傷となっている。彼から気象学の指導を受けている堀川は、思慕をつのらせていくが、夏枝のおもかげがそれを妨げる。また故郷の実家から格の上の船元の娘との縁談を持ちかけられている宅間は、一方では組合活動に生きがいを見出しながら、堀川への愛情をおさえることができない。

そういう宅間に中尾は、「何度も言うが、基礎をやれよ、基礎を。戦争ちゅうに育ったもんの盲点なんだぞ、そこが」ときびしくいましめる。

さらに三年（一九五〇年秋）。行政機関職員の二十八万五千人を首切る定員法がすでに成立し（四九・五）、この気象台でも整理人員の九割方を押しつけられ、多くの組合員が首を切られ、朝鮮戦争も始まっていた（五〇・六）。現実の歴史の上では、このあと、いわゆる「レッド・パージ」と言われる、共産党員とその同調者、戦闘的な労働組合の幹部、職場の活動家たちの異議申し立てを許さぬ「追放」が行われた。戯曲の中では「レッド・パージ」ということばは使われていないが、組合の活動家たちが、前日、抜きうち的に首を切られ、住んでいた寮からはその晩に出て行けといった処置が強行された。首を切られた男女の職員は職場近くの濠端に集まり事態を訴えた。

こういう激動の時代にうまくたちまわり、いまは予報課長の位置についた小日向は、コーラス活動などで職場の活動家と言ってもいい「予報課長附き」の堀川の下宿先を前夜訪れ、「政党所属関係なし」、「公務員法違反の意志なし」の「誓約書」と友人関係を書き出す「手記」を提出すれば、職場に残れるかもしれない、少なくとも今日中に「誓約書」だけは提出せよと要求した。彼女は、それらを拒否する組合の方針が正しいとは思うが、ただがんばるだけでいいのか、疑問を持ち、田代と中尾とに相談する。田代は、自分が堀川だったら、目をつぶって書くと言う。占領軍（連合国軍）最高司令官・マッカーサーの首相宛書簡に基き、戦後の憲法が保障した国家公務員の団体交渉権・ストライキ権等を否認する臨時措置が施行され（四八・七）、ついで公務員の政治活動を制限する人事員規則が制定・施行されるが（四九・九）、そういう法体制のもとでも組合の全国組織の執行部は、原則を固守し組合組織を未登録のままでがんばり、結果として執行部は全滅、事務所の強制立退きさえ受ける。しかし、東京支部は、人事院への登録手続きをとり、存続する。反対意見を押し切り、その措置をとったことを後悔していないと田代は言う。

中尾は、これまでの組合運動のやり方が悪かったとすれば、自分たちもまき込まれていたのだから、共同責任だと言い、堀川のことでも、濠端に集まっている人たちにも十分納得してもらった上で誓約書などを書く方がいいと言う。堀川は中尾の意見に従い、解雇された人たちとの連絡は田代夫人の信子に頼む。

信子は協力を承知するが、解雇されたグループは、反撃をどう組織するかが問題で、誓約書を書いて残っても、そういう根は役に立たないという意見を伝えてきた。堀川は誓約書は書かないが、口頭で言う。駄目な場合は、課長の私宅訪問をビラに書いて反撃してもいい、とふたたび信子に連絡を頼む。田代は、民間に気象観測の設備がない日本では、気象台を離れると、研究者・技術者としてやっていけなくなる。そのことを考えたことがあるのか聞いてきてほしいと言い、中尾は、そこまでは言わない方がいいととめる。

夏の人員整理の時、気が弱く、本台系統の正規の教育を受けていないひけ目と堀川への失恋の苦しみも重なり、宅間は、耐え切れずに退職を申し出て、寮の居住権が保証された六十日の間、退職金で毎晩仲間をさそって飲み歩いていた。ただ実家には首を切られて退職金も出ないと手紙を寄こしただけで戻ってきていない、と彼の兄が尋ねてきた。

堀川は、小日向課長に誓約書に書くべき内容を口頭で伝え、勤務時間外の行動は個人の自由だから説明する文章は提出しないと告げたが、その瞬間、職場に残ることはできないと自覚する。

その時、堀川の退庁を待っていた宅間が窓から顔をのぞかせ、いよいよ故郷へ帰る、君たちは元気で闘ってくれと言い、中尾と堀川たちはすぐ兄の宿屋へ電話をかけろと言うが、きかないで姿を消してしまう。

濠端から戻ってきた信子は、意見がまとまらなかった被解雇者たちが、結局、書く書かないは各自の自由意志にまかすことになった、と告げ、それを聞いた中尾と堀川は急いで宅間を探しに追いかけていく。

田代だけが残っている職場へ矢吹台長が姿を見せ、組合が出したアッピールがアメリカにも伝わり、困惑したと言い、文中の誇張はわれわれのやり方全体の中にあった行き過ぎの一つだと認める田代に、反対声明を書いて自分の冤罪をそそいでくれと頼む。その是正は台長自身が堂々と自己主張されたらいいと田代は従わない。さらに、徹夜勤務の組合員が日勤者と交代するとすぐ首切りの辞令が出され、その晩寮からも出ていけというのは乱暴すぎないか。台長に対する態度に乱暴があったことは認めるが、それはやり方の幼さで、だから管理者側が何をしてもいいということにはなるまいと述べ、矢吹は、台長である限り政府の命令通りに動くほかはない。未来の社会が来たらやはりその通りにする。しかしその時には絞首刑かもしれないと苦笑する。小さな技術官庁の責任者であるばかりに、そういう刑罰まで予想せざるを得ないような世の中を憎みたいとは思わないかと田代はなげいた。

それから数日後。海軍気象部分室がかつて疎開していた場所で宅間は自殺。兄からの連絡で知った中尾は、堀川とともに、元の職場の関係者に迷惑をかけるなという故人の遺志を尊重し、ひそかに棺を見送りに来る。

首切りの辞令を受けた堀川は、気象台周辺の職場の人たちを集め、コーラスを組織するという仕事の目鼻がつきかけたので、少し落ちついたと中尾に語る。中尾も整理の余波をうけて三島観測所へ移される。ただ堀川の新しい仕事を妨害するため、官側は消えた讃美歌コーラスのグループを復活させ、リーダーを田代信子に依頼するという情報も入る。

宅間の棺が去ったあと、田代が来て辞表を出したと告げ、この独断的な親友の行為を中尾はきびしく非難する。田代は、一緒にやってきた仲間がほとんど全部首を切られ、ぼくだけが生き残ることもしにくい、支部の責任者でもあったし……。宅間は、われわれの運動の進め方の間違いのため脱落し、運動全体を信頼できなかったから自殺してしまった。いますれ違った彼のひつぎに向って心の中であやまった。こういう気持を抱いて職場には残れないとしみじみ語った。また、堀川の問いに答えて、妻の信子はコーラス組織の話はことわったともつけ加えた。

田代は、気象台のようなところは、科学的に優秀な人間が自然と官側に組織されるようにできている。だから、われわれの仲間がもっと育って、台内での科学的な発言権を強くすることが一番大事だ。自分があたためていた研究テーマを中尾が引きついで、その成果をひっさげて三島観測所から帰って来てほしいと中尾をはげまし、中尾は全力を尽くしてみると受けとめた。

3

この戯曲が作者自身の演出で劇団民芸によって上演された時、久保は「レアリズムひとすじ」(『民芸の仲間9』一九五三・五、『久保栄全集7』)という一文を書き、「口でだけは言い古されたけれども、なかなか実践に移しにくいレアリズムの基本法則にしたがって、この戯曲を書いた」、「半生を、レアリズムひとすじに生きてきた自分は、今後とも、この道を倒れるまで歩きつづけたいと思うだけで、『日本の気象』も、その途上の一歩という以外に、作者として、別につけ加えたい言葉もない」と述べた。

また、「レアリズムは、そのいちばん高度な形では、対象を

『歴史的な具体性』において描くことと、『発展的な見透し』をもって描くことを、原則として」いるが、「『歴史的な具体性』において描くということは、……描写そのものが時代に徹しているということ、言い換えれば、二度とふたたび反復されない境遇と性格とを描くということ」だとし、「早い話が、『日本の気象』の中《なか》三幕は、気象台の非現業の部屋を舞台にとっておりますが、いまは二つの世界体系が、すさまじい勢いで争っている時代です。そういう時代のいぶきが、地下水が岩にしみ込むように、舞台の外壁をとおして、この職場にしみ通っているのでなければ、私の作は成功とは言えないわけです。観客の視野を限定する『環境劇』は、排除されなければなりません」とも補った。

同じ時期に発表の対話筆記『『日本の気象』についての対話」(初出時「稽古場にての対話」『芸術新潮』一九五三・六、『全集7』)の中では、いま少し具体的に「戦争の破壊力が、科学、この場合は気象学におよぼした作用と、それにたいする反作用といったようなものが、作の根本的なテーマ」と解説し、「気象台の組合運動を描かれたもののように思っていましたが」という相手(「演劇記者」)の予想・問いに応じ、「観念左翼の書くようなストライキ劇は、ぼくはまっぴらです。むしろ、その逆でね、組合運動にたいする基本方針の間ちがいが、職場に与えた実害というようなものも、節度を守りながら描いてゆきました。そういうことがらに触れることを何かタブーのように心得て、極力避けて通ろうとする態度が、一部の盲従的な左翼作家のあいだにあるようですが、リアリズムを追求するかぎり、そういう無反省なゆき方は許されませんからね」とも補っている。

作者に内在すると、あるいは作者の意識では、「日本の気象」の「根本的なテーマ」は、「戦争の破壊力が、科学、この場合は気象学におよぼした作用と、それにたいする反作用といったようなもの」であろう。ただ、いま少し作品そのものに内在してみると、主要な登場人物の一人、戦時下に海軍気象部の調査研究班員であった中尾敬吾は、敗戦による激動が進む中で、まず研究資料焼却という事態に直面し、一方では戦争と気象とは別だと思いながらも、気象学の成果が戦争に利用されていたという事実を改めてつきつけられ、戦争と気象学(科学)の問題を考えさせられる。さらに、「われわれの科学力ギリギリだった」「風船爆弾」と原子爆弾に凝集している、「物量の差」には決して還元できない日米両国の科学・技術のあり方の質的な違い、社会体制と科学・技術のかかわりという問題を意識する。そして、「もう中小都市の爆撃が始まってた」時、移動演劇隊に参加し地方都市へ行こうとする新劇俳優の恋人に「僕は、軍の名においてでも、ここで研究がつづけられる。が、芸術は、そうはいかない」と言い切った戦争末期の自分に対し、「よっぽど、どうかしてたんだなあ」と反省をする。

つまり、こういう現実的な動機につき動かされながら、戦争(社会)と気象学(科学・技術)とのかかわりへの根本的で主体的な反省を通し、まだ予測もつかない戦後という日本の新しい時代に自身の再出発の地点をどこに置き、どういう姿勢で立つか、模索を意識せざるを得ないところに中尾は立たされた。そして、この問題的な特徴は、この戯曲「日本の気象」ではひとり中尾に限られたことではなく、むしろそういう特徴的な問題を、次元・深浅の違いはあれ、共有する人びとによって「日本の気象」の世界は構成されていると言える。言い変えると、それぞれの戦時下のあり方に対する反省、「戦争責任」と言うことが許されるなら「戦争責任」、それと密接にかかわる戦後の再出発の課題とそれへの模索と追求、かりに「戦後責任」と総括することが許されるなら「戦後責任」が、あの「根本的なテーマ」をになう諸性格が真剣にかかえている問題であった。そういう諸性格を描くことを通してそういう問題を追求する作品で「日本の気象」はある、と受けとめるのが、作品に内在した自然な理解であろう。

その意味で、作者自身は言及してはいないが、「戦争責任」の問題をテーマの一部とした戦後の第一作「林檎園日記」(中央公論社一九四七・二)とこの作品とは連続している。もっとも『火山灰地』を、かりに音楽にたとえて、シンフォニイ形式とするなら、これは室内楽ふうである」(『林檎園日記』を書くまで」『劇場』一九四七・四、『全集7』)という久保自身の規定を借りると、「日本の気象」は「室内楽ふう」ではなく「シンフォニイ形式」の戯曲で、非連続の面は当然あるが……。

内外の支配層は、敗戦直後から天皇の「戦争責任」の問題を棚上げする方向で動いた。その結果、「戦争責任」の問題は、主として陸軍出身の政治的指導者への糾弾へと歪少化され、初めて合法的な活動を始めた日本共産党などの天皇個人の「戦争責任」の追求を含む「天皇制」打倒の主張は、未熟さもあり、まだ大多数の民衆の心をつかみ得なかった。そういう動きを大前提とし、下からの民主主義の戦いに参加した知識人層の中にある、いわゆる「転向」(=変節)以後の戦争協力を吟味する「戦争責任」の問題は、むしろ不問に付せられる状況にあった。

そういう状況の中で、戦時下に戦争協力の仕事に加わらなかった久保は、「林檎園日記」を発表し、戦中の激動期に、若い女性の労働を通しての自己発見・自己確立の過程に重ねて、その叔父の無名の作家が混迷・彷徨・苦悩の中から自己再建・自己確立の道を模索する姿を描くことで、知識人層の自立、「戦争責任」の問題をも提出した。ただ、この戯曲の初演(東京芸術劇場一九四七・三)をめぐっての久保自身の証言によると、「上演と同時に、悪意のある罵声が、一部から放たれたが、その誹謗者のほとんどすべては、戦時中のいかがわしい行動を、率直に大衆の前に自己批判することなく、にわかに文化運動の指導者を気どりはじめた人たちか、それへの盲従者であった」(「選集IV『林檎園日記』あとがき」一九五二・五、『全集7』)という。

にもかかわらず、久保は、この問題意識をあっさりと流しはせず、敗戦直後から朝鮮戦争が起こった後までの五年間の歴史の激動期に、「火山灰地」の自然科学系の研究者・雨宮聡に呼応する気象台の科学者・技術者たちが、「戦争責任」「戦後責任」の問題をどう意識しながら生きてきたかを正面切って取り上げ、久保ならではの戯曲「日本の気象」を提出した。つまり、戦後の激動期に生きる科学者・技術者の苦悩を通して、社会と科学・技術、生活・人生と専門の仕事・職業の切断・分離ではなく、統一を志向する人びとの問題を追求し、その切断・分離が支配的な今日、いっそうかえりみられるべき戯曲的遺産を残した。

ただ、そこには見逃せない問題点もはらまれている。こういうところだ。ふれたように、中尾は宅間に「何度も言うが、基礎をやれよ、基礎を」と戒め、田代信子は、「あんたも、気象屋になれそうもないから、組合屋で行こうっていう一人ね」とからかい、宅間は、「おっと、待ってくれ。その言葉は、そっくりあんたの旦那さんに返上するよ」、「わしなんか、始めっから気象屋になれるなんて思っとりゃせんですだ」と答え、田代自身「苦笑する」。

中尾とともに主要な登場人物の一人の田代義孝は、戦時下のありようを、「結局は大きなマイナスを働きながら、眼さきのちっぽけなプラスにすがりつこうとする気休めみたいなもんじゃなかったろうかなんて、反省もし」、「戦争中の実績」をもとにして頼まれた「民主的」な「通信業務の再建」の仕事をことわり、ひとまず「平々凡々なプロッタア（図面作成者）」でありたいと言っていた。しかし、結局、組合活動に力を注ぎ、東京支部の委員長になり、妻の信子から「あんたの歴史は、人に動かされることの連続だ」と批判されてしまうが、こういう「気象屋」か「組合屋」かという二者択一の論理が支配的な傾向になっていったところに、「気象台本台」の戦後の「民主化」の過程での問題が凝縮していたと言えよう。

その結果――単純化すれば――、こういう二者択一の傾向にあらがい、もがきながらも、それに巻きこまれ、宅間は自殺し、必ずしも「組合屋」の先頭に立って活動していたのではない堀川は、組合指導部の人びとの硬直した戦い方に疑いを持ってはいたが、結局、彼らと同じように職場から追い出される。組合の全国組織の玉砕的な方針には同調せず、ひとまず首は切られなかった田代は、堀川と同じように「誓約書」を書くことを求められ、辞表を提出する。そういう敗北を強いられたあと、左遷の配置転換命令は受けたが、気象台に残る中尾に対し、田代は、「僕は、われわれの仲間が、もっともっと育っていってね、台内での科学的な発言権をつよくすることが、いちばん大事なんじゃなかったか」、「官側の人に恥じない……むしろ恐れられるぐらいの水準に、こっちがなっていってね、……それこそ僕らを除いたら、気象台そのものの機能が阻害されるっていうようなことにならなくちゃね」と訴え、中尾も「同感だね。ねえ、堀川君」と受けとめ、堀川も「ええ」とうなずく。

「プロレタリア演劇運動」、「新協劇団」、そして戦中・戦後のけわしかった歩みの中で、作家また劇場人として作者・久保が抱かざるを得なかった痛切な思いが、この田代たちの感慨・認識に託されているのだろうと想像はする。ただ、この最終場面では、気象をめぐる研究・技術と組合活動に凝縮している社会的な活動との統一の論理が後景に退き、一時期の田代や宅間が巻き込まれていった「組合屋」への道の裏返しの単なる「気象屋」への道が前面におし出され、主要な登場人物たちが模索してきたあの課題への唯一の解答としておし出されていることだけは疑えない。

　だが、多くの実力のある科学者たちを、ユダヤ系の人間であるだけで、ナチスが追放したように、彼らを「除いたら、気象台そのものの機能が阻害される」ような科学者でも、権力者は権力政治・支配の規準からあっさり追放するだろう（常にそうするかどうかは別として）。作者が批判なしに描いている田代たちの「政治（権力）」への認識は、自分たちのそれまでのありようへの後悔に足をすくわれ、甘くなっている、とぼくは思うが、その点は保留してもいい。

　むろん、社会と科学・技術とのかかわりをどう考え、その問題を背負いながらどう生きるかといった課題に、一義的にきまり切った答えがあるとは思わない。思わないが、中尾・堀川も同意した田代の結論的な意見・感慨は、あやまちを犯してきた組合運動の敗北を経験したばかりの田代や中尾にとっては痛切なものに違いないとしても、戯曲全体の行為・筋（ハンドルンク）の帰結としては、振り出しに戻っていることになろう。これでは、たとえば、室生中佐との対立を通して戦争（政治・社会）と科学とのかかわりの問題を自覚させられ、「よっぽど、どうかしてたんだなあ、軍の名なんぞで、研究が続けられると思ったのは」と反省したところから、戦後の再出発の模索・追求が始まった中尾の問題意識は消えてしまったことになる。

4

「日本の気象」に限らず、総じて文芸作品である戯曲は、必ずしも問題の解決を与える必要はない。しかし、作者の力量で、出発点ではみごとに提出されていた問題が、ドラマの展開の結果、より発展したかたちで再提出されるのではなく、むしろ振り出し以前に戻るような劇的ハンドルンク、ドラマトゥルギーは問題ではなかろうか。力作・問題作の「日本の気象」が、「火山灰地」のような感銘を与え得なかった理由の一つは、そういうところにあると考えざるを得ない。

　そのほか、職場コーラスが歌う「唱歌まがいの木曽節」とか、「版のズレた錦絵みたいな」「今の若手」の歌舞伎とかへの批判等々、それ自体はもっともだが、戯曲に不可欠な集中を阻害し、拡散させるようなせりふ・場面に作者はとらわれすぎ、劇的な感動へのマイナス要因をかたちづくっている点も、指摘しておきたい。

（引用は『久保栄全集』によった）


〈参考文献〉

『久保栄全集』全十二巻　三一書房一九六一年一一月～六三年四月
渡辺マサ『『日本の気象』の詩と真実」季刊『文学評論4』一九五三年一〇月
祖父江昭二「久保栄小論」季刊『文学評論6、7』一九五四年五月、八月。のち祖父江『近代日本文学への探索』未来社一九九〇年五月

久保栄《くぼさかえ》（一九〇〇・一二・二八～一九五八・三・一五）

北海道札幌区（現札幌市）で父兵太郎《ひょうたろう》、母衣《きぬ》の次男として生まれた。祖父栄太郎が北海道炭砿鉄道の煉瓦製造所開設に招かれ一八九七（明30）年に渡道、札幌近郊の野幌《のっぽろ》に煉瓦工場を創設。この事業を補佐するため鉄道局に勤めていた兵太郎も職を辞し、翌年（一八九八）札幌に移住。栄が生まれた翌年（一九〇一）に栄太郎を組長とする久保組が組織された。なお、この久保組の歩みを素材に、日露戦争（一九〇四～五）後の日本資本主義の発展に応じた煉瓦製造の機械化にともなう経営者・技術者・労働者の交錯する動きを、日英の国際的な関係もからめて描いたのが、久保のロマン「のぼり窯・第一部」（『新潮』一九五一・六～一二、新潮社一九五二・二）である。

一九〇三（明36）年父の末弟熊蔵（慶祐）の養子となり、東京へ行き、一度、札幌へあずけられたが、一九一三（大2）年に東京府立一中入学。養父の事業の失敗で一五年実家へ復籍。この頃から俳句、短歌を『ホトトギス』、『水甕』へ投稿しはじめ、何年かつづける。山吹を好み、俳号・棣堂《ていどう》。「褒めやれば手鞠つきもてそむきけり」。一九一八年、一中卒業、第一高等学校理科入学。島崎藤村選「透谷賞金」に応募した短篇小説「三人の木樵《やまご》の話」が『中央文学』に掲載。一高二年の時、退学。一九二三年東大独文科選科へ入学。翌年本科へ編入。一九二六年独文科卒業（卒論「ゲオルク・カイザアの歴史劇」）。

在学中、小山内薫・土方与志らの築地小劇場にC・シュテルンハイム「ホオゼ」の翻訳を提出し、土方演出で上演（一九二六・三）。同年五月、築地小劇場文芸部に入り、小山内に師事、土方の文芸助手・演出助手もつとめ、主としてドイツ、オーストリアの演劇を研究し、機関誌『築地小劇場』等に演劇評論を寄稿し始める。この時期、H・ザックスのほか、G・カイザー、E・トラー、C・シュテルンハイム、Y・ゴル、H・ハイエルマンス、A・シュニッツラー、G・ハウプトマンら、主としてドイツ、オーストリアの自然主義・表現主義の戯曲を翻訳・公刊した。また一九二八（昭3）年三月、宮田金子と結婚。光（一九二九）、圭子（一九三〇）、章（一九三五）を儲けたが、三六年に離婚。

二八年十二月、小山内の逝去にともない、築地内部の対立から事実上の創立者・土方が引退に追い込まれ、その前後の経過に同意できない薄田研二ら六名の俳優が脱退を声明（二九・三。この声明書は薄田によれば、久保起草）。翌四月、土方を擁しての新築地劇団の創立に参画、「創立宣言書」を起草し、文芸部を受け持ったが、土方と意見が合わず、また小林多喜二「蟹工船」の脚色上演にまつわる紛議の責任を負って七月に退団。前月に伊藤熹朔ら十一名の同人が創刊した演劇映画雑誌『劇場街』に拠り、創刊号以来、編集・発行人としても活動。この雑誌には、劇評『全線』を観る」、論文「明治以後の演劇史と土方与志」等、翻訳を含めた評論のほかに、処女作・史劇「新説国姓爺合戦」（新築地劇団一九三〇・一）を発表し、同人の中では最も活動的な姿を見せた。しかし、他の同人たちとの間に確執が生まれ、三〇年一月号かぎりでこの雑誌から離れ、二月、左翼劇場上演作「怒濤」の作者・納富誠武、上海在住のジャーナリスト・林守仁（山上正義）らを編集グループとし、左翼的な演劇人の応援を得て、新たに雑誌『劇場文化』を創刊。四月、日本プロレタリア劇場同盟（プロット）機関誌部および東京・左翼劇場文芸部に加わり、劇場文化社の経営をプロット機関誌部に移し、プロット機関誌『プロレタリア演劇』（同年六創刊）の編集に当る。

同誌に主としてのドイツ等、資本主義諸国の「労働者演劇」の研究・紹介の評論を寄せる。三一年三月、戯曲「漁民」（『演劇』。大阪構成劇場等同上年六）を発表。自訳、F・ヴォルフ「青酸カリ」を西郷謙二と共同演出（新興劇協会）。この年から翌年（三二）にかけて、「生きた新聞」、合唱詩などの小形式の脚本、「ファッショ人形」（左翼劇場・新築地一九三一・一〇、『プロット』三二・一）、「五月近し！」（筆名・東建吉『プロット』三二・四）などを書くとともに、本格的な現代戯曲、「一九三一年夏の大洪水のあとを受けた湖南省の政治情勢と、李立三コースの清掃のための闘い」を、「思想の骸骨ばかりを躍らせる作品」、あるいは「それを裏返しにしたような、もう一つの偏向」（久保「選集Ｉ『中国湖南省』あとがき」一九四九・一二、『全集7』）に陥らぬよう注意して描いた「中国湖南省」（左翼劇場一九三二・八、『テアトロ』三五・四、五）を執筆。ここには作者の当時の日本の革命運動の極左的偏向に対する批判が託されていたと考えられる。また、戸川静子らとの合作「逆立つレール」等を単独で処女演出した（筆名・東、左翼劇場三二・一二）のを起点とし、大沢幹夫「機関庫」の演出（左翼劇場一九三三・一）、プロット常任中央委員、国際委員会責任者になる（三三・四）など、プロレタリア演劇運動の諸分野で重要な役割を果すようになった。

プロットひいてはプロレタリア文化運動・解放運動全般への弾圧の強化に対応し、久保は、プロットが属していた国際的な演劇組織・国際プロレタリア演劇同盟（ＩＡＴＢ）の国際革命演劇同盟（ＩＲＴＢ）への転換・再組織（一九三二・一二）を、のちにコミンテルン（共産主義インタナショナル）が第七回大会（一九三五）で「人民戦線戦術」と定式化した統一戦線的な転換と読みとり、新劇の統一活動を目指す活動を試みた。まず「築地（小劇場）第十年記念公演」に、史劇「五稜郭血書」（筆名・東、日本プロレタリア演劇同盟出版部一九三三・六）を寄せ、千田是也と共同演出。つづいて、築地小劇場改築記念公演を組織し、プロット時代には「ブルジョア演劇」という機械的な把握のために上演されることがなかったシェイクスピア「ハムレット」の演出（久米正雄）を助け、新演劇人協会創立準備公演として自訳、ハウプトマン「織匠」演出。シラー「群盗」の翻案「吉野の盗賊」を前進座に寄せ演出。また翌三四年一月から六月にかけて、やはり「ブルジョア演劇」などと否定的に評価されてきた日本の近代劇の遺産、菊池寛「父帰る」（新演劇人協会）、山本有三「同志の人々」（同上）、クライスト「こわれがめ」翻案「瓶と小町娘」（前進座）、ハイエルマンス「天佑丸」（新築地）、「五稜郭血書」（前進座）をそれぞれ演出。プロット解散に当り（三四・七・一五発表）、久板栄二郎と「同盟解散に関する決議」を起草。

「転向」(変節)を表明して出獄してきた村山知義の「新劇団大同団結の提唱」をめぐる会議に左翼劇場改称の中央劇場を代表して出席し、村山案に条件的に賛成し、結局、新協劇団の創設に参画。十月、前進座に籍を置く(演出班長)。十一月、新協の旗挙げ公演「夜明け前・第一部」(島崎藤村原作・村山知義脚色。この脚色には久保も深くかかわり、著作権を分有)をみごとに演出した。また翌年一月、評論「迷えるリアリズム」(『都新聞』一九三五・一・二〇〜二三)を発表し、ソ連で提起され始めた「唯物弁証法的創作方法」に替る「社会主義リアリズム」の理論の機械的な受容・導入に反対し、以後、「社会主義リアリズムと革命的(反資本主義)リアリズム」(『文芸評論』一九三五・五)、「リアリズムの一般的表象」(『都新聞』三五・一二・一三〜一六)で、中野重治・森山啓らを批判した。ソ連の現実政治の中では、この提起はスターリン支配の強化の役割を果たした面もあろう。しかし日本もそうだととらえることは間違っている。「唯物弁証法的創作方法」の否定・「リアリズム」の強調は、この国では、それまで支配的な、文学・芸術をひたすら硬化したマルクス主義的な政治的基準で評価する文学・芸術観の見直しを促した。ただ、この提起の受容の時期は、日本プロレタリア作家同盟(ナルプ)やプロットの解散、多くの作家たちの「転向」の時期と重なった。そのため、それまでの支配的なありようにに対する反撥から、作家内部の思想的な要素を軽視する傾向、他方では、それに対抗するあまり、提起の画期性をつかみとれない傾向が生まれた。久保が前出の第二論文に「社会主義リアリズム」の「中野・森山的歪曲に対して」と傍題したのは、この両面批判の立場を志向していたことを表明している。そこにこの論争における久保の位置の特徴があった。いま一点、久保は、社会主義リアリズムの提起を、国際的な芸術運動(解放運動)の人民戦線的な転換の一環として理解し、表現の自由が狭められている状況の中で、すでにふれたように日本の演劇運動をその方向へ向わせるべく試みた。そこに久保の主張の特長の一つがあったが、しかし、そう理解する人びとはほとんどいなかった。

このあと久保は戯曲「火山灰地・二部作」(既出)を発表し、演出も受け持ち、戦時体制が本格化していくきびしい状況の中で、ひたすら農民の生産力の向上を願う良心的な農業技術研究者の探索の姿を中心にした、農民・炭焼き等、多様な人間像の苦闘を描いて、この期の芸術的抵抗の最高の達成をよく実現し得た。またプロット時代には無視された、古典・近代古典等、演劇遺産の系統的・再批判的な上演を志向し、いずれも自訳のゲーテ「ファウスト・第一部」(新協一九三六・一、三九・一二)、ハイエルマンス「天佑丸」(新協三六・五)、シラー「群盗」(新協三六・一二)を演出した。また、この期の評論を集めた『新劇の書』(テアトロ社三九・七)は水準の高い論集で、小熊秀雄らの同人誌『槐《えんじゅ》』(三四・九)掲載の無署名広告欄で「一緒に発刊された村山の『演技論集』などとは桁の違ふ労作だ」と紹介された。このように、戦前の新劇の絶頂期をかたちづくる新協・新築地時代に、その文学・演劇上の第一人者の役割を果した。なおこの期に旧日本プロレタリア音楽同盟にいた作曲家吉田隆子と結婚している（三六・一二）。

しかし、一九四〇（昭15）年八月、他の新協・新築地の指導者・成員たちとともに一斉検挙。両劇団は、「自発的解散」を強いられた。翌四一年十二月保釈出所。上申書を書き、一審判決（四二・八）は治安維持法違反で懲役二年。控訴し、二審判決（四四・五）で執行猶予五年がついた。出所後は敗戦まで一切の公的な活動から遠ざかり、書斎で評伝「小山内薫」、戯曲「林檎園日記」、「ファウスト」改訳の執筆活動に着手。これらは、敗戦後に完成し、一九四七（昭22）年から翌年にかけて刊行された。

敗戦後、旧築地・左翼劇場・新協とともに歩いてきた俳優・瀧沢修、旧築地・新築地でいっしょであった俳優・薄田研二らと東京芸術劇場（東芸）を創設（一九四五・一二）。翌年、日本プロレタリア作家同盟出身の文学者たちが中軸になって結成した新日本文学会の常任中央委員会に選ばれるが、文学運動の課題をめぐって宮本百合子らと意見が対立し、その職を辞した。このあと、戦後の戯曲の第一作、北海道の林檎園主一家が、当主の経営のつまずきから崩壊していく中で、「日記」を書く当主の娘の自立と重ねて、彼女の叔父で、無名の作家が、戦時下、時流に流されようとしながらも、ふみとどまり自己再建しようとする姿を描いた「林檎園日記」（既出）を演出する（東芸一九四七・三）。ただ、戦後の「解放」の中で「火山灰地」的な作品

を期待した性急な人びとには不評で、日本共産党の線の妨害もあり、この直後に東芸は解体。翌四八年三月、小山内薫二十周年記念公演として「火山灰地・第一部」を演出（俳優座）。評論集『築地演劇論』（平凡社一九四八・四）、『世界の戯曲から』（真善美社同上年七）、改訳・シラー「群盗」（日本評論社同上年一〇）を刊行した。

このあと、精神病で苦しみながらも、七巻本の『久保栄選集』を刊行（中央公論社一九四九・一一〜五二・一〇）。また、ロマン「のぼり窯・第一部」を連載（既出）。「五稜郭血書」を演出（民芸一九五二・一二）、民芸の特別劇団員となった。翌五三年五月、五幕の大作「日本の気象」（『新潮』一九五三・六）の民芸上演で演出。暮に小説「のぼり窯」の素材調査のため旅行した北海道から病んで帰り、以後、入院・転地・自宅療養に明け暮れる。一九五六年三月、NHKの長時間ドラマの試みに応じ、新大衆劇「博徒ざむらい」（『文学界』一九五六・四）を演出。同じ月、妻・吉田隆子逝去。吉田の評論集『音楽の探求』（理論社一九五六・九）を刊行。翌五七年四月、プロット期の小形式脚本「謹賀新年」（左翼劇場一九三二・一。『演劇新聞』同上年一）等、六篇を、「再録する小形式脚本について」という一文を付して再録（『テアトロ』）、これが公表された最後の文業といえる。同年十一月、順天堂医院に入院。翌五八年三月十五日、病室でみずから生命を絶った。没後、『久保栄研究』全十一冊（一九五九・一一〜八八・一一）と全十二巻の『久保栄全集』（三一書房一九六一・一一〜六三・四）とが刊行された。

川口松太郎「遊女夕霧」

初出『昭和大衆劇集』演劇出版社　一九七五（昭和50）年
初演　劇団新派　一九五四（昭和29）年四月　明治座

神山　彰

1

川口松太郎は直木三十五賞の第一回受賞者として記憶されるように、幾つかのベストセラーを書いた小説家であり、その多くは劇化、映画化され、流行歌のテーマにまでなっている。しかも、彼は少年期から晩年まで劇作を続け、功なり名を遂げ、富にまで恵まれた人でもあり、その意味で同世代では大仏次郎とよく似ている。ただし、典型的なエリートだった大仏とは、全く異質というより正反対の境遇、資質であった川口は、その点では長谷川伸の方に近いかも知れない。だが、彼らの誰とも、戦後の「商業演劇」の世界の「天皇」と呼ばれた多作家の北條秀司や菊田一夫とも異なるのは、川口がその自作の脚本の殆どを、生前は、活字にせず、出版しようともしなかったことである。それは一つは、川口が新聞の連載を抱えたベストセラー作家であり、大映の重役等々の収入があったからである。だが、彼は意識的に、自分の多くの脚本を、わけても人口に膾炙した著名作を、公にしなかった。彼は、自分の脚本は、上演あってのものと規定しており、一種の消耗品と考えていた。その意味では、彼は明らかに、江戸から明治前期の狂言作者の正統的後継者であった。それは、戯曲の自立性を自明の前提とする「近代的演劇観」からすれば、「劇作家意識の欠如」と批判されるだろう。だが、重要なのは、それにも拘らず、というよりそうであるが故に、川口の劇作は、ある時代の大衆の心性を実によく捕えていたことである。

戦前から川口の芝居作りの評価は高く、逆に脚本そのものは問題体系に浮上しない。

「脚本は例によってけなされている。というよりも、脚本よりも役者の芸が上回っていると評された。川口脚本の「定評」で、どんなに流行作家になろうと、川口が生前に一冊の脚本集も出さなかったのは、自作が一回限り、役者に当てて書いたもので、「文学」ではないと自認していたことによる。その意味では、脚本が甘いとか出たらめだとか、役者の芸の方が上だとかいわれても、役者を生かすことが第一だという信念を川口は終生変えなかった」(大笹吉雄『花顔の人』講談社・一九九一)

そして、それらの特性は、題材としては、彼の得意とし、大正から昭和前期の小説、映画、演劇、浪曲、歌謡曲等の大衆芸術の水源であった、「芸道物」「花柳物」「母もの」というジャンルに生かされた。彼は新派に縁薄き「股旅物」ほとんどは手がけなかったが、その主人公の放浪と異郷意識を効果的に用いる劇作法は「芸道物」に活用されている。

しかも川口の人生そのものが、忍耐の後に訪れる栄光という「芸道物」であり、親から授かった身体と意気地ひとつで乗り切っていく「花柳物」であり、永遠に巡り合えぬ理想の母親像を求める「母もの」の世界だった。金も学歴も人脈もない、浅草今戸の左官の小倅となった私生児が、小僧奉公や苦難の末に、筆一本で築き上げた、成功と名誉と財産——これほど「大衆受け」する泣かせる題材があるだろうか。だが、川口の強みはそれを題材としてでなく、半生をかけて生きた事にあったのだ。こういう発想そのものが、一度としてその実際の舞台に接したことのない人々の抱く、一般に「新派的」として流通している負的イメージを補完するものだろう。だが、これは別に「日本的」「新派的」と連想されるジャンル特有でない、国内外問わず、一般的な娯楽作品に通底する特徴である。

「一般大衆は、抑圧された美徳が必ず勝利をおさめるという出しものに熱をあげていた。この現象は十九世紀いっぱいつづくことになる。メロドラマは(略)秩序を与え、美徳と家族への信頼を打ちだし、所有権と伝統的な価値観に敬意を払い、その結果として、簡潔明快な現実のしきたりにあう、型にはまったひとつの美学を創りあげようとしていたのだ。」(ジャン＝マリ・トマソー　中條忍訳『メロドラマ』晶文社・一九九一)

この言は、「新派」というジャンルにもあてはまる。だが、注目すべきなのは、「新派」が一方で当時の文脈での「社会性」や新規な趣向や好奇に訴える題材を扱いつつ、その底に因果や勧善懲悪という、旧弊な感覚や劇作法を残したからこそ、そこに如何に多くの観客が共鳴したかという点である。或いは逆に、「新しさ」を求める時代に、如何に「古い」心性を活用することにより、人々の記憶を想起させたかに想到する事である。新派の歴史には、題材の大衆性と不似合いなほど、実に多くの分野のインテリや芸術家が関っていた。それは、現在では「リアリズム」の対極にさえ思える新派が、ある時期までは、日本の演劇のリアリズムを考える上で、切り離し難い意味をもっていたからでもあった。「新派」の感覚は、現在の視点からというより、元来、当時にあっても「浅墓」な性質のものである。以後の時代々々の「新劇」も、「伝統」「古典」という武器を得た「旧劇」も「浅墓」を忌避した地点にその立脚点や価値を見ようとしてきた。だが、表現上の「浅墓」から遠ざかるほど、多くの観客の日々の愛憎や執着の底にある「浅墓さ」からも遠ざかる。新派は大正期には早くも衰退し、「新劇」という前衛が主役を占めるような錯覚にとらわれるが、当時のメディアを見れば実感されるように、新派の興行的人気は続いており、映画という新興の隣接ジャンルとの関連を視野にいれ、「新劇」という枠を外せば、新派の俳優や作品、題材、手法の占める位置は、昭和期に至っても非常に大きかったといえる。

以上のような文脈で見ると、川口松太郎は、旧弊な感覚や生来の大衆的な浅墓な心情を保持する一方、昭和初期の出版ブームや映画産業との関係も深かったという点で、正に「新派」という演劇の明治・大正期の命運の一面を、昭和という時代に反復し、体現してしまった存在であると思われる。

役者のための脚本として、また「劇的状況の設定、みごとな舞台構成、役者の技量などに負うところがきわめて多い」(トマソー・前掲書)「メロドラマ」の一例として、川口の戦後の代表作『遊女夕霧』を見ていきたい。

2

第一場は大正十年(一九二一)頃の酉の市の夜。吉原の遊女夕霧の部屋である。積み夜具の祝いの支度の前に席を設けて、夕霧と呉服屋の番頭・与之助を中心に大勢の祝宴が賑やかにはられる。やがて二人になると、苦悩の色を浮かべ、暫く無沙汰をするから会えないという与之助を不審に思った夕霧が問い詰めると、与之助はこのために店の金を使い込んだことを告白する。

第二場は、その数ヵ月後の冬。深川西森下の悟道軒円玉の家。円玉は人情噺で売った芸人だったが、体調を崩して高座から離れ、今は講談の口述速記をして生計を立てており、この日も講釈師の桃川如燕の「美代吉殺し」の速記をしていた。最早夕刻、如燕が席を立つのと入れ違いに、円玉の妻・お峰の案内で、素人姿の夕霧が訪れてきた。夕霧の用事は、着服の罪に問われた与之助の救済の依頼だった。与之助は一七人の得意先から受け取った反物の前金を、積み夜具の費用に流用してしまったのだ。罪の原因は自分にもあると感じた夕霧が、検事に泣いてすがると、検事は被害者の一七人全員に借用証文を渡した上、金を貸したという証明書を受け取ってくれれば、起訴猶予にしてやろうというのだった。夕霧はその事情を話すと、円玉は贔屓にしてやっていた与之助だけに、騙したのが許せないといい、そんな甘口に乗れないと突っぱねた。繰り返し頭をさげても応じない円玉に、人情噺で名を成した円玉も人情がわからないと席を立つ夕霧を止めたのがお峰だった。お峰のとりなしで、円玉も納得して証書を書くと、互いのわだかまりも解け、夕霧の真情を聞こうとした。与之助が出てきたら、晴れて夫婦になればいいという円玉に対し、夕霧は、出世をしていく与之助に自分のような人間が女房になっては肩身が狭かろうといって、別れる意志を告白する。夫婦にならずとも、生きている限りは力になれるし、会える日もあるという夕霧の言葉に、円玉夫婦は思わずもらい泣きをするよりなかった。

3

『遊女夕霧』は、戦後発表された『人情馬鹿物語』という些か情ないタイトルの小説群のなかから同名作品を劇化したものである。後に花柳章太郎が自選した「花柳十種」に加えられた人気作品であるが、川口松太郎の戦後の脚本として繰り返し上演され、またある程度の声価を得たのは、本作と『皇女和の宮』の二本くらいであり、川口の本領が発揮され、傑作として知名度の高いものは、『鶴八鶴次郎』『風流深川唄』『明治一代女』等々何れも戦前の作品である。この事自体が、そしておよそ「今日的視点」からは共感を得にくい作品といえる『遊女夕霧』の先に述べたような設定自体が、川口の世界や感受性の性質を物語っている。つまり、その世界は、戦後の価値基準や心性からすれば、貶価されるものであるからであるが、それ以上に興味深いのは、にも拘らず戦後一貫して、その世界は「商業演劇」の世界や観客には共感を与え続けたことである。この事は、戦後の新派の流れを考える上で興味深い。川口は『遊女夕霧』初演時にこう書いている。

> 遊女夕霧は私の愚かな郷愁だ。私ばかりでなく、演出者の久保田（万太郎）先生、花柳（章太郎）大矢（市次郎）伊志井（寛）達にも共通のノスタルジヤーだ。私達は戦争でなくなった東京の風物を思い出しては懐しむが、吉原はその典型的な場所だ……会えば昔を懐しむ老妓もいたし、（桜川）忠七以下の幇間も昔ながらのお座敷芸に、古い夢を誘ってくれ……久保田先生は……今でもときどき足を向けるそうだが、それもはかない残香の中から過ぎ去った昔の色をさぐり出そうとしているように見える。……ある意味では我れ我れはもう過ぎ去った昔を懐かしむ老人になつたのかも知れない……観客が遊女夕霧の一幕に、私達と同じ酔い方をしてくれればこれにすぎた喜びはない（「明治座筋書」一九五四・四・カッコ内引用者）

幸か不幸か、当時の観客は「同じ酔い方を」した。以後も再演を重ねるたびに、花柳没後初代八重子になっても舞台は好評だった。そこに戦後の新派の幸運も陥穽もあった。つまり、戦後もこういう「愚かな郷愁」に共感を与え続ける川口や北條秀司のような才能に恵まれたことが、逆に新派を戦後の価値観から遠ざけることになったからである。

戦後、わけても新時代のメディアとして映画に取って代わったテレビにおいて、著しく人気を維持したのが「ホームドラマ」というジャンルであった。そして、それに呼応して新派にも中野実の『明日の幸福』シリーズのような作品が生まれ、伊志井寛・京塚昌子のコンビのようにテレビのホームドラマの主役を演じる役者も存在した。だが、かほどに多才だった川口にもホームドラマだけは書けなかった。足取り軽く幅広い階段を駆け下りてくる父親、背丈に余る冷蔵庫のあるキッチンでそれに応じる母親、にこやかに談笑する息子と娘。そんな芝居を書く川口を想像できるだろうか。不思議な事に、戦後ある時期までの成功者・川口のマスコミに喧伝された実生活は、それに近かったように見える。にも拘らず、彼は「家庭の幸せ」を語る語彙を持たず、その詠嘆調の月並な叙景や心情を語る台詞は、悔恨や悲哀に適していた。「速記講談」に水源を辿れる、その文体というより、闊達自在な語り口は、およそ「爽やかな笑顔」と「明るい歌声」の交叉する新時代にそぐわなかったのである。それどころか彼は多才に見えるものの、戦前から「文化住宅」で紅茶を喫しながら外国雑誌を読む人物も描けなかったのだ。彼が好んで描いたのは、彼の人生の周囲に居た、口数少なくよく働く職人であり、無意味な饒舌で生涯を送って間然するところない芸人であり、狭斜の巷に潜み、たむろし、屈託のある横顔をみせるしがない男女の生態だった。彼らの用いる、乏しいが含蓄ある語彙、「みんな根はいい人」といった単純な心情――これが、戦前・戦後を通じてのある時期までは、「愚かな郷愁」「過ぎ去った昔を懐かしむ老人」に訴えかける事甚だ強い、川口の典型的世界だった。

「今日的視点」から見ればこれは甚だ「男性原理」に基ずいた「ノスタルジヤ」であり、理想化された遊女像に過ぎない。もっとも吉原近くに育った川口は、実際の苦界としての遊廓の悲惨を知っており、本作の原作の小説についても「私の『人情馬鹿物語』は、自己犠牲の美談集だ。俺たちはこんなに美しいぞと、自惚れて売り歩くうすっぺらな自己陶酔だ」（川口「人情非人情」『続人情馬鹿物語』）と自覚していた。

4

そしてその劇化である本作も、脚本として読めば、およそ他愛のないやりとりと浅墓な心情の吐露としか思えないのは、川口の戦前の傑作群でも同じである。

だが、それを補って余りあるのは、大正期に人気を博した「速記講談」調の「語り口」の見事さであり、本作にその姿を見せる悟道軒円玉から学んだ舌耕芸の魅力は多くの人が語るところである。

希代のストーリーテラーたる千変万化の語り口が、講釈師出身の速記者・大衆読物作家悟道軒円玉の書生時代に習得したもの（略）川口松太郎氏はまた、文字による語り芸の名人だったともいえるのだが（榎本滋民「華麗な名人の孤独」『追善七回忌川口松太郎戯曲選』別冊・川口一族・一九九一）

『文字を借りて読者に話しかけているのが私の作品だ』（略）話術の大家なのである。もちろん日本の話芸伝統にもつながっているようだ。たとえば川口さんは速記講談の悟道軒円玉に師事し、その家に住みこみ、口述筆記の手伝いをしていた数年がある。円玉からの影響もあったろうし、天成の話芸の素質もあったろうが（小松伸六「解説」『昭和国民文学全集』八「川口松太郎集」筑摩書房・一九七四）

これらの指摘は、どの箇所にも見られるのだが、本作で言えば、とりわけ、第二場の円玉夫婦と如燕の日常的なやりとりの巧みさ、夕霧の願いを聞いた後の円玉の啖呵の歯切れのよさに感じ取れる。また、夕霧と円玉の最後のやりとりには、人情噺で名をなしたという実際の円玉の面影を偲ばせるものがあるといえよう。

また、川口特有の、なにげない台詞の運びの効果について榎本滋民はこう書いている。

> 川口戯曲の流れのよさは無類で、「それにしても」とか「そうはいうけど」とか「そんなことをいったって」とかのいい返しを挟むと、進むはずのないところがどんどん進む。層序でなく進展、構造でなく並列で、俯瞰図よりは絵巻だから、少し神経質な読者が矛盾に気づいても、そのころはもう先へ話が行っている……舞台の演出で暗い照明を見物が疲れるからときらい…（榎本滋民「解説」『人情馬鹿物語』講談社文庫・一九八一）

だが、それが単に物語を進展させていくだけでなく、人物の出や引込みを導く役割も果している事にも、注目すべきであろう。特に第一場のように、多くの登場人物が出入りする場合には、筋の運びから離れた、ごく日常的な言葉が、出や引込みのキッカケになっているのは、歌舞伎の世話物によく見られる手法であるが、川口もまた多用している。

> 花柳の夕霧がすばらしい出来。ことに第三場がいい。こしらえなりことばなりことに階段口でのことばを円玉の室へ入つてくりかえす調子のかえ方なり、近来出色のものだ。……近くの寄席の下座をあしらつた演出もツボにはまり新派独自の「詩意」が濃くただよつている。……「遊女夕霧」こそまさにこの「新派詩意」である。（青江舜二郎「新派詩意」『演劇界』一九五四・五）

ここに指摘されているのは、第二場での夕霧が初めて円玉を訪ねる場面での「階段上り口の次の部屋に坐り」挨拶する件りである。

> 夕霧　初めてお目にかかります。私は佐藤と申しまして、ご迷惑をおかけしました木村芳次郎の縁続きでございます
> 円玉　え、話が見えねえよ、こっちへ入んねえ。
> 夕霧　御免下さい。（身なりと髪を直してから八畳の下に坐り、もう一度前の台詞を繰り返す）

活字ではこれだけにしかすぎず、意味の上からは反復の必要ない台詞が、初演の夕霧を演じた花柳章太郎の調子の変化による効果を計算して繰り返されるのである。座付作者の正統として、川口の台詞には、役者の声が既に内蔵されていた。円玉の述懐、夕霧の告白という長台詞には、或いはお峯や伊之助のほんの一言のつぶやきにも、川口の耳には常に馴染んだ役者の声が響いていた。それは活字で繰返し読んでも聞えてこない性質の声であるが、その微妙な響きの差異を聞き取ることのできる耳を持つ観客はいたのである。

そういう意味で、川口の演劇にとって、脚本は最初に存在して、それを読解して作り上げて行くものでなく、役者やスタッフと作り上げた後にできる性質のものだった。つまり、脚本が最初に在るのでなく、最後に来るものなのだ。川口自身、本作でも如何に役者やスタッフの意見を取入れているかを屈託なく語っているが、特に花柳の意見をいれて、夕霧を新潟の女性にした事は、単に遊女にどの地方の出身者が多いという事実というより、「故郷」という意識をその背景に置く事で、狭斜の世界の物語に奥行と広がりを感じさせ、また観客に共鳴させる効果が大きかったのである。

5

川口の劇作法は、舞台の現場に即している。つまり活字で読めば無駄な時間も、現場の時間では必要なのだ。第二場、幕開きの如燕の講釈の稽古やお峯との日常会話。これは戯曲の展開からすれば不用であり、意図も不明である。だが、この時間は、遊女姿の夕霧が素人に扮装《なり》を変えるには必要な時間であり、それを如何にダレさせずに、観客の興味を繋いで持たせるかが、作者も役者も腕の見せどころであった。

それに加えて、川口の芝居の魅力は、活字からは一行のト書きにすぎない部分を、膨らませる、物売りの声や音楽や明りの巧みな用法もあった。第一場の幕切れに遊廓の若い者の叩く火の用心の木の音、それが徐々に遠ざかって行く短いが奥行のある時間。第二場で、円玉が速記の校正をする間に聞える「浅蜊売り」の声を聞かせることで、一見、現実的に運んでいる劇中の時間を、観客に不自然に感じさせずに巧みに早回しにしてしまう劇作法。階下に降りて行くお峯が何気なく電気をつけていくことにより、円玉と夕霧の間のわだかまりがほぐれていくのを観客に直感させる巧妙な視覚的効果。幕切れに、終るとも終らないともはっきりしないやりとりを、「寄席より聞こえるお囃子の音」を被せることで収束させる結末。

これらは、本作に限らず、師の一人だった久保田万太郎から学んだ、川口の代表作に通じる職人的名人芸だった。そんなものは十九世紀的な劇作法の常套的手法にすぎないと、断罪する事はいとも易しい。だが、川口の狭い世界に描かれた、些細なことに一喜一憂し、「今日的視点」から見て単純すぎる結末に自足して生きている人物像や、そこに一時の果敢ない心情を託して涙した観客を、断罪することはできない。筋の通った立派な人物像、理解力も生命力もある観客たち――そんな場所には縁遠い人生を、川口は描き、生きてきた。戯曲の題材や結末に惑わされてはならない。なぜなら、そんな安直極まりない川口の戯曲を映像化した作品が、何故今日でも世界各地で評価され、論じられるのだろうか。その映画に接した誰も、その芸道物の題材の愚かさや安価な人物像を難じたりしない。題材や人物像から距離を置いて、耳から聞こえてくるもの、目に直接訴えてくるものに想到する時、川口のメロドラマは、例えその明度は低くとも、別の光彩を放つのである。

〈参考文献〉

川口松太郎『忘れ得ぬ人、忘れ得ぬこと』講談社　一九八三年
榎本滋民「華麗な名人の孤独」『追善七回忌・川口松太郎戯曲選』川口一族　一九九一年
大笹吉雄『花顔の人』講談社　一九九一年
セシル・サカイ　朝比奈弘治訳『日本の大衆文学』平凡社　一九九七年
浜田雄介「大衆文学の近代」『岩波講座・日本文学史　十三』岩波書店　一九九六年

川口《かわぐち》松《まつ》太《た》郎《ろう》（一八九九・十・一〜一九八五・六・九）

東京浅草今戸の左官職人の養子となる。実父母は不明。今戸小学校卒業後、質屋の小僧奉公や古本の露天商の後、象潟警察署の給仕、江戸橋の中央電信局等に勤務。大正四年（一九一五）

頃より久保田万太郎に師事、同五年、十七歳で「流罪人藤助」を『講談雑誌』に発表。以後、こま絵小説を続々と書く。同八年、深川西森下の講釈師・悟道軒円玉の許に住込み、口述筆記を行う一方、円玉より漢詩や江戸文芸を学び、数人の文士を知る。同十二年、戯曲「足袋」を小山内薫主宰の第一次『劇と評論』に発表。関東大震災後、大阪に移り「プラトン社」で雑誌『苦楽』の編集を直木三十五と行う。花柳章太郎を知る。帝劇の懸賞脚本に応募の「出獄」が当選。同十五年に東京に戻り、翌年、昭和二年（一九二七）に戯曲「秋のスケッチ」を『三田文学』に発表。この頃より小説、戯曲、随筆等を書き続ける。同十年、『鶴八鶴次郎』『風流深川唄』で第一回直木三十五賞を受賞。同十三年『愛染かつら』が映画化され、以後、舞台、小説のほか、溝口健二監督の映画の脚本も書く。同十五年、新生新派の主事となる。戦後は昭和二二年（一九四七）大映の製作担当専務となり、同二六年には大映京都撮影所長となる。数々の著名な小説のベストセラー作品を書き、『雨月物語』等映画の名作の脚本と製作を手掛け、更に、新派を中心に、歌舞伎や東宝の演劇にも数多い戯曲を提供し、演出も行った。戯曲の代表作は、自作の小説を劇化した『鶴八鶴次郎』『風流深川唄』『明治一代女』『浪花女』『遊女夕霧』『皇女和の宮』等である。晩年には劇団雲に『業平』、『椰子の葉の散る庭』を書いた。

中野実
「明日の幸福」（三幕）

初出　『明日の幸福』東方社　一九五五（昭30）年四月
初演　新派公演　一九五四（昭29）年一〇月　明治座

神永光規

1　作家の資質と情緒的動機

「明日の幸福」は、一年後の作で戦後有数の新派二番目狂言となった「褌医者」とならぶ名作・名舞台である。つかみどころを心得た観客本位の質が高いこれら娯楽作品は、作者自らが演出するという力量によるところも大きかったといえる。若い修行時代にスターク・ヤングの「演伎論」（『舞台』一九三〇年四～八月号）を訳し、C. B. PURDON の「演出家に就いて」（『舞台』一九三一年一～五月号）を訳述して実演舞台への研究と実践修行をかさねたことが後の作家としての資質をふくらませたといえる。

戦前中野実が作家としての資質を決定した戯曲に「木曽義仲」がある。茅ヶ崎の海岸で病気と闘っていた時に構想した作品で、野蛮人を自ら任ずる義仲は、ことごとく物質至上の文明を破壊しようと試みる。理想実現に燃えるが、自分もその文明の毒牙におかされ頼朝に滅ぼされてしまう。「文明の木の実を食いながら、猶、野蛮人の高きを誇るものは誰だ。」（兼信の台詞）という反問は、劇界の荒夷たらんと燃えたった作家自身の雄叫びである。この反骨精神は戦後「褌医者」に凝結し昇華された。「木曽義仲」の二世市川左団次や、この「褌医者」を演じた二世市川猿之助の芸風を研究しつくして、更に舞台技巧を駆使した、商業演劇の優れた台本の一つといわれている。慶斉に仮託した作者の、権力に対する反抗精神を描いた代表作となった。立身栄達に無関心で貧乏人相手の医療にこだわる一徹さ、医は仁術を地でいく慶斉は、作者自らの生き方や言動に近い。近年二〇〇〇（平12）年八月、文学座公演（「峠の雲」に改題）で主人公を北村和夫が演じた。

この作家のもう一つの資質につながるのがユーモアを多分に含んだ軽妙な喜劇である。「パパの青春」（一九三三）や「坊ちゃん重役」（一九三七）などの都会的で明るい軽妙なユーモア小説の系譜は、戦後も「乾杯！若旦那」（一九四九～五〇）や「ジャンケン娘」（一九五四～五五）などの小説に引き継がれている。閉鎖的で因習にしばられる旧世代に対する風刺をからめた一連のユーモア小説群は、作者が提示する劇性の所在や執筆の情緒的動機を知る上で重要であろう。小説と戯曲の文体や仕組みの違いこそあれ、溌剌とした新鮮な感覚をもった人間に限りない愛着をもっている。中野実の創造の核心は、〈フモール〉と〈ユマニティ〉の謳歌にあるのではないか。

ここで取り上げる「明日の幸福」はまさに、こうした劇性の所在を模索してきた作者の精華である。普遍的人間愛と軽味《かろみ》の笑いを舞台に提供してきた。しかし彼は思想や観念のうすい作家、作劇上手な単なる娯楽作家とみなされてきた。近代劇の主流が新劇と思われていた時代、自己改造や社会変革をもくろむドラマは上質とみなされてきた。時代が現代に至り個人を呪縛する社会の問題が複雑化すると、人間の深部に内在する矛盾や不可解さがクローズアップする。いわば人間の普遍的なヒューマニティーや、真理の部分が共有され覚醒される。中野実という作家は軽やかな味わいの笑いの中に、そうした本来人間がもっている智恵をひきだす癒しの資質と特質をもっている。今日はたして彼を、思想がうすい作家とみてしまうことは誤りではないか。

「僕は医者だ。くりかえしていうように町医者にすぎない。大学の研究室にとじ籠って研究する所謂学者ではない。患者が病気ですと言ってくれば、僕は医者の立場として、診察し、投薬しなければならない。これが町医者の義務でもある。」といい、「劇壇は今病気に罹っている。」(『舞台』一九三二年三月号「劇壇臨床学」より)と捉えた彼の努力は戦後「明日の幸福」などに結実し、今日再評価される時代を迎えた。

「楽しみながら、遊びながら書けるもんでなくては、いいものは書けないと思う。だから、僕は、今年からなるべく読物の方の力はセーブして、楽しみながら書ける芝居を書きたい。いい芝居を書きたい。」(雑誌『新国劇』一九三六年一月号)に、作者の初一念と基本姿勢がうかがえよう。

2　劇構成と作意の主点

「明日の幸福」は三幕構成からなり、それぞれに二場ずつ家庭裁判所調停室の場と松崎家とがユニットになって計六景のあつらえとなっている。九月下旬から始まり、それぞれの場で一ヶ月が経過する。主舞台は経済同友会理事長の松崎寿一郎を家長とする宏壮な邸宅である。それぞれの幕の頭にそえられた家庭裁判所調停室の場は、劇の主筋を暗示するいわば前振り芝居になっている。

そこでは三世代にわたる夫婦の絆が重層的に描かれている。家と名誉を守りぬいてきた依怙地な祖父寿一郎に従順を強いられてきた祖母淑子は、五十年近く服従の生活を送ってきた。その子で家庭裁判所長の父寿敏は他人の離婚調停など熱心に打ち込んでいる一見して温厚な人間だが、家の中では平凡でことなかれ主義の男である。その妻恵子はかつて女学校時分は家庭婦人の解放を叫ぶ先鋭な女性であったが、この家の嫁になってからそうした気概を奪われてしまった。世間の常で、舅に気兼ねをし姑との軋轢に身をやつす生活を今では送っている。折しも祖父に厚生大臣任命の噂が伝わってくる。祖父が国宝級だといい家宝にしている馬形のハニワが貢物としてクローズアップされる。右往左往の混乱を描いて主筋のドラマは進行する。噂は沙汰止みになって一同が落胆している中、恵子はハニワの足が壊れているのに気づき自らの責任と蒼ざめる。そこへ寿一郎の孫の寿雄と新妻の富美子が新婚旅行から戻って三世代の夫婦がそろう。

以上が〈第一幕〉のあらましであるが、劇の冒頭（〈第一幕第一景〉）に家庭裁判所での離婚調停の場が添えられている。離婚申立人内山信吾の妻愛子は訴える。

愛子「—略—女ってものは、一度誤ちを犯したら、永久に救われないものなんでしょうか。たった一度のあやまち、それも内山の言葉を信じて告白した事実が、離婚の理由になるのでしょうか。」

これは、ハニワが壊れている事実（自分が壊したと思い込んでいるのだが）の本心を明かすことが出来ない、松崎家の女たちの心の中の叫び（内言）ともとれる問いただしに似ている。

恵子「—略—あたしがここへお嫁に来てから、あのハニワには悩まされつづけなんですもの。—略—こわしたら承知しないって、まるで番町皿屋敷の皿みたいなんですもの。」

の台詞は、善人面をしているがその実は即物的で虚栄のかたまりのようなこの家の主の象徴が、ハニワであることを暗示している。

第二幕以降で、効果的で示唆にとんだ台詞の一部を次に抽出しておく。

〈第二幕第一景〉

内山「家じゃ僕の阿母が絶対なんです、」「—略—しかし、僕は、おふくろに相談しないと、自分一人ではきめられません。たとえ、僕が、どんなに、愛子と別れたくなくても……。」

これは嫁姑の間にはさまれ自己判断を下せないでいる夫（内山信吾）の優柔不断ぶりを描いて、更に松崎家の男たちの不甲斐なさに通じる。特に大臣病にとりつかれた寿一郎の深層心理をついている。

〈第二幕第二景〉

寿一郎「—略—お前にしまりがないから、女中まで精神が弛緩してしまうんだ。」

といって妻へ当たり散らす様は、滑稽でさえある。また仏壇の先祖に手を合わせている姿は、彼が内山と同根のカルマを繰り返している象徴でもある。

政江「――略――あなたはあたしたちのクラスの中でも、一番の先進分子で、良妻賢母の教育に反対して、校長先生を吊しあげにしたのは、あなただったじゃありませんか。」

と恵子にいう。政江は恵子の学友であり、松崎家の嫁富美子の実母でもある。良妻賢母の仮面をかぶって青春をすりへらして生きてきた恵子のジレンマが示される。

富美子「――略――わがままと本当の個人主義とは違うことぐらい判っていますよ。」

や、

寿雄「いいじゃあないか。お祖母ちゃんが一緒にこの家に居てくれというから、その代りに、僕たちの生活に干渉しないという約束でいるんだもの。お祖母ちゃん、いいでしょう。」

などは、新世代のある価値観のなにげない提示である。

中野実「明日の幸福」

淑子「使わなきゃあ損みたいにして……。あたしは旦那さまには使われきってしまいますよ。」

の祖母が思わずこぼした台詞は、嫁の恵子と対立はするが、二人は同病同根であることを如実に示している。

次に苦悩する恵子と夫寿敏との間に、狂おしくも滑稽な会話が交わされる。

寿敏「どうしたんだ、恵子。」
恵子「あ……(口の中で)お帰りなさい。」
寿敏「どうしたんだ。」
恵子「あたし、大きな声で、怒鳴りたいわ。」
寿敏「隣の空地がいいだろう。」
恵子「この家の中でよ。」
寿敏「それは趣味がよくない。」
恵子「趣味の問題じゃありませんわ。生活の問題よ。」
寿敏「むつかしい話はやめてください。こっちは役所の仕事で、頭が痛いんだから。」
恵子「痛いくらいならまだいいですわ。あたしは狂いそうだわ。」

平穏無事のことなかれ主義を決め込んでいる夫との間に交わされる軽妙な会話は、夫婦間のディスコミュニケーションを象徴している。

恵子「かも知れないわ。ただなんにもないみたいな顔をしているだけですものね。良妻賢母……。あたしは、とうとう、そんな顔をして、自分の青春をすりへらしてしまったんだわ。」

この場景において、家庭婦人の精神的苦痛が凝縮される。更に夫婦のすれ違いの会話は続く。

恵子「あなたと話していると、こっちが被告みたいな気がしてしまいますから。」

寿敏「それは君の劣等感だ。わたしは、いつも基本的人権を尊重しているよ。」

公平平等を掲げて、裁判口調で裁き言い渡しをしてしまう尤もらしい夫に、妻は尚も訴える。

恵子「—略—富美子さんにしたら、やっぱりあたしはお姑さんでしかない。そして無意識のうちに、あたしが閉じこめられてしまったように、今度は富美子さんをあたしがとじこめてしまうんじゃあないかしらって……」

寿敏「—略—家庭も裁判所の延長じゃあ、わたしもかなわないよ。」

と愚痴をいってついには取り合わない夫の姿は非情でさえある。こうしたやりとりの中に作家の運筆（息づかい）が脈々と伝わってくる。

〈第三幕第一景〉

家風にあわない嫁をなじる内田信吾の母豊子は、法の矛盾を訴える。

豊子「—略—信吾だって、わたしにそむくわけはありません。裁判所というところは、子供たちの味方をして、親を馬鹿にするところなんですか。（いきまく）」

信吾「お母さんの馬鹿。」

肉親の情愛は愛憎葛藤を生んでドラマを刻む。この先、悲劇的な家庭崩壊のドラマがまちうけているのだろうか。各幕冒頭の前振り芝居（調停裁判）も佳境に入る。ここでは別のドラマ、人間同士そして家族や夫婦の絆を再びむすびつける〈絆むすび〉のドラマを予感させて終っている。

〈第三幕第二景〉

ハニワの壊れた足を内緒で修理しようと、三人の妻たちが座敷を右往左往する。いずれもが自分が壊したと思い秘密にしている。ただし祖母の淑子だけはこの劇の最後まで、そうと観客にさとられない仕掛けになっている。座敷の中央に設えられた炬燵にハニワがかくされ、ドラマは序破から急へと加速度を増していく。同じ台詞の繰り返し、あげあしとりの掛け合いなどの言葉遊びにみるように、舞台で語られる言葉のリズムや物言いの〈間〉を重視した作劇法を巧みに使っている。

特にこの場面では、人間の移ろう気持ちが緻密に心理描写されている。単なる気まぐれでなく、欲望が頭をもたげると自らの意志ではどうにもコントロールできなくなる。権力指向の人間がかかえる矛盾を、彼らの行動を通じて風刺している。チェーホフほど皮肉と切実な破滅への詩情はないにしても、人間描写の確かさは、観客の失笑と軽味の笑いを湧出させる。

「おやじの頭は法律そのものだ。」と評する寿敏すら、規矩準縄をよりどころとする法の番人なのだから、あまりにも自己の矛盾を知らない滑稽な人物なのだ。家宝のハニワの脚をこわした犯人を糾弾する祖父寿一郎。その時、潔く名乗りでた新妻の富美子を庇う孫の寿雄に、母の恵子は真情吐露をする。

恵子「―略―富美子さん。あなた、えらいわ。いえ、羨ましいのよお母さんは。あなたは、今だから、寿雄にうちあけられるの。いつまでもその勇気をもっていて頂だい。そうでないと、あたしみたいにうちあけられなくなってしまう。そして一分間の愛情を失うのが恐いために何十年という人生を棒にふってしまうのよ。」

祖母の淑子もまた、昔は青鞜社の新しい女だった。

淑子「じゃあ、四十七年間、あたしは、お姑さんやあなたの顔色ばかりみて、いっぺんだってこれが自分自身だって思ったことないんですよ。あたしはもうあなたにも縛られたくない。この家にも縛られたくない。」

とわだかまりとなって胸につかえてきた苦しい想いを吐き出す。そこに、家長寿一郎の厚生大臣決定の知らせが飛び込んでくる。新聞記者たちの「おめでとう。おめでとう。」の声に、突如、恵子は立上がるかと見る間に、ハニワをテラスにぶつけて、粉微塵に砕く。

恵子「その明日の幸福のためにガチャーン。ね、おばあちゃん。」

淑子「そうですよ。私にもまだまだ明日の幸福はあるんですよ。」

女たちの大きな笑い声の中に、この劇の幕は下りる。

3　劇性の所在

作者はこのドラマを、抑圧されてきた女性たちの解放劇としては描いていない。家庭崩壊の劇でもなく、イプセン劇のような社会問題劇風にしつらえているのでもない。自立する女性たちのしなやかな生き方が、きっと再びむすばれるであろう家族の絆の強まりによって、〈明日の幸福〉を予感させている。

法の上で半封建的な家族制度の廃止がなされた。そうした戦後の世相の一断面を、このドラマは捉えているのだろうか。実情は男社会の軋轢にのみこまれ、あいも変わらず従順を強いられる家庭婦人の鬱憤が、家宝のハニワという物象にこめられているのか。番町皿屋敷よろしく、女中お菊の手打ちという事大主義的な怨念劇の伏線をもっているのか。

作者はいずれもライトモチーフとして過去の封建社会を意識しながらも、極めて日本的な情愛で結ばれた家族の絆の力の方を信じてやまなかった。この作者が終生示したある軽味と少しばかりシニカルなくすぐり、そうした笑いのドラマに真骨頂がある。また、劇中なにげなく発揮される遊戯精神は、アクティブでヴィヴィッドな人間本来の姿を渇望する作家的態度によるといってよいだろう。純良でごく平凡な一人間が示す日常の生活断面は、人間の変わりうる側面と可能性を暗示している。まさにアリストテレスの『詩学』にいうカタルシスの効用を、この作家は笑いと娯楽劇の中に実現してきた。人間がドラマにひかれる本源の一つに、現代まで営々累々と積み重ねてきた〈人生への英智〉を蘇らせる、その力を取り戻すことがあげられる。アリストテレスはそれを〈学び知るよろこび〉として、劇のすぐれた効用や働きとした。中野実が〈僕は町医者だ〉と折につけ述べているのは、そうした人間の力の本源的可能性を信じてやまない、姿勢のあらわれである。また、劇作家としてまず楽しんで遊んで書き上げる、徹底した活性志向の姿勢が諸作品に昇華されているといえる。

「明日の幸福」は新派にとどまらず、日本の演劇界に金字塔を打ち立てた。それは、全く新しいホームドラマの確立であり、高いレベルでの都市娯楽劇の誕生でもあった。後にTV文化に劇場文化が浸食されるとはいえ、演劇という生身の人間を直接的にあつかうヒューマニスチックな舞台は生き残り不滅である。一九七三（昭48）年九月、初代水谷八重子は舞台生活六十年を記念して自ら〝八重子十種〟の一つにこの作品を加えた。

また、一九九五（平7）年九月松竹百年行事で、歌舞伎座を皮切りに全国巡業にこの作品をもってまわって好評をはくした。それまで、「明日の幸福」は、過去十五回の公演にめぐまれ新派の至宝と今やなっている。

〈参考文献〉

『明日の幸福』一九五五年　東方社
『褌医者』一九五六年　東方社
戯曲集『黒い戯曲』一九五九年　光風社
戯曲集『千曲川通信』一九六一年　文芸春秋新社
『現代日本戯曲大系』第二巻　一九七一年　三一書房

・初期戯曲は岡本綺堂主宰の雑誌『舞台』に発表されている。また、新派更新会機関雑誌『演劇新派』に戦前の主な上演作品の筋書が掲載されている。

・新しい家のモラルと人間関係の絆をむすぶドラマは、一九五七（昭32）年の「或る女の生涯」に引き継がれていくモチーフとなる。

中野《なかの》実《みのる》（一九〇一・一一・三〇～一九七三・一・三）

大阪に生まれる。法政大学文科を中退後、一九一九（大8）年岡本門下の嫩《ふたば》会に入る。一九三五（昭10）年に師の岡本綺堂が亡くなるまで一年平均十篇として百五十～六十篇の戯曲を書いてきたという。（『舞台』一九三五（昭10）年四月号「悲願千篇」中野実より）

彼の戯曲が初めて上演されたのは、一九二二（大11）年二月、浅草の公園劇場での松本高麗三郎などによって上演された「場末の春」が最初である。これは岡本綺堂編著による『ふたば集』に掲載された。主な作品発表の場は、綺堂が主宰する『舞台』誌上であった。初期十年間にわたる修行時代に、「病気になったり、大阪の親父の處へ帰って子供の洋服を売って歩いたり、インチキなレヴュー団に関係したり、最後に東京郊外の遊園地で子供相手の芝居をしたり、ジグザグの生活を送り」（同右「悲願千篇」より）といった苦悩の生活をすごす。「二等寝台車」（一幕）を一九三〇（昭5）年『舞台』三月号に発表、四月新派により新歌舞伎座にて初演され劇壇にデビューした。シリアスな笑劇で、泣いても笑っても人生は繰り返しという作者のイロニーが提示された。更に一九三二（昭7）年『舞台』二月号に掲載された「木曽義仲」（三幕七場）は二世市川左団次上演用台

本として当選し、歌舞伎座で初演され作家としての地位を確立した。新派や新国劇をその主な活動の場として、自作演出をするなど実演家としても活躍をはじめる。

日支事変の一九三八（昭13）年、大阪で徴兵される。中国海南島で、蘇東坡の遺蹟をめぐり師綺堂の東洋文化への思いに心を重ねたのもこのころである。

戦後一九五四（昭29）年に「明日の幸福」で芸術祭賞（団体賞）と毎日演劇賞（脚本賞）をとり、商業劇場の寵児となった。笑劇のような軽妙さと風刺喜劇の衝撃を内にひめた作品の多くは、俳優の芸風と観客心理を充分に計算しつくしたものであった。川口松太郎、北条秀司、菊田一夫と〈四人の会〉を組織した。また「曙荘殺人事件」（一九五六年九月新派）、「誰が殺した」（一九五七年一月新派）、「午後二時の目撃者」（一九五七年五月新派）、「手錠」（一九六〇年四月新国劇）などのミステリー物を書いた。晩年は松竹新喜劇に「堂島川近く」（一九六四年一〇月）や「唐物町夜話」（一九六五年二月）も書き、座長芝居など終生大衆意識にたった美意識と楽しい劇の創出にこだわった。一九七三年新橋演舞場において、奇しくも自作「明日の幸福」を観劇中に脳卒中で倒れ、劇的な七二年間の生涯を閉じた。

渋谷天外「わてらの年輪」（三幕七場）

初出　『現代日本戯曲大系6』　三一書房　一九七一（昭46）年十一月
初演　日生劇場プロデュース　一九六四（昭39）年八月三日〜二十九日　日生劇場

林　廣親

1　松竹新喜劇と「わてらの年輪」

初出を一九七一年と記したことについて、あるいは違和を感じるむきがあるかも知ないのだが、公刊の書籍に天外の作品が収められたのはこれが最初で、日生劇場プロデュース公演の台本から採録されたもの。他には随筆『わが喜劇』（一九七二　三一書房）附載の「桂　春団治」があるだけである。天外はそのあとがきに、喜劇脚本は読んで面白いものではないことを主な理由に、自作脚本を活字にしないという信条を語っている。商業演劇の舞台に賭けた彼ならではの覚悟ではあるが、その信条は良しとして、〈舘直志作〉として上演された松竹新喜劇の主要な作品を手軽に読める本がないのはとにかく残念なことだ。

さて、話題は私事にわたるが、松竹新喜劇といえば、決まって中学生時分の祖母と二人で過ごした長閑な土曜日の午後を思い出す。無論この記憶はただ私の中にそうあるというだけで、昭和四十年前後の関西でのことだが、土曜昼過ぎのテレビでいつ頃から松竹新喜劇がレギュラー放送されていたのか、その種の事実についての確認とは別次元の記憶の中の風景である。しばらく後に松竹の向こうを張るかのように、吉本新喜劇もそれに近い時間帯で放映されるようになったと思う。祖母はそちらには辟易のようすで、私がチャンネルを変えようとすると、いつも残念そうな顔をしたものだ。

それほど、当時の松竹新喜劇はいわば安心して見られた喜劇であり、その分子供にとっては〈しんきくさい〉芝居に違いなかった。とは言え平気でチャンネルを回すにはある勇気を要したものである。同じく新喜劇とは称しても、馬鹿馬鹿しい限りのギャグや下ネタをエスカレートさせる一方の吉本新喜劇とは、本質的に異なるものを松竹新喜劇が体現していたことは子供心にも感知されたのである。おそらく吉本新喜劇は松竹のそれをはっきり意識したうえで、それに取って代わる新しい喜劇を目指したのだろう。決まりきった人情や、しんみりした人生訓や、立役の寛美が目立ちすぎる松竹新喜劇の世界は、なんとなく年寄り臭く、懐かしいが分かりきったもののような気がしていた。

この稿も最初は、そうしたイメージを再検討しながら、戦後演劇の中での松竹新喜劇を考えてみるつもりでいた。

「わてらの年輪」は、プロデュース公演の台本として書かれたもので、鈴木八重／花柳章太郎、竹森栄吉／中村雁治郎、三浦利弘／中村扇雀、すみ／小林千登勢という配役を見ても、松竹新喜劇のスタンディングディッシュと同様に考えてよいのかどうか。実際脚本家としての天外は、松竹新喜劇の文字どおりの座付作者として生きたのであり、作品が松竹の家庭劇および新喜劇以外の舞台になった例はこれを除いてはほとんどなかったはずである。

テキストの入手の便宜からいたしかたがないとは思っても、松竹新喜劇とは異なる舞台の作品を取り上げることに、ややためらいがあったのだが、しかしながら、作品論の対象としてこの戯曲と実際に向かい合ってみると、そのようなこだわりは末節のことに思われてくる。主要人物の配置や、物語の背景となる関西という空間との密着性をはじめ、大小のプロットの設け方、笑いをとろうとするのではなく、おのずからおかし味をおびた対話や仕草の効果等々、まさに松竹新喜劇の世界からしか生まれない劇である。

『現代日本戯曲大系』の「解題」には、「『わてらの年輪』は喜劇である。まっとうすぎるほどまっとうな、商業演劇的手法によって作られた喜劇である。」という評に加えて、「その（松竹新喜劇的）題材と〝座付作者〟を取り除いても、しかもなお、そこには一つの世界がみごとにある。そして、それこそ、天外の脱〝座付作者〟が到達した世界ではなかったろうか。」と述べられてあるが、まさにそのとおりで、どこで再演されても良いだけの内容と確かな骨格をもった作品に違いない。

2　二都（三都）物語の世界

「わてらの年輪」は、京都の上京にある染工所竹森栄吉の家と、大阪大正区の河岸にある材木商鈴木八重の店が舞台である。両家の主人はかつてある機会に知り合って以来、親戚同様の付き合いを続けている。時は戦後、昭和三十年代の終わりとみてよいが、無論作品発表の時点では現代劇である。京大阪と一まとめに呼ばれながら、異なった気風を自他共に認めるようなこの二つの土地柄を背景にした芝居は、もうそれだけで観客の物語的想像力を刺激する。とりわけ関西の客にはまことに馴染みやすい、お定まりの〈二都物語〉である。

しかし内容に踏み込んでみると、かならずしもそうではないことが分かる。女だてらに材木商を一人で切り回してきた勝気な鈴木八重は、もとは東京の木場の材木商の妻だったが、関東大震災で夫を無くしてから大阪に移住した女という設定で、決して大阪弁を使おうとしない江戸っ子の気風を絵に描いたような性格。彼女の親戚は皆東京にいて、そろそろ六十近いという彼女に東京に引き上げてくるように勧めているが、時にその気になっても、湯河原まで行ったところで決まって引き返してくる。彼女には東京に帰れぬ曰く因縁があるらしい。観客に潜在的な〈なぜ〉の意識をもたらし続けながら、その事情が少しずつ明らかになるという巧みなプロットこそが、この作品の物語の真の背骨をなしているのである。したがってこの劇は〈二都物語〉と見えて、実は〈三都物語〉なのであり、それが松竹新喜劇のローカルカラーに止まらぬテーマ展開を可能にしているのだといえよう。

　さて、幕開きの場は京都の染物街にある栄吉の家で、季節は八月中旬のある昼時、支配人の石本と染工川崎、それに家政婦をまじえた会話から始まるが、その一人はポケットラジオのイヤホンを耳に挿んでいる。甲子園の野球が話題になる、いかにも関西の八月らしい店先の情景である。こうした季節感への配慮もこの作品の重要な特徴で、大阪阿弥陀池の盆踊りや、大文字焼きが過ぎての京都の地蔵盆など、年中行事の取り込みは、関西の客へのサービスという以上に、時の推移（年輪）というものがテーマになるこの劇の展開にふさわしい配慮と見なせよう。

　話柄はやがて六十歳を過ぎて若い女中のおすみと再婚した主人の噂に移る。

川崎　旦那はん、この頃、えらい気前がよろしおすな。
石本　そらもう我が世の真夏やもん。
川崎　土用の入りのアツアツどすか。
（中略）
川崎　六十三に二十四か。算盤がいりまんな。
石本　その代り三月この方、旦那はんの張切ったほがらかさ。
川崎　若返り人事の一種どすか。
石本　見てみ、顔かてつやつやして来はって、仕事かて精出さはること。
川崎　その裏が来て、疲れが出たらゴム風船針でついた様にならはらしまへんか。
石本　ええ加減染場へいき、君といつまでも漫才やってられへんわ。

　さながらしゃべくり漫才の台本を読むようで、洒落を交えた対話の軽妙さが喜劇らしい風味を感じさせるものの、観客の期待する笑いへの配慮はまずこの程度のさらりとしたものである。それは天外の喜劇のそもそもの持ち味であるともいえるが、この作品の劇的テーマの性格と無関係ではないだろう。過剰な笑いはかえって、その本質にある人生観照的モチーフを阻害しかねない。

3　老いらくの恋の波紋

　第一幕の一場は、甲子園の話題から始まって、いかにも染物業の店らしい日常風景を描き出しながら、ドラマにかかわる伏線や振筋を周到に織り込んで展開される。嫁入り道具の訪問着の注文をめぐる対話の中に、すでに化繊の需要が伸びて、その

大量注文にはこれまでの伝統的な染色の技術では対応できない時代に入っていることが示され、

栄吉　歴史の浅い化繊もんは、わてらに向きまへん。やっ
　ぱり新しいもんは若い人間の仕事どす。
久居　伝統のあるあんさん。新しい仕事の化繊は利弘さん。

と、この店が主人の栄吉と子飼いの職人利弘との分業体制で、その時代に対応している事情も明かされる。また、訪問着の図柄のコウノトリの適否をめぐる話がきっかけとなって、早く子供を欲しい気持ちを隠そうともしない栄吉の新妻に対するのろけぶりが伝わる一方、その場に現われたおすみと利弘が交わす視線で、実はわけありの二人であったことも暗示されてゆく。

さて、一場の後半は、大阪の八重から掛かってきた電話から展開する。年をとった栄吉は最初八重の親戚筋から養女をとるつもりであったが、おすみを妻にしたためその後始末の挨拶がのびのびになっている。八重に頭が上がらない彼が急に大阪に行くことになり、それを聞いたおすみは、その間日帰りで亀岡の実家に出かけてきたいと言い出して許される。

後になって彼女が、最寄の二条駅からでなく、嵯峨から汽車に乗ったことを人に見られ、嵯峨に近い嵐山で利弘と会っていたことが明らかになって、騒動が持ち上がるのだが、京都大阪そして亀岡が半日で用の足せる距離にあること、二条駅と嵯峨駅の位置関係など、関西の客の土地鑑をあらかじめ見込んだプロットの設定が、説明的な無駄を省くことに通じ、このかなり込み入った筋立ての劇を可能にしていることにも注意すべきだろう。

やがて、栄吉ともめて他の工場に移った染工の畑中が酒に酔って現われる。自分を解雇した主人への恨みから、腕の良い利弘を引き抜こうと口説きに来たのである。利弘は取り合おうとしないが、恋仲であったおすみを栄吉に取られても平気なのか、といやみを言われ、さすがに平静ではいられない。一方のおすみは実家の苦境を救うために、やむなく栄吉の申し出を受けたものの、利弘への恋慕を忘れられないでいる。懐妊の兆候が出たことで悩んでいた彼女は、栄吉の急な大阪行きをさいわい、その間に利弘と二人だけて会って身の振り方を相談しようとするのである。

4　八重という女

第一幕の二場と三場は、大阪の材木商鈴木八重の店。この店も古いタイプの商家らしく、店員は主人と家族同様の結びつきで暮らしている。東京からやってきた八重の姪の康江と、番頭の妻喜代の対話からはじまり、この材木商で営まれている生活の雰囲気が描き出されてゆく。やがて出先から戻った八重がそれに加わる。

喜代　お帰りやす。

八重　暑い暑い。
康江　お帰りなさい。
八重　ボヤボヤした運転手で、釣銭を間違えたりなんかして、ジリジリしちゃった。
喜代　近頃は田舎から来たての運転手が多うございますよってな。
八重　こう行くんですか、ああ行くんですかといちいち聞かれてさ。だから言ってやった。あたしが運転するから、あんた後ろへ乗りなさいって。（略）

関西弁とはがらりと印象が変わる、立て板に水を流すような東京弁は役者の見せどころだろう。しかし大阪に移住して四十年以上にもなろうとするのに、かたくなに東京弁で通そうとする人間など無論芝居の上でこそありうるので、彼女のそのこだわりが実は重要な伏線である。

タクシーの運転手に対すると同様、誰に対しても歯に衣を着せぬ物言いをする八重は、皆に煙たがられながらも、またその世話好きで義理堅いと同時にからりとした性格によって、皆に頼られ慕われてもいる。しかし、古い出入りの大工の代が変わったように、次第に彼女の商売も栄吉のそれと同じく時代に合わなくなって来ている。その上彼女の家も台風が来るたび水につかることを心配しなければならないような低湿地にあるバラック普請である。子があるわけではなし、いつ大阪を引き払っても良い。姪の康江は親戚も多い東京に帰ればいいというが、八重の心には理屈はわかっていてもそれができぬこだわりがある。

後に明らかになることだが、関東大震災で木場が被災したとき、建物の下敷きになった夫を見捨てて助かったことが、彼女の人生の癒せぬ負い目なのだ。もっともそれはわが身可愛さのためではない。夫と一緒に死のうとした彼女に、すがるような目つきで「子供を、子供を」と叫んだ夫の声に、ちょうど身重であった彼女はお腹の子のために生き延びる決心をしたのだという。その子は結局流産してしまい、それ以来彼女は一人身で生きてきたのである。

流産した身の保養に出かけた有馬の同じ宿に、栄吉とその妻が滞在していて、それが両家の付き合いの始めであったという。栄吉が妻を無くしたあと、求婚されたこともあったらしい。彼女の現在は複雑な過去の余儀ない結果なのだということが、おのずから伝わるような対話が、劇のあちこちに周到に按配されている。栄吉の老いらくの恋の顛末は、確かに劇の興味を直接支える筋ではあるが、それは表層のプロットに止まる。劇の真の主人公はこの八重という女である。

店に戻った彼女は、代が変わった大工に肩入れして無理して回してやった立派な杉材を、電気のこぎりとカンナで処理していたと憤慨し、現場から電気コードを引き抜いてかえってきたというのだが、詫びを入れられると、初仕事だからと材料費の小切手さえ返してやる。またこれまで付き合いのなかった東京の会社から、注文が入って警戒する。心くばりもあり目配りも怠らない、いかにも昔かたぎの商売人の姿である。ただしその何れもが後の伏線をなすエピソードで、小切手はやがて返され、それと共に義理人情的関係で成り立ってきた商売の終わる時を彼女が悟ることになり、東京からの注文は観客の夢にも思わなかったどんでん返しの幕切れにつながっている。

　さて、八重に対する栄吉の後始末の挨拶は、新婚生活に夢中の彼に対する冷やかし交じりの皮肉で容れられる。彼が辞して後、八重は喜代を相手に晩酌を重ねながら、東京に戻れない事情を打明ける。その問わず語りのついでに、かつて妻をなくした栄吉から求婚されたことも明かされる。その折に嫁に行っていたらという未練もあるが、その時はその時で踏み切れぬ事情があったらしい。やがて、栄吉から無事帰着の電話が入り、おすみが懐妊した喜びを告げられるに至って、八重のおのれの人生に対するしんみりしたあきらめの気分がもたらされるところで幕となる。

5 〈どんでん返し〉の奥行き

　第二幕から第三幕は、栄吉とおすみそして利弘の一種の三角関係の顛末を主筋にして、急速に展開されてゆく。若い二人が既に恋仲であったことに気づかずされた栄吉の求婚は、恋を犠牲にして、実家の窮地を救おうとするおすみの決心で受け入れられたのだが、実際そうなってみるとおすみは、同じ屋根の下で利弘と暮らす苦しみに耐えられない。妊娠をきっかけにして、利弘にその苦しみを打明け、事態の打開を図ろうとしたのだが、利弘に説得され、懐妊の事実だけを栄吉に伝えることになる。

　ところが、嵯峨の駅から汽車に乗ったことを畑中のいとこに見られ、たまたま居酒屋で彼と一緒になった職人の川崎が、噂交じりに主人の悪口を言う相手に耐えかねて喧嘩沙汰を起こしたことで、栄吉は大阪へ出かけた留守の二人の密会を知る。

　学校まで出してやってここまで育てた恩を忘れて、主人の女房を盗むのかという栄吉に、利弘はこちらの恋が先だったと告げる。その場の勢いから、染色の技術をめぐる口論にもことは及び、さらにはおすみの腹の子の父親が誰なのかに思い及んで、栄吉の怒りは深まる。栄吉は利弘を我が子のように信頼して、彼に工場を持たせてやり、また八重に頼んで、見合いの段取りも進めていたのである。一方、利弘も栄吉の妻におすみがなった事情をくんで、二人のしあわせを祈るだけのつもりでいたのだが、ことがこのようにこじれては、この店を出るしかないということになる。どうにも収まりがつかなくなった時、見合いのことで現われた八重がおすみを預かると申し出で、ことはともかく落着する。

　第三幕は再び大阪の八重の家が舞台となり、利弘が店を出た後、どうにも我慢ができなくなった栄吉がおすみを連れ戻そうと訪れている。そこへ病院から利弘の電話がかかり、おすみが堕胎の手術で危険な状態だという知らせに一同は驚くが、電話に出た八重は事情をのみこんで、栄吉に諦めるよう諭す。

「おすみさん、本心はあんたの子を生みたかなかったんだ。

……いえ、本当に子供はあんたの子なんだよ。利弘さんと添いたい一心だったが、あんたの愛情ってやつと、実家の金の入用で何も彼も諦めていたんだよ。あんたに知れないままなら、おすみさんは利弘さんと綺麗に別れて、一生、奥さんで暮らしおわせた事だろうけど、あんな夜の出来事が会ってからおすみさん、利弘さんが恋しい一念で胸の中一杯になってしまったんだ。だから子供さえいなければと……。（中略）とうとうおすみさん、お腹の子とあんたを捨てる決心をしたのさ。利弘さんからおびき出したんじゃないよ。（後略）」

栄吉もこうなれば仕方がない。二人を許すということになるが、八重と二人の場になってから、十六年前妻を無くして求婚したとき受けていてくれたらという繰言がもらされ、そこで初めて八重がそれを受けなかった理由が明らかになる。八重が栄吉の妻を看取ったとき、あとを頼むといいながら、その目は「何も彼も知ってるぞといった恨みとも悋気とも、祈りともつかない色だった。」二人の仲を誤解したまま死んだ栄吉の妻の目と、火の海の中で子供子供といった死んだ夫の目が重なってどうしても踏み切れなかったのだという。栄吉が得心して去った後、八重と康江の対話になって観客はまた、意外な事実を知ることになる。

八重　誰にも言っちゃいけないよ。おすみさん本当の身持ちではなかった。
康江　おばさん。
八重　あの人の子生むのいやだ。生んだら、永久に利弘さんとお手切れだ。いやだ、いやだ、思っていたから、とうとう子供の影もない身持ちになったんだよ。
康江　まあ。
八重　想像妊娠って言うんだとさ、だから院長があわててやり損ったんだよ。
康江　それ誰から聞いたの。
八重　院長さん御自身の告白さ。
康江　じゃそのこと竹森さんも利弘さんも。
八重　知らないさ、言わずにおいてくれって帰って来たのさ、おなかの中が空っぽじゃ話にも何にもなりゃしない。このままだとみんな時折思い出してしんみりするだろうよ。
康江　まあ、呆れた。
八重　ちょいとあんた。私はあの人の子を流産したけど、ありゃ本物でしたよ。空っぽじゃありませんよ。
　　康江くすくす笑う。
八重　何がおかしいのさ。

「想像妊娠」というような新奇な話題をいち早くプロットに取り込むところは、まさに新喜劇の独壇場であろう。今日の感覚ではそらぞらしい印象がないでもないが、それが世間の関心を集めていた時代なら、受けを呼ぶ着想であるには違いない。ちなみにこの着想について、『現代日本戯曲大系』の「解題」に次のような評がある。

『『わてらの年輪』から演劇的装飾をすべて取り除いた、そのぎりぎりの世界はあるいは（久保田）万太郎の世界と共通するかもしれない。しかし、そこに演劇的装飾をつけるところが、天外という劇作家の本質ではないだろうか。／例えばこの劇の結末である。利弘とおすみを許しながらも、しかも諦めきれず、それでいて八重との愛情をあらためて確かめる栄吉。しかしそれでは幕にはならない。おすみの想像妊娠というどんでん返し——そこには詩情というにはあまりにも冷酷な現実への直視がある。人生の機微だとか皮肉だとか言う通り一ぺんの言葉ではとても言い切れない、人生の奈落を覗かせる深淵のような、すざまじさがそこにはある。役者として、〃座付作者〃として六十年の天外が、初めて到達した、あるいは持ちえた目である。」

この評はやや分かりにくいものを含んでいる。想像妊娠によるどんでん返しを演劇的装飾だとすることは肯けるのだが、そこに人生の奈落をのぞかせるようなすざまじさを見るというのはどうだろうか。天外の場合本来演劇的装飾として企図された趣向にも、おのずからその一筋縄ではゆかぬ人生観が込められているということだろうが、想像妊娠の趣向に関しては読みすぎであろう。

栄吉の子を産みたくないという一念が凝り固まって、懐妊を妨げる生理状態になる。確かにそこには女の人生の真実があるのかもしれない。またいかにもお芝居の世界らしいこのどんでん返しが、劇の質を必ずしも落とすものでないことはたしかである。それを「劇の結末である」と見たことが、このような意味付けをもたらしたものと思われるが、それは劇の結末として用意されたものではない。むしろ結末のどんでん返しを用意するためのどんでん返しに過ぎないのは明らかである。

想像妊娠の事実を八重から告げられた康江は、くすくす笑いながら「おばさん、東京へ帰りましょう。」という。

八重　ごめんだよ、また湯河原近くなって列車から降りたら、いいお笑い草の上塗りじゃないか。
康江　おばさん、子供、子供って死んだ人が言ったの、どう思ってるの。
八重　私のお腹の中の子じゃないか。
康江　おばさん、東京の乾って人、おばさんのところへ材木の発注をしたの知ってる。

話がさわりにかかろうとした時、台風の進路が変わったという知らせが入り、八重はあわただしく現場に向かう。話の続きはその後に残った番頭の中原と八重のやり取りによって観客だけが知らされる。過去に取引関係のない東京の会社からの注文が入って、八重が警戒するという伏線が、ここで思いがけない形で生きてくる。その会社の主は、八重の死んだ夫が他の女に生ませた子供だったという。やがて戻ってきて、男たちに台風に対する備えを指示する八重と康江が交わす対話。

康江　おばさん、もしも死んだあのおじさんが浮気してたらとしたらどうする。

八重　何を冗談言ってるんだい、忙しいんだよ。

「わてらの年輪」は、この隠れた事実の暴露にすべてのプロットが収斂するところで閉じられている。なるほどこれも想像妊娠と同じくいわば奇想天外な仕掛けであり、観客にはおおいに受けるに違いないものだが、演劇的装飾の次元をはるかに超えた人生的感慨をさそうだけの力がある。

6　人生……この喜劇的なもの

隠れた事実の暴露が、唐突さをまったく感じさせないのは、これまでに見てきたような周到な筋立てや伏線の計算され尽くした配置の効果である。その点でこの作品はまず、極めて質のよいウエルメイドプレイとして評価されてよい。しかしながら、それ以上にこの作品に、もっとも正統的な劇の骨格が備わっていることに注目したい。

終幕で明らかになる事実は、八重の大阪での人生のそもそもの出発点となった出来事が、一つの誤解に発していたことを告げている。過去に営まれてきた人生の決算の時を切り取って、人間の生の本質をあらわにしようとする、そのまことに正統的なドラマツルギーへの徹底性こそこの作品の真面目だろう。

女にとっての妊娠という人生の大事が、栄吉と利弘、おすみの三角関係をめぐるプロットと、八重の長い人生の時間に関わるプロットをつなぐ見事さ。錯覚に災いされた八重の人生は、いわば流産された人生である。それは栄吉との間にありえた半生をも流産させた。

「わてらの年輪」という題は、すでに取り戻せぬ人生の時を思う栄吉と八重の心情を暗示している。それは諦念の寂しさをともなうものではあるが、そこで終われば喜劇ではない。その諦念をともなった人生の観照そのものが、実はとんでもない思い違いの額縁に収まった絵なのであるという皮肉とおかし味。八重がいずれそれを知ったとしても、泣くに泣けない。笑うしかないではないか。ある意味では悲劇であり、また喜劇でしかない人生の本質をおのずから想わせるのがこの劇である。

ドラマツルギーの特徴をあげればきりがないが、一つだけさらに指摘するなら、作品の大小のプロットを統御する原理の一貫性と、振り返ってみればなるほどと手を打ちたくなるそのわかりやすさということがある。ドラマの原理は、いわば無理もない思い違いのおかしさである。震災の修羅場での「子供を（たのむ）」という夫の言葉に対する八重のそれを始めとして、栄吉と八重の仲を疑った亡くなった妻も思い違いをしていたわけで、さらにおすみの想像妊娠を本物と思った利弘と栄吉の思い違い。むろんおすみ自身も思い違いをして堕胎を決心するのである。

思い違いは悲劇にのみつながるわけではない。利弘とおすみ、そして栄吉の三角関係のもつれを解決するのは、その思い違いに基づくおすみの行動だった。一方、人生の年輪を重ねてきた人間にとって、思い違いから掛け違った人生のボタンはいまさらどうしようもない。繰り返して言えば、そのどうしようもなさの歎きを超えたところにある笑いがこの作品の特徴なのだが、それを説明するのは難しい。とりあえずここでは、おすみの想像妊娠の事実について口止めして、「お腹の中が空っぽじゃ話にも何にもなりゃしない。このままだとみんな時折思い出してしんみりするだろうよ。」という八重の台詞にそのありようの片鱗が窺えるとしておきたい。

　さて、戯曲史のなかにこの作品が占める位置については、様々な観点に立ってみる必要がある。商業演劇の作品としての評価よりも、劇のことばや、ドラマトゥルギーの成熟という観点、また移り変わる時代への切り込みに関わる観点、そして文学（芸）性の問題など、そうした側面に配慮しようとすれば簡単には結論を下せないだろう。今言えることは戦後のある時期に確かに喜劇の成熟という出来事があったことをこの作品の存在が示しているということであり、それがナンセンスでも、風刺や皮肉でも、また哄笑でもないものを目指した喜劇の到達点であったということである。

〈参考文献〉

渋谷天外『笑うとくなはれ』一九六五年四月　文芸春秋新社
『現代日本戯曲大系』第六巻　一九七一年一一月　三一書房
渋谷天外『わが喜劇』一九七二年八月　三一書房
大槻茂『喜劇の帝王　渋谷天外伝』一九九九年六月　小学館
　『渋谷天外伝』一九九二年　主婦の友社を改定増補

渋谷《しぶや》天外《てんがい》（一九〇六・六・七～一九八三・三・一八）

　明治三十九年、京都祇園に初代天外の子として生まれる。本名は渋谷一雄。父親は大阪俄の役者で、明治四十一年天外を名乗り、中島楽翁らと楽天会を結成したが、大正五年公演中になくなったという。すでに父の在世中、子役として初舞台を踏んでいたが、その後志賀廼家淡海一座に入り、役者としての修行を積むかたわら台本も書くようになった。やがて大正十二年、曾我廼家十吾と出会って、彼を師と頼んで進むことになる。

　昭和三年、松竹家庭劇が大阪の喜劇人を集める形で旗揚げしてから、志賀里人、川竹五十郎、舘直志などの筆名でその脚本を書き、昭和四年二代目天外を襲名して役者としての人気も出てきた。家庭劇は従来の喜劇にホームドラマ的な味わいを加えたものという。解散再興を繰り返しながらも戦後まで続いたが、天外は、十吾と衝突してはまた提携することを繰り返している。

　その間、昭和十一年を皮切りに家庭劇は東京の舞台にも定期的に進出したが、大阪弁の通じない観客には泣かされたという。しかし、その進出が縁になり、秋田雨雀、藤森成吉、伊馬春部、斎藤豊吉、長谷川伸、阿木翁助から久保田万太郎にいたる劇界の知遇を得、自らの喜劇に対する考え方を改めて、演劇人としての使命感を持つようになった。

昭和二十一年、松竹家庭劇を脱退。妻であった浪速千栄子らと旅興行の苦労を重ねたが、二十三年に喜劇王といわれた曾我廼家五郎が死去し、松竹は五郎の劇団と家庭劇の合併をくわだて、十二月中座で松竹新喜劇が旗揚げされるに至った。

旧五郎劇系の俳優は昭和二十五年頃には退座し、新喜劇は女形によらぬ形を整えたが、この年愛人に子供が出来て、妻の千栄子と別れる事となった。四十四歳で初めて子供を得た男の喜びは、あるいは「わてらの年輪」の栄吉像に反映しているのかも知れない。

二十六年四月、「桂　春団治」を初演し、二十七年には新喜劇として初めて東上。またこのころからラジオ、やがてテレビの仕事が多くなり、作者兼役者に加えて劇団の主催者として多忙をきわめた。三十二年二月、「桂　春団治」の演出等の業績により、毎日演劇賞を受賞。またこのころから、新喜劇に文芸路線を取り込んだ。

昭和三十九年、劇団を株式会社組織とし、常務取締役に就任するが、翌四十年九月、過労から脳出血で倒れ、癒えて後も右半身不随となった。この時期には社長就任や、再び松竹専属に戻った劇団の座長に納まるなど、身辺の動きがあわただしく、また看板俳優の藤山寛美の退団騒ぎなどに苦しんだ。四十二年劇団結成二十周年の中座公演で、舞台に復帰し、四十五年には十五年ぶりに曾我廼家十吾と共演したが、不自由な体での演技は痛々しく、俳優としては四十九年南座での「親バカ子バカ」が最後の舞台となった。その後、劇団結成三十五周年記念公演を御園座で行った翌年の昭和五十八年、心不全のため、七十六歳で死去。

天外は座付の脚本家として、多くの筆名で創作、合作、脚色などの多数の作品を書いた。大槻茂『渋谷天外伝』付録の「舘直志作品リスト」によれば、その数は五百五十六篇を超えるようである。代表作としては「桂　春団治」(昭27脚色)、「親バカ子バカ」(昭31)、「花ざくろ」(昭39)、「街は氷雨が降っている」(同)、「わてらの年輪」等が浮かぶか、上演回数の多いもの必ずしも代表作とはいえないところが、このタイプの劇作家の作品の難しいところである。

第三部　劇世界の拡大へ

福田善之

「真田風雲録　講談と歴史による三部一七場の娯楽劇」

初出　『福田善之作品集真田風雲録』三一書房　一九六三（昭38）年五月
初演　俳優座系劇団（三期会・新人会・青年座・仲間・俳優小劇場）合同公演
　　一九六二（昭37）年四月　都市センターホール

井上理恵

1　リアリズム演劇からの脱出

　これは同名の三〇分ラジオ・ドラマ（KR空中劇場・演出東山誠一九六〇年一二月）が原型で、翌年四五分のテレビ・ドラマ（CBCテレビ劇場・演出大野道雄・六一年春）になり、最後に戯曲になった（演出　千田是也、音楽　林光、お霧　渡辺美佐子、幸村　森塚敏、佐助　池田一臣、根津　藤田啓二、六郎　林昭夫、修理　生井健夫、淀君　山岡久乃、千姫　田上和枝、秀頼　露口茂）。その後映画にもなっている。劇中歌が一一曲もあるからいずれミュージカルにもしたいと当時福田は語っていた。同時期に全表現メディアで公開された初の作品といっていいのかもしれない。その意味でも現代戯曲として画期的役割を担う。

　福田善之の初演当時の記憶によるとこの芝居は「不真面目である、フザケとる」「未来への展望を欠き、かつ体制側をよろこばせる作品」「ドラマではない、モンタージュにすぎない」「劇画の舞台化という趣」……等々（福田著『劇の向こうの空』）否定的評価が多かったという。こうした評価は、この戯曲が当時主流の演劇表象——リアリズム戯曲から乖離していたことを逆に照射している。

　福田はリアリズム戯曲の正系劇作家木下順二に師事した。木下のドラマ論を「いわば自分が自分であるための必然的な行動の結果、自分を否定しなければならなくなる。それがドラマであり、また歴史の姿ではないか、というせんじつめれば『ドラマ＝歴史』説」と理解し、それに心酔した。そういうドラマを書くことを当初目指していたといってもいい。「いくら感銘したところで、さて自分が芝居を書く段になると、どうしたらいいか、まるで判らなかった」（福田前掲書）とも書いている。政治の季節に学生であった福田は当然のごとくに状況と切り結ぶ劇を題材に選ぶ。そして「長い墓標の列」（初出『新日本文学』一九五七年七～八月、初演同年一二月早大演劇研究会、改訂定本初出『新劇』一九五八年一二月、初演ぶどうの会〈演出竹内敏晴〉東横ホール同年一一月）が生れる。執筆の契機となったのが木下の「風浪」観劇であり、岡倉士朗との出会いであった。

　「長い墓標の列」は、福田の友人の父河合栄治郎東大教授の戦前東大経済学部事件を題材に福田の青春の「かたちを〈二重焼きにやきこむようにして〉」描いたといわれている（林光「解説」『福田善之作品集　真田風雲録』前掲）。菅孝行は初稿からぶどうの会の改訂稿への変化を「リアリズムから『非リアリズム』的方向への変貌、あるいは具象的なことばから抽象的なことばへの『深化』とでもいうべきものが見られる」（「幾度でもオッペケペを」『想像力の社会史』）と評したが、今からみればやはりこの戯曲は紛れもないリアリズム戯曲といえる。確かに氏が指摘するように福田の戯曲は「素朴なアジ・プロ的政治劇」（「富士山麓」）から「実録に拠った歴史劇へ」と変化した。しかし「現実には決してありえないことばのやりとりがつくり出す、芝居のことばとしてのリアリティがそこには見出される」から「非リアリズム」（菅前掲書）的方向へと歩みだしたとはいえないだろう。リアリズム劇であっても芝居の言葉はあたかも現実で交わされるような「現実には決してありえないことばのやりとり」の連鎖であるからだ。そこにノンフィクションではないフィクションの、虚のドラマの存在があるように思われる。

福田はドラマとは何かを追い求め、同時に「ドラマツルギーという制度から、つねに自由ではありえない」劇の現実から逃げよう、自由でありたいと考えてきた劇作家の一人といっていい。それは結果的に「長い墓標の列」から「遠くまで行くんだ」への転換——古典劇的独白の多用、問題提起の文章や日時、出来事の幕開きの映写、シュプレヒコールの採用など、築地以降の近代演劇運動が生み出してきた舞台表現の成果の取込——を経て「真田風雲録」が生まれる。少年講談物、つまり大衆芸能から歴史をみる精神、「虚が実を批評する」（福田前掲書）それは、リアリズム演劇からの大いなる飛翔を示したのである。

2　新しい戯曲の登場

福田は一九九四年に竹田青嗣との対談（『テアトロ』五月）で次のような発言をしている。

吉本隆明さんの、芸術・芸能をなぜ人間が必要としたかというと疎外感の克服である（略）その疎外感の克服のために発明された芸術・芸能に従事する人間がまたぞろ、分業化して、親代々主役、とまでは行かなくとも、主役の奴はずっと主役、脇は脇、（略）とかいうふうにだんだんになっていく。それはおかしいだろう。（略）ミュージカルというのは、世の中がずうっと進んできて最近になって出来たのではなくて、本質的には芸術がまだ分業化する前の形なんだ、（略）かつて人間は歌って踊って芝居もして、ついでに生産にも従事していたんだと。そういうプリミティブな形を映しているのが（略）ミュージカル……（福田前掲書）

「真田風雲録」は言説化される前のこの認識が戯曲化されたものだといっていい。劇の中で歌い、踊り、芝居する。リアリズム演劇の範疇を越え、ドラマのしばりを逸脱し、言葉ばかりの世界に芸能の原初的な姿を抱え込む。が、そこに展開される劇世界は状況に深く食い込み、足元を批判し、未来を見据える。「この世のなかが、あるいは世界が、このままでいいとは考えなかった、考えられなかった（略）実はいまもほぼ同じように考えている」（福田前掲書）という福田のいわゆる歴史劇は独自の世界を構築する。

菅孝行との対談で福田は自身の劇作についてこうもいう。

科学で仮説といいますね。実験で証明されることによって、仮説が仮説でなくなるわけだけれど、科学における仮説に似たような意味でフィクションを考えてみたらどうだろう、ということを昔から考えていて、（略）スペイン戦争に参加した唯一の日本人のジャック・白井を主人公に『れすとらん自由亭』（「新劇」一九九〇年二月号、熊井宏之演出で上演『希望』と合わせて現代企画室より刊）を書いた時には、白井とスペインのアナキストが会ったと考えた。仮説というもおろかなほどある得ることですけど、歴史のいわゆる「定説」はそれを認めない。大変おおざっぱにいえば、それが「あり得ること」として現実的説得的に描けたら、それはフィクションとして成り立ったということになる。ですから僕は歴史家と勝負するつもりでかいていることがよくあります。（福田前掲書）

フィクションが「定説」を切り崩すときがくるのか。歴史家が創った〈正統〉の歴史が永遠に〈正統〉であるなら、それこそがまがまがしいことなのではないか。そのまがまがしさはフィクション——歴史劇こそが批評し、打つことができるのではないか。仮説が仮説でなくなるときがくるはずだ。福田はそのような逆説的な視点にたっていたと思われる。そこに「虚が実を批評する」道が拓ける。一貫して現実という状況を視野に置く福田戯曲の核はここにあるのだと思われる。

「講談と歴史にたいする依存度はかなりたかい」（初出書「あとがきにかえて」）という「真田風雲録」は「劇画」的だとも一部で評された。革命的歴史を描いた劇画は画像のリアルさを強調し、同時に象徴的でもあった。福田は白土三平を知らなかったらしい。同時に似たような表現の登場があったというのも時代が規格外の表象を要求したとみていい。戯曲の劇画とはどのようなものであったのか、以下みていこう。

これは簡単にいえば豊臣秀吉の死後、徳川家康に追い詰められた豊臣方の武将として戦うが、家康の奸計と味方の権力者のその場かぎりの判断に振り回され、敗北の道を歩む豊臣家臣団の一人真田幸村とその家来たちの夏の陣から冬の陣にいたる物語である。

この戯曲の新しさはリアリズム戯曲の歴史劇の規範を壊したことだが、第一に挙げねばならないのは登場人物の台詞であろう。彼らは役にかなったそれらしい台詞を口にしない。真田幸村はじめ、真田十勇士の霧隠才蔵・猿飛佐助・三好清海入道・三好伊三入道・海野六郎・根津甚八・筧十蔵・望月六郎・由利鎌之助・穴山小助は同一の次元で言葉を発する。たとえば秀頼に組するか否か考える場で次のような対話が交わされる。

甚八　参加すべきだな、断乎。
筧　殿はなんていってる?
穴山　寝てる。
清海　起きてもらおうじゃねえ。
甚八　殿。幸村公。
幸村　(寝たまま)うるせえ奴らだなあ、聞いてるよ。
海野　殿、秀頼が殿に約束した祿高、いくらでしたっけ?
幸村　五十万石。
海野　イキな値段ね。　(その三　真田隊出陣の事)

彼らには歴史劇にみいだされる身分の上下による使用言語の差異はない。

登場人物に女忍者を入れたことも福田の創造だ。真田十勇士は全て男たちであったが福田は霧隠才蔵を女にして他の男たちのマドンナ役を振り当てた。みんなに焦がれられる女という設定である。ヒロインの扱いが〈物語の姫〉の役回りでいかにも安直だが、この戯曲を正統歴史劇から遠ざけるのにこれは大いに貢献した。

大坂夏の陣という歴史上の事実は「難波戦記」やその後の講談で数種の「講談的伝説」を生み、伝説は変形され、立川文庫になって猿飛佐助をはじめとする十勇士がそろう。その後講談社の「少年講談」が出て真田十勇士は子供や大人の世界に、言い換えれば民衆の間に定着した。ある事実の中に生まれたフィクションが民衆の間に定着するその期間には、「民衆の想像力やら願望やらが、いろいろ屈折しかかわっている」と福田は書く。つまり真田十勇士は何代もの民衆が創りだしたものであるわけで、その民衆のいってみれば無意識下の造形に福田は女の霧隠才蔵を書き加えたのである。この後、女忍者の存在感が増し、編みタイツスタイルが定着したらしい。

この戯曲は三部(風の巻、雲の巻、炎の巻)に分けられ、一部では一七世紀前夜(一六〇〇年、慶長五年の九月一五日)関ケ原の戦いの夜、十勇士中の八人が出会うところから始まる。もちろん彼らの大半は子供である。敗戦後の日本をダブらせるような浮浪児が戦死者の鎧や刀を漁っている。幕開きから「下剋上のブルース(あるいはロック)」で歌い、踊る。これも新趣向だ。ここで浮浪児たちと戦で破れた若武者(筧・望月・根津)が何となく一団となる。そして人の心を読める佐助はこれからあとの彼の存在を示すように一人に固執しながらも彼らの側にいることになる。

支配を強化する家康の「安定政権」と徳川に従わない秀頼、そこに集まる「行きどころない浪人の群」の有り様を由利鎌之助が傀儡師になって囃子ながら観客に告げる。この場は次の場への橋渡しで狂言回しの役回りを由利に与えているもので、これもリアリズム戯曲からは大きく逸脱する手法である。

幕開きから一四年後、真田幸村のところに集まった十勇士は「毎日あたりの土地を開墾したり、真田紐を組んだり、売ったり」して「その日の飯」をやっと得ている。「武士ではない、しかし百姓ではない、商人でもない、つまりなんでもない」この生活に筧は耐えられない。「私は、私がやはり、なにかでありたい。そうでなければ生きにくい、息がつけない」という元武士筧の言葉は大半の人々の思いを映している。人は常に「自己規定」を必要とする。人は何かでありたいのだ。そして何かになろうとする。福田は幸村と共に歩もうとする十勇士という表象を通して人が生きるということはどういうことなのか、さらには政治という権力の実態が民衆の、あるいは権力者の内部で幻像としていかに肥大化していくものなのかを描き出そうとしているのが早くも読み取れる。そして福田の歴史観、現状認識が登場人物を通して開陳される。

根津甚八は徳川対豊臣という問題の立て方を錯覚だという。

両者の争いなら関ケ原でけりがついている。現在の豊臣に徳川と互角にたたかえる力はまったくない。(略)大名百姓武士町人、すべての自由を圧殺して独裁支配を固めんとする徳川の政策は、ほんらい豊臣秀吉からうけついだもの(略)すべて二つの陣営の対立に還元して考える考え方それ自体が、まったく不毛だからだ。そこからは、おれたちが、おれたち自身の未来をどう考え、どうつくってゆくか、そういう自前でものを考える根性が、まったく出てこない。

体制、反体制の、言い換えると政権政党対日本共産党の闘いから抜け出て、六〇年安保闘争後に福田が政治運動をいかように考えていたかがわかる甚八の台詞である。これは菅孝行が「それまで政治的配慮から抑制されていた見解が、大胆に、ズケズケと語り出され、日本共産党系の文化官僚や、それに連なる演劇人から、あからさまなひんしゅくを買うに至った」(菅前掲書)語りのひとつであろう。この上演の不評は舞台表現の意表を突く斬新さばかりではなく、こうした政治の季節の受け入れられない思想への批判もあったのである。けれどもこれは単なる当時の政治闘争に還元される問題だけではない。わたくしたちの国では〈国民〉が「自身の未来をどう考え、どうつくってゆくか、そういう自前でものを考える根性が」ない。そうした一人一人への福田の警告ととることができる台詞だ。こうした象徴的な、しかも思索的な台詞がこの「不真面目」といわれた戯曲にはいたるところにちりばめられているのも逆説的で興味深いものがある。

(その三　真田隊出陣の事)

「雲の巻」の「その一　十勇士働きの事」にある「慶長十九年十一月二十六日のたたかいの報告」は菅孝行によれば「社共両党の攻撃の的となった一九五九年十一月二七日の国会構内抗議集会と誰もが分かる」報告シーンで「真田隊の十勇士は、明らかに安保全学連もしくは炭坑争議の大正行動隊を模しており、大野道太は共産党、織田有楽斉は社会党、大野修理は、反対意見を胸中深くたたみ込んだ共産党内反対派、といったなぞらえがただちに可能なからくり」(前掲書)になっているという。

そうした時代状況と密接に絡んだ場面や台詞の交錯も不評の一因になったことはいうまでもない。しかし五十年近く経て、そうしたなぞらえが誰でもに不可能になっても「雲の巻」の各場面は、権力集団が異分子の存在をいかに処するかを示唆するものとして教訓的役割を示すものとなっている。

時代状況に密着し、歴史を刻む役割をもはたしたリアリズム戯曲は、リアリズム表現を越える「真田風雲録」の登場でその存在の必然性が後退せざるをえなくなったといっていいだろう。

3 女たちの描出

男たちばかりの戯曲に三人の女が登場する。この造形がまた破格である。先に触れた十勇士の一人、お霧と豊臣の淀君、千姫だ。お霧は幸村を含め、皆から愛される存在としてこの戯曲の中で生きる。多くの豊臣関連の話と異なり淀君はここでは影が薄い。それに反して千姫は明るい現代っ子で登場する。

幸村の家来になった十勇士は生活のためにそれぞれ生産に従事するが、悪いこともやる。「押しがりゆすり詐欺たかり、ツツモタセまでやったなお霧、お前が娘らしくなってからは」といったように、危ない橋もわたった。お霧は年頃になって恋をする。

いつの間にかお霧、歌をうたっている。

お霧　生まるるも/そだちもしらぬ/人の子を/いとしいは/何の因果ぞ(/印改行)

小助　(清海に)あれ、だれのこと。

清海　……(首をふる)

小助　(突然、激しく)お霧さん、だれが好きなんです?

(一同おどろく)……しりたいんだ、はっきり知って、出陣したい……(うつむく)

(略)

佐助　(ふいに)いっちゃうけど、お霧はだれも好きじゃないよ……いまんとこ。

間。皆ホッとする。

(略)

由利　(お霧にそっと)泣いてるのか? お霧。

お霧　(首をふって)お帰んなさい。

(その三　真田隊出陣の事)

お霧は「ある夜、大きな流れ星が白く長く尾をひいて落っこった」ならの木の根元に泣いていた赤ん坊だった佐助を好きになった。その男は人の心を読むことができ、そして姿を消すこともできる超能力者——忍者であった。彼はお霧の心が読めたはずである。けれども「だれも好きじゃない」といった。お霧はその佐助の態度に泣いたのだ。佐助が自分の心を読もうとしないからである。

お霧と千姫は仲良しである。若い女の話は恋愛のこと。

千姫　お霧さんの好きな人、奥さんいるの？
お霧　ううん……ただ、あたしのこときらいなの、その人。
千姫　悲恋ね。
お霧　千姫さん、秀頼さまのこと好きなの？
千姫　好き。大好き。ちょっと気が弱いけど……でもそれは皆のためを思うからなんだ。重成さんすてきだって人多いけど、私、きらい。
お霧　うちの殿様、ちょっといいでしょ。
千姫　でも、ぐっとさ、調子狂っちゃうほどじゃないな。
お霧　そうね、ちょっと、物足りないわね。
（略）
千姫　みんながずいぶん期待してた薩摩の島津さんからお手紙がきたのよ、和議を結ぶべきだって。がっくりよ、みんな。あんな遠いお国の人、あてにすんなんて、ばかみたい。（愉しげに笑う）京都の金座の人からもこのへんでやめろっていってきたし、とにかく、また江戸へも行ける！　……お霧さんも行こう、ね？
お霧　（笑って）好きな人が行けば。（略）そんなことできるもんじゃないわよ人間て、その人のことだけなんて。ううん、ほかの人は知らない、あたしは……だからその人はあたしがきらい。
千姫　あほくさ、でもだいたいは一ばん好きなんでしょうその人が……ならいいじゃないね……（略）絶対の愛なんて……絶対とか純粋とかって、要するに記憶力の問題じゃない？　都合の悪いことは忘れちゃう人が、つまり純粋なのよ、ね。だからあたしも秀頼さまに純粋、へへ。
お霧　男って絶対をほしがるじゃないのさ。
千姫　黙ってりゃいいのよ。そういうもんよ。
お霧　（急にうつむいて口を抑える）
千姫　どうしたの？　お霧さん……（わかって）赤ちゃん？
天守閣の屋根の上に佐助がねころがっていたのがこのときわかる。
（その五　お霧千姫に心を打ちあける事）

わずか一七歳の千姫のほうが戦についても恋愛についても達観している。「絶対の愛」はないといわせながら、お霧にその「絶対の愛」を求めさせている。それが皆に愛される、いわばヒロインお霧であるところに福田のロマンチシズムを見いだすのは容易い。

福田のロマンはもうひとつある。民衆に期待をもったことだ。修理と幸村の対話にある、百姓たちと結びつかないかぎり、武士が武士だけでたたかうかぎり、はじめから勝利はありえなかったとする見解がそれで、修理は死を前に「行くところまで行って……しかし、やはり、百姓たちはたちあがるだろう……たちあがらないではいないだろう……」とぽつりという。幕切れに写される最後の文字は「だが、その後、大阪の残党も参加した島原の乱また木内宗五郎の佐倉事件など、一揆、騒動のたぐいが絶えなかったこと、もちろんである」であった。

六〇年代の期待は、あっという間に消えた。東西の冷戦がなし崩しに消され、壁が壊れ、世界が総出で資本主義社会化し、福祉社会化への道を選んで民衆は我が事のみに目を止めるようになっていく。その後の福田はそれでも民衆の中に生きて、歴史の書きなおしをせまっている。

〔参考文献〕

福田善之『福田善之作品集真田風雲録』三一書房一九六三年五月
福田善之『劇の向こうの空』読売新聞社一九九五年一二月
菅孝行『想像力の社会史』未来社一九八三年一一月
津野海太郎『門の向こうの劇場』白水社一九七二年九月

福田善之《ふくだよしゆき》（一九三一・一〇・二一～）

東京日本橋生まれ。本名は鴻巣泰三。麻布高校、東京大学仏文科卒業。麻布で小沢昭一、加藤武等の演劇部で活躍、東大在学中の一九五二年に早大のふじたあさやと「富士山麓」を執筆、翌年の五月祭で上演。これは当時日本共産党の指導下「民族解放民主革命」（五全協綱領）というスローガンのもと「山中湖畔中野村農村調査（五二年）における体験に基いて」（木下順二）書いたもので、米軍基地の演習場にされる開拓農地を基地反対で闘う学生と開拓部落農民の姿を描いた。菅孝行は「状況のアナロジーをすれば今日の三里塚闘争の集会でも通用しそうな政治劇」（前掲書）と書く。この第一作の反権力の姿勢はその後も変わらないといっていいだろう。大学卒業後東京タイムスに入社するが退社。劇作家木下順二と演出家岡倉士朗に弟子入り。商業演劇やオペラの舞台監督、放送作家などの仕事をしていわゆる演劇プロフェッショナルになっていく。

木下のドラマトゥルギー論の影響下に「長い墓標の列」（一九五七）を書き、五九年に平均年令二五歳の劇団青年芸術劇場（青芸）の旗揚げに参加、六〇年安保改定阻止新劇人会議の活動家として闘い、シュプレヒコール劇を書く。これがリアリズム戯曲からの離脱に役立ったといわれている。さらに当時流行のブレヒト劇からも大きく影響されたといわれる。そうした理由もあろうがわたくしはリアリズム戯曲では表現しきれないなにか、短絡的にいえば芸術家の欲求があった、あの時代状況のなかで福田は何かを感じ取ったのだと考えている。だからこそ新しい戯曲形式の登場が可能だったのだと思う。その作家としての感性をわたくしは評価したい。

「遠くまでいくんだ」「ブルースをうたえ」（六一年）、「オッペケペ」「袴垂れはどこだ」（六四年）、「魔女伝説」「しんげき忠臣蔵」「好色一代男」「焼跡の女侠」「白樺の林に友が消えた」等々、さらに人形劇結城座に「お花ゆめ地獄」を書き、シェークスピアの演出もする。一人ミュージカル「壁の中の妖精」作・演出および「幻燈辻馬車」で九三年度紀伊國屋演劇賞個人賞受賞、「私の下町―母の写真」で九四年度読売文学賞を受賞。「私の下町」は「母の写真」「姉の恋愛」「ぼくの失敗」（二〇〇〇年）の三部作。歌・踊り・芝居の舞台を福田はあくまでもこだわっているようである。

別役実
「象」（三幕）

由紀草一

初出　『劇場評論』No.２　一九六三（昭38）年
初演　自由舞台一九六二（昭37）年四月　俳優座劇場
改作初出　『新劇』一九六五（昭40）年八月号
改作初演　青年芸術劇場同年七月　俳優座劇場

1

「原爆1号」と呼ばれた男がいる。本名を吉川清といい、三十四歳のとき、広島の電鉄会社からの夜勤明け、帰宅した瞬間に被爆。奇跡的に一命をとりとめ、翌年妻とともに広島赤十字病院に入院した。背中一面に負ったケロイドは、生存者中最大のものであるところから、まず医療関係者の間で有名となり、四七年『ライフ』『タイム』など外国人記者団の取材を受ける。このとき『ライフ』誌に載ったケロイドの写真にATOMIC BOMB VICTIM No.1 KIKKAWAというキャプションがついたのが、右の通り名の由来である。五一年、たぶん病院の待遇改善を求めたことが仇となって強制退院させられ、原爆ドーム横にみやげもの屋「原爆1号　吉川記念品館」を出す。五二年「原爆被害者の会」を結成したが、後に内部の軋轢のため脱退している。五五年は第一回原水爆禁止世界大会広島大会があった年で、それに先立ち被爆者諸団体を統合した「広島県原爆被害者団体協議会（広島県被団協）」が結成されると、常任理事に就任する。六三年平和都市建設法によって彼の店は壊され、六九年からはバー「原始林」を経営した。八六年に亡くなっている。

以上のような経歴は、原爆被害者としてはたぶんそれほど珍しくないのだろう。たった一つ、特別な名前で呼ばれたことを除いては。この名は元来、吉川というよりは、彼の背中一面のケロイドにつけられたものだった。そして彼は、半ば以上自らの意志で――と、どうしても思える――これをずっと引きずって生きた。つまり、原水爆禁止大会などの機会に、背中を聴衆の目に曝し続けたのである。今でもその気になれば、土門拳の写真集「ヒロシマ」（五八年刊）などでその姿を見ることができる。新藤兼人監督「原爆の子」（五二年）やアラン・レネ監督「Hiroshima mon amour」（日本名「二十四時間の情事」五九年作）などの映画にも出ている。いずれも当然のように、ケロイドを見せて。

こんなことで目立つのは、いいことばかりではない。吉川自身の著作『「原爆一号」といわれて』にはこうある。

〃原爆一号〃といえば、大きなケロイドのあることをよいことにして、図々しくも自ら〃原爆一号〃などと称して、売名とケロイドを売り物にして生きているいやらしい奴ぐらいにしか思っていない人もまた、少なからずあったようである。

その証拠に、そうしたたぐいの非難や中傷をいやというほどに、直接間接に聞かされてきたものであった。中には悪意に満ちたもののもまれではなかった。

非難や中傷は、まず諸肌を脱いでケロイドを人目に曝す手段のあざとさ――と表現してよいかどうか迷うが――に由来する。結果として吉川個人が目立ちすぎることへの反感がもたれることもある。自分が作った「原爆被害者の会」を辞めた事情を初め、彼の本に出ている具体例はたいていそれである。しかしそういうはっきりした形をとる以前の、彼の背中を目の前にした人々の微妙な戸惑いを、彼は書かない。たぶんそれは言葉にならない、言葉にしてはならないものだ、と感じられたから。それを敢えて言葉や、他の手段で表現しようとする意味はあるだろうか。ある、と私は思う。ヒロシマについて第一に言わなくてはならないのは、むしろそこなのではないかとさえ。

吉川清のケロイド。なるほどそれは、人間の科学技術がもたらした蛮行の、かけがえのない記念碑である。そのことは誰も否定しない。しかし、原爆ドームとは違い、吉川は生きている。そこにあるのは、我々同様生活している男の生身である。それを目にするについては、男の明確な意志が働いている。最初に外国人記者団の前で服を脱いだときの心持ちを、吉川は「見とりやがれ。このオレの身体を、ピカで生き残った証《あかし》にしたるけんの。そうでもせにゃ、やれんわい」(前掲書)と表現している。決して歴史になり終えない生々しさ。それに対して誰が、何をできるのか。それとも、何もできない無力さを認めるべきなのか。そのような決断を、この意志は言わず語らずのうちに迫ってくる。心静かに原爆の悲劇に思いを巡らしているわけにはいかない。逆に、そうしたければ、一刻も早く忘れなければ、できれば、見なかったことにしなければならない。

私の貧しい表現力で言えるのはこんなものだが、圧倒的に豊かな言葉を持つマルグリット・デュラスが、「Hiroshima mon amour」のシノプシスにこう記している。

何について、彼らは話しているか？　まさしく、ヒロシマについて。

彼女は彼に向って、自分はヒロシマですべてを見たのだと言う。彼女が見たものが画面に現れる。それは、怖ろしい。しかし、それに対し、彼の声は否定的な調子で、空しいさまざまの映像を非難するだろうし、また、彼女がヒロシマで何も見はしなかったのだということを、個人の立場を離れて、我慢がならないといったふうに、繰返し語るだろう。
彼らの最初の言葉のやりとりは、従って寓意的なものとなるだろう。それは結局、オペラの言葉のやりとりとなるだろう。ヒロシマについて話すことは不可能なのだ。なしうるすべてのこと、それは、ヒロシマについて話すことが不可能であるということについて話すことである。ヒロシマについての認識は、精神の陥る典型的な罠として、先験的に設定されているので。（清岡卓行訳）

この映画に吉川のケロイドの映像を使ったのはたぶん日本のスタッフのアイディアで、シナリオを担当したデュラスは、彼のことはほとんど知らなかったのではないかと思われる。彼女は日本へ来たことはなく、当然広島市を直接見ることもなかった。フランスにいて、ヒロシマの語り難さに、そして、それこそが語られなければならないことであることに、思い至ったのである。

ところで、吉川のほうでは、他ならぬ自分をモデルとして、デュラスとほぼ共通するテーマで、劇作品が書かれていたことは知らなかったようだ。彼は映画好きであることを自認し、著書の末尾で、自分が出た「原爆の子」「二十四時間の情事」から「はだしのゲン」（八〇年作）に至るまでコメントしているのに、「象」に関しては全く言及がない。もし知ったら、どのように反応したか。それもまた、なんとなく居心地の悪さ、戸惑いを感じさせる問のようである。

2

「象」は、処女作[1]「AとBと一人の女」（六一年。『別役実第二戯曲集　不思議の国のアリス』三一書房七〇年刊所収。以後、別役の戯曲集はすべて三一書房刊）に次ぐ別役実の第二作であり、あの独特の文体が早くも完成していることはすぐに見て取れる。たぶん別役は、吉川についてそれほど詳しくは知らない。ただ、シャツを脱いでケロイドを見せる被爆者がいることを知り、その行為になんとなく感じられる違和感を、劇にしようと思いついたのだろう。そういうことのためにこそ、不思議な透明感を漂わせる対話と独白が十全な効果を発揮する。

別役実は非常に意識的な作家であり、また最初期には、一連の戯曲作品に直接間接につながるエッセイをたくさん残し、評論集『言葉への戦術』に収めている。ここから「象」に関連して、二つのテーマが抽出できるように思う。

その第一は、「見る」ための方法論。それは語り難いものを語る方法と同じである。「象」の三つの上演パンフレットに書いた文章（書中の配列順だと、「盲が象を見る」早稲田小劇場六八年、「赤い鳥のいる風景――「ヒロシマ」との関係を探るために――」企画66六七年、「ヒロシマについての方法」青年座七〇年。これらの上演年は、『別冊新評　別役実の世界〈全特集〉』中の温水ゆかり編「別役実戯曲上演リスト」による）からは、何よりもこれを構築しようとする意欲がうかがえる。デュラスの言う「精神の陥る典型的な罠」を回避するためには、迂回路を通る必要がある。デュラスが使ったのは、広島で一夜の愛を交わす男女の孤独な魂の響き合いであり、その上で、見ようとすればするほど見えなくなるものがあることが、最初の対話で確認されていた。別役は、「群盲象を撫でる」営みこそがこの場合有効なのだ、とする。


　象は、当時、われわれ「目明き」にとってハッキリしていた以上に、現在、ますますハッキリしてきたかに見える。ほとんど理解し尽くしたかに……。

　しかし、どんな「目明き」が、象を「太い柱である」とか、「大きなうちわ」であるとか、「厚い壁」であるとか断言できるだろうか……？　また「太い柱」である、と断言することによって、それにつながって広がる量と、それに対する不安を、誰が、それ以上に感じ取れるであろうか……？

　ある漠然とした空間がある。その空間については、盲が象を見るようにしてしか、見ることが出来ないという奇妙なメカニズムが存在する。陰湿なマイナスの世界である。

（「盲が象を見る」）


かくして、盲人が撫でてみて、「柱」「うちわ」と断定することによって不安のうちに感じ取った「それ」に連続する巨大なものが、ヒロシマの比喩として使われる。全体像を直接見ようとするべきではなく、不可視の関係性の果てに聳え立つ何ものかとして感じるべきヒロシマ。

　このようなヒロシマがいつ別役の中で意識されたか、よくわからない。あるいは最初のきっかけは、作中一度だけ言及されている原水爆禁止大会の報道で、吉川清の存在を知ったことだったかも知れない。この年別役は高校二年生だが、ドストエフスキーを読む早熟な少年なら（前出『別役実の世界』中の「別役実自筆年譜」による）不思議ではない。彼が広島市を初めて訪れたのは「赤い鳥のいる風景」によると昭和四十一年、つまり六六年だから、「象」が書かれた後のことになる。別役もまたデュラスのように、広島を見ないまま、ヒロシマをめぐる本質的な困難に思い至ったものらしい。しかしこのように年代を確認しないで「赤い鳥のいる風景」の、原爆ドームや原爆記念館に関する記述を読むと、自然にこれは作品制作以前の話ではないかと思えてくる。


（前略）私はひなたくさい原爆記念館に陳列されたゆがんだ弁当箱や、ケロイドの写真の前でどうしていいのか分らなかった。それらは、奇妙に生々しいのだが、ちっとも具体的ではなかった。その時なのだろう。私の中に構築されていたかに見えた「ヒロシマ」のガラガラと崩れ去っていったのは。そして、ドームを中心に広がる、荒涼としたものだけが残ったのだ。

原爆資料館の弁当箱は、究極の暴力によってそれが使われていた日常生活の場から引き離された。その歪んだ形から、暴力の恐ろしさを偲ばせようとする意図はよい。が、いずれにしろ、そこにあるのはあくまで終わってしまったものの結果であり、一見きわめて明確である。数多の言葉がその上に積み重ねられる。そういう行為を我々は普通、ヒロシマを語り、理解することだと呼んでいる。けれどももし、それをもう一度日常生活の過程へもどすことができたなら、歪みは耐え難いほどの具体性を備え、真の「意味」を語るのだろう。別役が「象」の、ケロイドを生きてみせる主人公を通じて我々に垣間見せようとしたのは、そういうものだったはずだ。その作業が終わってから、何が構築され、何が崩れ去ったというのか。意識的か無意識的な記憶の置き換えが行われたのでなければ――偶然だが、「ヒロシマについての方法」では、原民喜がエッセイで、原爆投下以前にレストランの丸天井が崩れる幻覚に襲われたと記した「記憶の修正」が紹介されている――ヒロシマの語り難さが、その後も別役の中で何度も反芻された結果だとでも思うしかない。

（前略）恐らく、話され過ぎるほど話された「ヒロシマ」についての言葉は、全て「ヒロシマ」に奉仕したのではなくて、「ヒロシマ」に関係して、他の事のために使われたに違いない。残ったのは「ヒロシマ」と言う言葉それ自体であり、確かなのは未だに、「ヒロシマ」そのものだけである。「ヒロシマ」は我々にとって、更に問題にされるべきであると思うが、そのために我々は「ヒロシマ」を探るのではなく、「ヒロシマ」との関係を探るのでなくてはならない。或る意味では、「ヒロシマ」は我々にとって分りすぎるほど分ってしまっているのだ。（「赤い鳥のいる風景」）

その日原子爆弾がヒロシマに落とされた事実を、政治的な経済的なカラクリをもって説明する事など何でもない。それは被爆者の悲劇を、被爆当時の苦しみや、その後の病状や、生活の困窮や、社会的な差別の実情で説明するのと同様である。それら結果として表現された様々なものを究極に於て決定するものを無限の彼方に据え、それを究極に於て拒否するものを自らの内に確かめる行為こそ、先ずもってなされなければならない。そこにしか、ヒロシマに対する方法はないのである。（「ヒロシマについての方法」）

以上の方法に関する意識が、第二のテーマである芸人論を導き出す。別役劇の主人公としておなじみの、漂白者である男は、アーサー・ミラー「セールスマンの死」のウィリー・ローマンが大本だが、(2) 最初芸人として現れたのである。もちろん、ケロイドが芸であるはずはない。ただし、それを積極的に人に見せようとする決意は芸そのものだ。そのことは、カフカの短篇小説「断食芸人」を劇化した「獏」（七一年。『別役実第三戯曲集　そよそよ族の叛乱』七一年所収）を書いたときに確認される。

ところで断食芸人は、興行師と共に一つの街に現われ、想像を絶するほど長期間の断食を宣言し、それに挑戦してみせるわけであるが、実に思いがけないところに矛盾を露呈するのである。断食芸人の芸人たるゆえんは、断食もまた芸であるとしたその決意のうちにあるのであって、実際の断食行は単にその結果にすぎないのであるが、観客はそう見ない。観客には、結果としての断食行しか見えないから、それが芸であるならば、それは断食する事なしにあたかも断食をしているが如くにふるまう芸に違いない、と考えてしまうのだ。つまり、こっそり食べる芸である。

往々にして観客は、一つの文明的事象を、巨視的に見る目に欠けている。眼前に断食芸人を置かれてしまうと、文明がそうした芸人を生み出した衝撃性、もしくはその文明の中で彼が断食を芸として見せようとした決意の厳粛さを見るのではなく、いかにして彼が断食をするかもしくはごまかすか、に関心が集中してしまう。一つの芸は、こうした事情の中でいやおうなく、原因と結果に分断され始める。仮にあるとすれば、芸の原因と結果との間には、この様に奇妙に屈折した事情が介在し、それが芸人とその観客を、たとえようもなく不安定な立場に追いこむのである。（「断食芸人の悲哀」初出『朝日新聞』七一年一〇月）

背中のケロイドを見せつけられたとき、人々は疑わずにはいられない。これは同情を惹こうとする行為なのか、もっと直截に、金や名誉を求めているのか。彼はどうしても孤立する。もっとも、孤立ならずっと以前に始まっているのだろう。そのような行為は、生産にも、共同体の維持にも、歴史を振り返ることにさえ関係ない、ただただ彼個人の事情と思いを突き出しているだけなのだから。しかし、時にこんなこともしてしまうのが人間なのであり、それが全く無視されるとしたら、たぶんこの世から人間はいなくなる。共同性にも歴史にも回収されないから、対応するとすれば神しかないような人間性のこの部分は、魂と呼ばれるのに最もふさわしいのである。「私に言わせれば、農夫には魂なんか必要ではないが、旅芸人には、スパイや裏切り者にそれが必要なように、魂が、それこそ必要なのである」（「獏」創作雑感」初出五月舎「獏もしくは断食芸人」上演パンフレット七二年一月）

以後、別役劇は、スパイ、裏切り者、そして元のセールスマン、などなど様々に姿を変えて現れる魂の持ち主たちを主軸として展開する。だから「象」こそ別役実の出発点と呼ばれるにふさわしいのである。つけ加えるならば、ここには、現代の意識的な作家に固有な、メタ演劇のレベルもある。断食を、またケロイドを芸にするという奇妙な決意は、演劇に携わる決意と同質とされる。「大げさな言葉を使えば、人間が文明の内に演劇という奇妙な装置を仕掛け、それを操作しているという事実こそが、感動的なのでなければならないのだ。人間が演劇をするという奇妙さは、断食を芸として売る奇妙さと比較して勝るとも劣らないのである」（「断食芸人の悲哀」前出）——別役の書く演劇の奇妙さは本当に我々を感動させ得るか。彼の作品の論究はこの問を中心にしたものでなくてはならない。

3

「象」には三人の被爆者が登場する。〝病人〟とその甥らしき〝男〟と、彼らが入院している病院の〝看護婦〟。対話――というより多くの場合むしろモノローグの交錯――は主に前二者の間で交わされる。他の登場人物をざっと紹介すると、まず、太り過ぎが恐ろしくて家で一人で泣いていると〝病人〟から言われ、台所のわきの部屋で電気をつけずに寝ていたと〝男〟には言われる〝病人〟の〝妻〟。このように語られる範囲での彼女の人物像は、「AとBと一人の女」中の、登場しない〝一人の女〟を思わせる。第二幕で、〝病人〟との関係が耐えられず、実家に帰ってしまう。次に、インターホーンで〝病人〟たちの話を盗み聞きしているらしい〝医者〟。「打ちとけて話をしてみようじゃないか」などと言って、〝病人〟に敵意を向けられる。最後に、なぜか〝妻〟に近づいて、手伝いを申し出る〝通行人1〟。第二幕の全く独立したエピソードの中で〝通行人2〟を一方的に決闘に引き込み、殴り殺してしまう。以上が〝病人〟を取り巻く不安定な世界を構成するメンバーである。

舞台にはまずコーモリ傘を持った〝男〟が登場し、戯曲にも分ち書きで書かれている、詩的な隠喩に満ちた長いプロロゴス(序詞)を語る。「みなさん、こんばんは。/私は、いわばお月様です」「あるいは……。あるいは、おさかなです。/いわば淋しいおさかな」「もう一つの方向へ……。/私の涙の流れる方向へ……。/暗い深いところへ……」――舞台上にベットに横たわっている〝病人〟とかたわらでおにぎりを食べている〝妻〟が現れ、次に〝医者〟が担架に乗せた死体を運んで舞台裏を横切り、最後に〝妻〟が帰るまで、〝男〟のモノローグは続く。〝妻〟と入れ代わりに登場する〝看護婦〟は、病室への道筋を〝男〟に教え、ついでに注意も与える。「それから、もし患者さんがどなたかに声をかけましても、お相手をなさいません様に。あなたの足音を聞いているのです。きっと耳を澄ましておりますから……」――それでようやく〝男〟は〝病人〟のもとへたどりつく。とりとめのない話が交わされてから、〝病人〟は語り始める。原水爆禁止大会でシャツを脱ぎ捨てたとき、人々が熱烈な拍手をするだろうと思っていたのに、みなシュンとしていた。それが言わば彼の転落の始まりだった。それから、後に〝あの街〟と呼ばれることになる場所で、ケロイドを見せたときの思い出。

そうさ、あれも最初は嫌な仕事じゃなかった。
俺は見物人にヒロシマの、あの時の様子を話してやったり、一寸気の利いた冗談を言って笑わせたり、カメラの為に新しいポーズを考えたりしたもんだ。
俺がシャツを脱いで見物に背中を向けると、一斉に、ホオッと云う様なため息が聞こえる。

それは悪くなかったよ。

それに俺は、あの、シャッターのカシャリと落ちる軽い音も好きだった。俺が一寸背中の筋肉を動かす度に、それがカシャリ、カシャリと鳴るんだよ。

実に、何と云うか折目正しい感じでね……。

そうだ、あれはいつだったかなあ。一度小さな女の子がお母さんと一緒に見に来てね、その子が、俺の背中のケロイドをさわってみたいと云ってきかないのさ。

そのお母さんは一生懸命やめさせようとするんだが、どうしてもさわると云ってきかないのだよ。

はははは、おかしな子だったねえ。

俺もうつるものでもないからと思って、さわらせてやったのさ。

おそるおそる手を伸ばしてね、一寸さわってすぐひっこめたよ。

可愛い子だった……。


ホオッというため息、折目正しいシャッターの音、おそるおそる差し出される小さな手。これらが〝病人〟にとって貴重だったのは、ひそやかでも確実さをもって世界のほうから彼へと送られた信号だからである。それに触れている限り、〝病人〟もまた、世界との最小限のつながりを感じて、安定していられた。しかしあるときそれは「目の前からスウッと黒い波が引いていくように、遠ざかってしまう。


（暗く）あの原水爆禁止大会があってからいけなかった。

俺は気が付いたんだよ。

奴等が本当は何を見たがっているのかと云う事をね。

眼を見るんだ。

俺の眼を……。

背中のケロイドよりも俺の眼をのぞきこもうとするんだよ。

俺がシャツを着始めると奴等はじっと穴があく程俺の眼を探ろうとするんだ。わかるかい。


作中、「原水爆禁止大会」や「ヒロシマ」などの固有名が出てくるのはここだけである。だからこそ、我々は思い巡らす。これらをめぐって、どれほど多くの言論が費やされてきたことか。さらに、たぶんもっと多い、どれほどの言葉が、被爆者救済のために使われたことか。それはもちろん、有効だったろうし、必要なことでもあったろう。しかし〝病人〟の求めるものはそこにはない。彼はあるとき、まったく突然に、原爆という個人の身の丈をはるかに超える巨大なものに生身で出会ってしまった。そのため、普通の日常は彼からは奪われている。第一幕二場で、一場に引き続いておにぎりを食べている〝妻〟に向って、〝病人〟が、「お前には計画ってものがないんだよ」と、正しい食べ方について長々と講釈を垂れる割合と有名な場面――例えば、山崎哲が「うお伝説」（八二年）で引用している――があるが、これは要するに、今や遠いものになってしまった日常性への〝病人〟のこだわりを示している。別役劇では同じモチーフは「二軒の家　一本の木　一人の息子」（七七年。戯曲集『にしむくさむらい』七八年所収）などで繰返されている。

〝病人〟の日常はもちろんもう戻ってこないし、いかようにしても救済されない。そこで彼は、巨大なものから受けた聖痕を曝し、それでも一人の人間として生きてこなければならなかったし、これからもそうしなければならない事実そのものを、人々の前に提出する。これが、後になればなるほど、通じなくなる。原子爆弾が人類最大の問題の一つであることが広く知られるようになると、人々はそこで「芸」が行われたなどとは信じられず、〝病人〟の隠された「意図」を探ろうとするから。ずれはどんどん大きくなり、〝病人〟は焦る。彼は、人々と自分との間に憎しみがあるのだと思いみなし、〝あの街〟へ行って殺されることとさえ夢想する。第二幕で発症して〝病人〟と同じ病室へ運びこまれた〝男〟には、そんな彼の空回りがよく見える。

「つまり、誰もが野心的であるとは限らないし、全ての敗残者が悲壮であるとは限らない。往々にして人々はさり気ない」と最初のト書きに書かれている彼は、さり気なく生きることが、それができないなら、さり気なく死ぬことが望みなのだ。

僕もそう考えたけれども、もう誰も僕達を殺してくれる人なんかいないんです、本当ですよ。

「ケロイドが、伝染《うつ》るといけないから」なんて云う人が居ますか？

誰もそんなこと云いやしない。誰も云いやしませんよ。そうじゃなくて、いいですか、これは本当の話ですが、原爆症の男の人とでなければ、結婚しないという娘さんがいるんですよ。当りまえのきれいな娘さんなんです。それからケロイドのある女のひととでなければいやだっていう男の人も居るんだそうですよ。

現に、ここでこの前まで働いていた看護婦さんは、そういった男の人にもらわれていったんです。

ねえ、それじゃまるで僕達は愛し合ってるみたいじゃありませんか？

そうでしょう。僕達を殺したり、僕達の悪口を云ったりするのは禁じられているんです。そう云うシクミになっているんですよ。だからみんなニコニコしています。愛しているみたいなんです。

かつて〝病人〟を迎えた熱狂はもうない。日常の側からひそやかに送られてくる信号もない。「ケロイドが伝染る」なんぞという誤解ないし心ない言葉も、露骨な反感さえ、ない。これらは確かに、人々の自然な感情から出てきた、〝病人〟のケロイド、というかそれを見せる行為への反応だった。それに引き替え、原爆症患者を見たら必ずお気の毒な人たちと思えなどと決められる、制度化された善意のなかには、〝病人〟の情念に対応するものは何もない。〝病人〟はそれを理解しないか、理解しないふりをする。長い入院生活でろくに歩けなくなっているのに、〝あの街〟へリアカーを引いて行くのだと言い出す。行って、カミソリで体を傷つけて血を流してでも、人目を引き、彼が一生懸命なのだということを見てもらいたいのだ、と。〃男〃にとってこんな厭わしいことはない。そんなことをすれば〃病人〃と人々との間のズレは、それこそ原爆にも匹敵する歪みにまで巨大化するのではないか。第三幕の雨の夜、あくまで行こうとする〃病人〃を、〃男〃はなんとしても止めようとする。

（同じくベッドをおりて）叔父さんはっきりして下さい。いいですか、もう僕達は何もしてはいけないんです。何をしてもいけないんですよ。何かをするってことは、とてもわるいことなんです。どんなに辛くても黙ってじっと寝ていなければいけないんですよ。

〃病人〃に〃男〃がむしゃぶりついて、〃病人〃は死ぬ。第二幕で死んだ〃通行人2〃を含めた全登場人物がボンヤリ現れ、〃病人〃の死体を乗せたリアカーが運び出され、〃男〃以外はそれについていく。開幕の時と同じような、ただしずっと短い〃男〃のモノローグで劇は終わる。「何故、拍手をしないんです。／叔父は、そう思ってたんですがね。拍手をするだろうって……」云々。

以上で私はこの戯曲の根幹の部分を取り上げ、分析したつもりでいる。これ以外に、枝葉の部分がいくつかある。その中から、今まで全く触れずにきた第三の被爆者〃看護婦〃について一瞥しておこう。彼女は〃病人〃とは全くからまない。〃男〃と短い話をして、舞台奥を横切り、あとは〃男〃が話題にするだけである。第一幕で、彼女は丈夫な百姓と結婚して子供を生むのだと言う。第二幕では、その子は生まれてすぐに死んでしまったと言われる。これでもう〃看護婦〃は登場しない。第三幕、〃医者〃は彼女は結婚などしなかった、すぐ先の病室で寝ている、と〃男〃に言う。しかし〃病人〃によると、彼女は一度病院から、裸足で走って出ていったが、連れもどされたのだそうだ。

〃看護婦〃が子供を生んだ話は、嘘だったのかも知れない。それでも彼女は、〃病人〃と同様、戦おうとしている。被爆者が普通人の生活を取り戻し、「ケロイドのある女のひととでなければいやだ」などとは言わない人と結婚し、できればさりげなく、子供を生み、その子が育っていく、その過程こそ、「それら〈原爆の〉結果として表現された様々なものを究極に於て決定するもの」を「究極に於て拒否」するのだろう。成功した人はもちろんたくさんいる。が、失敗し、戦いに破れた場合は……。どうにもならないから、あがき、「手足をバタバタさせる」[3]のだろうか。別役は作品の中であえてそうさせて、その向こうに、彼らが全人性を賭けて耐えねばならならなかった特異な時間を間接的に見据えようとする。このとき「見る」試みは、ヒロシマへの鎮魂の歌にもなっているのである。

4

最後に、作品以後の関連事項を箇条書きでメモしておく。

（1）別役実は「マクシミリアン博士の微笑」（六七年）で、もう一度ケロイドを取り上げた。前出『第三戯曲集』所収のテキストには、三場と記されているのに、二場までしかない、たぶん未完成作である。『第二戯曲集』の「あとがき」には、これについて、「上演後大幅な書直し計画をたてたまま手がつかず、そのままになっている」とあるが、現在まで書き直されていない。内容は、被爆した子どもたちのケロイドを手術して隠してやりながら、彼らにヒロシマの〝あの時〟のことを語らせようとする、舞台には登場しないマクシミリアン博士の意図をめぐって、博士の〝助手〟、自身被爆者の〝看護婦〟、それに〝子供〟の三者が葛藤するさまを描いている。ヒロシマの語り難さは、「象」よりストレートに出しているが、反面ずっと生硬なディアレクテークで対話が進行し、別役劇としては珍しいくらい「近代劇」に近い印象が持たれる。この後だと、別役がヒロシマを直接取り上げたことはない。

（2）特に〝男〟の台詞中にちりばめられている詩的なイメージは何の喩なのか、解き難いが、その後の別役の諸作品中で変奏されている場合がある。

「淋しいおさかな」は、最初の童話集（三一書房七三年）のタイトル作である。しかしそれより、「スパイものがたり」（六九年。『第二戯曲集』所収）のスパイの形象が重要である。自分は「とめどなく怪しい大きなバケモノを、宇宙にブラ下げるための小さなピン」だと言うスパイは、紛れもなく〝病人〟の後裔だが、彼自身が〝おさかな〟になぞらえられていることは、最後の場で巨大な釣り針が空から降りてくることでわかる。彼は淋しさのあまり思い出の地球を買収して食べてしまった挙げ句、釣り糸の方向へ昇天する。

〝男〟と〝病人〟の対話の最初のほうに出てくる「アカイツキ、アカイツキ、アカイツキ」と叫びながら走ってくる男のイメージは、「アカイツキ」（八九年頃。戯曲集『ドラキュラ伯爵の秋』九〇年刊所収）に再登場する。作品全体は、ベケットの「行ったり来たり」などを下敷きにしたのではないかと思える。二人の女と一人の男がうどんをいぎたなく食べ散らかしながら、「不条理劇」的なやりとりをくりひろげるのだが、そこへやや不釣り合いな戦いの太鼓が響いてきて、「アカイツキ」が呟かれる。そして彼らは暗い森のなかでけものと戦う男の姿を幻視する。平凡だが、根源的な暴力衝動の象徴と考えていいのだろうか。

暴力といえば、道で出会った〝通行人2〟を突然殺してしまう〝通行人1〟は、「諸国を遍歴する二人の騎士の物語」（八七年。戯曲集『諸国を遍歴する二人の騎士の物語』八八年刊所収）の主人公である、「殺さなければ殺される」という明確な哲学をもった二人の老人の遠い先祖だろう。世界と妥協なく対峙しようとする姿勢がそこにはある。それを〝病人〟は「ニセモノ」と断じる。八七年にもその観点はまだ残っていただろうか。そういう厳しい姿勢は別役劇では何かのカリカチュアにしか見えないところは、持続していると思うが。

（3）九八年、「象」は二十年ぶりに再演された。新国立劇場で、竹内銃一郎の演出。遊びの多い演出だったが、その中で、〝男〟

を女優に、女としてやらせたのはいいと思う。若い女性が「愛されようとおもっちゃいけないんですよ」などと言うと、いかにも切ないから。それ以外は、どちらかと言うと空疎な印象が残った。いったいなぜなのだろう。別役が開発したヒロシマを見る方法もまた、時の侵食作用を免れなかったのだろうか？　それとも、我々の感性が、もはやあのような暗さには耐えられなくなってしまったことの現れだろうか？　いつか別の演出で、「象」をもう一度観てみたいものである。

（「象」のテキストの引用は『新劇』六五年八月号からのものである。初稿は未見）

註

（1）鈴木忠志の「処女作以前」（『別役実の世界』所収）によると、別役実は「AとBと一人の女」以前に、少なくとも二つの戯曲を書いている。一つは翻案もので、六〇年に自由舞台が鈴木演出で上演もした「貸間あり」と、未上演の「ホクロソーセージ」。両者とも習作であると、作者自身がみなしているようだ。戯曲集『金襴緞子の帯しめながら』（九八年）の巻末の「上演用戯曲全リスト」には、「雨が空から降れば」（九七年）に至る百四本の戯曲が創作順番号つきでリストアップされているが、そこでの1番は「AとBと一人の女」、2番は「象」である。

（2）「セールスマンの死」は、六〇年、自由舞台が、鈴木忠志演出・小野碩主演という、「象」の初演と同じコンビで上演しており、このとき別役は舞台監督をつとめた（『劇的なるものをめぐって』所収の松本淑子＋斎藤郁子構成「世界演劇史年表　1960—1976』による）。その影響については、別役自身が岩波剛のインタビュー「別役実氏に聞く」（『悲劇喜劇』七八年四月号）で次のように言っている。

「あのウィリー・ローマンの形象に対する思い入れというのが、非常に強かったんじゃないかという感じがするんですよ。ぼくの場合、たいてい男が主人公になってでてくるのですけれどもね、それはどうも、ずっと連続して、ぜんぶウィリー・ローマンの変形ではないかという感じがする」

（3）『別役実戯曲集　マッチ売りの少女／象』（六九年刊）巻末の「それからその次へ（あとがきにかえて）」に引用されている、橋川文三の文言。「それからその次へ」は非常にすぐれた尾形亀之助論である。以下に少し引用する。

「（前略）時代は正に「手足をバタバタさせる」実践の中にこそ最大の可能性を見出だそうとしているのではないだろうか。ヨーロッパに於ける主体が、そうした〈キリスト教的な〉普遍者との緊張関係の中に全く閉鎖され、統一的な原理体系のないアジア、アフリカにこそ無限の可能性が秘められている事を、既に我々は知っているのである。

　彼、尾形亀之助も、そうした原理体系がないために、「おおやけ」と「わたくし」が相互に入り組む事情の中に或る空洞を見出し、それがために障子一枚の厚さを彷徨する事を強制されたのであるが、しかし彼は、その空洞に於て、障子一枚の厚さに於て、「手足をバタバタさせる」事によって可能な一つの方法を、我々に示唆したのである。「象は、その全重量が計量されて数字になった時に象なのではなく、それに触れて『うちわ』であり、『壁』であり、『柱』であると断定し、断定しきれない　ものを感じた時にこそ、むしろ象なのである」と云う方法である」

〈参考文献〉

吉川清『「原爆一号」といわれて』ちくまぶっくす一九八一年

マルグリット・デュラス　清岡卓行・坂上脩訳『ヒロシマ、私の恋人　かくも長き不在』筑摩書房一九七〇年

別役実『言葉への戦術』烏書房一九七二年

『別冊新評　別役実の世界〈全特集〉』新評社一九八〇年

早稲田小劇場＋工作舎編『劇的なるものをめぐって　鈴木忠志とその世界』工作舎一九七七年

別役実《べつやくみのる》（一九三七・四・六〜）

満州生まれ。父は満州国総務庁情報局事務官だった。四五年終戦の年に父を喪い、ソ連占領下の新京で一年過ごす。四六年に引き揚げると、四八年まで一年ごとに、父の実家である高知、母の実家である静岡県清水、そして長野へと移転する。中学時代、美術の時間に国画会の上原正三に出会い、美術に興味を持つ。五四年長野北高校（現在の長野高校）に入学、ドストエフスキーを読む。五七年高校卒業と同時に上京、母とともにロシア料理店に住み込む。五八年早稲田大学政治経済学部に入学、先輩の勧誘により、劇団自由舞台に入部。この頃、カフカを読む。六〇年授業料未払いで大学を除籍、デモと演劇に明け暮れる。この頃、ベケットを読む。六一年新島基地闘争に参加、東京土建一般労働組合港支部に書記として勤務。六二年、鈴木忠志、小野碩らと新劇団自由舞台を結成、旗揚げ公演として「象」を上演する。六六年、自由舞台は早稲田小劇場と改称され、早大正門近くの喫茶店二階に小さな劇場を持つ。六七年「マッチ売りの少女」「赤い鳥の居る風景」により、第十三回岸田戯曲賞を受賞。六八年勤めをやめ、また早稲田小劇場から離れる。有馬弘純、喜多哲正らと同人誌『季刊評論』を創刊する。七〇年女優楠侑子と結婚。七二年山崎正和、末木利文らと「手の会」を結成。「そよそよ族の叛乱」（七一年）などの創作活動により、芸術選奨文部大臣新人賞を受賞。以後、日本で最も多産な劇作家として活動する。九三年日本劇作家協会を設立、副会長に就任する。九六年劇作家協会の責任編集で小学館より季刊『せりふの時代』を発刊。九八年劇作家協会会長に就任。戯曲集は『マッチ売りの少女／象』（六九年）から『金襴緞子の帯しめながら』（九八年）まで合計二十五冊が三一書房より刊行されている以外に、「書き下ろし新潮劇場」シリーズで『移動』（七一年）と『椅子と伝説』（七四年）がある。他に『淋しいおさかな』（三一書房七三年）などの童話集、『虫づくし』（烏書房七六年）などのエッセイ、『象は死刑』（大和書房七三年）などの小説、『犯罪症候群』（三省堂八一年）などの評論が、彼の活動領域である。

宮本研

「明治《めいじ》の柩《ひつぎ》」（序曲と終曲をもつ二幕九場）

菊川徳之助

初出　『新劇』一一六号　白水社　一九六三（昭38）年一月号
初演　ぶどうの会　一九六二（昭37）年十一月　新宿厚生年金会館ホール

1　初めの創作態度

「明治の柩」は、一九六二年十一月、「ぶどうの会」創立十五周年記念公演として初演された作品である。作者・宮本研は、この戯曲で一九六三年度の芸術祭奨励賞を得た。

宮本研は、「明治の柩」なる作品を書かなかったら、もしかしたら、その後の「美しきものの伝説」「阿Q外伝」「聖グレゴリーの殉教」なる作品は、この世にはなかったかもしれない、と言っている。〈革命伝説四部作〉と名づけられるこれらの作品の源は、確かに、「明治の柩」という作品であり、この戯曲が、宮本研のその後の戯曲形態の基礎となったと言える。そしてまた、代表作の一つとなった作品である。

一九六一年に、ぶどうの会から宮本研は作品の依頼を受ける。二冊の本――大鹿卓の『渡良瀬川』と『谷中村事件』――が手渡される。つまり、足尾銅山鉱毒事件の指導者・田中正造の劇化の依頼である。当初、木下順二が書こうとしていた題材であったが、ドラマ化されずにいた。ぶどうの会はその役割を宮本研にバトンタッチしたのである。

宮本研は当惑する。ぶどうの会のために書くか書かないか……。宮本研は「反応工程」や「日本人民共和国」などの骨太い作品を書いていたが、まだこの当時アマチュア演劇（業余演劇）の作家であった。その人に専門劇団からの注文である。普通なら嬉しい注文の筈である。だが、宮本研は当惑したのである。何故なのであろうか。

丁度その頃、泉大八の小説「ブレーメン分会」を戯曲化しようとしていた。アミダで組合執行委員に選ばれた四人の若者が、ジャズのリズムに乗って、いままでにない型破りの組合闘争を繰り広げて行く姿を描いた作品――「メカニズム作戦」という作品を書こうとしていた。この作品は、処女戯曲「僕らが歌をうたう時」から「五月」や「はだしの青春」など初期のナチュラルな手法とは大いに違い――戯曲の形態としても、いままでにない型破りの手法で描こうとした作品であった。四人の主人公、短いシーンの積み重ねによる多場面構成、生（ナマ）バンドの演奏、スライドの多用などといった新しい形式の作品であった。それは少なくとも、これまでの新劇――かなり狭い意味でのリアリズムの演劇――の表現の幅を広げようとする、作者なりの試みであった。

そしてそれは、依頼のあったぶどうの会という演劇集団のこれまでの舞台の体質とは、かなり落差があり違和感を持たざるを得ないものであった。つまり、ぶどうの会が期待したのは、恐らく、田中正造が議会を通じ、または谷中村で、いかに鉱毒事件と苦難な闘いをなしたか、そのプロセスを生々しく感動的に、美しく生きた人間像として、つまりは〈悲劇の主人公〉としての田中正造をリアリズムの手法で形象化してくれることであったろう。「メカニズム作戦」創作以前の宮本研ならば、ぶどうの会の求めと同じ基点にいたかもしれない。しかし、宮本研は作劇手法を違えようとしていた時期であった。

一九五〇年代後半から六〇年代前半にかけて、これまでの「新劇」という枠を大きく逸脱して、表現の幅を広げようとする幾人かの「新劇」の劇作家たちがいた。そこには、近代リアリズム演劇の劇作手法を底流に持つ新劇表現の窮屈さ、あるいは限界を感じての試みであり、この頃、盛んに紹介されたブレヒトの叙事的演劇の影響もあったと思われるが――新劇の変動期を敏感に感じ取っていた劇作家たちの、宮本研は紛れもない一人であったのだ。

宮本研はぶどうの会の期待を裏切ろうとした。これまでのぶどうの会が欲したドラマにはならないが、それでよければ承諾する、と言ったかどうかわからないが、そのような内容を含んで宮本研は鉱毒事件と田中正造を劇化したようである。

ある時、宮本研は、「明治の柩」という作品をロジックだけで書こうとした、と言ったことがある。せりふから生理を抜き、人物から心理をできるだけ抜こうとしたのである。それ故、「明治の柩」は、登場人物たちの劇的な行動、劇的事件が舞台上にほとんど描かれないで、事件の後の、人々の対立する会話――論理的でありながら腸（はらわた）が抉られるような〈議論劇〉として登場して来るのである。

2　議論劇としての骨格

「明治の柩」は、〈序曲と終曲をもつ二幕〉という文字がサブタイトルのように付されている。序曲があり第一幕は五景からなっている。つまり、シーン仕立てである。第二幕も同じように四景からなっている。そして、終曲がある。

宗八　合図の鐘で集まった百姓は一万人。蓆旗に蓑、笠、草鞋。花火を打ち上げ打ち上げ、村を押し出たのが朝の三時。
治平　館林、川俣、岩槻をこえて、東京は千住街道、江戸川のほとりにたどり着いたのが二日目の朝三時。
佐十　寝もやらず、歩きづくめの二晩でした。
宗八　出立の時の一万人は、いまわずかに三千人。先頭に立つ者の体には、一人残らず生傷。
治平　やられたんでがす、警察と憲兵に。蹴ちらされたんでがす、馬とサーベルで。

序曲がこのような請願行動をする農民たちの報告で始まる。足尾銅山の鉱業停止の請願に東京まで出かけた農民一万人。だが、到着したのは僅か三千人。警察や憲兵に傷つけられたのだ。第一景の明治三十三年、四度目の請願行動も、警察や憲兵に粉砕された様子が話される。第二景での田中正造の国会演説は、田中正造が政治の場で孤立化して行く姿を端的に描き出す。憲政新党の議員・田中正造は農民への官憲の暴挙に対して怒り、脱党を決意するのだ。

議員を辞職し谷中村の農民の中に入ることを決意した田中正造の前に、二人の男が登場する。幸徳秋水と木下尚江である。そこで、三人の思想が闘わされる。第三景は、この三人の思想の違いが討論される。

劇中、田中正造↓旗中正造、幸徳秋水↓豪徳、木下尚江↓岩下先生、と登場人物の名が実名と少し変更が加えられている。そして、舞台の中心となる〈谷中村〉も〈旗中村〉という名になっている。

旗中正造（田中正造）は、天皇を崇拝し、帝国憲法を重んじるが、村に入り人民と一体になって闘おうとしている。豪徳さん（幸徳秋水）は、社会主義を信望し、天皇の存在を認めるが、あくまで議会を通して改革を考えている。岩下先生（木下尚江）は、キリスト教社会主義を信じ、人間は一人一人平等で、天皇も神の前では罪人の一人であると説き、筆をもって社会の変革をなし遂げようとしている。

豪徳　旗中さんは、十年の年月をかけて鉱毒とたたかってこられた。その目的は何です。
二木　何んというたわけたことを。
豪徳　貴君におたずねしているのではない。
旗中　渡良瀬川を天然の姿に戻し、人民の土地に自然の果実を生ませることでがす。
豪徳　それを妨げるものは何です。
旗中　古山伝兵衛。銅山党。銅山党と結託した薩長幕府でがす。
豪徳　それを倒す手段は。
旗中　手段。……といわれるか。それではこちらからうかがうが、貴君らの手段というのは何でがす。
豪徳　筆です。わたしの場合は、もちろん、弁も用いますが。
旗中　岩下さん。
岩下　豪徳君とは、ちょっんと違いますが、やはり、筆と舌でしょうね。つまり、言論です。
旗中　その言論で何をなさろうとされる。
豪徳　社会主義です。

三人は闘いの方法の違いを闘わせながら、それぞれの思想に、どこかひっかかり、あるいは、どこかひかれるものを感じたりする。ここには、日本の土壌に、果たして、キリスト教や社会主義という西洋思想が根づくであろうか、という問いがあり、明治という時代が描かれ、作品全体が議論という話法を用いての戯曲となっている。

この三人に教えを請い、影響を受ける農民たち――宗八、和三郎、佐十、治平――も重要な登場人物として描かれる。彼らの、ある者は闘いのため信仰に入り。ある者は信仰を捨てて闘いの中に入って行く。ある者は闘いそのものの限界を感じ裏切り者という汚名を背負って村を去って行く。ある者は闘いの場を変えながらも辛抱強く闘いを続けていく。ほとんどの者がギリギリのところに立つことになる。そしてそれはまた、旗中、豪徳、岩下の思想を引き継いで行く人間（民衆）としても示される。

第二幕は、旗中村が足尾鉱毒の貯水池に指定されることや、ついには廃村に追い込まれて強制執行となる状況を背景に、鉱毒廃止行動が切り裂かれて行くことが、冷徹なまでに描かれる。旗中を中心に闘って来た農民たちの、闘った者同士が憎み合い、批判し合い、そしてついには、旗中正造を厳しく批判して去らざるを得ない農民の姿が浮かび上がる。

〔宗八が佐十を引き立ててくる〕

タキ　どうしたっていうだ、兄ちゃん。

宗八　どうしたもこうしたも。この野郎、車に荷物を積んで、こそこそと、夜逃げみていに。

佐十　逃げやしねえだ。

宗八　最後まで残る。死ぬまで村に残るなんて、佐十、お前、どの口でいってただ。

佐十　死ぬまで残るなんて一度もいった覚えはねえだ。おら、初めっから……五年も六年も前からいってるだ。足尾はつぶせねえ。古山は倒せねえ。鉱業停止は無理だ。喧嘩には潮時ってもんがある。その潮時はずしまったら元も子もなくなっちまうぞってな。

反対運動の総代として先頭に立って闘って来た佐十が村を捨てて出て行く。お互いがお互いを愛しながら、彼らが抱えてしまった、悩み、考え、そして、裏切りとなってしまう行為――変転する生き姿が、チリヂリバラバラに解体されて行く彼らの行動を通して、抉られるように議論される。それらの、恨み憎しみを残す情景が、論理的な台詞で組立てられる。そして、旗中正造が孤立化する明治四十年で舞台は終わる。

3　悲劇への疑い

従来の新劇におけるドラマ展開では、鉱毒を止めようと積極的に闘い、闘いの方法を探り、そして悩みながらも、困難な闘いを続けて行く農民や運動家の姿が英雄的に、そして劇的行動をなす人間像として描かれるのが、我々が親しんで来たドラマであり、悲劇である。しかし、宮本研は現代において悲劇が成立することに疑いを持っていた。

主人公がいかに緻密な論理をたどったとしても、なんらかの意味にまで到達することはほとんど困難である。なぜなら、人々は世界そのものを疑いはじめているからである。そこにまた、人々を感動させるほどの完璧な死などこんにちほとんどありえないからである。(1)

死者たちを祝聖する儀式が悲劇なのだとすれば、悲劇をそういうものとして成り立たせている世界観そのものの崩壊、解体もまた、爾来、とめどもなくすすんでいるからである。(2)

ここには、作者の創作に対する態度が垣間見えている。主人公の悲劇的な死や殉教を描くのではなく、また、歴史の再現を試みたものでもなく、宮本研という劇作家が歴史から読み取った劇の世界が提示され、さらには、一九六一年というその時点での劇を劇たらしめる演劇表現――「新劇」のドラマトゥルギーを越えるもの――を追求しての試みをも含み込んでいる姿とも言える。

だが、「明治の柩」の創作時には作者のこの考えは充分に達成されたとは言えないのである。

「明治の柩」という作品を悲劇としてしか書き切れなかったことの自覚……。(3)

宮本研自身が「明治の柩」が〈悲劇〉としてしか書き切れなかった、と書きしるしていることでも明らかであろう。しかし、にもかかわらず、この作品はかつての新劇の狭い意味でのリアリズム演劇や悲劇とは、明らかに違う要素を持っている。旗中正造に悲劇の主人公の残像があったとしても、この作品に内包している新しさは注目に値するものであろう。第一幕の終わり第四景で、旗中正造は、天皇への直訴状の文面を豪徳に書いてもらいに来る。旗中が、豪徳の社会主義に引かれ、豪徳は、旗中が村に入って人々と闘う姿勢に心引かれ、といった内的な情景が潜んでいるシーンであるが……

豪徳　旗中さん、事のついでだからいってしまいますが、あなたはわたしに訴文を書かせることによって、社会主義者の豪徳を直訴に加担させ、事件にまきこんでやろうとお考えなんじゃないですか。でしょう。(中略)

豪徳　あなたは、ほんとうは天皇など信用しておいでじゃない。直訴は一世一代の大芝居。それによって、日本中の眼という眼、耳という耳を渡良瀬川に注がせたい。(中略)

豪徳　旗中さん。あなた、なぜ豪徳のところに来たのか自分でもわからないとおっしゃいましたね。……旗中さん。

わたし、ふいと気がついたんですがね、ひょっとすると、
あなた、ご自分ではお気づきじゃないまま、社会主義に
傾いておいでなんじゃないですか。ご自分じゃ気がつか
ないまま、あなたの一番おきらいな社会主義に近づいて
いらっしゃるんじゃ……。

豪徳が旗中の胸中を指すせりふであるが、旗中が豪徳のところへ願いに来た行動——能動的な行動、選択、つまり、旗中が自分の進む道を、苦悩し、決断し、一歩前へ歩み出す劇的な行動の場面になるところである。ところが、作者は、旗中の選択、行動そのものよりも、旗中の胸中を明らかにする、すごく分析的な（豪徳の）台詞のみで綴る作法を用いている。これは、劇的な内容の質を変えていると言える。観客が情緒や感情に溺れる動的な描き方を避けて、理解、認識に導く、理性的感性、理知的な感動を作者が期待してのことのように思われる。

さらに、この後の旗中の行動——直訴という行動——は、舞台上では最も劇的なものをつくりだせるものである。しかし、作者は、直訴のシーンを直接舞台に描くことを一切せず、字幕で示したにすぎないのだ。

翌日の新聞は号外をもって報じた。——元衆議院議員旗中
正造は、本日午前十一時、帝国議会より還幸の鹵簿（ろぼ）
に対して直訴に及びしも、近衛兵に遮られて果さず、身柄
を拘留せられありしところ、取調べの結果、狂気に出でた
る所為なりとして直ちに放免せられたり、と。

旗中の行動が字幕でいとも簡単に、狂気として処理された報告がなされる。字幕で、報告のみで済まされるのである。

4　先人を越える対話

宮本研の作品には、主人公と思われる人物（タイトル名にもなる人物）が存在するが、ヒーローはすでにヒーローでなく、悲劇の主人公としての位置に居るように見えながら、その存在性は薄められている。主人公は単数ではなく、〈群像〉に変わっている。それ故に、群像の中の人間関係描写に、大きな特徴を持つことがある。

〈革命伝説四部作〉、さらにその後の〈男・女・夢についての三部作[4]〉の中に、特徴的に描き出される人間行動への批判——先人が選択、行動したことへの、後の時代の人間が乗り越えて行くといった批判行動——「美しきものの伝説」における、先生（島村抱月）と学生（久保栄）の対話……

先生　率直にいってくれないか。ほめ言葉はいい。いまの
　僕は痛切な批評を、砂漠にいて水をもとめるごとくにも
　とめている。（略）
学生　率直に申し上げて……芸術座というよりは先生の芸
　術論は……率直にとおっしゃったので申し上げるのです

が、はなはだしく間違っていると思います。
先生　……ほう。
学生　もちろん、前人未踏の分野の大道を開こうとしていらっしゃる先生の努力、ここ五年間の芸術座の活動実績に対しては、多大の尊敬をはらっております。しかし、僕には、それら一切の営々たる努力が、砂上の楼閣を築くにもひとしい営みのように思えてならないのです。
先生　砂上に楼閣を？
学生　つい先日、「民衆芸術としての演劇」という先生のエセーを読ませていただきました。先生は、あのなかで民衆を論じ、芸術を談じながら、この二つのものが芸術座の仕事のなかでいかに統一されつつあるかを得々と述べておられます。しかし、その論旨たるや、失礼ながら、支離滅裂、曖昧模糊、これ以上のものはないといわなければなりません。
先生　いうねえ、君は。……それで？

学生の言葉はまだまだ続く。面白いことに、島村抱月が活躍しているこの時、久保栄は、現実には一〇歳位の年齢である。とすれば、現実にはこの議論はないのである。宮本研は、写実主義的なリアリズムではなく、二人が現実には、このようにあり得なかったことを、作者の要求（希望）によって、この緊迫したシーンを、現実以上にあり得たこととして獲得している。

宮本研「明治の柩」

「夢・桃中軒牛右衛門の」における、牛右衛門（宮崎滔天）と師範学校の学生（毛沢東）の対話など——この対話の原型が、すでに「明治の柩」の中に色濃く描き出されている。師匠の旗中正造に対する、旗中村の青年・佐竹和三郎の対話——この男が語る批判的な言葉は、複数の場面に渡っている。

佐竹　一府四県五十四カ町村が一本でした。いまは旗中村一村。しかも、五十戸足らずの百姓だけです。……これはなぜです。（中略）
佐竹　先生。旗中村が一本になれなかったのはなぜです。敵が強かったとか、巧妙だったとか、そんないいわけは聞きません。こちらが一本にまとまらなかったのはなぜなんです。（中略）
佐竹　先生は、ツアーの肖像と教会の旗をかかげて皇帝に請願し、そうすれば願いが叶えられると労働者をあざむいて一千人を殺したなまぐさ坊主ガボンです。（中略）
佐竹　旗中正造は、旗中村の人民ではありません。（中略）
佐竹　人民とのつながりあるなら、何千何万の人民が、なぜ、旗中正造から離れて行きました。人民とのつながりをもっているなら、人民とつながりながらなおかつ人民を自分と運動につなぎとめることが出来なかったのは、なぜです。（中略）
佐竹　村をまもる、土地をまもる、家をまもる。……しかし、この旗中村で一尺の土地ももたず、一寸の土地も耕

さず、一軒の家ももたない男が一人だけいます。旗中正造だ。（中略）

佐竹　旗中正造は根なし草だ。風来坊だ。家出人だ。他人に親切の押売をする浮浪人だ。

佐竹和三郎の強烈な旗中正造批判である。そしてまた、それは、作者宮本研の切れのよいせりふでもある。ここには、義理や人情といった情感はない。同情や和解といった溶け合う人間的な暖かみも廃されている。悲劇の主人公を、感動的に・同情的に・肯定的に描きだすのではなく、理知的な認識の描写方法を意図的に用いての創作である。

タツ子　（すすみ出て）旗中正造はおしまいになりました。旗中は、わたくしが十六の時から五十年の間わたくしの夫でございましたが、同じ屋根の下に暮らしたのは、つなぎ合わせても三年にみたぬ日月でございます。……いまここで、夫を送る妻としての言葉がないわけではございませぬ。けれども、旗中は人様のなかで暮らし、人様にご迷惑をかけて死んだ男でございます。……どうぞ、どなたか、旗中を弔う言葉を、旗中を叱る言葉をかけてやっては下さいませぬか。……どうぞ。どうぞ。

観客に「旗中を叱る言葉をかけてやっては下さいませぬか。……どうぞ。どうぞ」と主人公を曝すのである。観客の主人公への同情ではなく、批判に曝すのである。タツ子のこのせりふは、この劇のラストのせりふである。そして舞台には「白い柩が一つ」ある。白い柩が一つ、曝される。批判に曝す痛烈なシーンであるが、しかし、感動的な場面でもある。

「明治の柩」は一九六二年の作品である。一九六〇年代と言えば、日本の現代劇は、アングラ・小劇場演劇という新たな劇スタイルを持った演劇が隆盛し、「新劇」は影を薄くして行く時代である。しかし、そのような時代潮流にある中で、宮本研は新劇の世界に身を置き、新劇の歴史を踏まえながら、既成新劇の表現幅を広げようとして、試みを続けて行った。「明治の柩」という作品は、木下順二の代わりとして注文を受けた作品であったが、宮本研は紛れもなく自分の作品として書き上げたのである。そこにはまだ既成新劇の歴史を引きずっている部分もありながらではあるが、新たな新劇の作品を創ったと言えよう。しかし、何故このような作品が創作されながら、アングラ・小劇場演劇と合流しなかったのか、という問題は残る。歴史の流れというものを感じないわけにはいかない。

注

（1）「わたしの反歴史劇」（朝日新聞　一九七一・四・二四）

（2）宮本研「〈革命〉――四つの光芒」『革命伝説四部作』（河出書房新社）

（3）前掲（2）と同じ

（4）「櫻ふぶき日本の心中」「からゆきさん」「夢・桃中軒牛右衛門の」

＊文中の台詞の引用は、すべて『宮本研戯曲集』第三巻（白水社）から。

〈参考文献〉

『宮本研戯曲集』第一巻〜六巻　白水社　一九八九年
『麦・宮本研の』麦の会　一九八九年
『観賞運動ＮＯ６』大阪労演　一九七二年

宮本研《みやもとけん》（一九二六・十二・二〜一九八八・二・二十八）

熊本県宇土郡松合生まれ（本籍・天草）。小学校六年の時、父親の勤務地・北京に渡る。北京日本中学校卒業。帰国した時、くろずんだ緑の樹木を見て、日本に幻滅を感じる。大分経済専門学校の途中、大牟田の三池染料に学徒動員。一九五〇年、九州帝国大学に入学。卒業後高校の教諭になる。演劇部創立。そこで脚本を書いたらしい。一九五一年東京へ。在日本大韓人厚生会に勤務。翌年、法務省に勤務。この年野口静さんと結婚。

一九五四年、地域サークル・新橋うたう会の要請で、演劇助言者になる。秋の文化祭で「子ねずみ」（堀田清美・作）を演出。新橋うたう会から独立した演劇サークル「麦の会」に「僕らが歌をうたう時」を書き、演出もする。この本格的な処女作は、職場の問題をリアルに描いて、注目を集める。（劇中、真船豊の「寒鴨」の情緒的人間像を見事に批判する場面があるが、何故か、宮本研作品集『僕らが歌をうたう時』〔テアトロ刊〕には、その部分が削除されている）これ以後、自立演劇（職場演劇）のリーダーとして意欲的に行動する。「職場演劇におけるドラマの問題」「サークル演劇の停滞を破れ」など刺激的な文章も多い。一九六二年「日本人民共和国」と「メカニズム作戦」で岸田戯曲賞を受賞する。法務省を退職して劇作家になる。ぶどうの会、文学座、青年座、変身などの劇団に作品を書く。「美しきものの伝説」から演出家木村光一とのコンビでスケールの大きい、革命伝説劇と名づけられる素晴らしい作品を書く。また、前衛的な実験劇を書く一方、「雪国」や「朱鷺の墓」など商業劇場の上演台本（脚色）も書く。放送劇もある。戯曲の前後に同じ作品を放送劇にしていることが多々ある。話もうまく、講演も多い。論客でもあった。一九八八年六二歳で亡くなる。ベルリンの壁の崩壊、ドイツ、ソビエト社会主義の崩壊の時代まで生きていてほしかった。生きていたら、どんな作品を書いたであろうか。「〈伝説〉は民衆によって捏造され、贋造され、変造された歴史である。そして、当然のことながら、〈伝説〉はつねに、想像力によって、想像力によってのみ、生み出されるものである」（宮本研「〈革命〉——四つの光芒」『革命伝説四部作』あとがき　河出書房新社）

山崎正和「世阿彌《ぜあみ》」（四幕とエピローグ）

森井直子

初出　『文藝』一九六三（昭和38）年十月
初演　俳優座　日曜劇場　一九六三（昭和38）年九月～十月　俳優座劇場

　山崎正和は、評論「劇的な日本人」の中で日本固有のドラマの可能性を、夢幻能に見られるような、一人の人間の内面が二重化している、という人間観のうちに見出そうとしている。そして山崎の戯曲は、このような、一人の人間の内側にドラマを見出すというドラマ観に支えられて展開している。山崎戯曲の主人公たちはしばしば、自己のアイデンティティの不確実さに悩み、その悩みゆえに行動せずにはいられない。そして、その主人公たちの生きるドラマは、外界から彼等を圧迫してくる何らかの障害と対決しようとする、外界対自己という構図で展開されるものではなく、むしろ自己の内面を注視し、自己自身と対峙することによって生じてくるものである。このような山崎戯曲の特質に注目する時、重要な位置を占めていると考えられるのが「世阿彌」である。この戯曲の主人公は、自分と周囲の力との葛藤を自ら意識的、積極的に引き受けて、そして周囲から自己に加えられる圧力に促されるように自己の存在の奥底を覗き込み、認識を深めていくからである。

〈自己〉の変転

「世阿彌」は、猿楽能の大成者、世阿彌元清の後半生を題材とした戯曲である。四幕とエピローグから成り、第一幕は、世阿彌が天覧能を務めおえた直後の時点、いわば世阿彌が猿楽の役者としての頂点に登りつめた時点から始動する。そして世阿彌が、能をさらに極めることを目指しながら、一方では、時の権力者足利氏の権力闘争に巻き込まれて、境遇の激しい浮き沈みを生き、ついには、佐渡島への配流を言いつけられたところで終わる。しかしドラマの中心は、世阿彌の社会的な地位の浮沈そのものではなく、それとは直接関わらない、世阿彌自身の内面の動きにある。

　戯曲「世阿彌」において、劇中、世阿彌には、精神史的変転が三つ認められる。

　第一幕において、世阿彌は、諸芸の頂点に立つものとして猿楽能を成功させているが、彼自身の関心は、そのことには、無い。世阿彌は、当時の最高の権力者足利義満の側室、葛野に対する「一死を賭けた横恋慕」に夢中になっている。彼の葛野への執着は、葛野に、「退れ人外、今の栄達は知らず、身の生ひ立ちを忘れまいぞ……。」と言われたことによって、一層強められていく。葛野のその言葉を聞いた時に世阿彌が受けた衝撃は次のように語られる。

世阿彌　（略）あの声。ただのひと息に世阿彌を殺し、殺された耳にまだその声が響いてゐる。（略）その声がこの身を永劫の外道に落しました。（略）このただ今がいつはりなのだ。日本国中を化かしおほせた世阿彌元清が、そなた一人を欺けなかったのだ。

世阿彌は、葛野の言葉に衝撃を受けて、栄華の極みにいる自分の現状を「いつはり」の自己であったと規定する。ここで注目すべきなのは、このような規定をする世阿彌の意識の中には「いつわり」でない自己、いわば〈真の自己〉というべきものの存在が信じ込まれていると考えられることである。具体的には、葛野の言葉によって世阿彌は、自分の〈真の自己〉を彼の出自、すなわち「人外」として生きることにあると感じる。そして世阿彌は、「人外」という生き方を自分の手に取り戻そうと試みるのである。世阿彌は、鹿苑院北山第に乞食芸人たちを呼び集める。そして、乞食芸人たちに、「精々もの乞いでもするがいいぞ。公卿もいれば大名もいる、ゆすりたかりなんでもやれ。

世阿彌元清の友達だといってな。」と言いつける。乞食芸人と呼ばれ、卑しい者として扱われている芸人たちに、「元清の友達」と名乗らせて、公卿や大名を相手にゆすりたかりをさせることは、世阿彌もまた乞食芸人と呼ばれ、「人外」と呼ばれる非人として生きていることを意味することになる。つまり世阿彌はここで、自分の「いつわり」の姿を自ら打ち破り、非人としての自己、すなわち世阿彌が彼自身の中に根源的に備わっていると確信している〈真の自己〉を取り返そうとしたのである。世阿彌はたとえそれが「栄華の極み」から非人という底辺へと転落することを意味するのであっても、〈真の自己〉と実感できる生き方に執着し、それを生きようと志す人物と捉えることができる。以上のような、〈真の自己〉への強烈な希求の発見を世阿彌の第一の変転と認定できる。この段階では世阿彌は自らの意志で非人としての振る舞いを他者に見せさえすれば、自分はたやすく本来の自己に帰ることが出来、他者へも、彼の〈真の自己〉を観せることが出来るだろう、と考えているのである。

しかし、この直後、世阿彌は、足利義満によって、〈真の自己〉を生きることの困難を思い知らされることになる。その発端は、葛野が世阿彌に、皮の代わりに綾の布を張った鼓を差し出したことにある。彼女は、世阿彌ほどの芸の持ち主であれば、その綾の鼓を打って鳴らすことが出来るはずだと迫る。世阿彌は綾の鼓が鳴るはずのないことを承知の上で鼓を打つ。当然鼓は鳴らず、周囲の人々も「鳴ってはおりませぬ」と一斉に言う。しかしこの後、義満が世阿彌にもう一度鼓を打てと命じると、今度は、綾の鼓は高らかに鳴り、周囲の人々も、「鳴りました」と口をそろえて言うのである。この事態に対して、世阿彌と義満の間には、次のような会話が交わされる。

世阿彌　いいえ、恐れながら断じて鳴ってはをりません。どうぞ死を、死を給はりますやうに。

義満の声　うつけ者奴。思ひあがりも大抵にせい。鳴るも鳴らぬもその方づれにわかることか。世阿彌の藝などと人はいふが、所詮はこの鹿苑院の光の影ぢや。

世阿彌は、この義満の言葉によって、自分が「影」として位置づけられていることを痛切に思い知る。義満という「光」に照らし出されることによって、つまり義満にまなざされ、義満に意味づけられることによって、初めて現象する「影」として、である。

ただし、ここで注意しておくべき点が一つある。もともと、世阿彌はこの綾の鼓の一件の起こる以前から、演じる者としての自己は「影」であり、観客という「光」によって生かされているという認識をもってはいたのである。もともと「影」と「光」という喩えは、公卿の一人、大江望房の用いた言葉であり、彼は、世阿彌について噂するとき、「あれ（＝世阿彌　引用者注）はあらゆるものを映す影法師だが、その影に命を与へてゐるのは、誰あらう見物の眼だ。」と語る。大江によれば、大江のこの説を世阿彌は、誰よりも理解したという。そして、世阿彌は、世阿彌の芸を賞賛する大江に対し、「さう見えますのも影の知ったことではございますまい。すべてはもったいない大御光のおかげさまで。」と答える。

この時点では世阿彌は、不特定多数の見物一般を、世阿彌をまなざす「光」として認めていながらも、それを恐れはしない。例えば、世阿彌は、大江の眼を「光をきどったまねごとの眼」で「すぐに曇る」ものであると考え、後には、それをからかいさえする。世阿彌は、見物一般の「眼」を、「すぐに曇る」ような弱い力しか持たないものであり、世阿彌を彼の意思を無視してまで「影」として固定し押さえ込む程の力を持たないと考えていたのである。

しかし、綾の鼓の一件によって、世阿彌は義満という「容易にかげる」ことのない「光」に直面し、自分はその「影」であり、つまり「影」であることから簡単には逃れられないと知ったのである。しかも、義満の強力な「光」は、前述の綾の鼓の一件で見られた通り、他の見物たちの眼を統率し、本来なら恐れるに足りないはずの「光をきどったまねごとの眼」にさえも力を与え、世阿彌を「影」として強固に意味付け、世阿彌の生を絡め取っていくのだと発見したのである。

しかも、綾の鼓を打った瞬間の世阿彌の行為は、身命を賭けての行為であり、世阿彌自身の意識としては、決して、舞台上の演技と同じ意識レベルでの行為ではなかった。それを、舞台上の演技と同じレベルに押さえ込み、「光」によって生ずる「影」であると意味付けてしまった義満の「光」は、世阿彌の演技だけでなく、彼の生全般を「影」として、そして「見世物」として意味付けたのである。このことは、世阿彌が自分の手の中に確かに握っていると考えていた〈真の自己〉を奪われたことを意味する。これまで、世阿彌の意識においては、「光」と「影」との関係が形成されるのは、世阿彌が能を演じる時に限られていたはずだった。しかし、綾の鼓の一件によって世阿彌は、自分が「影」と認識されるのが、演じる場に限ってのことではなく、彼の生全般においてであると知る。義満の強固なまなざしと、それに統率された不特定多数の他者たちの視線は「光」として世阿彌の人生にどこまでも纏い付き、世阿彌は舞台を降りてもなお、「影」としてしか存在できない、と思い知るのである。世阿彌がその存在を疑いもしなかった〈真の自己〉は、世阿彌の生のあらゆる瞬間において彼から奪われ、彼の生は他者にまなざされることによって現象するにすぎない「影」としての自己、すなわち〈まなざされる自己〉に覆われてしまったのである。

つまり世阿彌は、〈真の自己〉が自分の内にあると感じ取り、それを生きることを強く希求していながら、結局は、自分が生きられるのは〈まなざされる自己〉のみだと認識したのである。これが、世阿彌の精神史における、第二の変転である。

やがて、世阿彌は、「影」として生きることについて、その認識を少しずつ深めていくが、第二幕において、世阿彌を照らし出す「光」であった義満は死ぬ。しかし、義満の死は世阿彌を「影」としての生から解放するものではなかった。一度義満の眼によって統率された他者たちのまなざしは、義満の死後も、義満のまなざしを模倣して、世阿彌の総体を、「光」によってはじめて現象する「影」、つまり「見世物」と位置づけ続ける。この時、世阿彌は、新たな認識を展開してみせる。これが第三の変転である。義満が死んだ時、世阿彌は、「今夜から世阿彌は、いわれから選んでなった影でございます。（傍点　引用者）」と宣言する。この「われから」に重要な意味がある。この宣言は、いわば見世物として生きることを余儀なくされて〈まなざされる自己〉に封じ込められた世阿彌が自己の生の手応えをもう一度自己の手に握ろうとする試みであると考えられる。前述の通り、世阿彌はそもそも、影として生きることが自己の一面であることは承知していた。しかし、それは、能役者という現実が自然にそう思わせた、いわば受動的、微温的な認識であった。しかし、ここでの「われから選んでなった影」という言葉には、主体的選択の意識がある。これまで世阿彌は、自己の外部から自己に加えられる力に反応して自我を形成してきた。しかしここでは、自分の内部からの欲求に従って自我の在り方を決定することによって、外部からのまなざしによって決定されるものではない自己、すなわち「光」無しに存在しうる自律した「影」として生きようとしたのである。この決断によって、世阿彌は非人として生きることとは異なった方法で〈真の自己〉を生きる術《すべ》を手に入れた。それは、「影」として生きることであり、しかも光に存在させられて受動的に生きる「影」ではなく、「影」としての自己を自力で刻み出す「影」、自律した「影」として生きることである。世阿彌は、これ以降、確信に満ちて、この、自己を刻み出す運動を生きてゆく。

世阿彌　（独り）大樹様（＝義満）。いつまでも見てをられるがいい。見られるほかには使ひものにならぬ人間に、私はなります。

この強固な姿勢は、二幕目以降、芸に没頭するという形で世阿彌の行動の中に具現される。世阿彌は、能の中に現象する、観客から観られる自己、つまり影として自己を積極的に強化していくことに没入していく。世阿彌は、能に没頭し、そのために、家族などあらゆるものを能の犠牲にしていく。

永続する自己への希求

ところで、世阿彌は、〈真の自己〉を確保するために、さらにもう一つ別のアプローチをも試みている。それは、自己を他者の所有に委ねて生きながら、しかし、もう一方では、自己を唯一無二なものとして確保し、他者の侵入を許さず、他者から峻別、純化しようとすることである。

この世阿彌の執着は、彼の行動としては、彼に親和的な乞食芸人たちとの決別を決意するという形で第三幕に顕れる。この戯曲の中では、乞食芸人の芸（具体的には、歩き白拍子の歌い継ぐ歌）は、一人の白拍子の娘からその子へ、そしてその孫へと受け継がれていくものとして提示されている。世阿彌も、乞食芸人たちについて、「死んでも彼らは絶えませぬ」「彼らはいつまでも年をとりませぬ」と言う。白拍子の歌は歌い継がれ、その過程で、かつて歌に込められていた歌い手の情念は洗い流されていく。そして、その歌は、ほがらかな調子で大勢の人々に合唱される歌へと変貌していく。世阿彌は、乞食芸人たちの芸（＝歌）が、人の個々の情念を洗い流し、本来歌に込められていたはずの歌い手個人の情念を他者と共有しあえる穏やかなものに変えることによって、自他の境界を曖昧にし、そしてそのことによって連綿と時を越えて続いていくことを知っている。しかし世阿彌は、この、個を越えていくうねりに加わろうとはしない。乞食芸人の中に生まれついた者であるにも関らず、乞食芸人達との交流を絶つのである。それは、彼が、自己と他者との境界を曖昧にすることによって自己を生き延びさせていくという方法を拒否することであり、それによって世阿彌は、彼の自己を唯一無二のものとして他者から屹立させることができるのである。

以上のように、世阿彌にとって、「影」として生きるということは、二つの側面を持つものであった。まず、第一の側面は、他者との融合による自己の変質を拒んで、唯一無二の自己を確保することである。そして、第二の側面は、他者のまなざしを浴びて自己を現象させるという受動的な自己のあり方をむしろ積極的に生きていくことにより、却って自律した自己を確保することであったと言えよう。これが世阿彌の最終的な自己認識、彼が「本物の影」と呼ぶものの内実である。

世阿彌は、この二つの側面を両方とも備えたものが、はじめて「本物の影」といえると認識していた。だからこそ、第四幕において、彼の後を継ごうと望む甥の音阿彌を認めようとしない。それは、音阿彌が、「能役者にとっておのれなど無用の長物」と断言したためである。音阿彌は、光によって現象させられる影として、すなわち他者のまなざしによって現象させられる自己のみを疑いも無く生きており、「影」としての自己を積極的に削り出す主体としての自己をもたないからである。世阿彌は、音阿彌を、「偽物」の「影」であると認識し、この認識に従って、音阿彌は、拒否されたのであると言える。

世阿彌は、「偽物」が氾濫して、やがて「本物の影」である世阿彌の生き方を埋めてしまうことを恐れる。世阿彌が、能の奥義を記した花伝書を他の能役者たちの前に実質的に公開することを決めたのはそのためである。その決心の基盤には、花伝書をめぐる次のような世阿彌の認識があった。

世阿彌　（略）あれ（＝花伝書）は私の、仕掛けた罠だ。
　このさき多くの猿楽師が、あれに足をばすくはれるであらう。（略）このさき何百年、あれは無数のにせ物どもの、躓きの石となるのだ。長い長い時の歩みに、私はさうして立ちはだかってやるのだ。

世阿彌は、自分の残す花伝書に対して、それは時を越えて猿楽師たちを縛る罠であると強烈な意味付けを与えている。ここに到って、世阿彌は、自らが「花伝書」として、つまり能の奥義そのものとして、他の能役者たちの前に存在しつづけようと志しているのである。佐渡配流を目前にして、世阿彌は、生身の自己を能の世界から葬ろうとしている。この時彼は、より高次の、抽象化された、絶対的な「本物の影」そのものとしての自己を、能の奥義を語る「花伝書」として、生身の自己の消えた後までも、「長い長い時の歩みに」「立ちはだか」らせようと決意しているのである。

ここにおいて、世阿彌は、時を越えて生き続ける命を獲得していると言える。しかも、その命は、乞食芸人たちのそれのように他者との共同によって絶えず変質をつづけて生き延びるものではない。世阿彌の獲得したのは、能の奥義そのものとして、花伝書という形で凝固した、決して変質することのない自己である。それは、変質しないまま、純粋な自己として生き続ける命である。世阿彌の最終的な姿を、このように意味づけることができる。

この戯曲は、自分のアイデンティティを自力で確立しようとする人物の内面の軌跡を辿り、ついには、人間の自我が永遠性を獲得するにいたるまでの心理的葛藤の経緯を描き出したものである。それは、自己のアイデンティティを立てようと望む人物が、他者との関係性の中で生き抜くためにアイデンティティの内実を組み換えていく物語でもあった。彼は、唯一無二の〈我〉

を所有するために、他者（例えば乞食芸人たち）との境界を明確にして他者の侵入を拒もうとする。そして、その唯一無二の〈我〉を生き延びさせるために、他者からまなざされるという受動的な事態を、積極性へと昇華させた。こうした自我の組み換えの果てに、この人物は、時を越えて屹立する巨大な自我を確立したのである。

戯曲「世阿彌」において描きだされたものは、自己の主体的・自律的存在の形を追い求めてやまない人間の欲求であった。そして、そのような人間の精神の動きそのものをドラマの母胎として提示し、同時に人の〈自己〉を無の中から析出されるものとして提示したのである。

〈参考文献〉

藤木宏幸『『世阿彌』を視座として――山崎正和論」『国文学　解釈と教材の研究』一九七九年三月
丸谷才一「山崎正和・人と作品」『昭和文学全集　第二八巻』一九八九年六月　小学館

山崎正和《やまざきまさかず》（一九三四・三・二六～）

京都府京都市に生まれる。父正武が満州大学予科教授に就任したために六歳で満州へ渡り、十五歳までの少年期の大半を満州及び中華民国で過ごし、小・中学校教育を受ける。一九四八年、父の死去のため帰国し、京都に暮らすようになる。大陸において少年期を過ごしたことは、山崎の戯曲に繰り返し現れてくる、自己のアイデンティティの不確実さゆえに行動していく人物像の形成に影響を与えていると考えられる。十七歳の頃より文学活動を開始し、一九五一年に詩「日本のダビデ――十一・九事件をうたう――」を発表した。一九五六年、京都大学文学部を卒業、そのまま京都大学大学院に入学。十一月、初めての戯曲「凍蝶」を発表。翌年六月にはくるみ座友の会例会で上演される。続けて、「呉王夫差」（一九六二）「カルタの城」（一九六二）などの戯曲を発表、さらにソポクレス作「オイディプス王」の潤色やアヌイ作「父親学校」の演出などを手掛け、精力的な活動を展開する。一九六三年、戯曲「世阿彌」を発表。八月、これにより第九回岸田戯曲賞を受賞した。翌年八月、米国イェール大学演劇科に留学。一九六六年一月に帰国して後、大学などで美学や日本文学などを講じつつ、戯曲執筆・脚色・演出に取り組んだ。

一方、評論活動も活発に行い、その活動領域は文芸批評、文明批評、演劇論、芸術論など広範囲に及ぶ。一九七二年、評論集『劇的なる日本人』により、第二十二回文部省芸術選奨受賞。ここにおいて、西洋的な意味での「劇《ドラマ》」の不在が指摘されてきた日本演劇において、人間存在そのものを二重構造のものと捉える夢幻能などを再評価することによって、日本の演劇や文学に西洋とは異なる固有の「劇《ドラマ》」が見出されていく可能性がある、と指摘した。それは、日本演劇論であると同時に、人間の認識の形態に日本人の生のあり方を探ろうとした日本人論でもある。

そして注目すべきは、人間を演技する存在と見なす思考法が提出されていることであり、これがその後も山崎正和の評論活動を導く主軸となっていく。文芸批評としては、明治を生きた森鷗外の生涯に、国家と個人、さらに家と個人との関係から切り込んだ鮮やかな鷗外論「鷗外　闘う家長」（一九七三）や、「演技する精神」（一九八三）が高く評価されている。文明批評には、吉野作造賞を受けた「柔らかい個人主義の誕生」（一九八四）があり、「消費する自我」に着目し、日本の同時代状況を分析して注目された。

「世阿彌」以降も山崎正和は精力的に戯曲を発表し、一九七〇年には、代表作の一つ「野望と夏草」を発表する。この戯曲も、「世阿彌」と同様、歴史上の人物のうちに現代的な人間の心象を結晶させた作品であり、次々に戦いに駆り立てられていく平清盛の内に、行動する主体が自己の内面の空虚に苦しめられる姿を描き出している。他に、「木像磔刑」（一九七七）「地底の鳥」（一九七八）などの作品がある。また、演劇上演現場の活動にも意欲的に関わり、一九七二年には、末木利文・別役実らと共に演劇集団「手の会」を結成。同時代を、それまで自明とされてきた演劇の「文学性」が否定されて新たな戯曲・演劇が生み出される前の混沌の時であると見る認識に立って、研究会や公演を行い、演劇人の対話を活発化させることを目指した。手の会では、「舟は帆船よ」「實朝出帆」など、従来の近代戯曲の表記形式を離れて、ト書きと台詞を小説の地の文と会話文のような表記法で表現することを試みた新作戯曲の上演も行った。

現在は、東亜大学大学院教授を務めつつ、ひょうご舞台芸術芸術監督、さらにキャスター・ウエストエンド・シアターの芸術監督として活躍しており、ひょうご舞台芸術による「GHETTO／ゲットー」などの上演により、読売演劇大賞を受賞した。また、一九九七年、新作戯曲「二十世紀」でアメリカの女性写真家マーガレット・バーク‐ホワイトの半生を通して二十世紀という時代を問い直すことを試み、一九九九年にはそれを上演した。

尚、一九九八年には、日本の論壇の国際化、すなわち日本の情報発信力の強化を目指し、日本国内で注目された論文の英語要約などを掲載する小冊子「国際知的交流委員会ニュースレター」を創刊した。同年「大分裂の時代」では、社会の情報化によって現代の「知」が断片化・細分化・瞬発化されてきていると論じ、知的な視野の拡大の必要性を訴えるなど、意欲的な活動を続けている。

花田清輝「ものみな歌でおわる——かぶきの誕生に関する一考察」(二幕)

中丸宣明

初出　『新日本文学』一九六四(昭和39)年一月
初演　水谷八重子　仲代達也ほか　一九六三(昭和38)年一一月二〇〜一二月二五日　日生劇場

1　はじめに

「ものみな歌でおわる」の再演(一九七三年一一月、千田是也演出、俳優座劇場)からさほど時を経ない時期に書かれた文章で、花田清輝は《『フィガロの結婚』という芝居のなかの一句をとって題名にしたこの芝居は、『歌舞《ママ》伎の誕生に関する一考察』というものものしい副題がついているが、芸術は、芸術運動のなかからうまれる、というわたしの持論がテーマだった》(「貧乏神礼讃」『展望』74・1)と語ったことがある。ここには大きく三つのことがいわれているが、それぞれ示唆的なものとしなければなるまい。つまり『フィガロの結婚』との関連、副題の意味、芸術運動について、である。それらは当然、からみあっていてわかちがたくもあるのだが、以下とりあえずその三つを出発点として考えてみることにする。

2　「劇」の内の方法

モーツアルトのオペラ(ダ・ポンテ脚色)で今も人口に膾炙しているボーマルシェの「フィガロの結婚」ではあるが、「ものみな歌でおわる」とは内容面および作劇法において一脈通じるものがあるように思える。無論それは、真似たとか直接の影響下にあるといった体のものではない。花田にしてみれば気軽にその気に入ったセリフの一部を借用したにすぎないのかもしれないのだが、両者の劇としてのあり方が響きあっているかのようなのである。考えてみれば花田とボーマルシェは似ていなくもない。ボーマルシェはフランス革命前夜、王室に下級貴族の身として仕えながらも、ヴォルテール全集の刊行、劇作家協会の創立そして劇作などをこころみた。それは花田の言葉を借りれば「転形期」に抑圧的な「権力」の周辺にいて抵抗と反逆を試みるといったことであり、昭和戦前期における花田のあり方でもあったはずである。また、古典喜劇の様式を復活し、哄笑と饒舌のなかで貴族の横暴に痛打を与え、社会と人々のあり方を批判するといったボーマルシェの劇作の方法、これもまた花田のそれとの類似を見出すことができる。「ものみな歌でおわる」のみならず、花田の他の戯曲では何らかの演劇のカタチが踏まえられ、それを乗っ取りつつ新しい演劇のカタチに変容させる、といった方法が用いられ、ボーマルシェのそれに比し遙かに複雑なものではあるが、そのあり方はひびきあったものとしてある。

「ものみな歌でおわる」には出雲のおくにと名古屋山三郎が登場する。そこにはいうまでもなく、歌舞伎成立にまつわるおくにの演出者山三、あるいは夫婦としての二人といった伝説、そしてそれを素材とした浄瑠璃「名古屋山三郎」に始まるとされる歌舞伎の不破判左衛門との鞘当てなどが踏まえられている。また、随所に狂言の言い回しや定型の表現が見られる。それは、古典劇にしばしば見られるような、伝統的に形成された物語世界を利用し、それに重なり、過去との共同作業によって演劇的世界を構築してゆくといったやり方と異なり、花田の方法は過去の物語を騙り、乗っ取り、現在の物語にカタチを与える媒介とするものである。「泥棒論語」における土佐日記・猿楽、「爆裂弾記」における大阪事件・新派・壮士芝居も同じような構造をなしている。「ものみな歌でおわる」の日生劇場公演の際のパンフレットにあった「作者のことば」（晶文社版単行本に「あとがき」として採録）の〈わたし自身を『三文オペラ』の作者であるブレヒトの日本における生まれ変わり〉であると思っていたということばは、〈手のとどかないところにある葡萄の実をすっぱいといったイソップの狐〉に自己をなぞらえ韜晦の内に曖昧化されているかのようであるが、伝統的なドイツオペラ（楽劇も）にアンチテーゼを突きつけた「三文オペラ」（一八世紀、伝統的なイタリアオペラに対して、卑俗な世界をとりあげ政治

風刺を主にしたゲイによる道化《バラード》オペラ「乞食オペラ」に材をとっている）のブレヒトと自分との等価性の表白にほかなるまい。「フィガロの結婚」との方法的類似性もまさにそのようなものとしてある。しかし、「ものみな歌でおわる」は「フィガロの結婚」のように舞台の上で納まってはくれない。

さて、「フィガロの結婚」との類縁の今ひとつ、その内容面であるが、「ものみな歌でおわる」は慶長一〇年の佐渡ヶ島でのドラマである。そこでの人間関係、そこにある葛藤は混沌といってよい。それは「フィガロの結婚」におけるアルマビバ伯爵の城館の内部での劇と相通じるのである。無論ここでも「ものみな歌でおわる」は二〇世紀のドラマらしく較ぶべくもなく複雑なのだが、ともに閉じた空間を舞台として既成の権力構造が逆転、あるいは無化される劇という点では同じである。「フィガロの結婚」は恋愛をテーマに複数の登場人物が輻輳してその逆転の劇を示すことになるわけであるが、「ものみな歌でおわる」とは重要な違いがある。ひとつはそこには恋愛のみならず政治・経済のテーマがかさなっていること、つまり武士の武力による支配から大久保長安に代表される「金」の力による支配の交代期という時代状況を踏まえ、その相互の葛藤が描かれている。今ひとつは権力に対する対立項が二重性を与えられていることである。具体的にいえば、世俗の権力の代表者として大久保長安がいる一方、聖なる存在としておくにがいる。一方大久保長安の対立項として今一人、織田信長の娘で今は念仏踊りを舞い〈春をひさぐ〉清音尼の存在がある。彼女はいう〈わら

わも戦国に生をうけた女子じゃ。名をすてて実をとることにいたした〉と。彼女らは世俗において敗者の位置にありながら人々を念仏踊りによって救済しようとする。清音尼はおくにの巫女舞いを評して〈あれでは神々はいざ知らず、みてる人間は肩がこって、へとへとにつかれてしまう。そいこへいくと、われらの念仏踊りは八方やぶれの構えでござって、全身隙だらけ。〉そのかわり〈おのずと見物を、われらの踊りの列のなかへひきいれてしまうようなところがございます〉という。山三郎や伴作らの三者相互の、あるいは三者の間に挟まれての葛藤（権力の座から追われた武力の位置の葛藤もここにある）、を経て、劇はこの長安の対立項二者が融合し止揚するところに歌舞伎の成立を見ている。山三は〈武士のカラ〉をすて槍という武器で大道芸人になろうとし、おくには〈窮屈な自分のカラ〉を破り〈赤ん坊のようなおおらかな心〉を恢復する。そして彼らの「芸術」は、〈利害打算をはなれ、ただ遊びのために〉大久保長安の金蔵へむけて地下道を掘り進んだ歌舞伎ものたちのなかで一人千両箱に目が眩んだ男が権力によって捕らえられたことがまさに示すように、現実の権力を相対化する〈あそび〉にかけ耐えるところに成立する。「フィガロの結婚」が伯爵の改心によって城館の内部に秩序が回復するという結末を持つのに比し「ものみな歌でおわる」は最後、島を離れ京都四条河原で歌舞伎を演ずるおくにたちの姿を見せる。ここには既成の権力構造の周縁にある「転形期」をいきるもののありうべき姿がある。花田の「転形期」それはもはや「フィガロの結婚」におけるような「貴族」「民衆」の二項対立であらわせたり、恋愛の一事に事件を集約できるような単純なものではあり得なかった。二十世紀のフィガロ、つまり民衆はとざされた「城」を逸脱する。そこでのフィガロは一人民衆を代弁することはできない。

3　「劇」の外への方法

さて、冒頭で紹介した文章が示す第二の問題、つまり「かぶきの誕生に関する一考察」という副題の問題、この副題は初出・初演の際にはなく、単行化の時に附されたという。しかし何とも堅苦しい副題である、エッセイの論題としてこそそれは似つかわしい。しかし、花田の仕事にとって、エッセイ／小説／戯曲といったジャンルを云々することの意味がどれほどあるのか。テーマとして彼が追ってきたのは一貫して「転形期」つまり変換期の人々の生き方であったには違いない。ただ彼の小説「小説平家」や「俳優修業」が偽書を効果的に作り出しているようにフィクショナルなテクストにおいてもそれは花田にとっては今ひとつの現実、あるいはありうべき過去にかんするエッセイ以外のなにものでもない。「ものみな歌でおわる」においてエッセイめいた副題があったとしてもなんの不思議もない。むしろそこでは副題と本題は交換可能な関係にあったとさえいえるのかもしれない。しかし、花田の思索のねばり強さには驚かされる。その初期のエッセイに「歌」（「文化組織」41・9）というものがある。ルネッサンス期の群像をとりあげた一連のエッセイの一つであるが、そこで花田は〈からみあつている生と死をひき裂き、決然とそのどちらかを捨て去ることによって、もはや生きてもいなければ死んでもいないものになってしまった我々は、はじめて歌うことをゆるされる〉と書いていた、この表明ははるか二〇年の時を距てて「ものみな歌でおわる」の名古屋山三郎のありように響きあっているのだ。山三は、〈拙者は、拙者みずからを消滅させ、幽霊のように、魂魄そのものと相い成ってわれらの一座のひとりびとりのなかによみがえりたいのでござる〉あるいは〈拙者は、常ひごろ、魂魄そのものと相成って人眼をかすめてさまよいあるき、舞台の上だけ、血と肉と骨とのある人間となって生きたい〉という、〈ふだんの生活と芝居とが〉混同されることのない超越点である。佐渡出立間際、山三はかつて長安におくにを口説けと命じられていた不破万作に殺される。不破は日常性、あるいはその権力のなかにある暴力をあらわしているのだろう。日常性の論理にによって死ぬこと、それによって山三郎は日常性をこえる歌うべき存在足りえた。歌、それは芸術の謂いには違いない。そこで冒頭で掲げた最後の問題になる。

花田は「ものみな歌でおわる」は〈芸術は、芸術運動のなかからうまれる〉ということがテーマだったというが、同種の発言は再演の鑑賞会のシンポジウム（11月23日、「新日本文学」74・12）でも強調されている。「運動」とはこの場合、集団での活動をさす。とすれば「ものみな歌でおわる」における集団とはどこにあるのだろうか。それは舞台に響いていたであろう声＝歌を発する存在者たちなのだ。

花田は前掲のシンポジウムのなかで〈『近世・中世歌謡集』（『岩波古典文学大系44　中世近世歌謡集』のことか。引用者注）のなかに入っている耳遠いものをある程度僕が分かりやすく直したものがたくさん入っています。中にはスペイン民謡などが入っています〉という。あるいは「貧乏神礼讃」では炭労の専従者の人に依頼してあつめた〈現代の炭坑の歌が、昔の金鉱の歌につくり変えられて、ふんだんに歌われ〉ていると、「芸術運動」がこの劇のテーマであるという文脈の中で語られる。まさにそこには「民衆の声」があった。むろんその花田によって編集された歌がしめす民衆とは、慶長の頃の民衆の再現でもなく、現代の民衆の姿でもない。それは理念的な民衆のありかたであり、それらが舞台の上で肉体化したものなのであろう。とざされた「佐渡」という「城」の地下から、あるいはソトから「民衆」の声は響く。それは舞台における登場人物によって代表されるのではない、演劇空間そのものをかこんである「日常」にある人々の声にほかならない。その「日常」にたいして先の「超越点」が存立しうる。清音尼ひきいる念仏踊りの女達の歌、金鉱夫たちの歌などの歌声を背景としておくにや山三郎の声が浮かび上がる。「フィガロの結婚」における「貴族」「民衆」の演劇内の二項対立をこえ、「ものみな歌でおわる」は演劇のソトに二項対立を髣髴とさせるのである。

花田の戯曲は、「読む」という行為にはなかなかなじみにくいものではある。そのよってきたるゆえんのひとつは右のような「音楽性」による。またそれは、狂言調の言葉づかいに関してもいえることであろう。読者はそこにある歌のことばを声として読みとってゆく想像力を必要とするからである。むろんその困難さは、舞台の上では「ものみな歌でおわる」を演ずる役者の困難さにほかならない。

〈参考文献〉

『花田清輝全集』全一五巻別巻二巻　講談社　一九七七〜八〇年

「新日本文学　特集花田清輝・人とその仕事」一九七四年一二月

尾崎秀実『花田清輝　砂のペルソナ』講談社　一九八二年

花田清輝《はなだきよてる》（一九〇九・三・二九〜一九七四・九・二三）

福岡県福岡市生まれ。福岡中・七高をへて京都帝大文学部英文科入学。在学中小杉雄二の筆名で「サンデー毎日」の懸賞小説に応募、「七」が大衆小説部門に入賞。大学中退後、昭和八年上京論文の代作や外国語塾の経営など放浪と言っていい生活の末、中学時代の友人が中野正剛の秘書で東方会系の雑誌「我観」の編集をしていた関係から、同誌およびその改題「東大陸」に文章を発表。時事論文には花田清輝、文芸評論には小杉の筆名を使用した。やがて、「我観」の実質的編集人となるが、東方会とは距離を置いていた。一九三九年、中野正剛の末弟秀人と文化再出発の会を発足、その機関誌「文化組織」を発刊。そこにのちに『自明の理』（41年）、（のちに『錯乱の論理』（47年）と改題）にまとめられることになるエッセイを発表する。中野が大政翼賛会に入ったの期に我観社を離れ、林業新聞社・サラリーマン社・軍事工業新聞などに勤めながらも、戦時統制下廃刊に追い込まれるまで「文化組織」にエッセイを書き続けた。それらは、戦後『復興期の精神』（46年）にまとめられることになるのだが、ルネッサンス期の人間の生のありようなどを、多彩なレトリックと特異な弁証法を駆使し論じたもので、花田の戦時下におけるねばり強い抵抗と転形期に生きることの意味を問いかけ、戦後の思想界に衝撃を与えることとなった。戦後我観社が改名した真善美社より、加藤周一、中村真一郎。野間宏等と結成した綜合文化協会の機関誌「綜合文化」を創刊、戦後芸術運動に大きな影響を与える。また、「アプレゲール・クレアトリス」と名付けた戦後派作家の叢書を出し野間宏「暗い絵」中村真一郎「死の影の下に」などを世に出す。それ以後もさまざまな前衛的文化運動に係わり、さまざまなジャンルの「芸術」の総合と連携を模索した。また、四八年より「新日本文学」編集長となり五四年まで勤める。また、自身も埴谷雄高・山室静ら「近代文学」派との論争や吉本隆明との論争などをも含め、意欲的に評論活動をくりひろげ、その成果は『アバンギャルド芸術』（54年）『近代の超克』（59年）などの著作となって結実する。さらに、一九五〇年代終わりには、小説や戯曲の実作にも着手する。小説では『鳥獣戯話』（62年）『俳優修業』（64年）『小説平家』（67年）では、歴史的人物とその状況のなかに「転形期」の生、権力、芸術のありようを問いかけた。戯曲の方面でも同様のことがらを『泥棒論語』（33年）『爆裂弾記』（63年）『ものみな歌でおわる』（64年）などで人間の肉声を響かせつつ一つの喜劇に仕上げた。また他に花田の戯曲作品としては長谷川四郎・佐々木基一らとの合作戯曲『首が飛んでも』（74年）とテレビ・ラジオの脚本が数編ある。

大橋喜一

「消えた人」（プロローグと十三景）

初出　『新劇』一三〇号　白水社　一九六四（昭39）年　三月号
初演　劇団民芸　一九六三（昭38）年十一月　砂防会館ホール

菊川徳之助

1　松川事件と作者

黒と灰色の幕だけを使った簡潔な舞台、とト書きされた空間に、Kという男が登場する。

K　東北地方のある都市の近くでおきた列車転覆事件（略）その事件の被告たちは、やっと無罪の判決の確定をかちとりました。……しかし事件は解決していない……真の犯人はわっていない……その陰に一つの噂、……その線路破壊の作業現場を目撃したがために、この世から消されてしまった人がいる……という、すでに伝説の人になっている噂の人……近藤金八さん、――この劇は、その金八さんの不思議な死を追いかけてゆくわたしの物語でもあります。

とKがこれからの主題を明確に述べる（語る）ことで劇は始まる。

一九四九年、東北本線の松川～金谷川の間で起こった列車転覆事件。検挙されたのは、国鉄労組、東芝労組の人間たち。被告たちは十数年後に最高裁判決で無罪を獲得したが、真犯人は不明のまま。多くの謎を残した〈松川事件〉。この時代、占領軍顧問ドッジの経済政策により、五〇万人の労働者の首切りが起こり、労働運動が激しくなり、下山事件、三鷹事件そして松川事件と労働者を犯人説にする奇怪な事件が相次いだ。

作者大橋喜一は、職場作家時代の一九五三年に「松川事件」という戯曲を既に書いている。戦後まもなく東芝の小向工場に勤めていたが、大橋もドッジ・ラインの影響で首を切られる。しかし、東芝の労働組合の書記にふみとどまる。松川事件で検挙された人たちの中に、東芝の労働組合員が含まれている。大橋にとっては、他人事でない事件であった。「松川事件」の後もこの事件を題材にした「四つのエピソード」、さらにエピソードが積み重ねられた「挿話――一九四九年の陰謀」というタイトルの作品が残っている。「消えた人」は、そのエピソードの中の一つ――〝線路破壊の作業現場を目撃したがために、この世から消されてしまった人〟――実名・斉藤金作さんを軸に創作された作品である。職場作家から劇団青俳の作家へ、そして、劇団民芸に所属して三年目、初めて劇団のレパートリーに取上げられた作品である。

2 消えた人の謎と劇の構造

プロローグと十三景からなるこの作品は、サスペンスドラマのような進行を持つ。金八の死の謎を追い求めて劇は進行する。劇の構造として、観客が劇の世界へ引き込まれる仕掛けがほどこされている。さらには、舞台において、視覚、聴覚をフル回転させるかのように、列車転覆の情景が立体化される。一九四九年八月一七日未明。遠くで汽車の汽笛。

K　しかしすでにレールの継目板は外され、犬釘は抜かれ、重さ約一トンもある三七キロ軌条は軌道の外に移動されていました、何者かの手によって。
(略) 三時八分、ああ、運命の列車がここに、……下り勾配千分の一〇コンマ三。半径五〇〇のカーブ……

とKが興奮の中で叫ぶ。次のト書には……

汽笛、下り勾配のゴーという響き近づく。通過音。突然脱線転覆の轟音。蒸気のふきだす、すさまじい音。それから沈黙――

と記されている。舞台空間に雪崩込んで来る音の響き――列車が進行して来る音。だんだんその音は巨大になり、まさに舞台の上を列車が走り来るかのようになる。そして、列車転覆の大音響が響き渡る。それは、松川事件の現場に立ち会ったかのような衝撃を受けて、客席も凍りつくような一瞬である。

客席を引き込む仕掛けをほどこしたドラマトゥルギー、そしてさらに、消えた人の謎を追うかのように見えたこのドラマが、人間の問題を突き詰めて行く重厚なドラマへと組み変わって行く仕掛けもほどこされている。観る人の心を掴もうとする大橋の心優しい力業が感じられる。また、狭義のリアリズム演劇の幅を広げようと、執拗に探究された戯曲作法が滲み出ている。宮本研や芳地隆介などと同様に、六十年代の「新劇」の新たな側面を特徴づける作品であり、大橋喜一渾身の力作であると言える作品でもある。

「消えた人」は、松川事件劇でもなければまたその真犯人追求劇でもないつもりである。劇作家としてのわたしは、いつも自画像を書いてきたつもりである。

と作者は初演のパンフレットに記している。松川事件劇でもなく、真犯人追求劇でもなく、作者の自画像を書くとは、どのような作品なのであろうか？　「消えた人」では、Kという男が問題を探って行くが、Kが作者自身という保証はない。Kなる文字は大橋喜一のイニシャルで、だから、雑誌社に勤めるKなる男が作者の分身と考えることは出来る。しかし、要は展開の中身であろう。

Kは、まず浅野という人物を訪れる。浅野は、今は税理士をしているが、金八と関係が深かった人物である。浅野は金八と戦争で上官と部下（将校と一等兵）、帰国しては共産党の細胞責任者と細胞員、の関係であった人物。つまり、金八を一番よく知っている人間であり、金八と共にかつて革命運動に生きた人間である。Kは金八の死後に出された〈怪文書〉の謎から浅野に問い、検証を始める。

浅野　（よみはじめる）かの有名な列車転覆事件には、目撃者が一人いた。彼はたまたま脱線の現場付近を通りかかったとき、約十人程のアメリカ兵が枕木からレールをはずしているのを見た……（略）

K　（略）失踪して四〇日あまり後、彼は川に溺死体となって発見された。

金八は横浜へ移り、パンパン買いのアメリカ兵を運ぶリンタク屋をやっていた。だが、まもなく消されて川に浮かんでいたと怪文書に書かれていたのである。第二景からその金八も登場して、彼の生き姿も描かれる。Kと浅野の対話、そして金八の生活、現在と過去が交錯して描かれる手法である。

「赤旗アメ」を売りながら共産党の宣伝ビラを撒き歩いている貧しい金八の家。

金八　人民の力が強くならなけりゃダメだ。もう一息さ、世界的な大破綻が迫りつつあるんだから。

女房　なんだって？

金八　迫りくる大破綻さ。資本主義の崩壊は目前に、われわれのあかつきは近いというんだ。

女房　ばかばかしい！

金八　なに？

女房　家じゃきたきり雀でこどもに正月を迎えさせるというのに、あんたの考えてることといったら……

正月の餅代にもこまる近藤家。ところが、女房の愚痴に金八は、三千円のお金をひょいと投げ出す。

女房　だれが、だれがくれたの三千円もおとうちゃんに……

金八　この間CICによばれたとき。

女房　CIC、あの進駐軍の……

金八　帰りに通訳の奴がよこした。

女房　あんた。なにしたの？　CICで。

金八はただCICに呼び出されて、日当を受け取っただけである。彼自身は自分の行動が如何なるものと結びついていたか、また、何の金であったのか、知らなかったし、知ろうともしていなかった。金八はシベリアの抑留生活から帰還し、革命に夢を持った、貧しいが、アメを売り歩く勤勉な男であった。しかし、革命運動に絶望して党を脱党し、〈赤旗アメ〉という看板も〈まごころアメ〉に変えて、身を隠すように生活する。金八は人々に何かを伝えようとしていたのか……

金八　昭和三年、やったでしょう。満洲某重大事件。張作霖の列車爆破ですよ。山海関でね。軍がね。軍の特務機関がやったでしょう。あれと同じだ。あの幽霊ですよ。こんどの事件は。

何度かこの言葉を叫んでいる。その近藤金八の心情が見えてくるような川柳のシーンが続く。金八が詠んだ川柳が読まれる。

浅野　……＊糸引いて……谷間の夜汽車、夢に浮き。

K　（ノートをみてくり返す）糸引いて……谷間の夜汽車夢に浮き……二十五年二月。（浅野に）ね、たしかに川柳に、秘密があります。……尋常だとはわたしに思えない、彼の心情がにじみ出ている。この暗さ。

浅野　（ノートをよむ）＊首吊って……首吊って、鮭《しゃけ》店先に値《ね》をたかめ……ここにも死か。

K　（ノートをよむ）＊種まきし、人が静かに墓地に消え……

浅野　なんだって！

K　（注釈的に）種まきし人が……静かに墓地に……墓地に消えてゆく……

浅野　種まきし人……墓地に消える……

K　単なる心象風景を詠ったものか、それとも象徴的な意味がここに……種まきと墓地……（考える）

（中略）

浅野　（ノートをみて）＊宿命の試練に泣く日、笑う夜……二十五年五月。

K　……宿命の試練に泣く日笑う夜。

浅野　（ノートをみて、少しおどろいたように）なんだ、この句は？　＊一人寝の恐怖、ドアーの陰の声……二十五年三月。

K　（あとをつけて）ドアーの陰の声。

浅野　あいつはたしかに脅えていた、……それから、（ノートをみて）＊ばらばらに、骨はずされて夢が醒め……二十五年五月。

K　ばらばらに、骨はずされて夢が醒め……

（＊印の川柳は斉藤金作氏の作から引用されたもの）

Kと浅野は、金八の川柳がただ彼の心象風景を詠ったものか、それとも象徴的な意味が隠されたものか、じっくりと見つめる。

そしてそこには、金八の暗い、重い心が見えてくるのである。
一九五〇年十二月六日の第一審の判決を聞いて金八はさらに愕然とする。福島地方裁判所刑事法廷で、被告二〇名に言い渡された全員有罪の判決——死刑五名、無期懲役五名、残り一〇名にたいする有期刑——裁判で無実の人たちが救われると思い、それによって自分の罪も許されると思っていた金八。だが、現実は、強いものが勝ち、弱いものは、こっそり隠れて臆病たらしく生きるより仕方がないという思いに打ちのめされる。

「第十景　恐ろしき疑惑」の場面で、この作品の核心に触れる事柄が浮上してくる。それはまさに、恐ろしき疑惑である。

K　祭りの寺は現場から六キロ離れています。祭りの帰りの近道として線路を歩くことは、あり得ないことではない。しかし彼の家はそこから四キロ……四十すぎの、こどもが二人もある生活苦の男が、祭りで夜ふかしをして十キロの道を、夜通しかかって歩いてくるということも、おかしな話と思いませんか……

浅野　……

K　金八さんが、真夜中に、そこにいた理由はなんでしょうか……偶然でしょうか……。わたしは列車転覆事件の実地調査で、怪しげな一行が歩いたといわれる道すじをたどってみました。……それは、大部分が灌木をかきわけなければ歩けない昼間でも、土地の者に案内してもらわなければ迷いこんでしまうような道です……まして暗夜にあっては。

浅野　何だっていうんです、あなたは！

K　あのような謀略的な犯罪は、通常は高度な作戦的プランによるようですね。その実行各部門の分担者は……例えば、人員の招集、現地への輸送、現場への誘導、作業実施、等々。それぞれの分担者は、相互に横の連絡はまったくなく、自分たちがやることが、なんのためのどんな仕事であるかは知らされていない……

浅野　金八が！

K　彼があの夜あそこにいた理由です。そして、あの川柳によみとれる……暗さと、しょく罪と、死をみつめる……句の意味。

金八は、ただの目撃者ではなく、犯行になんらかの関係をもたされた人間であった、という恐ろしき疑惑である。

3　主人公は加害者か

大橋作品の主人公の多くは、一般の労働者、庶民である。作者の生活感覚から生まれた主人公である。作者の描く主人公は、それ故、作者の思いに近い人間像である。つまり、自画像である。そして、大橋の庶民感覚の中に、自画像の中に、労働者としての生き方の問題、人間としての問題が浮き出してくる。

近藤金八さんの行動は、もしかしたら、加害者であったかもしれないという、そしてそれは、作者も観客も含めて、加害者であったかもしれないという、怖くなるような認識である。これは確かに松川事件劇でも犯人追求劇でもない。被害者の側にいると思って、被害者に同情して加害者を厳しく批判していた人間も、よく見ると加害者であった――加害者であり得る――という逆転思想、少し間違えば、真犯人の追求を薄くしてしまう危険性を持つ視点の置き方、しかし、それを表現せざるを得ない作者の、ドラマへの濃厚な接し方が滲み出ている作品である。楽しく見入っていたサスペンスドラマは、いつの間にか人間の問題を突きつける重厚なドラマに移り変わって行っていたのである。しかも、その表現法は、対話による劇的なドラマを構築する方法ではなく、短いシーンの積み重ねによる状況の実態を提示する叙述的な手法である。劇の開始がKの述べる（語る）台詞で始まることが、劇のスタイルを明瞭に示している。

　大橋喜一は労働者というものを愛し、戦争というものの傷を見据え、演劇への情熱を深く持ち、働く人の演劇を想い、ドラマトゥルギー（戯曲作法）への探究を絶えず試みて来た人である。ブレヒトの影響があるなどと一言では済まされないものがある。しかし、確かに言えることは、地を這うような生活の中にある人間を主人公に据え、狭義のリアリズム演劇の幅を広げて、「新劇」を愛しながらも「新劇」を乗り越えて行く道を探って行った一人の劇作家であり、「消えた人」は、一九六〇年代の新劇作家の試みを如実に示している作品であると言える。

文中引用した台詞は、すべて『新劇』一三〇号掲載「消えた人」より。

〈参考文献〉

劇団民芸「消えた人」パンフレット民芸の仲間六九　一九六三年

『大橋喜一戯曲集』テアトロ一九七六年

大《おお》橋《はし》喜《き》一《いち》（一九一七・一〇・二八～　）

　東京の下町生まれ。少年時代から転々と遍歴する。生活のため職業も転々とする。軍隊生活の後、復員して東芝小向工場へ入社。戦後盛んになった職場演劇で劇作を始める。一九四七年処女作「芽生え」。その後ドッジ・プランによる企業整理で東芝を首切られる。労組書記としてとどまる。一九五四年「松川事件」を書く。劇団中芸で「真実は壁を透して」のタイトルで上演される。劇団青俳に入る。「楠三吉の青春」で一九五六年「新劇」戯曲賞を受賞。青俳で初演される。一九五九年劇団青俳を退団。東芝の下請け工場に勤めるが、翌年から劇作に専念。一九六〇年劇団民芸に入団。それまでに、「祖国の血」「神無月」「禿山の夜」などの戯曲を発表。劇団民芸入団三年目に上演された「消えた人」以後一〇年間に書かれた「ゼロの記録」その他の作品が『大橋喜一戯曲集』（テアトロ刊）として出版される。雑誌掲載の戯曲も多い。文章も多い。近年は小説も書き、雑誌に発表されている（最近、別名で戯曲を書く噂あり）。

花登筺

「大阪新町噺《おおさかしんまちばなし》　帯」（六場）

中野正昭

初出　未詳
初演　劇団笑いの王国　一九六三（昭38）年十一月　南座

六〇〇〇本――花登筺が残した舞台・テレビ脚本の総数である。この厖大な数は、一日平均七〇枚以上の執筆量にあたる。花登筺は「頭が書くのではなく、指が書く」との言葉を残しているが、彼の創作活動は、「ハードワーク」の域を超えて「すさまじさ」すら感じさせる。

舞台にテレビにと大きな活躍を見せた花登筺の創作は、年代的に、『番頭はんと丁稚どん』『とんま天狗』等の関西でのテレビコメディー時代、『道頓堀』『堂島』にはじまり『細うで繁盛記』で集大成を迎える根性物路線の時代、『もってのほか』『あかんたれ』等の成熟期という三つの時期に大別される。

『帯』（六場）は、花登筺主宰の劇団「笑いの王国」で一九六三年に初演された後も、舞台放送された「春の喜劇祭」（一九六五年四月、明治座、フジテレビ放送）等で何度か再演された作品である。『とんま天狗』をはじめとする爆笑型のスラップスティックな笑いを提供していたテレビコメディー時代の花登が、舞台で見せたもう一つの笑い、抒情的な泣き笑いの人情喜劇の代表作である。宝塚新芸座創立二十三周年記念公演で上演した際には大阪文化祭賞（一九七二年）を受賞し、追悼公演の際にも最有力候補に挙げられた作品である。

舞台は、大阪新町にある芸者置屋「春屋」の台所の場面からはじまる。「現代の初夏」と指定された芸者置屋の台所は、三味線の音が聞こえ、「上手に部屋があり座敷に続く感じ。下手一段低く板の間、火鉢柵などあり、どことなく色香がただよう」どこか時代の流れから取り残されたような空間である。東京オリンピックを翌年にひかえた一九六五年の現代にあって、未だ戦前の風俗を色濃く残している。

良吉は、新町界隈でも珍しくなった置屋の男衆の一人だ。彼は帯を締めるのが上手く、春屋の芸者達からも贔屓にされている。

仙菊　けど、この帯も古くなったな、そろそろ買わんと。
　　お座敷にはしめて行けんな。
良吉　何をおっしゃいます。袋帯は古くなればなるほど、
　　値打ちがでるんですよ。けど、何ですね、お姐さんなら

黒地の帯に、お多福の面の帯が似合うんじゃありませんか。

（略）

おかみ　あんた、どこから、黒地の帯にお多福なんて出たんや。

良吉　いいえ、そんな帯をして、とても似合う人がいたもんで。

そこに就職を控えた大学生の敬一が訪ねてくる。敬一は、幼い頃に別れ、その後死んだと聞かされる母親おみねの足跡を訪ねて春屋へやって来たのだった。「ぼくはこの機会に、自分の母親がどういう生き方をして、どうしていたか調べたくなったんです」と語る敬一にとって、母親を探す手がかりは、父親との離婚後に新町で芸者をしていたという話、そして母がいつも締めていた黒地にお多福の帯である。敬一にとって母の唯一の記憶が、黒地にお多福の帯だった。

第二場、敬一は、良吉に連れられ母が住んでいたと思われるアパートを訪ねる。大家からは母が株屋の旦那、呉服屋の番頭と数人の男達の妾を勤め、やがて糸問屋「糸清」の旦那の後妻となったことを聞かされる。続く第三場、糸清では、御隠居の老婆から、母が糸清の主人を堕落させ禁治産者にさせてしまったこと、その為に前妻の家族は路頭に迷ってしまったという話を聞かされる。

そして続く第四場では……と、敬一と良吉は場を重ねるごとに母の知られざる人生を探偵のように発見して行く。芸者、妾、後妻と職を変える母。それに合わせて福鈴、おみねと名も転々と変わって行く。

母はなぜ男達の間を転々と移っていったのか。なぜそれ程までに金を必要としたのか。母の足跡を辿るに連れ、敬一の胸の内では、幼い頃の美しい母のイメージが次第に壊れて行く。未だ知らなかった母の人生は、母親のイメージを思わせるものではなく、男達の間を渡り歩き、やがて堕ちて行く倫落の女のそれである。生きて行くために体を汚していった一人の女の生々しい現実の姿が浮かび上がって行く。

僅かな手がかりを元に母の足跡を訪ねて歩く敬一と良吉を通じて、花登筺は時代の片隅に忘れ去られた嘗ての花柳界の今を垣間見せる。

母親の足跡を訪ねる旅は、芸者置屋の風情を残した新町から場末の今里新地へとたどり着く。

花売り娘　お花、買って

通行人（一）　いらん

花売り娘　けち！

通行人（二）　ふん、金があったら、ここまで来るか！

花売り娘、流しのギター、宝くじ売りの台……埃と塵にまみれた今里新地は、春を鬻いでその日の糊口を凌ぐ最下層の女たちの暮らす街だった。

おぎん　一寸、兄ちゃん……ええとこへ連れて行ったげよ。
通行人（一）　ええとこて、何や。
おぎん　ええとこ云うたら、ええとこや。な、な、連れて行ったげる……別嬪さん、いてはるえ。
通行人（一）　いるか。
おぎん　いてはるとも……あんたには勿体ない位の別嬪さん……
通行人（一）　わいには勿体ない。
おぎん　おいでやす。わての後から、だまされたと思て。何せこの頃はやかましいさかい、早よう……離れて、いって来ておくれやす。

遣り手婆と女を買いに来た男の交渉。舞台、小説、テレビドラマと活躍の場を換えながら、船場をはじめ猥雑な盛り場で生きる女たちの姿を描くことを得意とした花登の筆致が冴える場面である。

敬一の母もまた遣り手婆のおぎんを介して男たちに春を鬻ぐところまで堕ちた女の一人だった。

敬一　母親は……ここで死んだのですか。
おぎん　そや、わてたよって来た時にな、もう大分悪うてな……胸やられてたんや。けど、食べて行けへん。あんだけ、みなとでも働いてたんやさかい、少しは持ってならんやろうに……無理して働いてた……こう云う商売は気候のええときはええけど……冬なんか辛い商売でな……足は冷える……

通行人通る

おぎん　あ、兄ちゃん……一寸……返事くらいしいな……それでな……余計、体を悪うしてしもうて、寝こんでしもて……病院へ入れた時は、もう手遅れやった……けど、死なはるほんの一寸前まで……あんたの事は云うてはったで……

母親の末期の様子をその息子に語りながらも、決して商売からは離れられない遣り手婆の生活者としての一面を滑稽なまでに描いてみせる。

「春の喜劇祭り」で再演されたことからも分かるように、『帯』は喜劇である。全体としては暗く重たい内容の作品であるが、このおぎんの遣り手婆振りの様に、登場する人物は適度に滑稽な要素が加味されている。

敬一　あんたですか、やり手ばばあのおぎんて。
おぎん　あんた割りかしものをはっきり云うな。やり手ばばあやて……やり手ばばあさんとか、やり手おばあちゃんとか云えんか。
敬一　すみません。ほな、やり手ばあちゃん。

自分の脚本を理想通りに演じてくれるコメディアンや俳優を

花登筺「大阪新町噺　帯」

集めることに力を注ぎ、時として台本に「ここでアドリブ」と書き込みを入れたという花登は、コメディアンの持ち味を活かす術を知っている。自分の作品を最大限に活かすために、コメディアンを使った笑いのツボをしっかりと押さえている。観客を笑わせるツボ、泣かせるツボを経験的に知っているからこそ、全体的に暗い雰囲気の作品に「喜劇」という冠を付けることができたのである。それは言葉で説明するのが難しい、笑いと涙の表裏一体関係である。悲しい人情物語としての出来が強固であるからこそ、喜劇俳優は安心して軽妙洒脱なノリを発揮できる。

おぎんの口から、敬一はある事実を聞かされる。それは古典的な悲劇の形式にも似た発見の瞬間である。

敬一　おばさん……母親はおやじと何で別れたか話してませんでしたか……

おぎん　さあ、そこまでは。何せ、あんたとこのお父さんとは二度目の嫁入りやったろ……

敬一　ええ、二度目……

おぎん　ふん、最初は東京へかたづいたと聞いてたけど……それから、あんたとこで……あんたとこのお父さんには惚れてたらしいで……あんたのお父さんに造ってもろたと云う、有名な絵描きさんに描いてもろたお多福の帯を……いつも、しめてたもん……ええ袋帯やった……病院でもしめる云うてきかはらへんかった……

敬一　その帯どこにあるんでしょう。もし、よかったら形見にして持って帰りたいんです。

おぎん　ああ、あの帯は、もう一人の息子さんが、お骨と一緒に持って行かはりましたな……

敬一　ええ、もう一人の息子さん。もう一人の息子……

おぎん　ああ、東京に出来た、あんたの兄さんになる人や……

敬一　誰です、どこにいるんです。

おぎん　さあ、築港の時から一緒に住んではったけど、今はどこにいてはるやら……良ちゃんとか云ったな……

敬一は、これまで案内してくれた良吉が自分の異父兄だと知る。〈実は真相はこうだった〉という如何にもご都合主義的な展開ではあるが、それだけに惹きつけられる魅力も大きい。物語としての破綻のない緻密な現実構成よりも、一時のカタルシスを与えてくれるような、観客の期待に応える予定調和な展開の方が優先される。

最終場、敬一に身の素性を明かす良吉の台詞は興味深い。兄ならば、母の汚れた人生を知らせるような事をしなくてもよいものをと訴える敬一に対して良吉は吐き捨てるように言う。「その美しいおふくろを汚したのは誰だ、お前がしたんじゃないか」と。

良吉　おい！　東京でおれを産んだおふくろはキレイな清

らかなおふくろだった。親父が死んで、食うに困ってお
ふくろは、俺を他所へ預けて、お前の親父のところへ嫁
に行ったんだ！　おれのことはかくしてな。俺はそれを
恨まない、仕方がない、おふくろはそうするより他、道
はなかったんだ。けど、どうだった、お前が生まれてす
ぐお前の親父は、どこで聞いたのか、俺と云う子供が、
おふくろにある事を知ったんだ。あげくの果は欺された、
嘘つき女だと、追い出されてしまったんだ（略）お前の
親父は欺されたと、お前の事なんか育てようともしな
かったんだぞ。それを知って毎月生活費を送って、お前
を今日までにしたのは誰だ、皆、おふくろが働いては金
を送ってたんだぞ。

女一人が、そんな金をつくろうとしたら「汚れていくのは当たり前」である。敬一が中学、高校、大学へと進学するに連れて、母親は学費を捻出するために、妾から酌婦、娼婦へと身を落としていった。

　聖母と娼婦という相反するイメージが、この最期の六場で、渾然一体となって昇華される。

　堕ちて行く女とその世界を描きながらも、花登はそれらの問題の背景を安易に社会問題へと還元することはしない。全ては、生活者同士の個人間の事柄として処理される。思うがままにならない不幸な人生を「仕方がない」と考え、自分を納得させながらも、やはりやり場のない憤りは消えない。しかし、その憤りも、個人間の狭い世界の中でぶつけ合いながら、再び「仕方がない」ものとして自ら納得させて行く。こうした自己抑制は、一部の者からすれば愚かなことと映るかも知れないが、これこそが生活者の理論だとも言えるだろう。

　街の女を買う男達、子持ちであることを隠していた母を「欺された」と責める父。男達の無理解と理不尽さ、彼らの犠牲となる女達。しかし、花登の主眼は、そんな男達や彼らによって築かれる社会を告発することにあるのではない。我が身を犠牲にしても貫こうとする母の子への愛情、そしてその母の愛情の陰で、新たな苦悩を背負ってしまったもう一人の子・良吉の捻れた愛憎意識の超克を花登は描こうとする。感情という複雑さに纏わる世界、そうした世界に根を張って生きる人々の思いの襞を、時にコミカルな笑いを、また時に涙を交えながら抒情的に描きだす。

　弟敬一への怒りを露わにしながら、兄良吉は「おれは……毎日帯を結んでいる……帯を結びながら、毎日おふくろの背中にしめてやった、あの帯のことを思い出せる……けどあいつには、何もない」と唯一の形見の帯を敬一に渡す。「兄さん！（と、帯を拡げる）お母さん（抱きしめて泣く）」敬一、それを見て泣いている良吉。この予定調和的であり、屈折した和解の場面に観客もまた涙を流すのである。

　花登筐の生地である滋賀県大津市、市民会館横の湖岸に築かれた花登の石碑には「泣くは人生／笑うは修業／勝つは根性」と刻まれている。生活者の人生訓を見事に言い当てた言葉であ

る。笑いは、人生の悲劇を乗り切る上での修業であり、成功を勝ち得るのは当人の根性なのである。愚痴を言っても始まらない。全ては個人へと還元される。

花登筺は泣き笑いの作風で六〇〇〇本もの作品を生みだしたが、それ程までに人々を惹きつけた魅力と、彼の厖大な作品を享受した人々の想いは更なる考察を要するだろう。

〈参考文献〉

花登筺記念会編『花登筺　永遠のダイアローグ』　大津市花登筺記念会　一九八五年

花登筺『私の裏切り裏切られ史』一九八三年

なお本文の戯曲『帯』は、早稲田大学演劇博物館所蔵の台本によった。

花《はな》登《と》筺《こばこ》（一九二八・三・十二〜一九八三・十・三）

大津市上北国町に生まれる。本名花登善之助（旧姓川崎）。一九四八年、大津で自立劇団人間座の結成に参加、後に意見の相違から文芸座を創立。また、この演劇活動と同時期に俳句の花藻社の同人となり、棹歌と号する。同志社大学商学部卒業後、船場田附商店へ入社。ここでのサラリーマン経験が後に花開く。一九五五年、大村崑、芦屋雁之助・小雁、正司照江・花江らの役者を集め、自分の脚本を理想通りに作品化する環境作りをはじめる。一九五七年『やりくりアパート』の脚本・演出でテレビ・デビュー、同時に大村崑、佐々十郎、茶川一郎らを売り出す。関西では、漫才師ではなくコメディアンによる番組は、この作品が初めてだった。テレビ脚本家としての花登筺の画期的なところは、現在、制作プロダクションが請け負っている形式である、スポンサー、企画、俳優を全て一纏めにしてTV局に売り込むという方法をとっていたことにあったと言う。以後、『番頭はんと丁稚どん』『細うで繁盛記』『どてらい男』『あかんたれ』『アパッチ野球軍』等で一世を風靡、草創期のテレビ界の風雲児として注目された。主な舞台活動としては、一九五九年、劇団「笑いの王国」を先のメンバーらと旗揚げ、舞台『番頭はんと丁稚どん』で爆発的な人気を得た他に、一九六九年、同じ昭和一桁世代の劇作家榎本滋民、小幡欣治らと共に「中の会」を結成、中間演劇の執筆に力を入れる。自作のテレビ作品の舞台化など、独自の作品世界をメディアを問わず展開する。主な受賞作は『柚子家の法事』（関西テレビ）で芸術祭文部大臣特別奨励賞、『飛騨古系』（東海テレビ）で明治百年芸術祭文部大臣賞、大阪芸術賞。他にも大阪日日新聞社「文化牌」、滋賀県第一回「ブルーレイク賞」等、受賞も多い。享年五十五歳。

ふじたあさや「日本の教育１９６０」（二部一五景）

初出　『テアトロ』一九六五年（昭和40）九月
初演　劇団三十人会　秋浜悟史演出　一九六五（昭和40）年六月三十日～七月五日　第一生命ホール

中丸宣明

１　その時代

この「日本の教育１９６０」（以下「日本の教育」と略）が初演された一九六五年、あるいはその前後の時期は日本の演劇史にとてはまさしく革命といってよい季節の前夜だった。六三年サルトルの「恭しき娼婦」で状況劇場を旗揚げした唐十郎は、翌年には処女戯曲「24時53分〝塔の下〟行は竹早町の駄菓子屋の前で待っている」を初演し、六十五年には「煉夢術」「ジョン・シルバー」六六年には「腰巻きお仙百個の恥丘」「腰巻きお仙・忘却編」を上演、六七年には「月笛お仙義理人情いろはにほへと編」を新宿花園神社で境内でテント公演。以後唐の紅テントとして騒然たる演劇シーンを展開することになる。また、六六年に鈴木忠志、別役実、小野碩《ひろし》を中心に結成された早稲田小劇場は五月別役作の「門」で旗揚げ公演をし、一一月には自らのアトリエのこけら落としに同じく別役の「マッチ売りの少女」を初演する。さらに六九年には演劇センター68・69（のちの黒テント）として合流する自由劇場および六月劇場の結成も六六年のことであった。そして寺山修司が「青森県のせむし男」をひっさげて天井桟敷を旗揚げするのが六七年、それらに東京キッドブラザーズ（68年）や転形劇場（同）などが加わり七〇年代にかけて澎湃たる新しい演劇の動きが巻き起こりつつあった。それらの動きのなかに、ふじたあさやのこの戯曲を置いてみたとき、ふじたは問題意識やドラマツルギーの多くを共有しながらも、それらとははっきり一線をかくする立脚点に立っていることがわかる。それを明確に示すのが、俳優座・民芸・文学座といった劇団に代表される既成の新劇、つまりは日本の近代劇との距離なのだ。六〇年代の新しい演劇の動きは、おそらく寺山が最もラディカルなかたちで指し示しているように、温度差はあれ何れも反新劇あるいは非新劇の運動であった。それは、端的に芝居におけるリアリズムをどう捉えるかという問題と、社会に対してどのようなメッセージを発するか、あるいは発しないか、といった問題に集約される。「日本の教育」はその意味で、新劇の面影を多くとどめているといえる。その差違はおそらく劇作家としての出発期に胚胎していた。

ふじたは早熟な演劇青年であった。〈中学二年の夏はじめて観た新劇、文学座の『女の一生』は、その後観た文化座の『その人を知らず』や文学座の『雲の涯』や民芸の『山脈』などとともに、演劇は人間を通じて時代をえがくことができるのだということを、ぼくに教えてくれた〉とふじたはいい〈これらの諸作に触発されて、ぼくは演劇を志したといってもよい〉（『ふじたあさやの体験的脚本創作法』95年）と語る。それは鈴木忠志が〈芝居は、高校時代から東京に下宿していたけど、新劇なんていうものがあるなんて全然知らなくて、大学へ入るまでは三つしかみなかった〉（「インタビューによる鈴木忠志独演３０６００秒」「別冊新評　鈴木忠志の世界」82年5月）といい、その観た新劇を揶揄するように語っているのとは見事な対照をなす。ふじたの処女作は一九歳のとき、麻布学園中学・高学校の演劇部で知り合った二年先輩の福田善之と共作した「富士山麓」（福田にとっても処女作）である。しかし、それは後に〈当時は、いわゆる〃社会主義リアリズム〃の全盛期で、われわれも当然、その影響下にあった〉（ふじた前掲書）と回想されるようなものであった。その公演は成功するが、ふじたは違和を感ずる。それは、自分の戯曲が与える感動は一過性のもので、観客を変ええないのではないかという疑問であった。つまりは観客を傍観者の位置に置くリアリズムの限界を感じていた。〈金科玉条の要に思っていたリアリズムが、今は乗りこえるべき屍として目の前にあった。これをのりこえなければ、僕は次が書けない〉（同）と思い〈それから数年、ぼくは戯曲が書けなかった〉と語られる。福田善之は六〇年代前半、民芸系の劇団青年芸術劇場によって演劇活動をするが、そこには唐十郎や佐藤信が加わっていたことが象徴するように、「真田風雲録」（62年、俳優座スタジオ劇団合同公演）や「袴垂れはどこだ」（64年）などで新劇（近代劇）を相対化することを試み、六〇年代後半の新しい演劇運動を先導する役割を果たした。一方、この「日本の教育」を発表するまで、ふじたはテレビのシナリオを書くなどして、演劇シーンからは遠のいていたが、福田が行ったようなリアリズムの超克を試みていた。その過程は「富士山麓」発表後、示された実験的な戯曲によって窺うことができる。まさに「日本の教育」はその答えであったに違いない。

2　「日本の教育１９６０」

「日本の教育」はふじたの〈しばしば社会派と呼ばれ、記録劇的な、時代を正面からえがく〉（ふじた前掲書）戯曲づくりを示している。内容的には五十年代末におこった勤評闘争、つまり任命制の教育委員会のもとで教育の統制と組合対策として教員の勤務評定が行われるとして闘われた闘争、をとりあげ被差別部落出身の教師の自殺をめぐるドラマが展開する。週刊誌に載った教師の自殺の暴露記事と和歌山や高知での同和地区の住民と勤評闘争との関わりを報じた新聞報道に喚起され書かれたこの戯曲は、反差別の重いテーマを持っている。この劇への批判としては、初演時の劇評のなかですでに藤木宏幸が〈問題が善玉悪玉の公式なパターンで簡単に解決されてしまう〉、あるいは自殺した教師の弱さを相対化できていない、さらに〈部落民であることが最後の切札となること〉〈いわば「デウス・エクス・マキナとしての部落問題」の扱い方についても考えねばならぬ問題がある〉(「最近の意欲作『日本の教育一九六〇』七月の劇評」「テアトロ」65年9月)としているようなものが指摘できる。ふじた自身その欠点について前掲書で〈御都合主義的〉なドラマづくりを窘める文脈で藤木の劇評を思い出し〈こたえた〉と回想しているのだが、確かに反差別のメッセージをもりこんだリアリズム演劇という面からこの劇をとらえたときそれは当たっているが、この戯曲の構造を考えるとき、また違った見方も可能になる。この劇は一人の教師の自殺によって始まる。以後その謎解きというカタチでストーリーが展開するわけだが、それはリニアな時間にそったものではい。教師たちが死んだ同僚をめぐって会話するシーンに、時に回想シーンが実演され、時にスライドを用い声だけで過去のシーンが再現され、現在進行の勤評を提出するしないの校長・町会議員と教師達との押し問答のシーンと交錯する、という構造をもつ。先の劇評で藤木が〈統一したイメージが形象化されたとはいいがた〉いという印象もつ所以ではある。しかし、そこにはふじたのリアリズム演劇をこえようとする試みがあった。ふじたがそのヒントをうるのが狂言であった。ふじたは狂言の自在な説明=語りに注目する。登場人物がでてくると自らを説明し、状況を説明する「名のり」、ドラマの前提状況を説明する「次第」、「道行き」などは「〇〇に参ろうと存ずる」といって舞台を廻ればシーンが一転することとふじたは述べ、〈時間、空間が飛躍して、異質な時間、異質な空間が、一人の俳優の肉体を媒介にしてぶつかりあうところに〉リアリズム演劇とは異なる〈もう一つのドラマがある〉(ふじた前掲書)と語る。まさに「日本の教育」はその応用例であった。この劇の登場人物はのっけから勤評闘争を説明し、事ある毎に発話は登場人物相互の会話から逸脱する。死んだ同僚のことを話し合うその会話も説明的などはその典型といえる。まさに「日本の教育」の各シーンはそのような説明で飛躍を孕みつつ重ね合わされ、共鳴しあう。観客はその間にこそメッセージを読みとらねばならない。また、この劇は一九六〇年という刻印を押されている。初演が一九六五年、当初から観客の時間から距たった所に劇はある。無論ここには、勤評闘争の果ての校長も含めた教師集団のありかたを問うというかたちで安保後の日本の社会を告発する意図があることは確かだが、劇は〈さて、今、一九――年、教育は誰のものでしょう。(指す)あなたの町では?(指す)あなたの学校では?そしてあなたの国では?〉と結ばれる。初出ではが〈さて、今、一九六五年は誰のものでしょう。(指さす)あなたの町では?(また指さす)あなたの学校では?〉となっているが、西暦の部分は上演の度に新しくなる。そこには常に観客の解釈を誘う空間が更新される。六十年の時点での劇を勧善懲悪に単純化されている、御都合主義的だという感想を、自らの問題として回収させるべきからくりには違いない。しかし、この語り手の〈このシーン、お気づきでしょうが、前の場面から見れば、明らかな飛躍があります、その飛躍は皆さんにうめて頂くとして〉という〈このシーン〉とは教師たちがありうべき反差別の教育の理想を語るところで、先の劇評で藤木が指摘するように、確かに埋めがたい飛躍がある。単行本「日本の教育１９６０」(七〇年九月)に収められた六八年の上演台本ではそのシーンが削られる。そして勤評によってバラバラにされる教師たちと、差別を訴える被差別部落の人々の声、教頭や教育長の誰が得をし誰が損をしたかを論ずる愚劣な言葉が書き込まれ、同和対策視察団がやってくる、そして死んだ同僚教師の遺骨を故郷に送り届ける教師が乗る汽車がやってくるところで、くだんの語りがなされる。この変更、つまりポリフォニックなさまざまな声のカオスのうちに解答を宙づりにしたまま、観客へ解釈を委ねるという、より明確な志向が見られる。それは「日本の教育」の胚胎した必然の改稿であった。

ふじたは自らの狂言的の手法の〈結実〉として「面」(六六年)をあげる。狂言「二九十八」を下敷きにしてヒロシマを扱ったものである。広島に来た東京の男が行きずりの女と一夜を共にする。ふたりは共に暮らす夢を語り合うが女は早く東京につれてゆけとせがむ。女は被爆者で差別され結婚もゆるされない。仮面をかぶって生活していた。全てを知った男は〈許してくれ。おれは君に同情する〉といって去ってゆく、というもの。それは〈状況を叙事的にだけではなく抒情にも抽象する言語レベルを持〉(佐伯孝幸「解説」『現代日本戯曲大系７』七二年)つものであるが、それは「ヒロシマについての涙について」(六八年)という戯曲と兄弟関係にある作であった。それはドラマツールギーの上からは「日本の教育」の後身に当たるものである。そこには筋らしい筋はない。さまざまな被爆者の声が文字通り断片としてある。しかもそれは同時に重なり合いながら、和音と不協和音を共鳴しあう。これは譬喩ではない。台本は二段時に三段でかかれ舞台では平衡して役者が演技し、その台詞は重なる。まさに、「日本の教育」で最後に観客の前に投げ出された世界の全面展開されたかたちがそこにあるといえる。また単声的な「面」に比し多声的な世界があるともいえる。つまり、狂言を媒介に新しい「新劇」が構想されたといってよかろう。

3　ふたたびその時代

しかし、考えてみれば六十年代中葉からの新しい演劇の試み、それは何らかの意味で「古典劇」との対話の中で、新劇(近代劇)を超克(あるいは破壊)しようとした試みではなかったか。唐十郎が〈河原者〉〈遊行民族〉の系譜の中に自らを位置づけようとしたことや、鈴木忠志が、その行き着いた役者の訓練の方法が腰からしたの力を鍛え、大地を踏まえる足を重要視することが、能のありかたと共通するところがあることや、寺山修司が見世物の猥雑なエネルギーを演劇に導入したことなどはそれを示しているように思われる。とすれば、ふじたはその演劇的出自を異にしながらも、時代の大きな潮流の一角をなす存在であると言い得よう。

〈参考文献〉

「テアトロ　特集・〝狂言〟を考える」一九六六年八月
ふじたあさや『ふじたあさやの体験的脚本創作法』一九九五年四月　晩成書房
ふじたあさや『しのだづま考・山椒大夫考』一九九九年二月　晩成書房

ふじたあさや（一九三四・三・六～　）

劇作家・演出家。本名藤田朝也。東京生まれ。早稲田大学中退。麻布学園中・高等学校在学中より、劇作を始める。早大進学後、福田善之と合作の戯曲「富士山麓」(53年)発表。以後テレビ・ラジオのシナリオを手がけつつ既存のリアリズム演劇の革新を模索をする。五七～八年頃から狂言に傾倒、「現代の狂言」を書く。「おばあさんと酒と役人と」(60年)「穴」(六一年)「陳情」「女房」(65年)と発表し「面」でその完成を見る。また自らの劇作に狂言の方法を導入、「日本の教育1960」(65年)「ヒロシマについての涙について」(68年)などで成果をあげる。また、早く「昔噺分別八十八」(56年)で民話に劇作の素材をしめしていたふじたは五七年「さんしょう大夫」を発表するが、それ以後説教節・浄瑠璃・歌舞伎などの要素を取り込みつつ中西和久の一人芝居「山椒大夫考」(89年)に至るまでのライフワークとなり、その連続性に立つ「しのだづま考」では更に完成度を高め、九十二年芸術祭賞を受賞する。また「日本の教育1960」の系列の社会派的戯曲も「日本の言論1961」(67年)「日本の公害1970」(71年)「日本の教育1970」(78年)と書き継がれる。これらは差別の告発のモチーフに支えられている。そしてその差別と闘うべき人々がさまざまな思惑の中で、統一を失っている様が多くその背景としてある。それは六〇年安保後の状況の反映にほかならないのだが、風流夢譚事件・嶋中事件をモデルとした「日本の言論1961」にある、言論の場を奪われてゆく若き編集者とその父のありよう、父は第二次世界大戦末期、特高警察によるでっち上げ言論弾圧事件の渦中で編集者であり、極限下での人間の言論・抵抗運動を経験していた(モデルとなった横浜事件は早く「ニコライ堂裏」(62年)でも取り上げられている)。六〇年代の状況は戦時下の状況と対比され、特定の状況を離れ人間存在そのものの孕む問題として提起される。ふじたの戯曲のコアにはその問題があろう。先の狂言系の戯曲にもそれが秘められていることはいうまでもない。ふじたの父が横浜事件を経験し、その記録も残している元中央公論編集長藤田親昌であったことは、モデル論云々ではなく、また作家論的観点に留まらぬ問題を提起しているのかもしれない。ふじたは児童劇、児童文学の分野でも多くの仕事を残している。前者は劇団えるむや劇団うりんこ多くの児童劇の脚本を提供し、演出も行っている。後者は当然前者の脚本や戯曲そのものが出版されるというかたち(「児童劇」88年など)で存在するが、それ以外に狂言(「太郎冠者ものがたり」77年)、歌舞伎・人形浄瑠璃・マジック・バレエ・児童劇などの演劇の入門書(「シリーズ舞台うらおもて」八八～八九年)を執筆している。

遠藤周作
「黄金《おうごん》の国《くに》」（三幕九場）

初出　『文芸』第五巻第五号　一九六六年（昭41）五月
初演　劇団「雲」　一九六六（昭41）年五月　都市センターホール

菊川徳之助

1　わずか七本の戯曲

遠藤周作は、三二歳で芥川賞を受賞している。小説家として純文学から柔らかい文学まで幅広く多彩に作品を書いた人である。戯曲は、三四歳の時「女王」という一幕物をはじめて書いている。ところが、その後、芥川比呂志の依頼により劇団「雲」に書き下ろした「黄金の国」を自分で処女作と言い、初めて書いた多幕物とも言っっている。四三歳の時である。しかし、「黄金の国」の前に「親和力」という三幕物もある。遠藤自身には「黄金の国」が本格的に戯曲を書いたという意識であったのだろう。だから、遠藤の処女作を「黄金の国」と紹介している人もいる。実際の処女戯曲は、「女王」なのである——と思っていたが、亡くなって四年経った二〇〇〇年になって、遠藤周作二十五歳の時に、女子高校生のために書いた『サウロ』という三幕の戯曲があったことが公表された（「新潮」二〇〇〇年六月号掲載）。初めての小説発表（三二歳）より六年も早いことになる。

「黄金の国」で注目を集めた遠藤は、引続き劇団「雲」のために、「薔薇の館」「メナム河の日本人」を書いた。それ故に、戯曲も小説と同じように勢力的に書かれる期待があった。ところが、戯曲はなぜか全生涯で六本しか書いていない（「サウロ」で七本になったが、あまりにも少ない）。「樹座」という劇団をつくって外国公演まで行なった、芝居好きの遠藤なのに、である。最後の戯曲は「喜劇新四谷怪談」という「青年座」に書き下ろした作品である。五一歳の時である。七三歳の亡くなるまで多彩に書いた人が、戯曲は五一歳以後二二年間も書かなかったことになる。不思議であり、謎である。

遠藤作品の登場人物には特徴がある。そして、その登場人物は、小説には相応しいが、演劇には適さなかったのかもしれない。それ故に、戯曲から遠ざかったとも考えられる。

2　二つの作品の主人公

「黄金の国」は、遠藤の小説の代表作「沈黙」を書いた同じ年に書かれている。「黄金の国」は小説「沈黙」の世界を戯曲にしたと言える。しかし、「黄金の国」は「沈黙」と同一ではない。

「黄金の国」は〈芝居〉として書いている。もし、「沈黙」と同じ発想で書いていたら、新しい戯曲の世界を拓いていたかもしれないと思われる。

小説「沈黙」の主人公は、宣教師ロドリゴである。戯曲「黄金の国」にも中心人物に宣教師が登場する。ロドリゴと同じ役割の宣教師であるが、フェレイラというロドリゴの師の人物になっている。フェレイラも主人公に値たいするが、しかし、「黄金の国」の真の主人公は、宗門奉行井上筑後守なのである。

宣教師が切支丹禁制の日本に潜伏して布教するが、捉えられ拷問に遇う。だが、殉教の死を遂げるのではなく、踏み絵を踏むのだ。裏切る行為をするのである。しかし、宣教師はその瞬間、踏むがいいと言う神の声を聞くのだ。この題材は両作品に共通しているが、作者は両作品を書き分けている。小説は、宣教師ロドリゴの、迫害されるキリシタンが、これほど苦しんでいるのに、神は何故〈沈黙〉しているのかの問いがあり、そして遂には、踏むがいいと言う神の声を聴くことが主題である。戯曲は、井上筑後守の執拗な問いかけ――日本はキリスト教にとって〈黄金の国〉かそれとも泥沼か――が主題になっている。ここには、遠藤周作の演劇観が見えるとも言える。

「黄金の国」は、島原の乱二年後、長崎の宗門奉行井上筑後守の奉行所から始まる。

井上　疑う。捕らえる。転ばせる。切支丹は心の強さに己を賭け、我等はその体を責める。人間の体と心のいずれが強いかを試す。

疑う、捕らえる、転ばせる。というこの戯曲の主筋に、幕開きから前置きもなく直接入って行く台詞ではじまる。井上筑後守はかつては自らが信仰を持っていたが、今は棄教している。彼は、奉行所に勤める朝長作右衛門に目をつけている。この武士もまた、かつては信仰を持った人間であり、棄教の態度を装ってはいるが、今も信仰を捨てておらず、しかも、宣教師フェレイラを匿っていると井上は睨んでいる。井上は仕掛ける。

井上　朝長の娘には、許嫁はないか。
平田主膳　と存じまする。……切支丹を奉ずる娘は、切支丹の男でなければ嫁に参らぬとか……
井上　思うことは同じであったな、お前とこの余とは。

異教徒の若侍・加納源之介と朝長の娘・雪を目合わせようとの考えである。井上筑後守は策を弄して、朝長を追い込んで行く。

井上　ところで朝長、そこもとは何故、切支丹の教えを棄てたのだ。
朝長　……棄てねば、今頃は、……殿のきついお調べを受けておりましょう。では、殿は何故、切支丹の教えを棄てられたのでございますか。

井上　……それはな……この日本の土にあの教えの苗は育たぬと思うに到ったからだ……気味のわるい泥沼だ、この日本は。他国のどんな苗でもこの沼に植えれば、枯れるか、似ても似つかぬ花を咲かせるのだ。

朝長　その日本が南蛮のパーデレたちや商人には東方にある夢の国でございました。彼らは日本を黄金の国と呼び……

キリスト教にとって日本は、泥沼か、黄金の国か、の主題が浮かび上がってくる。

井上は、試みにと言いながら朝長作右衛門に踏絵を踏んでみろと言う。その時、娘・雪が若侍・源之介の〝縁談を断ったのは切支丹の教えを信じるゆえ〟という通報が入る。源之介と雪は恋仲になっており、結果的に井上の仕掛けはまんまと成功する。朝長は井上の前で十字を切る――〝作右衛門は切支丹でございました〟と。朝長は逆さ吊りの刑に処せられる。宣教師フェレイラは、井上の罠と知りつつも、朝長や百姓を助けるために、奉行所に出頭しなければならないところに追い込まれる。

この隠れ切支丹追求のシーンと平行するかのように信仰の問題が描かれる。朝長も百姓たちも、このような苦しみから何故救われないのかを問う。

朝長　デウスはなぜ黙っておられる。なぜ助けて下さらぬ……主はなぜ黙っておられる。

嘉助という、百姓の中でも際立って弱虫で臆病者の男が、フェレイラに縋るように問う。

嘉助　強か者は、御奉行様や御役人衆からどげん責められましても、耐えに耐えて、基督様の御顔ば描いとらる御絵に、足ばかけまっしぇん。ばってん、生まれつき弱虫は……臆病者は、どげんすればよかとでございまっしょうか。

嘉助は「沈黙」のキチジローである。キチジローなる男はすぐに踏絵を踏んでしまうが、何度転んでもロドリゴ（信仰）からは離れないという人物である。駄目な男なのに、辛い状況から逃げずに、なんとか状況を受入れて生きて行く人間なのである。「沈黙」の主題を生きている、もう一人の主人公と言える。戯曲の嘉助は、小説のキチジローほどの形象化はされていないが、遠藤作品の底辺を流れる主題――弱き人間の姿をみせている。そして、フェレイラもまた、自ら神に問うのである。

フェレイラ　主よ、朝長殿の訴え、嘉助の声、あれがあなたのお耳に届いたのなら、どうかお答え下さい……なぜ黙っておられる。あなたはいつも黙っておられた……なぜ私たちは拷問を受け、火や水で責められねばならぬのか。

フェレイラも、宣教師でありながら嘉助と同じく、拷問を恐れ、踏絵の前に立つことを恐れている。フェレイラは震えながら奉行所に出頭する。そして、百姓たちの前で踏絵を踏んでしまう。フェレイラは転んだのである。百姓たちには宣教師が気が狂ったとしか思えない。しかし、フェレイラは叫ぶ……

　フェレイラ　踏絵に足をかけて下され、踏んだとて決して基督はお怒りにならぬ。それがフェレイラにはやっとわかったのだ。やっと……神は黙っているのではなかった。

フェレイラは〈踏むがいい、踏まれるためにこの私はいるのだ〉という神の声を聞くのだ。

　フェレイラが転ぶか、転ばぬか、それが井上の賭であり、宗門奉行としては、転ばせることに勝利があり、井上の心の傷としては、転んでくれぬことが勝利なのである。だが、フェレイラは転んだのだ。

　井上　パーデレ。余はそれを見たくなかった。せめてそこもとだけは余に勝つと思いたかった。そこもとだけは切支丹の教えがこの日本国にも根をつけるのだと身をもって言いつづけてもらいたかった。

井上筑後守は、背理を持ちながら能動的な行動をする人物として描かれている。このような人物こそ、ドラマの主人公なのである。遠藤周作の演劇観が選び出した主人公は、劇的演劇（ドラマ）を成立させてきた能動的な行動をなす人物であった。このことは、宣教師が踏絵を踏む要因にも表わされている。「沈黙」では、ロドリゴの内面に突き刺さる事象が要因になっている。ロドリゴが踏み絵を踏むのは、遠くから聞こえる牢番の愚鈍でのんきな〈鼾〉と思った声が、実は、信徒たちの拷問に苦しむ〈呻き声〉であったという誤認、そしてそれは、自分よりももっとあの人のために苦痛を受けている者がいたという衝撃、その衝撃が転びへの要因になっている。ロドリゴの心の深いところへ響いてくる強烈な内的認識である。「黄金の国」では、雪と源之介の若い二人が相手のために自分の命を棄てようとする。源之介が職人の作った基督の踏絵なぞ踏めると言うと……

　雪　源之介さま。もし、これをお踏みになれば、雪とあなたさまの心のつながり、その糸がぷっつり消えてしまいます。たとえ、源之介さまには長崎の名もない職人がつくった物であっても、私には一生、尊とかったもの。一生、あがめてきたもの。それをお踏みになれば、あなたさまは私の手の届かぬところへ行っておしまいになります。どうぞ……この私をお踏み下さいまし。

　（中略）

　源之介　（足をかけようとしてやめ、遂に）切支丹の教えなど何も知らぬこの私だ。だが、今こそはっきりと心に思います。雪殿が穴につられるなら、この源之介も穴につられたい。雪殿が火あぶりならこの私も御一緒に死ぬ。

この若い二人がそれぞれ相手のために自分の命を捨てようとする姿を目の当たりにしてたフェレイラが、〈地面を這いずりまわる〉〈泣くように身もだえる〉というト書のもとに……

フェレイラ　あなたは黙っているのではなかった。あなたはいつも黙っておられると私は思っていた。だがあなたは黙っておられるのではなかった。

と言って基督の顔、踏絵を踏むのが要因になっている。

二つの作品の——踏み絵を踏む——要因の違いには、作者遠藤の演劇というものへの想いが垣間見える。小説での、ロドリゴが嘲笑った、鼾声が穴吊りにされた信徒達の呻き声であった、という残酷な誤解という要因と、戯曲での、若い男と女の愛による自己犠牲、という要因は、静と動、内向的と外向的、つまり、ロドリゴの認識は暗く残酷なもの、一方、フェレイラの認識は男女の愛という救いと明るさを持っている。一人で読み進む小説と違い、劇場で、俳優の身体を通して見る演劇、それには若い男女の愛情物語の方が適するという考えである。

フェレイラは呻き声をあげ、荒々しく、動的に踏絵を踏み、ロドリゴは苦悩し、ゆっくりと、静かに足をかけるのだ。

「黄金の国」は、迫害する者と迫害される者との劇的な闘いの対話、観念と観念のぶつかり合いが色濃く描かれる芝居である。劇的な要因によって進行する。芝居らしい芝居である。遠藤周作固有の人物造形を持ちながらも、芝居らしい芝居（よくできた芝居＝ウエルメイドプレイ）の要素が強くある。

3　受動的な形象のむずかしさ

遠藤周作の真の主人公は、小説「沈黙」におけるロドリゴや「死海のほとり」「イエスの生涯」の弱きイエスのような、受動的な人間、状況を受け入れて生きる人間である。だが、「黄金の国」では、フェレイラが主人公にならず、井上筑後守が主人公の位置を占めた。それは、演劇には、能動的に行動する人物が必要という演劇観が遠藤にあったためと思われる。遠藤周作が「死海のほとり」「イエスの生涯」のイエスや「沈黙」のロドリゴを主人公にした戯曲に挑戦していたら——「薔薇の館」で少しは試みているが——生涯に七本しか書かなかったということはなかったであろう。しかし、遠藤の演劇観がそれを許さなかったのか、あるいは、演劇には、弱き遠藤イエスの受動的な人物像は適さないということがあったためであろうか。作者は、「黄金の国」のラストシーン（第三幕第四場）で、この人間像に挑戦している。フェレイラは沢野忠庵という日本名で生き永らえさせられているのだが、フェレイラが発見、認識したこと——踏絵を踏んだフェレイラのありよう——つまりは、遠藤の受動（受容）的人間像を、フェレイラに語らせて描いている。雪や源之助や百姓達が処刑される日、転んだ嘉助が懺悔に来る。フェレイラは自分はもうパーデレはないと言うが、雪たちの処刑の様子を嘉助から聞きながらフェレイラは話始める……

フェレイラ　……基督がもし我等を愛してくださるなら、嘉助、お前さまの弱さ、お前さまのその足の痛さを知っておられる。そしてあの日の雪さまと同じように可哀想にと泣きながら。

フェレイラ　踏絵の基督は泣きながらこう言われたであろう。踏むがいい、私をと。そのためにこの私はいるのだ、人間たちの苦しみに踏まれるためにこの私はいるのだ。人間たちのその足の痛さを引き受けるためにこの私はいるのだ。私も痛い。だからお前も痛かろう。ならば私に足をかけるがいいとあの日の雪さまのように。

この第三幕第四場は、それまでの劇的な展開とスタイルを異にして、殆どがフェレイラの独言に近い形になっている。この独言の形式によって、小説のロドリゴに匹敵するフェレイラの人間像（遠藤の真の主人公）を示そう、獲得しようとしている。

しかし、このシーンは、あまりにも叙述（小説）的で演劇としては面白くないものになっている。成功していないのだ。受身の、受動的な主人公は、本当に演劇には適さないのであろうか。

遠藤周作が戯曲で、受動的な主人公の形象化を、もっともっと挑戦してくれていたら、新しい人物構造の演劇が光を放ったかもしれない。「黄金の国」「薔薇の館」には、可能性を秘めたものがあると思われる。「黄金の国」は、遠藤周作の戯曲の代表作に違いはなかろう。

※文中の台詞の引用はすべて「文芸」第五巻第五号から。

〈参考文献〉

遠藤周作『沈黙』新潮社一九六六年

山形和美編『遠藤周作―その文学世界』国研出版　一九九七年

遠藤周作《えんどうしゅうさく》（一九二三・三・二七～一九九六・九・二九）

東京市巣鴨生まれ。十二歳の時、無自覚のうちに受洗。洗礼名パウロ。三浪人後、二〇歳で慶応義塾大学文学部予科に入学。最初はエッセイ、評論を書き、「神々と神と」「カトリック作家の問題」「堀辰雄覚書」などで認められる。二六歳、「三田文学」の同人になる。翌年フランスへ留学。五年後、初めての小説「アデンまで」発表。次の年「白い人」で芥川賞受賞。その後も新潮社文学賞、毎日出版文化賞、「沈黙」では谷崎潤一郎賞など受賞。イエスの同伴者から、「死海のほとり」「イエスの生涯」などの作品に、弱きイエスを書き、大胆なイエス像に物議を醸し出す。狐狸庵先生の名で、イエスの重い作品とは違い、軽やかなユーモアに飛んだ作品を書く。「黄金の国」を書いた翌々年、素人劇団「樹座」をつくり、シェイクスピア作品を上演、外国公演もなし、自らも役者をやる。

長編、短編の素晴らしい作品を多数書き残し、幾多の病気、幾多の手術を乗り越えて来たが、七三歳、平成八年の九月に慶応義塾大学病院で死去。長崎県に遠藤文学館が建つ。

小幡欣治
「あかさたな」（四幕十場）

中野正昭

初出　『東宝』一九六七（昭42）年三月号
初演　東宝現代劇　一九六七（昭42）年三月　芸術座

1

幕が上がると舞台は周旋所である。明治三十七年の上野広小路。洗い出しのくぐり門には「あかさたな一番支店」と染め抜いた紺暖簾、店先の角行灯には赤字で「周旋」の文字。周旋所店内、その帳場には文明開化を象徴するような白熱ガス灯、それに卓上電話、手文庫などが置かれ、土間の壁には「工夫急用」「求牛肉店軽子」などの求人貼り紙が一杯に貼り付けられている。観客席に向いた舞台正面の鴨居には「時は金なり」の額が高々と掲げられ、その下では職を求める男女がごった返している。

小幡欣治『あかさたな』は、日露戦争最中の好景気に湧く明治の周旋所の慌ただしい風景からはじまる。戦争景気による経済的成長は、近代国家を標榜する明治の富国強兵路線の総仕上げであり、「時は金なり」は明治国家の実利主義的なイデオロギーを表している。日露戦争は日本を欧米列強国と並ぶ国際的地位へと昇らせ、締結条約に不満を感じた人々は、暴動騒ぎを起こす。父権的国家の明治時代から、民衆とデモクラシー、近代的自我に目覚めた個人主義に象徴される大正時代は目前である。

『あかさたな』は、こうした明治から大正への時代の転換期を背景に、金と欲望に破天荒な人生をおくった大森鉄平と彼の妾達を主人公として進行する。

2

大森鉄平は俗物である。しかし、単なる俗物ではない。鉄平は、日本が近代国家へと向かった文明開化期の明治三十七年、浅草に本店を持つ牛鍋店「あかさたな」の主人であり、東京市内に十六軒の「あかさたな」支店を持ち、他にも口入屋から火葬場、撞球場（ビリヤード場）、屠殺場までも経営する、当時としては型破りの多角経営者である。おまけに、その支店全てを愛人たちに管理させている。年頃の実娘に、「人間には生まれついての能力というものがある。一人の女に二人の子供を生ませて、家庭大事とばかり細々と暮らしてゆく不甲斐のない男もあれば、十人の女と二十人の子供を幸せに包みこんで豪気に世の中を渡っていくのも男の勤めであり生甲斐でもある」と説き、「愛する者が百人おれば百倍の力で仕事に打ちこむ、これが男だ」という持論のもと、二十一人の愛人と二十三人の子供を持つ鉄平は、豪快で奇想天外な男である。

その経済的な成功を除けば、大森鉄平は、明治の「立志伝」「立身出世」の対象となるような人物ではない。しかし、いつの日か「あかさたな……」四十六文字分の店と、それを任せる愛人を持つことを夢見ながら、日々、事業の拡大へと勤める鉄平の豪快な俗物振りには不思議な魅力がある。

『あかさたな』は舞台初演の二年後に映画化されているが、その際のタイトルが『妾二十一人　ど助平一代』(一九六九年、東映、監督脚本・成沢昌茂、主演は舞台同様に三木のり平)と身も蓋もないものへ改題されたことからも窺えるように、その卑俗的な人物設定が、作品の最大の魅力の一つであったことは間違いないだろう。

更に付け加えるなら、大森鉄平は小幡欣治が創作した全く架空の人物というわけではない。大森鉄平は、同じく明治末に牛肉店「いろは」を経営した木村荘平をモデルとしている。将来的には「いろは」四十八店舗をそれぞれ自分の妾に経営させると吹聴して歩いた木村荘平は、息子達に生まれた順に番号で名を付けるなど、世間の話題の的であった。彼の息子としては木村荘八、荘十二がよく知られている。

また、木村荘平の他にも、「天狗煙草」の岩谷松平、大倉喜八郎、伊藤博文をはじめ、妾と精力を誇り自己宣伝に長けた傑物たちが明治時代には後を絶たなかった。

彼ら明治人がそうであったように、大森鉄平もまたその人生哲学に疑いを持たない抑圧的な父権性の象徴的存在として描かれている。「儂は安い牛肉をみんなに喰わせることでお天道さまにご恩返しをし、儂の良い種を女たちに与えることで世間さまにご恩返しをするんだ。それがこの世の中へ生まれてきた男の勤めだ」と豪語する鉄平に対し、長女京子は自殺、次女の由美は、青鞜社に関心を持ち、グズな板前の敬吉と身分を越えて愛し合うことで父への反意を表明する。

貪欲なまでに経済的利益を追求し、愛人を男の甲斐性の一言で正当化する強引さは、日露戦争の講和条約締結の際には「民衆たち」の反撥を招き焼き討ちにあうと言う結果ももたらす。鉄平の中にあるような経済と欲望は否定されるべきものである。実利的価値観、近代国家建設を標榜しながらも実体は天皇を頂点とした強固な制度社会であった明治時代の有り様を鉄平という父権の権化のような存在に託して描くのは分かりやすい。民衆とデモクラシー、そして個人の夢を抱えた「浪漫」の大正時代を目前に、牛鍋店「あかさたな」が衰退して行くのは尤もなことのように思える。

3

舞台の終盤、息子鉄八の台詞「……僕は明治に生まれた人間です。そしてお父さんは明治を生きた人間です。だれでもという訳ではないけれど、お父さんのようにどえらいことをやった明治の人は、国のためとか一般市民のためと言いながら、どこかで人間の一番大切なものを踏みつぶしていったような気がするんですよ……僕は小さいときに妾の子と言っていじめられた。だから僕はよけい思うんだ。たとえお父さんのようなどえらいことは出来なくても、自分の子供だけは絶対にそんな思いはさせまいってね」からも、小幡が大森鉄平に代表される明治人、明治の近代国家イデオロギーへの批判を作品に含ませていることは明らかだろう。

しかし、その批判は通り一遍の単純なものではない。小幡は、鉄平を批判しつつ、同時にそうした人生を送った傑物の魅力をも大きく引き出している。

鉄平に反旗を翻し、牛鍋店「あかさたな」崩壊の契機を作った由美は、駆け落ちまでして敬吉と結婚する。父権的な鉄平と正反対だからこそ選んだ理想の男性敬吉、しかしその敬吉と結婚後の由美は父鉄平を理想の男性と見る女性へと様変わりをする。父の葬儀に駆けつけた由美は「私――この年になってやっとお父さんの偉さが分かりましたわ、本当に偉大な父でしたわ」と語り、夫敬吉は鉄平を真似てレストラン「ＡＢＣ」をアルファベットの順に二十六支店造り、愛人らに経営を任せるという鉄平そっくりの人物となって戻ってくる。

実社会へと出、自らも一生活者として自活することで由美の中に大きな変化が起きる。それが何なのか。小幡は駆け落ち後の由美の生活を舞台上では描かない。ただ、時間の推移が彼女のこうした変化を理由付けているだけである。

それはまた明治を生きた父鉄平とは異なる理想の家庭を築こうとする息子鉄八も同じであろう。葬儀の席で「うちのおやじはたくさんの子供たちに血と財産を分けてくれたけれど、人間の愛というものは分けてくれなかった。単に血のつながりだけで親子だというのなら、人間、犬と変りはないよ。僕ら子供たちにとっておやじは、おやじという名前の付いた一人の男に過ぎなかったのかも知れないんだ」と言う彼もまたかつての由美同様に鉄平の生き方が理解できない。鉄平の荼毘に際し「お父ちゃん、お父ちゃん」と泣き崩れる鉄八に対し、由美、あさ、くめといった鉄平の理解者達は「それぞれの感慨に耽りながら立ちのぼる煙の彼方を見つめている」。

これから実社会へと出て行く若い鉄八には感慨に耽るだけの経験や想いがまだない。

鉄八の言うように、鉄平は父親としては失格だったかも知れないが、「進取の気性ちゅうか男らしさちゅうか、ビシッとした太い根性」が一本通った生き方をした男ではあった。それは共に過ごした者たちに感慨に耽るだけの何かを心に残す力を持っている。

若者は、個人を語る言葉というものをもてないで、常に個人は政治や思想を通して語られる。行動に挫折するとついでに理想もどこかへ行ってしまう。由美、鉄八といった若者達は未来の新設計を望んだが、経験を積み重ねた生活者達は現実の中からそれを突き抜ける生き様に想いを馳せる。この鉄平の二重性が作品に奥行きを与え、生活者の複雑な心情を巧みに描き出している。

自活するため職を求めて集まってきた人々の姿からはじまる『あかさたな』は、世界観でも社会観でもなく、人生観、生活観の上に立った作品、世俗の生活者の姿をえがいた作品である。

近年の『熊楠の家』をはじめ、小幡欣治の作品は、時代の傑物を題材に、観客の笑いを誘発しながらその主題を浮かび上がらせたものが少なくない。新劇から大劇場の「大衆劇」へと転身した小幡欣治の、こうした生活者の視点に立った近代の捉え直しは、商業演劇が通り一遍の歴史解釈を退けている意味で興味深い。

〈参考文献〉

『小幡欣治戯曲集　喜劇隣人戦争』講談社　二〇〇一年四月
『昭和大衆劇集』演劇出版社　一九八九年二月
『小幡欣治戯曲集1』大学書房一九七五年十一月

小幡欣治《おばたきんじ》（一九二八・六・十二～　）

一九二八年、東京生まれ。都立京橋化学工業卒業。劇団炎座文芸演出部を経て作家活動に入る。戦中浅草で被災、職を転々とするが、五〇年「悲劇喜劇」の公募に『蟻部隊』が当選し、同誌戯曲研究会に加わる。

五六年『畸形児』で第二回岸田國士戯曲賞を受賞。同作品は、社会人バスケットボールチームの花形として成り上がって行こ

うとする青年を主人公に、会社組織の中で次第に人間性を失って行く現代人の悲劇を描いた作品である。人間疎外の容貌を強めていく当時の企業社会、他を蹴落とすことで成功を手にする一方で孤立化せざるを得なくなる競争社会の残酷な姿といった社会的テーマを、小幡は、主人公の青年の屈折した心理と併せて巧みに描き出している。個人と組織・社会との軋轢、人間疎外の問題は、『龍馬翔ぶ』（六九年）等の歴史劇に於いても、時代設定を超えた普遍的テーマの一つとして小幡作品に存在している。六二年『埠頭』を発表後、菊田一夫と出会い、東宝現代劇の劇作家・演出家の柱として活躍した。主な作品に『あかさたな』（六七年）、『三婆』（七三年）、『根岸庵律女』（九八年）など多数ある。また菊田一夫演劇賞受賞歴として『安来節の女』『にぎにぎ』で演劇賞（七五年）、『恍惚の人』『夢の宴』で演劇大賞（八八年）、『熊楠の家』で特別賞（九三年）がある。

有吉佐和子

「華《はな》岡《おか》青《せい》洲《しゅう》の妻《つま》」（四幕九場）

初出　『ふるあめりかに袖はぬらさじ』　中央公論社　一九七〇（昭45）年七月五日
初演　山田五十鈴・司葉子・田村高廣ら　一九六七（昭42）年九月二日〜十月二七日　東宝芸術座

和田直子

1

有吉佐和子の作品には、紀州を舞台とした年代記的な歴史小説、特に女の生き方に焦点を当てた物語の大きな系列がある。世界最初の全身麻酔による乳癌摘出手術に成功した紀州の外科医華岡青洲の生涯と、妻と母の立場から青洲を独占しようとする嫁と姑との葛藤を描いた「華岡青洲の妻」はその集大成といえ、一九六七（昭42）年女流文学賞を受賞した。この長編小説は、一九六六（昭41）年十一月『新潮』に一挙掲載され、翌年二月新潮社から刊行された。九月有吉自らの脚色・演出によって東宝芸術座で上演された後、映画化、テレビ放映もなされ、さらに一九七〇（昭45）年六月戊井市郎演出、杉村春子主演で文学座の舞台にも取り上げられ、杉村の於継は嵌り役となった[1]。

原作の小説は、やがて青洲の妻となる加恵が八歳のとき、彼の母、於継が華岡家へ嫁いだ経緯を乳母の民から聞かされ、垣根越しに初めて於継を見て、その美しさと聡明さに憧憬を抱いたところから始まり、加恵、青洲の死までを年代を追って描写している。これに対して戯曲では、舞台を加恵が華岡家に嫁いで三年を経た天明元（一七八一）年頃から、青洲が初めて麻酔手術に成功した文化二年（一八〇五）までに設定し、この間の二十四年が叙事劇的に四幕九景に再構成されている。作者はどのような意図をもって、この十五章から成る長編歴史小説を改作し、舞台化したのであろうか。小説と戯曲の相違を検討することで、小説の戯曲化という問題を考える手掛かりとしたい。

2

戯曲の登場人物は、於継（青洲の母四十八歳〜）、華岡雲平（青洲二十八歳〜）、於勝（雲平の妹二十六歳〜）、小陸（雲平の妹二十一歳〜）、加恵（雲平の妻二十六歳〜）、於沢（加恵の母）、良庵および米次郎（雲平の弟子）のほか、木綿問屋の小六と甚造、生薬屋作兵衛、藍屋利兵衛、お勘（利兵衛の母六十歳）となる。

多くの人物を抱える小説を戯曲化するにあたり、登場人物や出来事を限定する必要があるが、有吉は、単に原作に登場する主要な人物をその重要度に応じて選びだすのではなく、意図的に登場人物を絞り込むことにより主題の転換を図った、あるいは結果として主題が変化したと考えられる。たとえば、小説の前半部において存在感を示す青洲の父華岡直道や、加恵の父妹背佐次兵衛が戯曲の中では姿を消している。また、青洲の弟妹のうち、於勝と小陸を除いた、他の三人の弟と二人の妹の存在が無視されている。さらに、加恵が生んだ青洲の三人の子供達も、長女小弁の死が短く話題にされる以外、直接舞台には登場してこない。このように、華岡家や妹背家の人物を整理することは、於継や加恵を、原作の持つ封建的家制度の一構成員としての位置から解き放つ意味をもつ。因みに加恵の母於沢は原作では、常に妹背家の妻、母と記され、個人としての名前が与えられていない。こうした脚色姿勢は、舞台の焦点が加恵と於継という青洲を巡る二人の女、つまり嫁と姑の争いに絞られることに効果を上げている。この一方で、華岡家に嫁いだ二人の女である於継と加恵、あるいはその当主、青洲に人生を捧げた華岡家の二人の娘達、於勝と小陸の生き様を力強く描いた原作の魅力が、戯曲では十分に表現されていない。言葉を換えれば、華岡家の女達が、封建的な家制度の中でその時代をいかに生きたか、ひいては男と女の冷徹な関係を鋭く描いた原作のテーマが、改作によって後退したといえる。嫁と姑の争いを全面に打ち出した脚色は、商業演劇的興味によく合うものであり、またこの作品が発表直後から、女性読者の圧倒的支持のもとにブームを引き起こした事情と考え併せて興味深い。

3

第一幕華岡家の奥内（天明元年頃）は、青洲の帰宅直前（小説五章、以下数字は小説の章を示す）および直後（六）の場面で、この中に小説の三から七章冒頭までの内容が盛り込まれている。なお、松本家の娘於継が華岡家に嫁いだ経緯や、加恵の実家妹背家について説明した一、二章は取り上げられていない。於継と小陸が糸繰りを、加恵と於勝が機織りしているところで幕が上がる。加恵が梭を取り損ねて指をつき、「あッ」と悲鳴をあげて音楽が鳴りやむ。於継が即座に、於勝にそれを拾わせ、小陸に練膏を取りに走らせる。傷の手当に家伝の軟膏を使いながらの会話の中で、加恵を医家に相応しい女と見込んだ於継の要望に応じて、美貌の於継に憧れる名手本陣妹背家の加恵が、貧乏医者の華岡家に嫁ぐまでの経緯（三）や、嫁いでから三年も雲平が京都に遊学中であり（四）、まだ見ぬ夫の学費の仕送りのため、加恵が小姑達に混じって機織りに励んでいるさま（五）が巧みに語られる。娘の於勝が「加恵さんが嫁に来なしてからこっち、私らは俄に継子のようになってしもうての」と言うほど、於継は加恵を愛しんでおり、出入りの木綿問屋も羨むほど、二人は仲睦ましい嫁と姑であった。

その時、父の直道が他界した折にも梨のつぶてだった雲平が、突然、猫を抱いて帰宅する。三年ぶりの帰宅に於継、於勝、小陸は色めき立つが、加恵は於継から「加恵さんやして、このひとも待っていたのえ」と取って付けたように紹介されたきり見向きもされず、一人途方に暮れる。食事を掻き込んだ雲平は、猫にも何か食べさせるよう於継に頼み、この猫がこれからの研究の手始めになるんや、これから近在の捨犬や捨猫は必ず家で飼うて下さいやという。雲平は弟子や家族を前にして、中国三国時代に麻沸湯という麻酔薬を使って外科手術を行った華陀の話を引き合いに、日本の華陀たらんとする自らの目標を語る。人の治せない病を治せる医者になるため、猛毒の曼陀羅華を主体にして麻酔薬を作るという理想に燃えている。さらに話題は、仕送りで買い整えたカスパル流の外科器具に及ぶが、於継は留守中に加恵も懸命に機を織っていたことに言及せず、また薬草畠の手入れの話の際も、曼陀羅華を気違い茄子と呼ぶ人（加恵）には、「薬草と雑草の見分けもつきませんやろ」と、自らの優位を示そうとする。（六：小説では直道の死去は雲平の帰宅後（七）となっており、雲平帰宅の折の土産話は、家長直道を中心とした華岡家の夕餉の席上で繰り広げられ封建的な家制度の雰囲気を濃厚に示している）。やがて於継は、旅の疲れがあるだろうと雲平を一人で寝かせる。加恵は、於継に結んでもらった紅絹を指から外し、力をいれて引き裂く。その様子を小陸が窺う。この日を境に、望まれた嫁と望んだ姑の間柄は一変し、於継は加恵を遠ざけ始め、加恵は一途に慕っていた於継に敵意を抱きはじめる。

第二幕華岡家の奥内（第一幕から三年後）では、加恵の妊娠（八）および於勝の発病から死（九）までが、小陸・米次郎の第一プロットを交えて描かれており、小説の七から九章の出来事が時系列に関わりなく盛り込まれている。

機織りをしている小陸は、於勝の体調を気遣いながら、犬猫を使った青洲の麻酔薬の研究も進んだと話している。加恵は妊娠七ヶ月になっている。於継は長雨続きの大飢饉の中、白い御飯を食べているのは犬と猫と加恵だけなので、餌のついでに加恵にも「なんどやっておくよう」言う。（八：小説では、於継はこのような意地の悪い言い方をしていない。）「盛大食べて、ええ後継ぎを産んでもらわな」とあわせ鏡をのぞきながら、曼陀羅華の花を摘む加恵に、雲平が傘をさしかけている姿を見とがめ、いやらしい、躾が悪いと怒り出す。雲平に陰干しを頼まれ、木綿の着物を裂いて曼陀羅華を拭く加恵に、もったいないと於継が意見し、これに対して加恵が旦那はんに頼まれた仕事をするのに着物ぐらい惜しくないと答え、「後立派なお考えやのし」「久しぶりで褒めて頂いて嬉しいてかないませんよし」と鞘当てをする。（七：小説ではこの場面は加恵の妊娠前の出来事となっており、於継は二人が花を摘んでいる姿を目撃しておらず、毒性の強い花を拭いた布の扱いを注意するのみで、嫁姑のこの小競り合いはない。）この直後、於継は加恵に初産は里でという習慣があると切り出し、雲平も承知していると嘘をいう。加恵は於継はこの家で産んでおり、それが華岡の家風でないかと抵抗するが、雲平に産婆の真似をさせたいのかと言われる。（八：小説では加恵は激情を抑えて、一切於継に口答えをしていない）。

ここで嫁と姑の確執が表面化する。加恵を迎えに来た於沢が、この不自由な時に、華岡家で加恵だけが白い御飯と紀ノ川の鮎を食べていることを知り、聞きしに勝る娘への姑の気遣いに感謝し、若く美しく行き届いた於継を誉める。加恵はセキを切ったように泣き出し、「ここのお母はんは美しいひととは違いますッ」化粧の下の於継の顔は小皺だらけで、雲平の前では「猫みたいな声出すわ」と訴える。於継が賢いというのは狡いからで、自分を雲平の留守中に嫁入らせたのは、機織りさせるためであり、自分を「華岡の血筋の者を産むための道具」のように扱うと積年の恨みを噴出させる。これに対して、於沢は親の立場の理から加恵を諭す。そこへ於継が現れ、互いにお世辞を言いながら、於沢は加恵を里へ連れ帰る。（八：加恵と母親とのやりとりは、里下がり後のこととなっており、場面を整理するためにここに挿入された。）

米次郎が五匹の猫を連れ帰り、二人になった小陸と結婚の約束をする。そこへ生薬屋が薬を持参して、世間の惨状や奇病の発生が伝えられる中（七）、倒れている於勝を小陸が見つける。於勝は不治とされる乳癌を患っており、痛み止めか乳を切り開いて手術をすること欲するが、青洲にはなす術がない。「どんな病でも、病で人の死ぬときは医術が到らんのじゃ。（略）見殺しにするのは儂の医術が足らん証拠や」と絶叫する（九）。

第三幕（第二幕から八年後）第一景青洲の部屋は、麻酔薬の動物実験の成功と人体実験申し出の場面（十）であり、青洲・加恵の濡れ場が挟まれている。

青洲が麻酔薬の実験に着手して十年余、麻沸と名付けた猫が宙返りして遂に動物実験が成功し、青洲と加恵は共に喜ぶ。二人が睦みあおうとしている時に、突然、於継が寝所に現れ、「麻酔薬の人体実験は、私を使うてやりなさい」「（じろりと加恵を見て）雲平さんの研究に人間を試すことだけが残ってあるのを、身近くいて気付かんのは阿呆だけやしてよし」と申し出る。それを聞いた加恵も、「その実験には私を使うて頂こうと、かねてから心にきめていましたのよし」と慌てる。「大事な嫁に」「大事の姑に」「老先短い躰で」「女一人産んだだけの能なし」と二人は一歩もひかず、意地の張り合いが続く。陰険な響きをもつこの自己犠牲の争いに、青洲は一旦は「儂の麻酔薬を、人殺しの薬やとでも思うてんのか」と退けるが、やがて「ほな二人にやってもらう。いずれは欲しい人間の躰やった」と決断し、言い出した於継が先に実験台となることになる。

第二景華岡家の裏は三回目の実験準備の場面である。小説に描かれていないこの場面に、第一、二回実験の様子を盛り込み、小陸・米次郎の二回目のプロットが挿入されている。良庵と米次郎が練膏を火に掛けながら、他の門弟達も人体実験の事実を知っていることが話題となる。（小説では、青洲、於継、加恵のみの秘密となっており、青洲自身が薬の調合をしている）。二人の話を通して、最初の於継の実験に用いた薬は軽いもので、一昼夜足らずで目覚めたが（十）、次の加恵の時には大量の曼陀羅華が使われ、緊迫した雰囲気の中、三日三晩眠りから醒めなっかったこと（十一）がわかる。良庵は、先を争って薬を飲む姑と嫁を「医家の女の亀鑑やないか。一人の成功のために一家をあげて命がけなんや」と讃える。しかし、まだ薬は完成しておらず、於継が次の実験台となるであろうと囁き合う。

水菜を持ってきた小陸と米次郎が鉢合わせになる。二人はいまや青洲も認めた仲であるが、手伝おうという米次郎に、小陸は「邪魔せんといて頂かして」とつれない。そこへ加恵が来て、カンカン照りの天気の中、俄に暮れてきたと言い、小陸は何か異変を感じる。

第三景青州の部屋は、三回目の実験を於継が受ける場面（十二）で、小説の第一回実験の於継の様子（十）が、冒頭のト書やこの実験の中に描写されている。薬を服用した於継は、二刻程して意識が戻り、何日眠っていたかと加恵に問いただすが、加恵はよく分からないと返事を避ける。於継は加恵の時より実験が成功したと思いこむ。青洲に確めてもう一度実験が必要なことを知っている加恵は、於継が再び眠ったのを見すまし、声を殺して笑う（小説では加恵はこの種のえげつない行為をしていない）。於継は、急患をみて戻ってきた青州と粥を運んできた小陸に同じ質問をし、自分が朝薬を呑み、同じ日の昼すぎに覚醒したことを知る。於継は小陸の前で、「加恵さんは、私が幾日も幾日も、数えきれやんほど眠っていたと云うたんやよし」と泣く。二人の争いはもはや抜きさしならぬ状態になり、小陸はそれを目の当たりにしている。

第四景華岡家の裏は、第四回実験直前の場面で、小陸・米次郎三回目のプロットが中心となる。米次郎は、急に冷たくなった小陸を待ち伏せし、嫌いならはっきり言ってくれと迫る。小陸は、嫌いでないが自分が女であることが怖ろしいという。米次郎の国元の母親のことを尋ね、「米次郎さんが嫌いであったら、私は、私はこんなに苦しみませんよし」と泣きながら退場する。米次郎と良庵は、一人娘の小弁が死んで以来、眼がつぶれるほど泣いている加恵を、於継が実の母のように優しく労っていたこと、半年もかかって完成した散薬を用いて、青洲が加恵の体で極め付きの実験を行うことを話す。

第五景青州の部屋は第四回実験の場面（十三）である。眠っている加恵を前に、於継は後継がないことを持ち出す（十）。青州は於継に、加恵が武家の作法として膝頭と足首を縛った紐を示し（十一）、今回は暴れずに麻酔にかかった上、内股の痛点を思い切り捻ったが身動き一つせず、実験が成功している事を告げる。青洲は於継の時と違って、良庵に急患の代診を命じる。その時、加恵が呻いて「ああ、痛い」と目を醒ます。加恵は眼を凝らすが、差し出された気付け薬の茶碗がつかめず、青洲が口移しに薬湯を飲ませる（十一）。問いかける青洲に、加恵は「（目が）痛みます。奥の芯の方が、ずきん、ずきんというて、のし」と答える。於継は小陸に、小弁が死んでから泣き続けで目が弱っているだけなのに、「飲ませた薬が悪かったかと雲平さんが心配するのに、なんでそのくらいの我慢をしてくれなんだんやろ。大事のときに、至らんことや」と加恵を非難する。これに対して、日頃穏和な小陸が、加恵の眼は小陸が死ぬ以前から、時には盲になったかと思うほど悪くなっており、「あの我慢強い嫂さんが、痛いと云うてなさるんはよほどのことですえ」と怒り、前の薬の薬毒で加恵が眼を痛めた事を青州に話す。青州は、加恵の眼のことを誰も自分に告げなかったことを悔やむ。加恵は失明し、於継は、加恵が知りながら自分より強い薬を飲んでいたことを悟って、小陸の腕に崩れ落ちる。(十三：小説では、その後、於継は朽木が倒れるように病臥し、死亡する。加恵は十年ぶりに男子を出産、雲平と名付けられる。)

第四幕（第三幕から十年後）第一景華岡家の奥内。麻酔薬の開発に成功した青洲の名は天下に轟き、紀伊藩の小普請御医師となる（十五）。謁見を許され戻った青洲は、通仙散の実験時に加恵が縛った紐の結び方を、華岡流結滞と名付けて外科手術に応用すると同時に、紋付きの家紋としている経緯を話す。そこへ、五条の藍屋利兵衛と母親お勘が、青洲に断られた乳癌の手術を再度依頼しに来る（十四）。しかし青州は「乳を裂けば引きかえに女は死ぬと云われていますのや」と断る。やってみなければ分からないという親子に対し、青洲は、喉元まで出かかった「ほなら切らしてもらう」いう言葉を呑み下す。麻酔薬の研究が一区切りし、他の医者に見放された病人を治せる医者になっても、於勝を見殺しにした頃と自分の医術は少しも進歩していない。お勘に切れと迫られたとき、「儂は遂に華陀には及ばぬかと、腸のちぎれるほど情ない思いをした。（略）退屈しているんや」という。この間の会話で、青洲も自分の体で麻酔実験をしていたことがわかる。（十三：小説では、この事実を知ったことが、加恵が二回目の実験を迫った動機となっている。）そのとき、牛の角に乳を裂かれた女が担ぎこまれ、青州は「女の乳房が切れんというのは耳から入った知識だけで、実際この手で験したのとは違うんや」と即刻手術を決断する（十四）。

第二景華岡家の奥内。乳癌の手術後三年が経過し、すっかり快復したお勘が、通仙散の犠牲となった加恵に感謝してしばしば届け物に来ている。加恵は小陸の体調の変化に気付き、小陸を問いただす。小陸は、於勝と同様、不治の病血瘤だと告白する。加恵は小陸に、自分が盲目になったので、米次郎との仲がこじれてもどうする事もできず、かといって他に嫁入口を探すこともせず、家の中のことを押しつけてきたことを詫びる。意外にも小陸は「私は嫁に行かなんだことを何よりの倖せと思うて死ぬんやしてよし」「私は見てましたえ、お母さんと嫂さんとのことは、ようく見てましたのよし」「嫂さんが目のつぶれるほど強い薬を飲んでも後悔してなさらんのは、それは何故ですのん」と迫る。加恵はやっとのことで、姑との関係が泥沼など滅相もない、於継を心底から賢い、立派な方だった思っていると答えると、「そう思うてなさるんは、嫂さんが勝ったよってやわ」という小陸の言葉に衝撃を受ける。更に小陸は、気付かぬふりを通して、二人に薬飲ませた「男というのは凄いものや」「どこの家の女同士の争いも結局は男一人を養う役に立っている」と続ける。この話を立ち聞きした米次郎は、男であるが故、今日まで加恵と於継を仲のよい嫁、姑と信じて疑わなかったことを思い知る。一方、青洲は「医術の奥は深いわ。（略）また手を束ねて死ぬる妹を見送らななららんのか」と苦悩する（十四）。そこへ、江戸の杉田玄白からの書状が届く（十五）。奮起した青洲は、自分がやれなくても必ずや後に続く者が出てくると小陸と励ます。何も知らない良庵が、小陸の風邪にうがい薬を調合するとはしゃぐ。玄白の手紙を仏壇に供えた加恵は、小陸に「お母はんも私も、勝ちも負けもない事に、ただ一生懸命やっただけやしてよし。あなたもどうぞ一生懸命で長生きして頂かして」という。小陸は「なんでやろか、嫂さんはお母はんによう似てきなした」とつぶやく。（小説では、牛に乳を裂かれた女、小陸の血瘤の発病と死、お勘の乳癌手術の成功が異なった時期になっており、この間に加恵は四十四歳で次女かめを出産する。）

4

この戯曲は、加恵と於継の嫁と姑の葛藤が主軸であり、脇筋として原作にない小陸と米次郎のプロットが挿入されている。脚色にあたっては、於継と加恵のいがみ合いを強く描く一方、青洲の弟子良庵を世俗臭を帯びた人間像に造形したり、随所に世話場的な雰囲気をもつ場面や濡れ場を盛り込むなど、観客受けが考慮されている。

小陸、米次郎のプロットは、於継と加恵の自己犠牲の争いと密接な関係をもちながら、第二幕、第三幕第二景、第三幕第四景で展開し、第四幕第二景で完結する仕組みとなっており、小陸の透徹した視点に、作者の男性観が反映されている。小陸は一幕で雲平の帰宅後、於継が加恵に対する態度を変化させ、これに対する加恵の反応を観察しているが、二幕ではまだ米次郎と結婚の約束をしている。小陸が米次郎に対する態度を変化させ始めるのは、於継と加恵が競って人体実験を始めた後であり（第三幕第二景）、二人が服用する麻酔薬の強さを内心で競い合っていることに気付いた（第三景）直後に、米次郎の母親との関係を恐れて、結婚を拒否している（第四景）。さらに失明した加恵が、自分より強い薬を飲んでいたことを知って衝撃を受けた於継の姿を目前にし（第五景）、第四幕第一景冒頭のト書きで米次郎から逃げている。第二景で不治とされる血瘤を患った小陸は、美談の裏に隠された加恵と於継の凄まじい女の争いを加恵に指摘した上、「嫂さん、それでも男というのは凄いものやと思いなさらんかのし。お母はんと嫂さんのことを、兄さんほどの人が気付かん筈はなかったと思うのに、横着に知らんふりを通して、お母はんにも嫂さんにも薬飲ませたのですやろ。どこの家の女同士の争いも結局は男一人を養う役に立っているんと違うんかしらん。（略）考えてみると嫂さん、男と女というものは、この上ない怖ろし間柄やのし。こんなことは、ずっと昔からそうやったのですやろし、それで、これからも永代続くのですやろのし。家があろうとあるまいと、男と女はあるのですやろから」と語り、男の生来的な裏切りに対する女の痛切な思いを託して、この美談を男と女の闘争のドラマと捉える有吉の視点を反映させている。一方、青洲の麻酔薬研究の医学的意義を認識している青洲の弟子良庵にとっては、実験台になろうとして仲良く順を争った母と妻の姿は、まさに美談としてしか捉えることができず、良庵の視点に世間一般の視点が反映されている。

有吉は脚色にあたり、それぞれの人物をより特徴的に描き分け、原作にない脇筋を挿入することにより、テーマを明確にし、作品を立体的に構想しようと試みたと考えられる。大衆受けを狙ったかにみえる脚色においてすらも、作者は封建的な家族制度の中で自己の役割を懸命に果たそうとすればする程、逆説的に自己犠牲を強いられる女性の不条理を小陸の台詞の中に託すことを忘れていない。単なる嫁姑問題に集約しきれない視点こそが、本作をベストセラーたらしめた所以であろう。

注

(1)文学座初演台本(四幕九場)は本作と若干異なる。大きな異同は第四幕にあり、乳の裂けた女が助かるように加恵は於継と於勝に祈る(一景)。更に、良庵のうがい薬の件に代って、青洲が自分の成功は加恵のお陰だと感謝し、これに対して小陸が嫂さんが勝ったといい、加恵が青洲の成功により、於継も自分も無駄にはならなかったという場面で終わる。有吉は文学座初演の稽古中、第四幕二場を一幕にまとめ、第二景冒頭のお勘・良庵の場面と杉田玄白の書状の件を若干の台詞と共に省いて四幕八場構成とした。これについては、戌井市郎演出・監修『名作舞台シリーズ華岡青洲の妻』(平2年3月　ぬ利彦出版)を参照されたい。

有吉佐和子《ありよしさわこ》(一九三一・一・二〇〜一九八四・八・三〇)

和歌山市に生まれる。女学校の時にキリスト教に入信し、一九五二年東京女子大短大卒業。在学中に利倉幸一編集『演劇界』に懸賞論文「俳優論」が入賞し、以後同誌の臨時増刊号の編集にかかわる。卒業後は舞踊家、吾妻徳穂の渡米中のコレスポンデントなどに従事、演出も手伝う。五六年「地唄」が文学界新人賞候補作、芥川賞候補に選ばれ、文壇に登場する一方、舞踊劇「綾の鼓」(新橋演舞場)や人形浄瑠璃「雪狐々姿湖」(大阪文楽座)が上演される。五九年、故郷紀州を舞台とした「紀ノ川」にはじまる一連の年代記的小説に「助左衛門四代記」(昭37〜38年)「有田川」(昭38年)「日高川」(昭40年)などがあり、「華岡青洲の妻」(昭41年)は、この系列の時代小説の頂点とされる。

この一方で、戯曲「光明皇后」(昭37)が戌井市郎演出で文学座により上演されたのをはじめ、「香華」(昭38、東宝芸術座)「有田川」(昭40、同座)「不信のとき」(昭44、同座)「芝桜」(昭45、新橋演舞場)「真砂屋お峰」(昭50、同劇場)「和宮様御留」(昭55、同劇場)「助左右衛門四代記・第一部」(昭57、新橋演舞場)など多くの小説が脚色され、上演される。戯曲の代表作として「華岡青洲の妻」「ふるあめりかに袖はぬらさじ—亀遊の死」(昭45年『婦人公論』)が挙げられ、後者は一九七三年文学座戌井市郎演出により国立小劇場で上演された。

寺山修司

「毛皮のマリー」（五幕）

原　仁司

初出　『映画評論』一九六七（昭42）年一一月一日
初演　天井桟敷　同年九月一日～七日　アートシアター新宿文化

「毛皮のマリー」は、演劇実験室「天井桟敷」の第三回公演レパートリーである。初演は一九六七年九月一日～七日、アートシアター新宿文化。すぐに再演（同年一〇月）再々演され、地方公演の後、西ドイツ（六九年）、アメリカ（七〇年）と海外を巡演した。後年、寺山の追悼公演（八三年六月、パルコ劇場）の演目にも選ばれている。

観客の数も、初演時で千秋楽に八百五十名、七日間で延べ四千六百名という当時のアングラ演劇[1]としては驚異的な動員数に達した。夜中の十二時を過ぎても、観られなかった客がまだ帰らず、新宿三光町の交差点辺りにまで行列ができ、その行列客らの懇願で仕方なくもう一度、深夜二度目の上演をしたというエピソード[2]が残っているほどである。寺山はこのときの成功を、「ワイ雑で、野放図で、ぶちこわし型で、その中に人間存在の根源をさがしもとめてゆく在り方が現代にアピールした」という「内外タイムス」（九月九日）の評や、「丸山明宏がだれよりも女性の美しさをただよわせ、作者のパロディ精神が生きた」（「毎日新聞」九月一八日）等の同時代の劇評を根拠《たより》に自作の高評ぶりを強調していたが、後でも触れるようにそれはかなり恣意的な自己評価であって、実際にはこの「毛皮のマリー」は、当時の大多数の識者により際物視されていたか、もしくは特異な社会風俗現象としての認知を受けていたに過ぎない。

「見世物の復権」をキャッチ・フレーズに、演劇界に反逆の狼烟《のろし》を上げた「天井桟敷」は、第一回公演の「青森県のせむし男」以来、社会から差別を受けている奇形・侏儒・肥満・ゲイなどを主要な登場人物に配するカーニバル的な演劇を志向していた。また、たしかにそうした祝祭的かつ「見世物」的な演出が効を奏して一般観客からの熱烈な支持を得ていたわけでもあるが、しかし、戯曲それ自体の構造やその思想という点について言えば脆弱の感がぬぐえず、俳優の演技力も主役の丸山（美輪）明宏を除けばみな素人同然、それが同時代の演劇人たちから高い評価を得られなかった所以でもある。

たとえば雑誌「テアトロ」（六七年一一月号）は、九月の劇評に「毛皮のマリー」を取り上げているが、評者の森康尚によれば、この作には第二回公演「大山デブ子の犯罪」にあったときの「清新な詩」がもはや無く、「部分的にしゃれた表現はある」が、しかし大略は「またかと思わせる『蝶を追う少年』であり、諸々に散りばめられた時事諷刺は意外に常識的で、ハッとも思わせない」と辛辣である。また、「映画評論」（六七年一一月号）の劇評でも、寺山の世界がもつ「妄想のリアリティ」についてはとりあえずその意義を認めるものの、しかし、「男が女を演ずるということに就いて」の寺山の思想は「いささか浅墓」で、裏づけとなるべき精神構造も幼拙であると手厳しい。

おおむね同時代の評価は、男娼マリー役を演じた主演丸山明宏の異体秀抜な演技力に集中していたと言っていいだろう。佐藤忠男の「天井桟敷の芝居というのは、丸山明宏（彼は真のスターだ）が出演しているばあいを除けば、およそこんなに素人くささ丸出しの舞台もない」（「新劇」六八年三月）の評価は、おそらく渡辺保[3]を例外とするこの時代のほぼ定見であったといっても過言ではない（渡辺は丸山の演技を認めなかった）。丸山が、彼独流の美学にしたがい「寺山の世界」を「自己の世界」にアレンジしたということ、そして、彼の特異な演技力のゆえに高い評価を得られたというのが大方の専門家筋の見方であったのだ。（※そのゆえもあってかこの「毛皮のマリー」は、ごくわずかな例外を除けば現在に至るまで殆ど本格的に論考の対象とされた履歴がなく、いまも述べたように丸山の演技力に評価が集中するか、もしくはせいぜい「見世物の復権」という例のキャッチ・フレーズの延長線上に語られてしまうにとどまっていた。）

寺山が死去した八三年の追悼公演の印象が、「朝日ジャーナル」（七月八日）文化欄に載っている。評者の石井辰彦は、そのときの上演が「あまりにも毒がない」ばかりか「黴臭く」さえ感じたと書き、また、そう感じた理由を、そのときの演出や演技の問題によるのみならず、寺山の劇が「常に前衛であった」がゆえにこそ「また古びるのも早かった」とし、十六年の長い歳月が、当時ショッキングであった舞台上の「男娼」という異形存在を、すっかり見慣れた日常の風景に後退させてしまったと嘆じた。つまりこれは、「見世物」が、その本来の意味における「見世物」性（異形性）の内実を失い、もはや観客を奇抜な意匠によって挑発できなくなったことを述べたわけであるが、たしかにそうした石井の見方に則せば、もともと「天井桟敷」という劇団自体が、既成演劇の表現に対する反逆と挑発とを企図する実験的な「場」として目論まれていたのであり、戯曲の完成度を目指すことよりも、六〇年代後半という固有の磁場（時空）に仇花を咲かせようとした、きわめてイデオロギッシュなテクストであったと言えるのかもしれない。寺山本人も、次のような自解をほどこしている。「この頃になると、私の戯曲は、もはや戯曲として独立したものではなくなっていた。第一期の天井桟敷では、私は見世物からメイエルホリドまでというキャッチフレーズで、巨人侏儒から変身願望者、衣裳倒錯症など『いわゆる祝祭的人間』ばかりを集めて、カーニバルを演出することばかり考えていて、『台本』の重要性は二の次になっていたからである」[4]（文庫解説）と。

だが、寺山自身がたとえそうした自解をほどこしていたとしても、では実際に上演されたこの「毛皮のマリー」は、本当に寺山や石井が述べた如く台本の重要性――戯曲の「文学」性――を二の次にした、実験的かつイデオロギッシュなテクストであったと断じ切れるのであろうか？　たしかに寺山は、「劇場とは、共有体験を求める機会を得る『場』である。」「演劇は、何よりもまず、文学と手を切らなくてはならない。そのためには、『戯曲』から、演劇を解き放つのだ。」[5]（「The Drama Review」七五年一二月）と言い、作品の文学的な完成度を目指すことよりも、むしろ「演劇とはカオス」（同）であり、観客との「偶然の出会い」（同）を誘発する流動的な仕掛けであることを述べていた。

ただし寺山は、そうした彼の持論とは裏腹に、たとえば次のようなことも言っている。「私はなにも、書かれた戯曲を読む愉しみをあきらめるべきだと主張するつもりはない」（同）と。なるほど彼は、戯曲から「演劇を解き放つ」べきだ、「文学と手を切」ろうと、たしかにラディカルな姿勢をつねに打ち出してはいた。が、しかし、その割りにはと言うべきか、自作の劇の存在形式《スタイル》については、彼はこの時期かなりファジーな方向性と曖昧な審美基準しか持ち合わせていなかったように窺えるのである。そして、結論の方から先に述べてしまうことになるが、寺山は、彼自身が言うほどには決して台本の「文学」性を、否認していたわけではなかったのである。

たとえば次に述べるような経緯。これは、これまでこの「毛皮のマリー」を論ずる上であまり取沙汰されて来なかった経緯であるのだが、じつはこの作品には原《ウル》テクストとも呼ばれるべきオリジナルの台本が先行しており、そして、そのオリジナルの台本と現在の流布台本とを見較べてみると、[6]思った以上に寺山が台本の重要性そして戯曲の「文学」性を気にかけていたことが推察されるのである。また、二つの台本内容の相違は、当時の寺山の演劇観に関わるばかりか、のちに変容して行く彼の様々なジャンルにおける創作意識とも連関してくるわけであるから、以下、次章の考察において、その二つの台本内容を実地に比較、検証して行くこととしたい。（※念のために言っておけば、初演以来、実際に使用されているのは流布台本の方である。）

1　初演台本とオリジナル台本との相違

さて、ここに二つの台本を見較べてみよう。冒頭から後半部にかけて、大筋においては両者に殆ど違いらしい違いを見つけることは出来ない。が、しかし、作品の最終部において、大幅な改稿の手が入っていることに気付く。前章で述べた「文学」性の問題とも関わってくるので、以下に簡単な粗筋のみ示せば、まず、とある西洋風の一室。そこに閉じ込められた欣也という名の美少年がいる。彼は、十八歳なのに半ズボンの少年の恰好。蝶の採集をしている。その蝶は、男娼マリーが部屋に放ったものだ。マリーは少年に、自分のことを母親と呼ばせているが、むろん男娼なのだから母親であるはずはない。少年をなぜ閉じ込めているのかと言えば、じつはかつて自分を侮辱した女（少年の母）への復讐を果たすために、ある男を雇って彼女を強姦させた。その結果生まれたのが少年なのだと言う（だが、後でも触れるようにこのマリーの説明が真実であるか否かの保証はできないし、少年をなぜマリーが引き取って育てたのかという動機も殆ど説明されていないに等しい）。

ある夜、マリーの留守中に、少年は階上に暮らす謎の美少女に誘惑される。が、結局少年は、最終的に恐怖と嫌悪とから彼女を殺害してしまうはめになる。この場面に引きつづくラストの場面が、先ほども述べた改稿の箇所になる。流布台本では、このあと少年は、いちど戸外へ逃れるものの、マリーの呼び声とともに再び操り人形のように舞い戻ってくる。マリーの声に呪縛されてしまった少年。彼はマリーの手で女の化粧をほどこされ次第に美少女へと変身、そして幕が閉じられる。

では、この最終場面、オリジナルの台本ではどうなっているのか？

少年は、戸外へ逃れたあとそのまま行方不明となってしまうのである。彼は、マリーの家に二度と帰って来ないし、化粧もほどこされることはない。やや長きに失するが、少年が行方不明になったあとの（改稿前の）シーンを以下に引用しておきたい。

下男　「あの――マリー様」
マリー　「何だい？」
下男　「この女の子の死体も、欣也さんに始末させますんで？」
マリー　「（甲高く）女の子の死体？　そんなものが、どこにあるんです？　だれも死んでなんかいませんよ。ただ、お芝居のなかで死んだふりをしているだけ――ホントをつつんでる、ほんのささやかなウソの皮にすぎないのですよ。ほら！」

と手を拍つ。と、高らかにシャンソン「毛皮のマリー」が流れこみ、死んでいた美少女。キツネがおちたように立上り、美少年、美女、全裸の男たち、すべてあらわれて賑やかなカーテン・コールと共に、しずかに――幕である。

この作品が、もし観客を挑発するためのメタ演劇[7]のみを志向していたのであるならば、あるいは右のごとき作品の結末が妥当だったのかもしれない。なぜなら死んだはずの美少女がマリーの拍手で生き返ってしまうことで、作品の虚構性が観客の前にあらわに呈示され、そこにメタ演劇通有の異化的な効果が発揮されるからである。だが、改稿後の流布台本では、この場面は、最後のト書きを除けば六倍以上もの長い分量に書き改められ、改稿前にあった美少女の復活もカットされ、代わりに男娼マリー（母）の精神的支配・呪縛からのがれえぬ無惨な少年（子）の姿が強調して描かれる。

もしも改稿前のように、少年が行方不明のままこの作品が閉じられるのならば、あるいは少年は、マリーの支配から逃れ「自由」を獲得する可能性も生じたかもしれない。だが、この作者は、少年をマリーのもとに戻らせたばかりでなく、過剰なマリーの妄念によって、さらに少年を運命的な因果のくびきに縛り付けようとする。少年に化粧をほどこし、むりやり美少女に変身させようとしたマリーの偏執的な妄念の世界は、たんにアブノーマルな虚構世界として案出されていただけではなく、おそらくそこには、無垢な少年の〈生〉を何としてでも自分と同じ背徳と穢れの淵に陥れねばすまぬという、マリーの（ひいては作者の）情念的な意志が反映していたはずである。

この倒錯的な行為――少年を幽閉し、化粧をほどこした――に、マリーを駆り立てた理由を、作者は、侮辱を受けた女への復讐心からだとマリーに語らせているが、そのマリーの語る説明が、刺激的でかつ煽情的でありながらどこか観る側にとって実感が稀薄なのは何ゆえだろうか？　殊に男を雇って女を強姦させ、そして生まれた子供を女への復讐心のために育てたという如何にももっともらしい動機説明には、どこか作り話めいた胡乱《うろん》さがつきまとう。大体、マリーの説明を作品の初めからたどれば、芝居の中で（マリーが）刺青の男に打ち明け話をし始めたときに、「もう何べんも話したのですっかり要領よくまとまっている、あたしと一人息子の、かなしい因果話」と、マリーはすでに自分のこの後ほどこそうとする説明に潤色や誇張がありうることを仄めかせていたわけであるし、また、打ち明けられた男が「ほんとかね？　マリーさん」「うそでしょう？」と疑問を投げかけてくる台詞に対しても、「歴史はみんなウソ、去ってゆくものはみんなウソ、（後略）」と、マリーは結局最後には、自分の語ったことの何もかもが虚偽でありうる可能性を自ら洩らしていたのである。言うならば、芝居の中で、スピーディーなドラマ展開によって辛うじて保たれていたマリーの「因果話」の真実味は、他ならぬマリー自らの台詞によって、すでにある程度のゆらぎが与えられていたわけである。

あるいは真相は、芝居の中で最初、刺青の男が想像して述べたように、マリーがその女を強姦し、血のつながった息子を引き取って育ててはみたが、その血のつながりのゆえに今度は女への憎しみを息子にもぶつけざるをえなかった、そして、やはりその血のつながりのゆえに自分と同じ男娼の世界に息子をひきずり込まねばならなかったという、呪われた血の因果話の方にこそ見出せるのではなかろうか。その意味で、この作品のアブノーマルな虚構の物語には、もう一つの物語――血縁のゆえに生々しく引き起こされた血の因果物語――がうわのせられていたのだとも言えよう。また、さらに言えば後者の血の因果物語の主役たるマリー（母親）の妄念に、我々が寺山の実母寺山はつのイメージをだぶらせて観ることも、比較的たやすい。伝記的な事実をたどれば、寺山本人もまた、母はつの血の因縁から終生逃れられなかった人間であるからだ。

本来、寺山自身の演劇理論に則れば、作品内に作者の「私」が顕在化することは、夙に否認されていたはずである。が、にもかかわらず寺山は、彼の「私」性をおびただしく、そして頻繁に作品の中に注入していた。最近、有力な寺山論（「寺山修司・遊戯の人」００年七月「新潮」）を書き上げた杉山正樹の言にしたがえば、寺山は、たしかに「毛皮のマリー」において「自分と母親との関係」を、「俳優の肉体」を借りつつ「リアリティも濃厚に描きあげ」ていたことは間違いないのである。むろんその「リアリティ」の内実――「私」的体験を寺山がどのように虚構化していたか――を見定める作業は、一筋縄ではいかない。けれども、この「毛皮のマリー」というテクストを、もう一度、あらためて作者の「私」性を帯びた――虚構ならざる虚構の――ドラマとして再把捉してみるならば、少なくとも作品最終部には、たしかに現在の流布台本に見られるような、「母」（マリー）の呪縛から逃れられぬ「子」（少年）の悲劇が、ぜひとも描かれる必要があったに違いない。

2　寺山における「私」性の内実

むろんこの台本の改稿には、当時「毛皮のマリー」製作にかかわった者たちの証言[8]からも推し測れるように、演出担当の東由多加[9]と主演丸山明宏との間に起った演出上の意見の対立[10]が、その改稿の一要因となっていたのではあろう。丸山に痛烈な批判を受け現場を投げ出してしまった東に変わり演出を担当した寺山が、その打ち合わせの場において、丸山の犀利な台本解釈に刺激され、にわかに改稿を思い立った可能性も十分にありうる。

たとえば丸山は、稽古の休憩時間中に寺山としばしば演出談義を重ねたことを回顧しているが、そのとき丸山は、この芝居の細部や道具立てが寺山の実体験に基づくことを、そして、この芝居のテーマそのものが彼の幼年期の体験に裏打ちされていることを洞察し、その洞察を率直に彼にぶつけたという。ぶつけられた寺山も、丸山の洞察をあっさり認めたらしいが、おそらくはそうした寺山の核心に迫るつばぜり合いの談義を幾度も経たゆえにこそ、彼も自己のアイデンティカルなモチーフをさらに克明にさらに鋭利に台本中に盛り込めたのではあるまいか。たしかに流布台本の最終部分、あの美少年が操り人形のようにマリーのもとに舞い戻り、女の化粧をほどこされるという奇怪なシーンがなければ、この作品における価値転倒したグロテスクな「母」性のイメージは、皮相な表現レベルに留まっていただろうし、また、男娼マリーと少年との親子二代にわたる女装化→男性性の喪失・拒否→父性の不在・欠落・去勢という、寺山の出自やアイデンティティに関わる問題も、これを深化させ得なかったはずである。要するに寺山の演劇には、もともと私的現実を否認して虚構を志向する方向性と、その虚構の中に自己の私的体験をカムフラージュしながら大量に注入しようとする方向性とが同時に併存していたわけであるが、その二つの志向バランスが、丸山との談義によってじつにきわどく後者へと傾いて行った様子が窺えるのである。

杉山も指摘していることだが「毛皮のマリー」は、六〇年代に入って一躍注目を浴びたアメリカの新進劇作家アーサー・L・コーピットの戯曲「ああ、お父さん、かわいそうなお父さん、お母さんがお父さんを衣装箪笥に吊りさげたのでぼくはとても悲しい」[11]（六〇年刊行）から筋立てを借りているばかりか、一人息子と母親（男娼と本物の母親との相違はあるが）との異常な関係そして誘惑しようとした娘を殺すに至るプロセスまで、殆どそのまま借用している。ただし、コーピットの戯曲が母と子を残して死んだ父の問題を正面から見据え主題化しているのに比し、寺山は父のことについては――それが彼にとって深切な意味をもつにもかかわらず――直截触れることはなく、もっぱら母子の関係にのみその照明があてられている。(※これはすでに周知の事項であるが、「毛皮のマリー」だけでなく殆どすべての寺山の作品には、彼の閲歴―兵隊であった父を戦争で亡くし、母一人の手で育てられたこと。そして、母は息子修司を育てるために米兵と売春まがいの関係を繰り返していたこと―が反映されており、幼年期から青年期に至る寺山の家庭環境が深甚な影をおとしている。[12] そして、大抵の場合、「父」は不在、欠落、去勢の象徴として後景に潜み、「母」は「子」の呪縛ないし複雑な愛憎の象徴として前景に顕在化する)。

コーピットの戯曲を換骨奪胎して作ったとされる「毛皮のマリー」だが、実際に出来上がった作品を、コーピットのそれと比較してみると、そこには大きく二つの相違が見られる。一つ目は、コーピットの作においてある程度保たれていた物語の因果律が、寺山の作では、殆ど保持できていないこと(たとえばコーピットの戯曲では父親がなぜ死に、そして死後なぜ衣装箪笥に吊り下げられなければならなかったかと言う因果関係が解明されているのに比し、寺山の作ではマリーがなぜ男娼化したのか、そしてなぜ少年を閉じ込めねばならなかったのかという動機が十分に解明されていない)。二つ目は、コーピットの戯曲内容が、かりにある程度コーピット自身の実体験に裏打ちされる要素を含んでいたとしても、実際にはその作から彼の「私」を識別することは困難である。それに較べ寺山の作品からは、「見世物」的な荒唐無稽さが先行していたにもかかわらず、しかし、彼自身の「私」を連想させてしまうような実感的な表現が、作品内に適宜配填されていたということ。言い換えれば、コーピットが自己の体験に根差した実感を虚構の因果律の中にすっかり溶かし込んでいるのに比し、寺山は、彼の実体験をそれが他者からたやすくは見透かされぬように迷彩と偽装をほどこしながらも、決して物語の因果律の中に溶け込ませようとはしなかった。むしろ寺山は、物語的な虚構とカムフラージュされた私的現実との二つを、剥き出しのままに作品内に併存させ、その上でさらにその二つを蕪雑に縫い合わせたもう一つの新たな虚構として、再編成していたように思われるのである。

しかし、そうは言ってもこの「毛皮のマリー」に、往時の観客は必ずしも寺山の「私」を重ねて鑑賞したわけではなかっただろうし、逆にそのような鑑賞の仕方を拒むフィクショナルな要素や異化的な効果が、そこに働いていたことも事実である。寺山の閲歴を十分に知らない者にとっては、やはりこの芝居は猥雑で「露悪趣味」(「悲劇喜劇」)な見世物芝居としてまずその目に映じたことであろうし、虚構の物語性を作品の主軸にメタ演劇的な実験と挑発とを試みることが彼の主眼であったことは、やはり否めない。

ところが、そのように寺山自らがすすんで「見世物の復権」をうたい、荒唐無稽な仮構の物語をメタ演劇的に編み上げようと試みたにもかかわらず、結果としてこの芝居は、観客たちのうちのかなりの割合の者に、寺山の隠された「私」を感知させてしまうようだ。先ほどの杉山もそのうちの一人であるが、他にもたとえば「毛皮のマリー」第一回公演に出演し、六八年以降の天井桟敷の演出を数多く担当した萩原朔美が、次のように寺山演劇の特徴を語っている。

（寺山の演劇は、）大雑把な言い方をすると、全部モノローグの芝居なんじゃないかなという気がしてならないんです。つまり台詞はちゃんと二人で喋っていても、二人のダイアローグの関係の中から劇的なシーンを作るという、そういうことを一切やらなかった、あるいは出来ない人だったんじゃないかな。だからいろいろ台詞が割り振ってあるけど、結局は全部一人の人が読んでもいいんじゃないかなという感じなんです。一篇の戯曲は長い長い独白っていう、そういう感じがするんですよ。[13]

この場合、萩原の言う「モノローグ」とは、演劇用語として使われるそれであるというよりも、むしろ作者主体の表白すなわち作者の告白に近いものを指しているようだ。そして、むろんのことその告白の大部分は、作者自身によって大幅に編曲されている。吉本隆明の言葉を借りれば、寺山はそれをある意味メタフォリカルな「プシュード（偽感情）[14]」として言語表現化していたと言えるのかもしれない。なぜ「プシュード（偽感情）」

としてなのかと言えば、それはおそらく観客が、「私小説」的な意味でいう私的体験を、彼の作品から易々と汲み取れてしまわないようにする作為がそこに働いていたからであろう。それは、彼の告白を単純な「告白物語」に堕さしめない配慮であったと同時に、過去から現在へと連綿と続く彼の私的現実のさなかに、他者たる観客を介入させないあるいは観客の窃視を許さない、彼の無意識的な自己防衛規制がはたらいていたとも言える。先ほどから述べて来ているように寺山は、虚構の物語を編み上げるとともにそこに彼の私的現実を重ね合わせ、しかも後者を決して一つの虚構の因果律の中に融合させようとはしなかった。そして融合しないかぎり、つまり「私」性が虚構の中にすっかり溶けこんでしまわないかぎり、作品は蕪雑な出来栄えになるか、またはある種のアポリアを背負わされてしまうはずであった。なぜなら虚構と現実という相対すべき二つの概念は、実際、寺山も言うようにその二つの間に明確な一線を引くことは難しいとしても、しかし、そこにはやはりある一定の了解と法則とがなければ、——それがメタ演劇であろうが自然主義演劇であろうが——物語を編む上におけるパラダイム（規範）そのものまでが見失われてしまうからである。

3　メタフォリカルな手法

大工町寺町米町仏町老母買ふ町あらずやつばめよ[14]
（歌集『田園に死す』より）

吉本隆明によれば、この短歌は虚構の物語性をもつと同時に、寺山自身の私的現実——「母」「生まれ」「ふるさと」など——と深部で共鳴するある「何か」(16)がメタフォリカルに描かれていたのだと言う。が、それが何であったのか、それをどのようにメタフォリカルに描こうとしていたのかは、残念ながら吉本も言うように鑑賞者の側から容易に汲み取ることはできない。また、この汲み取り難《にく》さは、寺山の台本の場合においてもほぼ同断であって、それを先ほどの萩原朔美は、吉本とはまた異なる別の角度から説明しようとしていた。

萩原は言う。寺山の台本は常に「抽象的な言葉の羅列が具体化を阻止しようとして」おり、その台詞とト書きは「演出家的作業を難渋なものに」(17)する、と。ここに彼が言う「演出家的作業」とは、通常、台本の台詞に内在する観念的抽象的な要素を、目に見える存在（物・動作）として具象化させて行く実地の作業を指す。つまり寺山演劇には、そのような劇芸術にとってまさに不可欠たるべき具象化の作業を、自ら阻碍してしまう機能が内持されており、そのことを萩原は指摘しているのである。

なるほど考えてみれば、「毛皮のマリー」における母子（マリーと少年）の関係は、社会から不当な差別を受けつづけてきた人間の病的な精神が造り出した非現実の時空でのみ生動する異常な関係の物語であったと言えるし、と同時に、一家の主柱である父を失った母子（寺山はつと修司）が、その不在の父に対する不条理な情念の裏返しとして成立させた偏奇な人間の関係を、メタフォリカルに描いた私的現実の陰画《ネガ》であったと言えるかも知れない。そして、後者のように、メタフォリカルな私的現実の陰画《ネガ》として「毛皮のマリー」を観るならば、この作品ほど男性性（または父性）の欠落が、男娼と言う形式をかりて奇怪に描かれた例は少ないだろうし、男性化した「母」がこれほどまで強い専制支配を「子」にふるう様が描き出された例も少ないだろう。ある意味、数ある寺山の芝居の中でも、彼の私的現実を最もエキセントリックにさらけだした例であったとすら言える。

だが、そうであったにも関わらず、やはり我々が「毛皮のマリー」から彼の私的現実を容易に感得できないのは、もともとこの作品上において彼が駆使してきた舞台言語そのものが、明瞭な具象化を拒む難解なメタファーによってそのかなりの部分を占有されていたからではなかったろうか。寺山は、「天井桟敷」を立ち上げる七年前の一九六〇年に、劇団四季の演出家浅利慶太からの依頼で戯曲「血は立ったまま眠っている」を書き上げた。ところで、そのときの依頼にあたって浅利は、寺山にある一つの条件を提示したという。それは、「因果律を無視した芝居」(18)を作ってほしいという条件であったようだが、寺山は、その条件に対しコラージュの手法を用いることで積極的に応じたという。木原孝一の劇評（「新劇」六〇年九月）によれば、寺山が用いたコラージュの手法とは、「無関係に進行する二つの物語を、バラバラにちぎって不定型に貼りつける」(19)前衛的な手法であり、その手法は、詩におけるメタファーの機能・効果とも類似する。

言葉のメタフオアという武器でかれはきわめて感覚的に

　かれのテーマ、もっとはっきり云えば、この現実世界から
　かれがうけとる実感を投げ出した。（浅利慶太）

なるほど考えてみれば、詩のメタファーには、異質な言語または位相の異なる二つの言語空間を衝突させ交錯させることで、それ以前にはまだ概念化されていないイメージや理念を、飛躍的に比喩表現化《メタフォライズ》させる働きがあるが、その働きこそまさに若き日の寺山が、俳句や短歌において試行していた言葉のつぎはぎ《パッチワーク》、すなわちポストモダン的なパスティーシュの方法――「他人の著作のなかから言葉を取り出して来て、コラージュし、再構成して自分の作として提示する方法（小川太郎）[20]」――と似かよっている。そして、浅利も述べるように、そうしたコラージュ（またはパスティーシュ）の手法が実践されるときには、物語を展開して行くにあたって求められている一定の因果律が無視されるばかりでなく、作品を受容する観客の認識主体そのものまでもが攪乱されるような「イメージの衝突と混乱」がそこに引き起こされる。したがって、比喩表現化《メタフォライズ》された作者の私的現実の核心《コア》は、決して観客の側にストレートに伝播されない仕掛けなのである。

　六七年の「毛皮のマリー」においても、そうしたコラージュの手法は用いられていたであろう。ただし「天井桟敷」設立以後とくに「毛皮のマリー」においては、そのメタ演劇的な趣向に則って因果律が無視されるばかりでなく、そこには彼の私的現実がおびただしく投与され、それが虚構の物語と不可分にもつれ合いながら、さらにまた新しく輻輳化された物語を再形成していた点に、我々はより注意を払うべきであろう。しかも私的現実を投与しながらこの作者は、その「私」性を、さながら明かしえぬ真実を隠蔽でもしようとするかのように偽装と迷彩をほどこしつつ比喩表現化《メタフォライズ》するのであるから、この作者固有の体験的モチーフあるいは情念は、決して観客の前に明瞭な輪郭を有して曝け出されることはなかったのである。

　おそらく吉本も言うように、そこには嫌悪すべき自己の血の宿命に対し差し向けられた寺山の過度な愛憎の意識が秘匿されていたのであろう。それが、コラージュされた虚構の物語と交錯し増幅することで、さらに肉厚なコンプレクスティとしてその全体像が再形成されて行ったのである。だが、その再形成の途上において、実践されていた台本作者としての寺山の技法は、しかしながらまだ未成熟なものであったことを、我々は認知せざるをえない。なぜならこの「毛皮のマリー」というテクストは、台本の最終部を改稿することによって、なるほど彼の私的現実をメタフォリカルに深化させて描くことができた作品であったのかもしれないが、しかし他方、これが虚構性を維持すべき作品であるならば当然要求されるべきこと――仮構存在たる登場人物または作品モチーフに普遍的な自律性を与えること――については、それが殆ど成し遂げられていなかったからである。（※普遍的な自律性を与えられなかった実状については、冒頭にも挙げたように同時代評がそれをよく指摘している。たとえば「男が女を演ずる」ことについて寺山が提起した思想の底浅さ、諷刺の平

板さなど例をあげればきりがない。そして、たしかにこのテクストが、物語の因果律をなしくずそうとするメタ演劇のみを志向していたのであったならば、それらは肯うべき指摘であろう。）

寺山はしかし、丸山との談義を経ることで、自己の実験的なメタ演劇に過剰なまでに彼の「私」性を注ぎこむ方向性へと、やがて導かれて行くことになった。それは、奇しくも「毛皮のマリー」初演の二年前に刊行された歌集『田園に死す』の方向性とも連動するものであっただろうし、さらに言えば、その後の演劇・映画に実践されてゆく彼のメタフォリカルな手法のまさに嚆矢であったようにも思われる。ただし寺山の演劇理論は、やがて彼の実作品と微妙に袂を分かちながら、以後いよいよラディカルにして戦略的な抽象化への道を突き進んでゆく。実体のない「虚の演劇」[21]という扇田昭彦の評言などが、そうした彼の演劇理論の外貌を突いた先鋭な批評であるのだろうが、しかし寺山が、ただたんに実感を排斥した抽象的虚構のみを案出したわけでなかったことは、以上に述べてきた通りである。

彼は、私的現実を作品の素材として提供し注入しながらも、決して自己の私的な物語をそこに構築しようとはしなかった。なぜなら、物語になってしまった瞬間——第三者の眼に物語として映じた瞬間に、彼の「私」とその真実とは、いともたやすく虚構の彼方へと押し流されて行ってしまうに相違なかったからである。

〈参考文献〉

『寺山修司の世界』情況出版、九三年一〇月一〇日
『ユリイカ臨時増刊　総特集　寺山修司』青土社、九三年一二月二五日
田澤拓也『虚人　寺山修司伝』文藝春秋社、九六年五月三〇日

注

（1）アンダーグラウンド演劇の略称。ちなみにアングラ演劇という呼び名は、のちには既成演劇や既成演劇表現、同時代の政治体制に対する「反逆を示す一種の栄光のラベルとして小劇場演劇の一部の担い手たち自身によって」（佐藤郁哉『現代演劇のフィールドワーク』東大出版、九九年七月）使われるようになって行くが、当初は、まだジャーナリズムによって「軽侮の念や風俗現象としての性格づけの意味もこめて」使われることが多かった。六〇年代半ばに出発した数多くのアングラ劇団の中でも、出発期の「天井桟敷」は、とりわけそうしたジャーナリズム・既成演劇サイドからの白眼視にさらされる傾向が強く、彼らの白眼視を乗り越えるためにも、なおいっそう既成の演劇表現、そして社会の既成概念に対する反逆と挑発とを試みねばならなかった。

（2）美輪明宏「歴史はみんな嘘、明日くる鬼だけがほんと」『寺山修司の世界』（情況出版）九三年一〇月一〇日。

（3）渡辺保「演劇文体論」、「新劇」六八年四月。

（4）寺山修司『毛皮のマリー』（角川文庫）七六年一月三〇日。寺山自身による解説。

（5）寺山修司著・戸谷陽子訳「The Drama Review」『ユリイカ臨時増刊　総特集　寺山修司』（青土社）九三年一二月二五日。

（6）流布台本の初出は、六八年一月発行の単行本『さあさあお立ち合い〈天井桟敷紙上公演〉』（徳間書店）に掲載されており、それがそのまま『寺山修司の戯曲1』（思潮社、六九年）や角川文庫『毛皮のマリー』（七六年）に収録されている。対してオリジナル台本は、「映画評論」の六七年一一月号に掲載されているが、二カ月前（九月）の初演のときとではその内容もかなり異なる。これは、おそらく「映画評論」に原稿を送ったあと、開演前の稽古の期間中に加筆・改稿がなされたからであろう。初演より二カ月後の雑誌掲載であるから、あるいは単行本に収載された流布台本の方がオリジナルではないかという疑念も起るが、誤植の多さ、スタッフについての記載、台本内容その他から判断して、まず間違いなく「映画評論」所収のものがオリジナルであると言っていいだろう。

（7）ここに言う「メタ演劇」とは、「演劇についての演劇、あるいは演劇みずからが虚構であることに観客の注意を喚起する演劇の意味」〔『最新　文学批評用語辞典』（研究社出版）九八年八月一〇日〕で使っている。

（8）九條今日子『不思議な国のムッシュウ』（主婦と生活社）八五年四月二〇日、及び註（2）を参照。

（9）ちなみにオリジナル台本には、「演出／東由多加」と記載がある。流布台本の方では、「演出／寺山修司」の記載になっている。

（10）註（2）に同じ。

（11）『THREE PLAYS KOPIT』(HILL AND WANG) 1997 の中の「Oh Dad, poor Dad, Mammas hung you in the closet and I'm feeling so sad」。残念ながら日本語訳は未見。杉山正樹が、この作品と「毛皮のマリー」との関係について触れているが、他にも雑誌「テアトロ」（六七年一一月）の劇評で、森康尚がコーピットについて言及している。

（12）「母」との関係がいかに寺山の作品に深い影響を及ぼしていたかについては、すでにおびただしい数の論稿がある。この関係の問題が、さらに「父」とも深く関わることを論証したものには、原仁司「寺山修司小論――「父」性の行方――」『アジア・ナショナリズム・日本文学』（皓星社）〇〇年七月二五日および「寺山修司と太宰治（上）～（下）の三」『千年紀文学』九六年七月～九九年一月、がある。また、小谷野敦が彼の論稿「アメリカの呪縛としての母性神話」（『ユリイカ臨時増刊　総特集　寺山修司』九三年一二月二五日）の中で、寺山が、本来目を向けるべき彼の「父」の問題から目をそらし続けてきたとし、それを寺山の限界と考えているようだが、この小谷野の見解については私（原）は、いま註にあげた「寺山修司小論――「父」性の行方――」の中ですでに自分の一定の見解を述べてある。

（13）萩原朔美「青春の天井桟敷」『寺山修司の世界』（情況出版）九三年一〇月一〇日。

（14）吉本隆明「物語性の中のメタファー」『寺山修司の世界』（情況出版）九三年一〇月一〇日。

（15）寺山修司『田園に死す』（白玉書房）六五年八月。

（16）註（14）に同じ。

（17）萩原朔美『思い出のなかの寺山修司』（筑摩書房）九二年一二月

一五日。
(18) 長尾三郎『虚構地獄　寺山修司』(講談社) 九七年八月一五日からの孫引き。
(19) 木原孝一の劇評に引用された浅利慶太の言葉。初出未詳。
(20) 小川太郎『寺山修司　その知られざる青春』(三一書房) 九七年一月一五日。
(21) 扇田昭彦「大いなる虚の演劇」「現代詩手帖臨時増刊号　寺山修司」(思潮社) 八三年一一月二〇日。また、扇田以外にも寺山の演劇を実体のない「虚の演劇」だとする評者は多い。たとえば三浦雅士など。

寺山修司《てらやましゅうじ》 (一九三五・一二・一〇〜一九八三・五・四)

青森県生まれ。中学時代から俳句、短歌を書き始め、五四年、十八歳のときに「チェホフ祭」五十首を作り第二回短歌研究新人賞を受賞。その後、詩、随筆、評論、小説、戯曲、映画と様々なジャンルを横断し活躍した。六七年には横尾忠則、東由多加、九條映子らと演劇実験室「天井桟敷」を設立。代表作は「青森県のせむし男」(六七年)、「奴碑訓」(七八年)、「百年の孤独」(八一年)など。「天井桟敷」は、六〇年代半ば頃から登場したアングラ・小劇場演劇運動の中でもとりわけ異彩を放つ存在であり、唐十郎の「状況劇場」、鈴木忠志の「早稲田小劇場」等の俳優の身体性に重きを置いた劇団とは実作のみならず理論の上でも一線を画した。「書を捨てよ、町へ出よう」(七一年)でサンレモ国際映画祭グランプリ受賞。「田園に死す」(七四年)で芸術祭奨励賞新人賞を受賞。映画・演劇ともに海外での評価が高い。八三年五月死去、享年四七歳。

清水邦夫

「狂人なおもて往生をとぐ ―昔 僕達は愛した―」

井上理恵

初出 『テアトロ』一九六九(昭44)年三月号
初演 劇団俳優座 一九六九(昭44)年三月 俳優座劇場

1 不条理な関係性

一九五八年秋に早大演劇博物館で戯曲を公募していた。清水は早大演劇科へ転科した記念に応募しようと大学の演劇部にいた兄に相談したという。兄は「チェーホフとシェイクスピアの何編かを読め」といい、恋愛ものはやめろと忠告した。[1] そして出来上がったのが第一作「署名人」だ。これは早稲田演劇賞を貰い、さらにテアトロ演劇賞も得て、一九六〇年一一月に劇団青俳が倉橋健・兼八善兼の演出で初演した。

伊藤痴遊『明治維新秘話』に出てくる署名人が取材源になっている。簡単にいえば活動家が讒謗律《ざんぼうりつ》に触れた場合、その身代りを引き受けて二、三年監獄へ入る商売だ。自由民権運動が盛んであったころ登場したらしい。江戸から明治近代国家への転換が決して簡単ではなかったことを物語るような〈秘話〉だ。

舞台の時は明治十七年頃に設定されている。国会開設願望建白運動の激しい時期で、一八八二(明治15)年に集会条令が改悪、翌年新聞紙条令、出版条令が改悪され、言論・表現の自由が侵され始め、罰則が強化されている。そこで署名人が登場したのであろう。嘘のようなホントの話である。

場所は監獄、署名人の井崎が先客国事犯二人のいる房にきた。

> 署名人、こいつはあっしにぴったりの仕事だ。(略)監獄で坐っている。鼾をかいて寝ている。旦那方と喋っている。こういった間にもあっしは稼いでいる。(「全仕事」一〇頁)

井崎は同房の本物の国事犯が脱獄を企てているのを知って驚く。監獄にいて稼いでいられる状況ではなくなった。命がかかって来たからだ。脱獄を見逃せば、あとで苛酷な拷問にかけられる。獄吏を殺して脱獄を手伝って外へ出ても、国事犯の仲間にいずれ殺される。いずれにしろ彼は逃れられない。

俺や蝋燭の火が消えるのだって厭なんだ。恐いんだ！　何の罪もねえ俺を何がこんな所へ閉じ込めやがったんだ。
俺やこんな目に合う筋合いじゃねえやい！（略）
旦那方はあっしの屍をのり越えて進んでくだせえ。（略）さあ殺しておくんなせえ！

　井崎絶叫して足を折るように二、三歩松田に近づこうとする。と、蝋燭の火が消える。
　暗黒。
　その中から悲鳴とも哄笑ともつかぬ人間の音が――

（「全仕事」三三二頁）

幕切れに聞こえた悲鳴は井崎か……獄吏か……不条理な死、人間の関係にこのようなことがあっていいのか……。

ここには第一作とは思われないような三者の形而上的関係性の変化が描かれている。しかもこれはドラマトゥルギーの原典ともいえるアリストテレスの「詩学」が示す――劇的危機と破滅が瞬時に訪れる――ドラマでもある。署名人井崎の安穏な現在が突如転覆し、ついさっき迄考えてもいなかった現実に直面、そして命を落とすという構図だ。ドラマの正道からの出発といっていい。

清水はリアリズム演劇全盛期に筋を拒否し、にもかかわらず写実的対話を用いて人と人との不条理な関係性を描出した。以後、彼は状況の変化が生成する形而上的関係性に拘り続ける。それはイオネスコやベケットのヨーロッパ型不条理とも安部公房の非リアリズム的前衛性とも異なるわたくしたちの国の現代不条理世界であった。リアリズム戯曲という演劇的体制への革命の狼煙が清水邦夫によって秘かに立ち上げられたのである。

2　詩的タイトルの登場

清水はまず、三作目の「明日そこに花を挿そうよ」（『早稲田演劇』第六号一九五九年、劇団青俳初演　一九六〇年七月）から体言止めではない独特の〈語句〉を掲げた詩的タイトルを登場させる。これは新時代の到来を告げたものであった。

わたくしは戯曲のタイトルの変化を構造の変化と関連づけてみている。たとえば江戸期の歌舞伎の外題は五文字や七文字の奇数（「義経千本桜」「東海道四谷怪談」「助六由縁江戸桜」）で体言止め。これはたしかに響きもよく、座りもいいが、内容が明らかになる合理的なタイトルではない。この外題に拘っているかぎり近代戯曲への道は拓けないといっていいだろう。明治期の黙阿弥がそれを如実に示している。彼は新しい社会を描こうと努力をしたが、初めての活字脚本も「霜夜鐘十字辻筮《しもよのかねじゅうじのつじうら》」であったし、「東京日新聞《とうきょうにちにちしんぶん》」等は実際の東京日々新聞から日を一つ取って五文字外題にした。逍遥も近代的ドラマの登場をめざしたがやはり歌舞伎風外題にこだわり「桐一葉《きりひとは》」は奇数で内容は把握できない。個性的な「大いに笑う淀君」を書いたのは〈大正期〉に入ってからである。鴎外の「日蓮上人辻説法」は奇数でいかにも歌舞伎調だが、若干内容のわかるタイトルになっているし、透谷の「蓬莱曲」は奇数だが、むしろ象徴的で歌舞伎とは異なる。[2] 明治期の戯曲のタイトルは前近代から近代へと抜け出ようとする試みの途上であったと言っていいだろう。

新しい現代演劇運動が興って以降のタイトルと構造の転換は郡虎彦の「腐敗すべからざる狂人」（一九一一年）が始めではないかと推測している。ロベスピエールとダントンが登場する革命劇で、こうしたタイトルが登場したのはロマン・ロランの革命戯曲の影響下にあったからだと思われる。

その後は革命的演劇運動の時代にはアヴァンギャルドな構造とタイトルは常態となり、[3] 現実の反映重視のリアリズム演劇時代に入ると内容を明確に表現した体言止めが多くなり、戦後まで連続する。

戦後の構造とタイトルの大きな転換は清水より一年早い安部公房「幽霊はここにいる」（一九五八年岸田戯曲賞受賞）あたりからかもしれない。安部公房の戯曲史の位置付けについては本書の序論及び当該頁を参照されたいが、しかしこのタイトルは郡虎彦などのものと比較すると穏当な印象を受ける。それに比して清水邦夫のタイトルは呼び掛け調で、何となく抽象的である。わたくしたちは〈何となく〉リアリズム表現への反旗を翻しているのが分かるだけだったが、このあとタイトルは言語矛盾や既存の言語使用法をあきらかに拒否するそれへと進む。リアリズム戯曲への明確な反乱であろう。

「あの日たち」（六六年）、「真情あふるる軽薄さ」（六八年）、「想い出の日本一万年」（七〇年）、「ぼくらが非情の大河をくだる時」（七二年岸田戯曲賞）、「花飾りも帯もない氷山よ」（七六年）「火のようにさみしい姉がいて」（七八年）、「戯曲冒険小説」（七九年芸術選奨新人賞）、「あらかじめ失われた恋人たちよ—劇篇—」（八一年）等々……。既成戯曲のイメージは一新される。六〇年代演劇はかように新しい劇世界を構築していくのである。

早大卒業後、岩波映画社に就職した清水は六〇年安保闘争に岩波労組として参加した。関係の不条理は政治を抱え込み、過去の記憶と行為が現在を浸食するドラマへと戯曲世界は重層性を帯びはじめる。清水は、個人的な記憶を直接ドラマに書くなどという次元の低いことはしないが、一種の教養小説のように、己れの生の時間を戯曲に刻み込む。従って彼の物理的時間の増幅は戯曲の誕生に大いなる影を落とし、時代の思想が色濃く塗り込められる。ゆえに戦後の若者のアウトローの、しかし何かしたいという希望とそれが形にならない怒り、新左翼の瓦解と挫折、政治の季節の終焉と近代家族の崩壊、そして男と女の愛の絶望的な関係……等々がドラマに順次登場するようになるのも時代の必然であった。リアリズム戯曲でなくとも時代や人間が表象できることを清水戯曲は証明したように思われる。

清水邦夫の登場に重要な役割をはたした演出家——同時にそれは自身の存在の主張でもあったが——蜷川幸雄は六〇年に青俳が初演した「明日そこへ花を挿そうよ」について次のように発言していた。[4]

ぼくはあの戯曲は、ウェスカーとかオズボーンとかイギリスの怒れる若者たちとの潮流でよんでいるんだよね。映画における「新しい波」と戯曲における「怒れる若者たち」、そういう潮流と同じものを初めてぼくらがつかんだと、そういう新しい戯曲であり、新しい青年像なんだと思ったわけね。

引揚者寮が舞台の、戦争を引きずっている二家族のどうにもならない戦後の日常。ガラスのような少女と若者たち、彼ら兄弟は言語化できない怒りを抱えている。未来が見えないからだ。理由なき不条理な殺人、そこには入り口もなく出口も見えない。たしかに新しい若者の登場であった。

清水と蜷川コンビを演劇史に残した「真情あふるる軽薄さ」は映画館で上演された(一九六九年)。これは異例のことであった。若者たちの演劇集団（現代人劇場）の出現と行列の芝居の上演、確実に時代は回り始めていた。

清水は言う、「映画会社に入って、人間ドラマつくろうと思ったら、人間が出てこない。PR映画なんだよ。(略)物とか場所とか人間のかかわり方、熱い関係から、もうひとつ見えない貌が見えてきた(略)それまでは人間中心のドラマをつくろうとしていて、ということは、大体登場人物たちの戸籍づくり指向に走る(略)場所が横から入って突きくずしたっていう感じ[3]」と。

倉橋健にリアリズム演劇の創造方法を清水と蜷川は学び、蜷川は、それを演出に役立てたが、清水はPR映画を作りながらそれを越える方途を獲得したのだった。

戸籍づくりのない家族劇を見ていこう。

3 「狂人なおもて往生をとぐ」（三幕二場）

I幕は「夕闇が濃い」時、II幕「別の夜」、III幕一場「十五分後。もはや深夜」、二場「次の朝」。舞台は「部屋。椅子、長椅子、調度品など。（ありふれた椅子や調度品をしつらえてもいいのだが、この際思い切って省略し、床に程よい〈穴〉三つだけというのはどうだろう。ついでに左右の二つの出入口も〈穴〉。出入口は便宜上名称があった方がいいので、左の穴の方をキ穴、右の方をク穴と呼ぼうか。）」という状態。このト書をみてもわかるように非リアルな抽象的な舞台が望まれている。何もない空間に穴三つと左右に二つというのは、いうまでもなく人の頚から上、顔と頭――つまり頭部を指す。鼻の穴は……？　という疑問には鼻は口とつながっているから、あるいは鼻の穴は共有する空間が異なるからで、顔は上を向いて眠っている状態なのだ。

ドラマは頭の中の話、つまり想像とか瞑想とか夢とか……の形而上的な話なのである。

狂った息子、出《いずる》のために父母弟妹が娼婦の館の住人を演じている。これは息子出の頭の中に生じている錯乱と同じ状況を再現するドラマである。〈現実の再現〉という近代以降のドラマの時間を〈頭の中の再現〉に置き換えた。しかし現実とは異なり頭の中の再現は困難が伴う。なぜならそれを認識している存在は出ひとりであるからだ。

出は両親や弟妹からなる家族を淫売宿に居る娼婦と客としか見ない。たとえば、善一郎は大学教授で父なのだが中年の客で大学の守衛、毎晩「よく金が続くな」「淫売宿通いも程々にしろ」と忠告するように……。

出は家をピンクの照明で飾ることを望み、それを善一郎が設営しているところで幕が開く。善一郎は出を通常の感性に戻すべく無駄な語り掛けをする。(引用文の人物名は頭文字のみ)

善　きみは客と言うけれど、年齢かっこうから言っても、きみの父親ぐらいだし。(略) このわたしに父親のような親愛の情を示してくれてもいいと思うがね (略)
出　次には、あの女をおふくろだと思えだろう、いい加減にしろ。
善　いたちごっこさ、きみの脱出さわぎとね。(親しみをこめて) きみ程の若さなら何も五十女のヒモになること、ないじゃないか。
出　余計なお世話だ。近頃あの女と寝ないんで気をまわしているんだろう。
善　まあね。

夫婦の性行為を売春と見ている息子出は母の愛から逃げることを計画している。しかしいつも脱出は失敗する。

出　よせったら、ま、話そうじゃないかと口癖のように言う奴とは話したくない。あの女がこないうちに行こう。会うと気がにぶる。優しすぎる。うんざりする程優しすぎる。あんたの事を反吐が出る程きらいだと言ってたぜ。
善　そうかね。でも金を払えば優しくしてくれる女だ。
出　あの女の悪口はよせ。……愛している。俺は愛している。あれはまさしく娼婦だ。(首をふり) 今のままでは互いに身の破滅だ。俺達の関係を美しい想い出に塗り込めなくては……そうだ、童謡の世界に。彼女は草の葉、俺は赤トンボ。

妹の愛子が帰宅する。出にとっては愛子は通いの娼婦だ。出は「此処へはもう通ってこない」ように愛子にいつも言っている。

出　なぜ、俺の忠告を無視する。信用してないんだな。
愛　あなた、あたしと一緒に逃げてくれる?
出　どこへ?
愛　どこへでも。二人で蒸発。
出　くたばるのか。
愛　ううん、生きるため。
善　よしなさい。彼にはママという女がいるんじゃないか。
愛　簡単よ。ママを捨てればいい。
出　ママを捨てろだって?　捨て猫みたいにか。
善　無理だよ。彼には出来ない相談だ。
愛　そんなにママを愛しているの。

出　畜生、俺を見くびってやがる。あの女から離れられないと思ってるな。

出にはママだけが心を許せる人間だ。彼は時々子供にかえる。乳離れできない不安からママの「胸をまさぐり出」したりする。弟の敬二は淫売宿ゲームに参加しない。家族を兄弟を主張する。家庭が淫売宿という発想は現在では、それほどトッピなものではない。セックスとサービスを男に提供する場と考えれば同じである。持ってくるものが給料か遊興費かの違いだけだ。主婦と娼婦の絶対的な違いは子供の存在だろう。しかしこの家族のように子供が二十歳を過ぎ成人するとそこにいる人々は、一組の性関係可能家族と不可能家族とに分けられる。それはまさに出の幻想のようにセックスを求めて来る人になってしまうのだ。ママはなのセリフのように「毎日通ってきてくれるお客なんてほかに」なく、「彼が来なくなったら、わたし達生活に困る」のであるから。

二幕、敬二の恋人が訪れ彼らは家族ごっこを始める。それは現実のこの一家族の過去のある日の再現になっていく。その日、敬二は学習塾へ行っていた。パパは夢遊病者のようだった。出は大学三生生、パパは皆で紅茶を飲もうという。紅茶を飲んだ皆、一番始めに苦しみだしたのは長女、次は長男、そしてパパ、ママ。一家心中だった。敬二が戻ってきたとき、皆は苦しんでいた。彼は医者に報せた。

はな　あの時、みんな死ねばよかった。それが一番よかったのよ……。

過去の再現は争いを招き、訳のわからないめぐみは出の頭をお盆でたたく。瞬時、過去の記憶がよぎって発作がおきる。

出　僕は決してパパを責めたりしてるんじゃないんだ……僕は今でもパパを愛している。今までだって、パパに気に入られるように一所懸命やってきたじゃないか（略）パパは砂糖とストリキニーネとうっかり間違えたんだ。そうに決っている。パパが僕達を殺すなんて、そんな事があってたまるか……

三幕の一場、出の発作は治まり、パパの過去が浮かび上がる。教育学者のパパは道徳教育の復活に反対し大学内外で孤立した。そして事件が起きた。

善　ある日、ある時、電車の中。わたしはひどく疲れていた。なにが起ったのかわからない。気がついた時、傍の可愛い女学生が、わたしの手をつかんで叫んでいた。この人、ひどいんです。さっきからわたしに触るんです。痴漢です。

心中未遂はこの結果起きた。
敬二の恋人めぐみはごっこ遊びと現実がごっちゃになって婚

約解消を叫ぶ。

はな　わたしははっきりいわせてもらいます。子ども達もいけないわ、パパにもっと優しくしてあげるべきだった。

出　自己批判か。

はな　ええ、自己批判よ。子ども達はてんでんばらばら。自分勝手。

愛　それはパパの教育方針。

善　個を確立せよ。背骨のある人間たれ。（略）きみはその教訓をちゃんと生かしたじゃないか。大学も行かずに調理師学校。

敬二　大学なんて糞食らえ。ポリ公の棍棒で頭を殴られて狂うなんて真平だ。

出は学生運動で、機動隊に殴られ頭がおかしくなったのだ。めぐみという了解されない異分子の侵入は、この家族の過去の再現に亀裂が入る。愛子と出は互いに引き寄せられるように抱擁し、「たとえ事実をゆがめても真実をゆがめることなく」兄と妹は互いを求め合う。しかしそこに性行為があったかどうかは不明。恐らく接吻だけだろう。はなのセリフに「あの子と愛子が接吻しているなんて」があり、しかしその後は彼らの秩序内の推測だ。子供たち、彼らは秩序を捨てて自由になったのだ。

敬二、ゲームに参加することを拒否してきた彼が、恋人を殺した。しかしこれは殺してきたといっただけで、それが「事実」かどうかは不明。敬二が彼女と結婚しないことだけは「真実」だ。

出と愛子と敬二はかつて子供だった頃に三人で遊んだように、「俺達は哀願しない。哀願しないぞ。対決だ……対決の時が来たんだ。ピクニックの用意を忘れるな」……出を先頭にして愛子と敬二の三人は、「朝の光あふるる〈窓〉」から消える。彼らは父と母の遊びの家から、秩序から飛び出して自由を求めて旅立ったのだ。彼らの世界を見つけるために……。

これは中村雄二郎が言ったような「危殆に瀕した家庭を崩壊からまもるため」の「家族ごっこ」のドラマではない[6]。ハロルド・ピンターの「家庭＝娼家の二重性を錯綜した人間関係のうちに描いた」「ホーム・カミング」（一九六五年）の「原型的単純さ」を持つドラマでもない。

秩序や権力に屈した若者たちではあるが、未だ未来に絶望していない。みえない未来を期待しているという青春ドラマである。彼らは「朝の光あふるる〈窓〉」から出ていくのだ。子供達を抱擁する親達の理解を越える世界があることの手応えを描いている。これこそが一九六九年という現代演劇運動の画期的な時代の夜明けにふさわしい。

注

（1）『清水邦夫全仕事』河出書房新社　一九九二年六月　四四五頁。本文中の清水文ならびに作品の引用は本書による。

（2）五七五と日本人について川本皓嗣が「七五調のリズム論」（『文学の方法』東京大学出版会　一九九六年）で興味深い論を提出し

ている。
（3）「解放されたドン・キホーテ」「西部戦線異常なし」「スカートをはいたネロ」「やっぱり奴隷だ」「生きた新聞」等。
（4）「対談　出会いの場へ」『清水邦夫の世界』白水社　一九八二年五月　三八頁
（5）前掲書注4　四二頁
（6）中村雄二郎「家族から劇的宇宙へ」前掲書　一七～一八頁

〈参考文献〉

清水邦夫『清水邦夫全仕事』全五冊　河出書房新社一九九二～二〇〇〇年
E・ショーター著『近代家族の形成』昭和堂一九八七年一二月
『清水邦夫の世界』白水社　一九八二年五月
岩崎正也「清水邦夫の『火のようにさみしい姉がいて』」『長野大学紀要』第六六号一九九六年三月、第七〇号九七年三月

清水邦夫《しみずくにお》（一九三六・一一・一七～　）

新潟県新井市に生まれる。父は警察官であった。早稲田大学卒業後岩波映画社へ。在学中の「署名人」で早稲田演劇賞を受賞。倉橋健から劇団青俳を紹介され、そこに戯曲を書いて蜷川幸雄や、のちに演劇仲間となる人々と知合う。劇団民芸にいた女優松本典子と演劇集団木冬社を一九七六年旗揚げ（第一回公演「夜よおれを叫びと逆毛で充す青春の夜よ」清水作・演出紀伊國屋演劇賞）以後この集団で清水の戯曲は初演される。

本文でも記したが清水の戯曲は現在と過去の青春を描いているとわたくしは考えている。その青春も単線ではなく、かなり曲線だ。そしてドラマ全体が乾いているようでどっぷりと湿っている。おそらくかなり湿った全体を乾いたトーンにしているのは松本典子の存在で、この女優の朗唱技術（声と演技も）がなければ清水戯曲の深淵さは表現できなかったとみている。

歴史上の人物を題材にしてもそこでは通常の歴史劇は再現されない。彼らの青春や愛や苦悩が現在時間で問いなおされる。しかもその問い直しは、まさにリリーディングで最先端を行く学問的成果を取り込んでいる。たえば「哄笑―智恵子、ゼームス坂病院にて」（一九九一年初演）は高村光太郎と智恵子という芸術家夫婦の愛を描いているのだが、八〇年代以降のフェミニズム批評の成果を着実に踏まえた傑作である。美しい愛の見本といわれた「智恵子抄」の世界が、実は光太郎のエゴイズムと智恵子の哀しみから成立していたことを軽快な笑いで取り囲むようにして描いた。そこには氷のような寂しさ、悲しさ、そして喜びがある。その創造の泉が枯渇することなく続いている希有な劇作家である。現在多摩美術大学教授。「幻に心もそぞろ狂おしのわれら将門」（75）、「楽屋」（77）、「わが魂は輝く水なり」（泉鏡花賞）「青春の砂のなんと早く」（80）、「なぜか青春時代」（87）、「弟よ―姉乙女から坂本竜馬への伝言」（90、テアトロ演劇賞、芸術選奨文部大臣賞）、「冬の馬」（92）、「愛の森」（95）、「恋する人びと―軍都とダンディズム」（00）等々。

秋元松代
「かさぶた式部考」（三幕）

森井直子

初出　『文藝』一九六九（昭44）年六月号
初演　演劇座　一九六九（昭44）年六月　俳優座劇場

秋元松代は、三好十郎主宰の戯曲研究会の中から育った劇作家の一人である。秋元戯曲の評価が確定したのは、一九六四（昭39）年「常陸坊海尊」においてである。この戯曲は、常陸坊海尊にまつわる伝承と、現代社会を生きる人々との魂の交流を描き出したものである。そして「常陸坊海尊」以来、伝承世界と現代社会の出会う時空を描き出す秋元の劇作法は、秋元の戯曲を特異で優れたものとする要因として、論じられてきた。

ただし、ここで注目しておくべきなのは、秋元戯曲の初期作品から繰り返し現れてくる特徴として、共同体の構成員たちに共有される論理・認識への違和感、いわば〈共同性〉への違和感を唱える人物たちがしばしば登場することである。「軽塵」の悌子から、「山ほととぎすほしいまま」のあさ女、「アディオス号の歌」の美根などである。しばしば秋元戯曲の人物たちは、血縁や男女間の愛情、共通の目的をもつ仲間集団など、様々な形での共同性の中で生きていながらも、自己と他者とが何かを共有することの可能性を疑い、時には共同性の成立に欺瞞を感じて苦痛を受ける人物たちであった。

これに対し、「常陸坊海尊」という伝承世界の時空を導入した戯曲においては、民間伝承は、現代を生きる劇中人物たちのそれぞれに孤立した生と生とを結び付け、人が共同性の中に生きる可能性があることを人々に指し示すものとして提出された。しかし、「常陸坊海尊」に続いて民間伝承を導入した一群の戯曲作品――「かさぶた式部考」「七人みさき」――を視野に入れると、秋元戯曲は、本質的に〈共同性〉へと寄り添うような生の在りかたよりも、〈共同性〉にどうしても自己を同化させられず、傷つかざるをえない個を描き出してしまっていると言えよう。

秋元戯曲に現れるこれら二つの問題系――共同性への懐疑と共同性への自己投入――が交錯した作品として「かさぶた式部考」がある。「かさぶた式部考」は、和泉式部伝承を素材とする戯曲であり、これまで、「常陸坊海尊」同様、伝承世界と現代との出会いを描いた戯曲の系譜に連なる作品として論じられることが一般的であった。ただし、この作品に現われる伝承世界は、現代社会に苦しみながら生きる人々の生き延びる場として機能している一方、その機能のもつ欺瞞をも露呈してしまっている。

戯曲「かさぶた式部考」のドラマは、出稼ぎに行った炭坑で事故に遭い、一酸化炭素中毒でまるで幼児のようになってしまった青年大友豊市とその母である伊佐が、和泉式部を信仰する「金剛和泉教会」の巡礼の集団に出会ったことによって始動する。つまり、現代社会を支えていながらも、社会の犠牲とされ、打ちひしがれて社会の底辺を生きざるを得ない人々が、伝承世界を生きる集団と出会ったことが、ドラマを始動させるのである。

豊市は、美貌の教祖「智修尼」に惹かれて巡礼に加わり、伊佐も息子と行動を共にすることを決心する。

1　信者たちと伊佐――〈集団としての生命〉と〈個としての生命〉

宗教集団「金剛和泉教会」が、その信仰の基盤としているのは、多くの和泉式部説話の中の一つである。病を得て「かさぶた式部」となった和泉式部が薬師如来に救いを求めて歌を詠んだところ、薬師如来が夢に現れて、式部の病は一夜にして癒されたというものである。金剛和泉教会の教義では、この「かさぶた式部」の説話にさらに、後日談が付け加えられている。病の癒えた和泉式部は、その後も人の世を彷徨い続ける。そして世の人々の苦しみを自分の身に負って「かさぶた式部」となってはその度に山へ籠って生まれ変わり、また彷徨い続けるというものである。つまり、金剛和泉教会の教義においては、和泉式部は救い無き衆生のための贖罪者であり、同時に救い主であるとされているのである。

金剛和泉教会は、和泉式部とその血脈を継ぐ者を代々の教祖としている。現在の教祖は、智修尼という尼であり、彼女は、第六十八代目和泉式部であると信じられている。そして、信者達は、皆現実社会の中で生き難さを感じている人々、すなわち救いを求める人々である。人々の信仰実践は、劇中で遭遇するいくつかの事件を宗教的奇蹟として意味付けていくという形で行われる。このような信者たちの行動には、自分たちの信仰する宗教を実際に救いをもたらすものとして形象化していこうとする意図が暗黙のうちに働いていると見られる。例えば、信者たちは、本山への旅の途中で出来《しゅったい》した事件を宗教的奇蹟であると意味付けて語り合っていく。このように語っていくことには、奇蹟が起こったことは自分たちもまた救われることが約束されている証拠だとして、互いが共有する信仰の時空を、すなわち伝承世界の時空を強化しあっていくという無意識の意図があると考えられる。

信者たちは個々に、教会外の世界と交渉を持っており、その現実社会の中では各々の苦しい現実の生活を生きているが、しばしば集まってきては旅をする。その旅の集団の中に身を投じている時、彼らは世界を和泉式部伝承を軸として再構成して捉え、その世界観を共有するのである。さらに、彼らは、自分の悩みを和泉式部のそれに重ね合わせてそろって「啜り泣き」するなどして、信者集団の中で共有される心情、いわば〈集団としての生命〉を紡ぎ出していく。そして、現実社会と交渉をもつ自分の個としての生の苦痛な有様を一時的に保留して、〈集団としての生命〉に自分の生を委ねてしまう。信者たちは自分の生を集団としての生に溶かし込んでしまうことに自分の生き延びる余地を見出しているのである。同時に彼等は、他者の〈個としての生〉をも自己のものと同様に、〈集団としての生命〉に容赦なく溶かし込んでしまう。すなわち、信者たちの信仰実践は、自分からも他者からも個としての生を奪い取り、そして集団としての生を肥やすことにあるのである。

　具体的に、戯曲「かさぶた式部考」の中で〈集団としての命〉に取り込まれ、奪われてしまうのは伊佐と豊市との生である。崖から転落したことをきっかけとして豊市が突然正気を取り戻したという事件は、他の信者たちによってたちまち宗教的奇蹟であると意味付けられる。実際にはまもなく中毒症状が再発して元の病の中へ落ちていった豊市と、それを知って呆然としている伊佐とを顧ることなく、このエピソードは信者たちによって彼等の信仰を強化していく装置として取り入れられるのである。

　このように、「かさぶた式部考」にあらわれる伝承の世界は、人の実際の生を恣意的に切り刻み、そこから取り出したいくつもの要素を選択・排除して、再編集することによって作り上げられた物語であった。つかの間の回復を経てすぐに元通りの病へ戻っていった豊市と、彼のエピソードが奇蹟物語に編成されるのを目の当たりにした伊佐は、豊市を家へ帰し、自分一人が参籠所に残ることを決意する。伊佐は「お山へ残りたかと思いますとは、ほんの束の間、正気に返りよりました伜の顔ば、忘るるためでござるまっす。(略)——私のかさぶたは豊市でござるまっす」と言う。伊佐が最後に見せるこの決心を、伊佐が「豊市の不幸を、大友一家を無惨な境涯におとしいれた現代の不幸を見据え、それを『かさぶた』として、『かさ病み式部』のように一身に引き受けようと決意した」[1]ことを示すとする見方もある。この見方は、現実社会と伝承世界との融合が伊佐において成就したと見なすものであり、伊佐こそが、現代の「かさぶた式部」である、と認定するものである。しかし、この伊佐の台詞からは、彼女が現代社会の生み出した不特定多数の他者たちの不幸までも引き受けて生きようとしていることを示すとは考えにくい。なぜなら、伊佐は、山へ残る理由として豊市が正気に返ったこと、すなわち、奇蹟物語として取上げられた豊市の姿を自分の記憶から追い出すことを挙げているからである。すなわち、伊佐が山へ残ることで達成しようとしたのは、奇蹟物語として編成するために切り刻まれ、信仰という集団の命の中に奪われてしまった自分と豊市との生を、もう一度、自分の手に取り返すことだったのである。彼女が「私のかさぶた」と発言し、和泉式部伝承の中では、式部が不特定多数の者の罪を引き受けたことの証とされていた「かさぶた」について、それを負う人間の各々が各々の「かさぶた」を抱えているのだとする認識を示していることからも、それが窺われる。

　すなわち、伊佐は、「かさぶた式部」の伝承世界に一度は取り込まれながらも、あくまでも、伝承世界から自分の個としての生を切り離して保持しようとする人物なのである。彼女は、他の信者たちとは異なり、自分の現実の生を留保して集団としての命の中に自己投入することによって、自己の生を放棄しようとはしない。伊佐は、たとえ苦しくとも、自分の個としての生を直視していこうとする人物であり、その意味で伊佐は、この戯曲を通して、伝承世界という〈集団の命〉の息づく世界から隔絶して生きることに自己の生の可能性を求めていく人物であると言える。その意味で、彼女は、伝承世界の対極に立つ人物なのであった。伊佐は山に残り、自分と豊市との奇蹟物語の描かれた絵馬を前にして暮らすようになる。そして、山を訪れては絵馬を見て奇蹟物語を語り合う信者たちを、冷ややかに黙って見ていることにより、かつて束の間正気に返った豊市の姿を、自分の生とは縁も所縁《ゆかり》もない奇蹟物語の中へ閉じ込めてしまおうとするのだ、と言える。

2　智修尼――伝承世界の根拠としての生

このように伊佐は、自分の〈個としての生〉と、伝承世界という〈集団の命〉との間にズレを見出した時、自らの意志で自らの生の方を選び取ってそれを生きることの出来る人物であった。その伊佐と対照的な生の中に産み付けられた人物として、金剛和泉教会の教祖、智修尼がいる。

智修尼は、先代の教祖の子供として生まれたという血筋によって「活仏の式部さま」として一生を送ることを生まれながらに義務付けられた人物である。すなわち、彼女には、伊佐が選び取っていったような、個としての生を生きる可能性は、もともと奪われているのである。しかし、このようにいわば、伝承世界の中の生のみを自己の唯一の生のあり方として生きてきたはずの人物智修尼でさえ、伝承世界の中の生とはズレたものとして自己の個としての生が存在していることに気付かずにはいられない。この自覚は、智修尼に、教祖としての自己がとるべき行動、たとえば、修行のための「お籠り」と彼女自身の内面がそぐわないことへの自覚としてあらわれてくる。第三幕その一では、智修尼は、次に示すように自分の行動と心の在り方との間に隔たりがあることを自覚している。

智修尼　（独り言に）まだ、お籠りはあと三日――。お山かる降りて、また屈託な旅の続いて……つくれん信者さんにとりまかれて……虚しか。
豊市　仏さんな、なして悲しげにしなはるとですか。
智修尼　私の悲しうにしとりますと？（自嘲して）すんなもん、とうに失うしなりました。私は活仏の式部さまですたい。

豊市は、智修尼に「活仏」であること、すなわち宗教・伝承世界の体現者であることを要請している訳ではない。このため豊市は、智修尼の教祖としての振る舞いに惑わされず、ただ彼女の心の動きだけを、ありのままに感じ取ってしまう。そして、智修尼が「悲しげ」であると指摘して、智修尼本人に、彼女の心の様態を剔抉して見せるのである。

　ただし、豊市の指摘に遭って智修尼が「自嘲」するとあるように、智修尼は気づいてしまった自分の心のあり方を直視しないまま封じ込めてしまおうとしている。にも関わらず、豊市は、独り言を漏らす智修尼を「悲しげにしなはる」と見て取る。彼だけは、智修尼の〈身振り〉からこぼれ落ちてしまう心の様態を発見し、彼女の心の様態に直接働きかけていくのである。こうして智修尼は豊市と対峙することによって、自己の心の様態を、教祖としての行動とはそぐわない形で確かに存在するものとして認知させられる。やがて智修尼は、教祖という枠組みの中に封じ込められてきた心の様態を自由にさせようと望むに至る、と考えられる。

3　絶対者への希求

　さて、智修尼の発見した自己の心の在り方とはどのようなものであったか。智修尼が教祖としての行動をとる義務から解放された時に見せる表情は、彼女が豊市に初めて会った場面（第二幕）から伺われる。彼女は、自分の美しさに豊市が惹かれていることを知ると、彼を地面に座らせ合掌させて、そのまま地面につくまで頭をさげさせる。そして、従順に額を地面にすりつける豊市を「快よげに侮蔑的に眺める」。この智修尼の行動は、

合掌や額ずくという信仰の存在を表明する行為を、「侮蔑」してしまうことであり、そこには、彼女を取り巻く信仰を、そしてその根拠となっている伝承世界そのものを侮蔑しようとする智修尼の無意識の意志があると言えよう。

　第三幕以降、智修尼は、豊市と向き合うことによって、第二幕で見せたような自分の心の在り方をますますはっきりと感じ取っていきながら、豊市に対しては、侮蔑的な態度を取りつづけ、彼を過酷に扱い翻弄する。

　このような智修尼のあり方は、従来、彼女が自己の内に聖性と残虐性とを共存させていることを示すもの、と評価されてきた[2]。また、さらに踏み込んだものとしては、相馬庸郎氏に、智修尼の過酷さは「よそおわれた聖性」と「病める近代の一つの個性」との共存を示す、とする論[3]がある。

　しかし、ここで注目すべきなのは、第三幕で智修尼が豊市に示す態度が、彼女が豊市に始めて会った時の態度とは変質していることである。薬師堂で、智修尼は豊市に「犬のごつしなはり」と命じ「もう忘れたとですか」と叱る。これは、私の前ではいつも地面に伏せているようにと指示することであり、その意味では、豊市を「犬」と共通した者と扱う発想は彼を初対面で額ずかせた時の智修尼の発想と同様である。しかし、一方では、彼女は豊市を「仔犬さん」とも呼び「（男の顔を持って）悲しげな奇麗か目ばしてなはる。ほんに仔犬さんの目と同じ――。（略）仔犬さんのままでいなはり」と言って、彼の顔に頬を当てる。ただし、智修尼は豊市という人間を愛したのではな

い。彼女は、豊市と自分が二人きりである時にだけ、豊市を愛する。しかし、その場に第三者が現れると、そのとたんに智修尼は、豊市に対して「冷酷」な「無表情」しか示さなくなる。このことは、病で「分別を無く」した人間である豊市と二人きりの時、智修尼が、豊市から対象化されることのない特権的な立場に自分を置いて、豊市と自分とがいる時空を、〈豊市を見ている私の時空〉と捉え、全体として智修尼という自己が一方的に現象している時空、とのみ感受していることを示す。それは智修尼と豊市とによって共有される時空ではなく、あくまでも、智修尼だけに所有される時空なのである。だからこそ、第三者の侵入を受けてその時空が彼女自身が対象化される時空へと切り替わったとたんに、智修尼は豊市に対して無関心になるのである。

つまり、智修尼の執着する対象は、豊市という人間ではなく、豊市への侮蔑と愛情という両義的な精神の在りようを通して立ち現れる絶対的な力を持つ自己の姿であった。それは、他者にまなざされ対象化されることのない一人の絶対者としての自己の在り方を、智修尼が愛するようになったことを示している。

豊市が正気に返った時、智修尼は豊市に別れを宣告する。智修尼のこの選択は、自分の望んでいるのが豊市と自分との間に成立する何らかの関係性を確立することではなく、豊市さえも排除し、徹底して対象化を拒んで屹立する絶対者としての自己を確立することであったことを示すと言えよう。この後、智修尼は、揺れを見せながらも豊市を排除していく。あらゆる他者から対象化されることを拒み、自己を絶対者として強固に確立していくのである。病が再発した豊市をも智修尼は、動揺しながらも、最終的には、捨てる決心をするに到る。

このように、自己の心の様態のままに生きようとする智修尼は、いわば信者たちの要請に応えるために行為することを拒否しようと意志する者であり、信者集団に向けて自己を編成する意味での「教祖」としての機能を放棄する者である。しかし、このような自己獲得の模索を経て、結果的に智修尼が発見したのは、あらゆる他者たちと関わらずに絶対者として存在する自己であった。このような絶対者としての智修尼の在り方は、信者たちから見れば、もともと彼らが智修尼に望んでいた教祖としての行為と心の様態の一致を生きる「教祖」像に寄り添っていくものである。つまり、智修尼が自己の心の様態のままに生きようとすればするほど、彼女は信仰集団という共同性の時空を生きる人々を支える「教祖」そのものとして強固な存在になっていく結果となる、と考えられる。

そもそも、金剛和泉教会という信仰集団は、和泉式部伝説を根拠として世界を認識する人々の集団であり、信者たちはその世界観の保証を智修尼の存在に求めながら、互いに共有する世界観・心情、つまり共同性の時空を形づくっていたと言える。智修尼は、信者によってこの共同性の時空の中に産み付けられ、育てられた人物であった。しかし、結局智修尼は、このような共同性の時空を保証するための生の在り方に違和感を感じ、その違和感に従って、すなわち、自己の個としての生に執着して生きようと望んだのである。

この意味において、智修尼は、秋元戯曲に最初期から繰り返し現れてくる、共同性への懐疑を生きる人物の系譜に連なる一人と言えよう。しかし、この戯曲がそれまでの秋元戯曲と異なる点は、共同性への懐疑を生きる人物が逆説的に、共同性の時空を強化していく機能を担っていく様子が描き出されている点にある。伊佐が共同性への懐疑を生き抜いた人物であり、そのようにして共同性と隔絶したところに自己の生を貫いた人物であったのに対し、伊佐よりもさらに、共同性との抜き差しならない関係を生きなければならなかった智修尼の生は、伊佐よりもさらに強烈に自分の個としての生を伸張させることを望み、その結果、一人の絶対者を生み出すに至るのである。

「かさぶた式部考」においては、共同性への違和を感じとらずにはいられない者の姿が描かれ、その人物の生が、その懐疑を引き受けていきながら、いかに生き延びるかを模索する過程が描かれている。そして、その模索の結果、得られた答えはむしろ共同性の強化に貢献するものである、という構造が提示されているのである。この戯曲は、人の生を、個とそれを超える共同性との関係の中に捉え、その両者を単に一方が一方を排斥し、分離していくベクトルという表面的な層で捉えるのではなく、実はその相反性の表面下にある、互いに互いを強化しあっているという円環構造を持つひとつの有機体として、個と共同性とが互いに支えあって生き延びていく様を捉えてみせた。その意味において、「かさぶた式部考」は、秋元松代戯曲のテーマを追いながら、その考察の深化を示した作品として価値付けられる。

〈参考文献〉

広末保「負の呪縛から」『新日本文学』一九七〇年五月
特集・秋元松代の世界『悲劇喜劇』一九七九年三月

注

(1)相馬庸郎「『かさぶた式部考』論――秋元松代ノート――」『日本文学』一九九三年四月

(2)大笹吉雄「秋元松代『かさぶた式部考』の智修尼」『国文学　解釈と教材の研究　臨時増刊号』一九八〇年三月など。

(3)注1に同じ。

本文の引用は、『秋元松代全作品集　第二巻』大和書房によった。

秋元松代《あきもとまつよ》（一九一一・一・二～二〇〇一・四・二四）

小学生の頃に肋膜炎にかかるなど、病気勝ちな少女時代を過ごしながら本に親しんだ。

劇作家としての出発は、戦後のことである。友人に誘われて、敗戦の翌年、一九四六年二月から三好十郎の「戯曲研究会」に参加し始める。この研究会で、初めて書いた戯曲「軽塵」が三好十郎によって絶賛され、戯曲を書き続けることになる。続けて、「芦の花」「婚期」「ことづけ」「礼服」など、戦後の身近な状況を題材にしながら家制度の重圧などを描き出し、注目されるようになる。なかでも「礼服」は、一九五四年、俳優座によって初演され、秋元戯曲の初上演作品となった。

一九六〇年には戯曲「村岡伊平治伝」を発表。同年発表のラジオドラマ「常陸坊海尊」では芸術祭奨励賞（脚本賞）を受賞した。一九六二年、『秋元松代戯曲集』を自費出版した。

一九六四年、秋元自身の回想によれば「仕事の虚しさ」を日を追うごとに切実に感じはじめていた時、「最後に一つだけ戯曲を書いておこう」と考えて、ラジオドラマとして発表していた「常陸坊海尊」をもとに、戯曲「常陸坊海尊」を書く。この戯曲は、私家版としてごく少部数が出版された。一九五〇年代終わり頃より傾倒していた柳田國男の著作などから題材を得ながら、方言を用いて現代社会を生きる人々と民間伝承の世界との出会いを描いたこの戯曲は、第五回田村俊子賞を受賞し、演劇座による上演、さらに一九六八年度芸術祭賞を受賞して、注目を浴びた。「秋元戯曲の転回点である、というより日本の現代劇に期を劃する事件であった（岩波剛）」などと評されているように、これまでにない新しい戯曲の誕生であった。「きぬという道連れ」、「山ほととぎすほしいまま」、「かさぶた式部考」、「七人みさき」など続けて発表していった。

秋元戯曲ではしばしば、社会から圧迫されて痛みを感じて生きる人物が主人公となる。彼等の生は痛切な苦しみの中にあるが、それらの人物を時にヒューモアをもって捉え、また、そのような人物たちの中にある「底深い怒り」の力強さを掴み出すところに、秋元の独自性がある。また、秋元は、「今から半製品を書きましょう、と思って戯曲を書き始めたことは一度もなかった（「五十年目の秋」『悲劇喜劇』一九九七・一二）」と述べているように、戯曲とはそれ自体が完結した一つの作品なのである、という強固な戯曲観を示した。これは、日本近代劇の歴史の中で定説と見なされてきた、戯曲は上演されてはじめて完成する、という戯曲観を問い返す重要な戯曲観であり、注目に価する。

一九七六年には、近松門左衛門の「冥土の飛脚」などを題材として「近松心中物語」を発表。金銭の論理という圧倒的な外圧によって死へと追いやられながら互いの情愛にすがる男女の姿の中に、個人と個人との間に成立する情愛の力強さと滑稽さとを描きだし、新たな展開を示した。

二〇〇一年四月、肺がんのため死去。

随筆集としては、『戯曲と実生活』（一九七三・三）、『氷の階段』（一九七九・一）がある。

佐藤信「鼠《ねずみ》小《こ》僧《ぞう》次《じ》郎《ろう》吉《きち》」

デイヴィッド・グッドマン

初出　季刊『同時代演劇』創刊号　一九七〇年二月（冬季号）
初演　アンダーグラウンドシアター自由劇場　一九六九年十月二九日〜一一月三〇日
演出　佐藤信。出演　岸田森、小川真由美、藤原マキ、清水紘治、他

序

新劇は世俗劇である。その主流であるリアリズム劇はあらゆる超越的・超自然的なものを排除しようとした。一九六〇年代に始まった、アングラや小劇場運動などとも呼ばれる脱新劇運動は新劇の世俗性を脱して、超越的な次元を日本の近代演劇に再導入する運動であった。再導入というのは、「前近代の想像力をもって近代を乗りこえる」という当時のスローガンが示すように、日本の前近代の演劇、とりわけ歌舞伎に見られる、神、幽霊、妖怪などの超自然的な存在を認め、「世界定め」、「見立て」などの手法によって表現された重層的な歴史意識を内蔵した想像力を再獲得して、それをもって合理主義やリアリズムに限定されて表現力を失ってきた新劇とはべつの新しい現代演劇を作ろうとしていた、という意味である。[1]

第十六回岸田戯曲賞を受賞した佐藤信の一九六九年の傑作「鼠小僧次郎吉」はこの脱新劇運動を代表する作品である。この戯曲の成功を受けて、佐藤は「恋々加留多《はなかるた》鼠小僧次郎吉」（七一年五月初演）、「嗚呼鼠小僧次郎吉」（七一年一〇月初演）など五連作の「鼠小僧」シリーズを発表した。これらの戯曲は唐十郎の「ジョン・シルバー」シリーズとともにこの時期の日本劇作の一時代を劃した。

1　五人の誤認

鼠小僧次郎吉（本名中村次郎吉）は天保二年（一八三一年）に打ち首の刑に処された実在の人物である。英国のロビンフッドのように、彼は豊かな者から盗み貧しい者に与える義賊で、金持ちの屋敷や蔵に鼠のごとく自由に忍び込み、気づかれることなく盗み取る伝説的な大泥棒である。

しかし、鼠小僧は現世で正義の味方として活躍した歴史的人物であると同時に、歴史を超え、人間界に霊威を発揮する現人神《あらひとがみ》でもある。今日にいたっても両国の回向院《えこういん》にある鼠小僧の墓にお参りし、入学試験に合格するよう力を貸してほしいなどと祈

願する者があとを絶たず、鼠小僧は今でも一種の救済神として崇められている。河竹黙阿弥、真山青果、芥川竜之介、そして佐藤信が鼠小僧を小説や戯曲の主人公として取り上げてきたのは、おそらく日本人の想像力の一つの典型をみごとに体現している人物だからであろう。

佐藤の「鼠小僧次郎吉」は、救済の夢をみる、すっかりおちぶれた五人の人物たちの生活を描く。鼠の一番（戯作者）、二番（ちゃりんこ）、三番（浪人）はゴミさらいをしながら、四畳半で共同生活を営んでいる。鼠の四番（役者）は挫折した「農業演劇の研究家、役者百姓」であり、五番は新生児の女の三つ子を売り渡したばかりの、自称「不幸な女」川底女郎ジェニーである。

この五人を希望の共同体として団結させるのは、彼らが南の空を横切る流れ星を目撃して、それに願掛けしたという共通の体験である。戯作者は「生活が変わらぬように」、ちゃりんこは「生活を変えよう」と願い、浪人は大福三個、役者は「脳味噌百貫目」を頼み、ジェニーは、女の子ばかりを生みつづける自分を殺してくれる男の子が生みたい、と願掛けたのである。

五人が団結すると、戯作者が流れ星を名づける。「実は――あの流れ星こそ、いま、この大江戸にその名も高い、大鼠の仮の姿だった。（中略）そう、あの流れ星はな、鼠小僧次郎吉だったんだ」と。そして、鼠小僧に願掛けした五人は、復讐と大火災《かくめい》的な世直しを目的とするいわば《鼠党》に変身する。

鼠党の目当ては、彼らを圧迫するすべてのものを象徴する、陰茎の形をした「《朝ぼらけの王》とあがめたてまつられる物体」である。（台本には、朝ぼらけの王は男根であるという指定はないが、舞台では一・五メートルの高さもある陰茎として登場した。その必然性は後に論じる。）その偶像を守る門番から朝ぼらけの王を盗もうと計らっているのである。歴史上の鼠小僧の例に従って、彼らも「子の刻参上」という警告の札を朝ぼらけの王に貼って、盗難の対象を前もってその持ち主に知らせる。

ところが、とんでもない誤解があったのだ。鼠小僧だと思われた流れ星は、じつは、落ちてくる原爆であって、五人の人物たちの救済の時「子の刻」は原爆が爆発する瞬間であった。結局、鼠党の活動の結果として被害を受けたのは、朝ぼらけの王ではなく、救済の夢を見た五人の人物である。そして最後に登場する鼠たちは「頬かぶりをとる。それぞれ半面に、無残なケロイド」がある。

「鼠小僧次郎吉」は、原爆を救済者と見間違える想像力、あるいは原爆のように殲滅しかもたらさない（贋）救済者を待ち焦がれる想像力を捉えようとする作品である。この戯曲は日本の問題としてこれを語っているわけだが、しかしさまざまな形であらゆる宗教や文化が取り上げてきた普遍的な問題でもある

2　歴史的持続への抵抗

「鼠小僧次郎吉」はいくつかのレベルで同時進行する重層的な作品である。基本的なあらすじは追っかけっこである。極貧の

生活から救ってくれる救済者を待ちきれず、五人の人物たちは自ら鼠小僧に変身し、門番を追いかけて、諸悪の根源である朝ぼらけの王の権化を盗み破壊しようとする話である。しかし、これはいったいいつの話だろうか。

一つのレベルでは江戸時代である。戯作者、ちゃりんこ、浪人、役者、女郎というのは、江戸時代の下層階級の代表者である。鼠小僧の神格化を可能にした、江戸時代の下層階級の代表者である。鼠小僧そういう意味で、「鼠小僧次郎吉」の「時」というのは鼠小僧が実際に活躍した江戸時代である。

しかし、原爆が江戸時代に落ちるわけがないから、『鼠小僧』の「時」というのは、別のレベルで同時に第二次世界大戦の敗戦当時でもあるらしい。戯作者、ちゃりんこ、浪人などは江戸時代の大衆であると同時に、敗戦直後「麻布十番のごみ溜で……五目弁当ののこり」を見つけて命をつないでいる、現代の下層階級の代表者でもある。

この二つの異なる歴史的次元によって救済者のアイデンティティが違ってくる。江戸時代で待ち望まれていたのはいうまでもなく鼠小僧次郎吉であるが、しかし、戦後の日本では待ち望まれたのは鼠小僧の代わり、適当にアメリカナイズされた救済者「自由の騎士・二丁拳銃の火の玉ジョージ」である。形こそたがえ、鼠小僧も火の玉ジョージも、救済・解放を約束しながらも彼らを待つ者たちを破滅に導く同一人物、ないしは同一の祖型の現出である。火の玉ジョージ曰く「羊ちゃん、おあいにくだったな。俺は狼派なんだよ！……たしかにここは地獄なのだ。だが羊ちゃん方、もっと地獄へ堕ちてもらうよ！」

鼠小僧だろうと火の玉ジョージだろうと、敵対する相手は同じ、門番と朝ぼらけの王である。門番は歴史的な、肉体をもった天皇であり、朝ぼらけの王は人間の天皇を天皇（神）たらしめる歴史的な天皇制・天皇精である。江戸時代の大衆は自ら鼠小僧に変身して、彼らを圧迫する権化を、それを守護する門番から盗もうとする。それと同様に、戦後の大衆は、アメリカの西部からやってきた二丁拳銃の火の玉ジョージに成りすまして、彼らを抑圧する天皇制を、そしてそれを目下体現する昭和の天皇から盗み、己れを解放せんとする、ということである。

この二重構造をもって佐藤が取り上げようとしている問題は日本における抜本的変革の可能性である。なぜ太平洋戦争が、戦争を可能にした天皇制を破壊する大衆の反乱で終わらなかったのか、なぜ戦争を終わらせた大火災（原爆）が天皇制を破壊しないで、大衆を破壊したのか、天皇制によって象徴される日本の歴史の持続を、原爆をもってさえ断絶することができなければ、その持続に抵抗する方法はないのだろうか、という疑問である。

一九六九年初演の「おんなごろしあぶらの地獄」では佐藤は日本人の想像力はその持続を保証するために己れを騙す――騙して解放の夢の実現を結果として妨害してしまうという考えを提示した。「鼠小僧次郎吉」にも同じような考えが見られる。原爆を鼠小僧という、願い事を叶えてくれる流れ星に見間違えたのは大衆たる当の五人の人物たち以外の何者でもないのであり、

「自由の騎士・火の玉ジョージ」のグロテスクな神話を発明したのも彼ら（厳密にいえば戯作者）である。

鼠小僧を神格化した日本大衆は火の玉ジョージを幻想する。そして狼派の火の玉ジョージを救済者と見まごう日本の大衆は天皇を「象徴」として再定義することによって天皇制の寿命を延ばした占領軍を解放軍として歓迎した。いつの時代にも自らを略奪する者を救済者と見まごう自滅的な想像力を備えている日本人自身が、抑圧の歴史の持続を保証する、と佐藤はいっている。

「鼠小僧次郎吉」では、佐藤は彼の諸作品によく見られる性の時間論を用いている。再生の原理を体現する女性を不変の持続の象徴として佐藤は利用する。自らを裏切りつつ持続を保証する日本人の想像力を鼠の五番ジェニーに託している。ジェニーという名前はブレヒトの「三文オペラ」の歌の一つに登場する海賊ジェニーという人物からとったものだ。海賊ジェニーはホテルのメイドだが、単調な日常生活から彼女を救ってくれる船が海の向うから今に到着する、という夢をみている。鼠の五番・ジェニーも火の玉ジョージが現れて自分の怨みを晴らし、解放してくれることを夢見ているのである。しかし自意識の強い女性だから、火の玉ジョージが幻想にすぎないということもちゃんと自覚している。それで自殺が唯一の出口だと決めて、鼠の四番・役者とともに心中すると決心する。ところが、「首をしめても、息がつまらない。水の中でも平気で呼吸できる。こんなにあちこち突きさして、血もどくどく流れたのに、それでも死ねない。ぴんぴんしてる――死ねない、ああ、死ねない」という役者は「感情移入が足りないのだ。日常訓練が決定的に不足だったのだ」と自分を責めて嘆くが、死ねないのは彼の責任ではない、とジェニーはいう。「あたしはとうに気づいていました。あたしは決して死ねないって。(中略)あたしが男の児を生みたかったのは、そんなあたしへ、あたしの身体へ、りっぱなおちんちんを持った自分の子供の手で最後のとどめを刺してほしかったから――「おっ母、覚悟！」と突き刺してほしかったから」。

女の児ばかりを生みつづけることによって、原爆の投下を救済者の到来を意味する大火災だと見間違えてしまうような想像力の無限の再生を保証するジェニーは、自らの命を終わらせてくれる男の児が生みたいと願う。しかし、「鼠小僧次郎吉」の最後に意外な事実が暴露される。門番はじつはジェニーが生んだ息子であった。ジェニーが生んだ男の児は「日本」の永遠の持続と同義のジェニーの命を終わらせるどころか、その持続の精とも思われる朝ぼらけの王の守護者だったのだ。意外であるが、筋の通った話でもある。門番（天皇）はジェニー（日本文化の持続の母）が生んだ息子以外の何者でありえようか。

そうとわかったジェニーは「ゆっくりと門番をふり返る。ためらう――が、決心して門番を突きさす。」私はこの瞬間を絶望的な政治的アジテーションと解釈した津野海太郎と同意見である。ジェニーは行動する。佐藤から見れば日本の歴史は、単調に、はてもなく循環する運動だが、その日本の歴史的持続に対する、残された唯一の抵抗の道を行くのがジェニーであった。が、それで果たして地獄への永遠の墜落をさし止めることができるだろうか。

3　下水道と化猫

「鼠小僧次郎吉」を自由劇場で観た観客は地下室の劇場への階段を下りると、まっ黒く塗りつぶされた部屋に出るのだった。客席は舞台の前と両脇にしつらえた畳席で、奥の壁には「男女混浴」と、江戸時代と歌舞伎を思わせる勘亭流の文字で書かれていた。蝋燭程度の照明があるだけだから、暗い。そして、入口には、しめなわが張り渡されていた。

江戸時代と敗戦当時が「鼠小僧次郎吉」の時間の二重構造であるとすれば、勘亭流の「男女混浴」と、入口の上に張り渡されたしめなわはこの戯曲の空間の二重構造を示していた。「男女混浴」は水の世界、風呂を指し、しめなわは地の世界、聖域を指すものである。

「鼠小僧次郎吉」の中心的な運動である追っかけっこは、風呂場と風呂場を繋ぐ下水道の中の堂々巡りである。「子の刻参上」という札を朝ぼらけの王にべったり貼りつけられていることを発見した門番は下水道に逃げる。「下水道のはずれの四畳半」に住む五人の鼠たちはすべて下水道に生き死にする「どぶ鼠」である。日本史の地下を流れる下水道の中で、彼らは朝ぼらけの王を守護する門番を追っかけていく。最後に、逃げ切ると——

　門番は上機嫌で、げらげら高笑い。

門番　すすめ——すすめえ。熱海へ行こう！　千人はいれるローマ風呂を借り切ろう！

風呂場というのは、日本の共同体の理想的な、安定した状態がもっとも具体的に現れている場所である。銭湯から抜け落ちて、下水道の中で鼠党から逃れ、熱海のローマ風呂にいたる、という門番と朝ぼらけの王の行程は、日本の社会の底が抜けた敗戦当時から、敗戦直後の混沌とした状況をからくも通りぬけ、ピカピカ光る、近代的な形で建て直された戦後社会で再肯定されるに至るまでの天皇制のたどった道の比喩である。

「鼠小僧次郎吉」の世界の水の空間の上には地の空間も重ね合わされている。それは、しめなわによって区切られた聖域である。しめなわをくぐって自由劇場にはいっていく観客たちは、儀式的に清められた空間に入っていくのであった。そして、その空間で彼らの前に最初に現れたのは、神降しの祝詞を唱えるへへ、そそ、ぼぼである。

謎のこの三人の人物のアイデンティティには四つの側面がある。彼女たちは巫女であり、女性の性器そのものであり、地獄への案内人であり、猫である。日本の宗教の習合的な論理が自由に作用できる、しめなわによって区切られた聖域では、それらの要素は連想的に連結する。

　日本のシャーマニズムには性別による分業が見られる。男性の山伏は積極的に他界へ旅だち、神たちに出会う。それに対して、女性のシャーマン（巫女）は消極的に神を待ち受け、神の託宣を世に伝える。巫女として登場するへへ、そそ、ぼぼはしめなわに区切られた聖域にふさわしい、女性のシャーマンである。

　女性のシャーマンとその守護神との関係は、本質的に性的である。多くの場合、男性である守護神は、巫女の肉体に「射精」してそれに神意を孕ませる。蛇である三輪の神が、美貌の青年の形をとり、姫の部屋に夜這いする伝説などの、セクシュアルな象徴性は自明だ。そういう意味で、巫女は基本的には、男性の神が射出する託宣を受け入れる容器である。そして女性性器を表す「へへ」「そそ」「ぼぼ」という言葉でその三人の人物を名づけた佐藤信は、巫女のきわめて性的な性格を考えていたにちがいない。

　女の性の、「聖」の表現が巫女であるとすれば、その「俗」の表れは淫売である。だからこそ、ジェニーの三つ児を背負ったへへ、そそ、ぼぼが、ぽんびきとして登場して、五人の鼠たちを《ぬけられます》と看板がかかった郭の袋小路に誘惑するのだ。郭の別名は「地獄」であるそうだから、ぽんびきのへへ、そそ、ぼぼは同時に地獄への案内人である、ということになる。彼女たちが鼠たちを導いてゆく地獄は次の歌に描かれている。

落ちゆく先は
いつもの奈落
なまぐさ願望
胎内めぐり
とっても軽い
怨念の
貧血通り闇小路入る
駐車禁止に
最徐行
交通標識
はげちょろけ
垣につるんだ朝顔の
いと蒼白き
喇叭型
とてとてちてた
小便無用
毎度おなじみ
「抜けられます」

毎度おなじみの「抜けられます」の立札を通りこしてゆくと、いつもの奈落に通じるわけだが、その奈落は遊郭の比喩であるのみならず、具体的な歴史的地獄でもある。後にこの点についてもっと詳しく論じよう。

　さて、巫女、女性の性器、地獄への案内人であるへへ、そそ、ぼぼはまた猫でもある。「金髪、チューインガムをくちゃくちゃ噛みながら」登場する三人は次のようにいう。

そそ・ぼぼ　にゃおうん！
へへ　われらスリーキャッツ。
そそ　猫族。
ぼぼ　三匹。
へへ　われら、あたえるものぞ。
そそ　お髭ぴんぴんの——
ぼぼ　サンタクロースぞ。

へへ、そそ、ぼぼが猫であるなら、そのことは彼女らの悪意と変身する力を説明する。日本の民話を読むと、猫には良性の受動性と裏腹に、悪性の能動性があることが明らかになる。ほっておいたら猫が子供を食べたとかいう話も多いし、猫が人を殺して、その人に化けて悪事をするという話もたくさんある。へへ、そそ、ぼぼはこのような、変身して悪徳行為におよぶ化猫である。金髪の鬘を被り、チューインガムを噛み、サンタクロースだと名乗りつつ登場するのは、彼女たちが戦後にふさわしい、アメリカンスタイルの化猫であることを意味する。彼女らは日本文化の古来の祖型の現代的表出である。

かくしてたがいに連結しているへへ、そそ、ぼぼのアイデンティティの四つの側面は同時に「鼠小僧次郎吉」のほかの人物たちの属性と対応する関係にある。

巫女（女性のシャーマン）——門番（男性のシャーマン）
女性の性器——朝ぼらけの王（男根）
地獄への案内人——地獄へ案内される五人の人物
猫——鼠

門番が朝ぼらけの王の権化を祭るように、巫女たちも神々を祭る。女性の性器は陰茎であるところの朝ぼらけの王に対応する。大衆を《地獄》に案内するぽんびきは、五人の人物に対応するし、猫は鼠に敵対する。まことに鼠たちの夢の実現を妨害する日本的想像力の負の衝動が形をとるとなれば、猫ほどふさわしいものはないだろう。

4　対立する終末論

五人の人物たちには歴史的な目標がある——朝ぼらけの王を捕らえ、「不義うちたい」ということである。それに対して、へへ、そそ、ぼぼはそのような歴史的方向性をもたない。不変の、均等質の時間の流れの中で永遠に変身を繰り返す以外に、彼女たちは何の目的も必要としない。鼠たちは男性的な、陰茎的な時間を体現し、へへ、そそ、ぼぼは女性的な、月経性の周期的な時間を体現する。これに似た性的時間論は「鼠小僧次郎吉」のみならず、佐藤のほかの作品にも見られる。

「鼠小僧次郎吉」において、この二種の時間は、二つの対立する終末論を指し示している。ある目的のほうへ一方的に進行するものとして歴史を発想する終末論と、循環する以外に目的を持たない、周期運動として歴史を発想する終末論とである。名づければ、一つは救済者の時間であり、もう一つは永劫回帰の時間である。

五人の人物たちはその存在の厳しい条件から解放されることを夢見ている。鼠小僧という救済者が到来し救い出してくれる特定の時間、すなわち「子の刻」を想像している。彼らは「子の刻」を、すべてを破壊し、すべてを改める大火災の時と発想する。だからこそ原爆である《流れ星》を救済者の名で呼び、それに願掛けをするのである。

歴史は大火災によって劃されるとし、歴史には決定的かつ具体的な救済を意味する絶対的な目的があるとするのはユダヤ教およびキリスト教の、また古代イランに起源をもつともいわれる終末論である。この終末論によると、歴史の終局には救済者《メシア》的な人物（キリスト・鼠小僧・火の玉ジョージ）が顕われ、古い世界を破壊し、歴史の終焉を宣言し、善悪を裁き、永遠に救済された時間を開始する、ということになっている。マルクス以来この大火災の観念は世俗化され近代化されて、「革命」という名で知られてきたが、大火災を政治革命と同一視するのは一つの近代的な発想にすぎない。

これに対して、へへ、そそ、ぼぼにとって大火災は一度きりのできごとではなく、何度も繰り返されるものである。それは永劫回帰の周期的な時間の新たな循環のはじまりを劃すできごとである。彼女らにとってRevolutionは「革命」を意味するのではなく「転回」を意味する。宗教学者のミルチェア・エリアデはこれを「太陰的」と呼ぶ。

> 「太陰的な観点」からいえば、個人の死および人類の周期的な死は不可欠である——月が「生まれ代わる」前の三日間の闇が不可欠であるように。個人の死も、その再生のために必要である、ということである。(2)

へへ、そそ、ぼぼは周期的に繰り返される普遍的かつ包括的な大火災を幻想する。それは彼女らの月経的（ないしは「太陰的」）な時間の感覚にふさわしいものであり、歴史の終焉を告げるはずの、鼠たちの一回きりの大火災と真っ向から対立する。つまり、五人の鼠たちとへへ、そそ、ぼぼの対立は救済者を待ち望むげっ歯目の無産者と、永劫回帰の持続を防衛する猫族の対立である。

戦後、革命が起こらなかったのは、日本人が自らを裏切ったからだ、というのが佐藤の観点だ。具体的にいえば、ある一定の方角に向かう救済者的な時間とそれに敵対する永劫回帰の周期的な時間を同時に生きようとする日本人の想像力の中で、まっしぐらに歴史の終焉へ飛び発とうとする衝動のまっすぐの弾道は、永劫回帰の衝動に引かれて、ぐるぐるまわるそちらの軌道に引き戻されてしまったということである。「鼠小僧次郎吉」ではこのことが長唄として歌われた次の歌に表現されている。

そちらが三回　こちらも三回
も一つ三回　よよいのよい
三々九度のなしくずし
しめりゃ九回裏表
犠牲フライの打ちそんじ
ぐるぐるまわれよ　風車
きれいはきたない
きたないはきれい
二元を撃ちぬく
弁証法
とめてもとまらぬものならば
ぐらりはらり
散るばかり

5　「子の刻」

「鼠小僧次郎吉」のクライマックスは、歴史の終焉を意味する大火災《かくめい》のほうへまっすぐ舞い上がろうとする五人の人物たちが、たえず変身しつつ循環するへへ、そそ、ぼぼの軌道に引き戻されてしまう瞬間にある。その瞬間は五人が引き込まれた《地獄》で、へへ、そそ、ぼぼが催す宴会の最中に到来した。次のト書きにこの場面の様子が説明されている。

　例の太平洋戦争の敗戦を告げる玉音放送が、耳なれた歌

謡曲と交錯しながら、遠く、低く、海鳴りのように流れる。輪になって座る、五匹の鼠——全員黒い布の目隠しをされたまま。満腹の百万遍。
　中央に煮えたぎる大釜が置かれる。

戦争は終わった。歌謡曲は時が現在であることを知らせている。五人の鼠たちは満腹で念仏を唱えている。間もなく救済されると信じ込んでいるらしい。だが、目隠しをされているので、実状を見つめることのできない盲人のごときである。

　へへが秒読みする。「十五秒前——十秒。九、八——」と。五人の人物は目隠しを裏返し、日の丸の鉢巻としてそれをしめなおす。彼らは「青空のかなた」にきらきら光る目標に向かって飛び発つが、しかしそれは天皇制の敵としてではなく、天皇制に仕える兵士としてである。「子の刻」は到来し、そして過ぎさってしまったのである。「子の刻」は一回限りの出来事ではなかった。循環する時間の新たな出発点だった。決定的かつ具体的な救済の瞬間として永く待ち望まれた「子の刻」は、じつは、救済者に変身して飛びだした五人の人物のまっすぐの弾道が、へへ、そそ、ぼぼの永劫回帰の軌道に合流する瞬間であった。

　「子の刻」が宴会の最中に到来することは興味深い。宴会といってもただの宴ではない。五人の人物が食べて満腹したのはジェニーの生んだ三人の新生児であった。彼らは未来を食ってしまったわけだ。過去からなだれこむ魂に憑かれて、阿修羅に変身する。時間は消され、過去も未来も現在に集束し、歴史は

消える。

　エリアデはこの論理を次のように説明している。


〔太陰的な世界観によれば〕いかなる形体も、それが存在し持続するからこそ、必然的にその精力を失い、廃れてしまうのである。精力を取り戻すためには、それは一瞬でも、無形なるものに、再吸収されねばならない。それを産んだ原始的な未分化の状態に再吸収されねばならない。すなわち、それは「混沌《カオス》」に（宇宙的な面で）、「乱痴気騒ぎ」に（社会的な面で）、「闇」に（種の場合）、「水」に（人類の場合は洗礼、歴史の場合はアトランティスなど）に立ち返らなければならない、ということである。(3)

「子の刻」というのは、すなわち、救済を目指す飛躍が永遠の循環的時間と交差する瞬間であり、歴史の終焉を目指した者たちが彼らを産んだ「原始的な未分化の状態に再吸収され」る瞬間である。だからこそ、この作品の冒頭に合唱され、革命の勇ましい賛歌として聞こえた「次郎吉のテーマ」は最後に再度歌われると葬送歌のように鳴り響くのである。それを聞いて私たちは、鼠たちの大火災《かくめい》はじつは周期的な時間が回帰する瞬間でもあったという両義性に突如目覚めさせられる。「いのちの洗濯　石榴口／くぐるお前は　素っ裸」は水、「一丁かましてうれしやな／返り血あびて　たのしやな」は混沌、「ぎりぎり人情穴めぐり／しゃぶったあの娘の　舌ざわり」は乱痴気騒ぎである。これらすべては、五人の人物たちが立ち返りたい「原始的な未分化の状態」の表現なのであった。彼らの革命の思想は、このように、両義的かつ自滅的な神話であった、ということである。

6　第三の道

　五人の人物が未分化のカオスに吸収されていく。そのときに彼らは、彼らをのみ込む狂気を語る。その独白の二つがとりわけ興味深い。なぜなら、それらは二種類の革命運動の破産を表しているからである。一つは釈迦の元の教えの正反対に変遷した大乗仏教の異端、すなわち「煩悩即菩提」の思想である。涅槃は生死の妄念を超越したところにあるという、仏教の正統の思想に対して、これは「生死すなわち涅槃なり」という思想を提唱する。もう一つは、科学的な唯物論として出発した共産主義運動が、相対的かつ歴史主義的な運動に退廃したことを表す、極度に冗長な、いかにも毛沢東主義的な発言である。

　佐藤がこの二つの独白をもっていっているのは、人類を救済しようとした仏教や共産主義のような最大限の運動でさえも、永劫回帰の衝動を内蔵する想像力によって、必然的に相対化されて、その正反対のものに変遷していったのだ、ということである。そして核戦争が人類を皆滅させるまで、この過程が繰り返されるのであろう、ということだ。

　では、希望はまったくないのか。そうでもないらしい。幕切れ近くにジェニーは大きな時計を背負った門番を突き刺す。

門番の声　おっ母――おっ母さん。

　五番の鼠〔ジェニー〕、ぎくりとする。

　門番、「朝ぼらけの王」を抱いたまま、血まみれの逆吊り。背中の時計は、十二時をさしたままひっきりなしに時を告げつづける。

門番　おろしておくれ――背中の時計。針が焼きついちまってるんだ。時計が重い。重いんだよ――ねえ、おっ母さん。おろしとくれ。おろしとくれ。お、おっ母さあん。おっ母さあん、このままじゃ、永久に、もう永久に子の刻――おっ母さん！

　結局、真の救済の時間は、遠い青空のかなたから、ぎらぎら光りながらやってくるものではなく、ありとあらゆる瞬間に内在する可能性である、と佐藤は考えているのだ。その思想は政治革命論であり、アジテーションであるのかもしれないが、何よりもまずそれは、救済者の時間でもなく、永劫回帰の時間でもない、ある別の終末論なのである。そしてその別種の終末論はヴァルター・ベンヤミンやゲルショム・ショーレムの思想に通じる深遠かつ普遍的なものである。

注

（1）この解釈をこれ以上展開する紙数がないので、私の以前の著作を参照してほしい。日本語では、「脱新劇運動論序説」、『山猫劇場通信』第一号（一九八九年）一二―三八頁。「原爆戯曲の意義」、諏訪春雄、菅井幸雄編『現代の演劇Ｉ』講座日本の演劇7、（勉誠社、一九九七）、四八―六三頁。英語では *Japanese Drama and Culture in the 1960s: The Return of the Gods* (Armonk, NY: M. E. Sharpe, 1988. および *After Apocalypse: Four Japanese Plays of Hiroshima and Nagasaki* (Ithaca, NY: Cornell East Asia Program, 1994).

（2）Mircea Eliade, *The Myth of the Eternal Return, or, Cosmos and History*, tr. Willard R. Trask (Princeton: Princeton University Press, 1954), p. 88.

（3）同上。

〈参考文献〉

佐藤信『鼠小僧次郎吉』、『あたしのビートルズ』（晶文社　一九七〇年）一二七―一九三頁。

佐藤信『嗚呼鼠小僧次郎吉』（晶文社　一九七一年）。

津野海太郎「子の刻幻想　鼠小僧次郎吉の退場」、『門の向うの劇場』（白水社　一九七二年）一七三―一九二頁。

グッドマン、デイヴィッド『富士山見えた――佐藤信における革命の演劇』（白水社　一九八三年）。この章は本書の第五章を短くまとめたものである。

佐伯隆幸『「革命の演劇」の時間性』、『現代演劇の起源』収録

（れんが書房、一九九九）

佐藤《さとう》　信《まこと》（一九四三・八・二三〜　）

東京生まれ。幼稚園から小学校まで、佐藤は青山学院大学付属小学校などキリスト教系の学校に通った。中学校・高等学校は公立の学校に転校したが、高校在学中キルケゴール全集を完読したりして、キリスト教思想・西欧哲学に興味を持ちつづけた。一九六一年、西欧哲学専攻で早稲田大学第二文学部に入学したが、翌年俳優座養成所に移り、一九六五年にその十四期生として卒業した。劇団青芸を経て、一九六六年に養成所の同期生串田和美《くしだかずよし》、吉田日出子《よしだひでこ》、斎藤憐《さいとうれん》らとともに、作曲家の林光《はやしひかる》や能楽師・俳優・演出家の観世栄夫《かんぜひでお》の参加を得て、劇団自由劇場を設立した。自由劇場は一九六九年、六月劇場（津野海太郎《つのかいたろう》、山元清多《やまもときよかず》、佐伯隆幸《さえきりゅうこう》ら）に合流して「演劇センター68／69」（のちの68／71、別称・黒テント）を設立したが、七一年に、串田たちが演劇センターを離れてからも、佐藤は居残って、一九七〇年以来の彼の作品のほとんどは68／71・黒テントによって上演されてきた。一九九七年、佐藤は世田谷パブリックシアターの芸術監督に着任した。

佐藤信の戯曲は四つの時期に分けて考えることができる。第一期は一九六六年の最初の作品「ハロー・ヒーロ」（「イスメネ」「控室」「地下鉄」の三部作）、一九六七年の「あたしのビートルズ」、そして一九六九年の「おんなごろしあぶらの地獄」（第四回紀伊国屋演劇賞受賞）である。この時期の特徴は、それぞれの作品が《青春》という枠組みをもっていることである。これらの戯曲に出てくる人物のほとんどすべてが若者であり、自分も含めた若者の世界を枠組みとして使っている。

一九六九年から七一年までの第二期は「鼠小僧次郎吉」と「翼を燃やす天使たちの舞踏」を中心とする作品群である。この時期には佐藤は《青春》の世界を離れて、《神話》、もっぱら《革命の神話》という世界を設定する。五連作「鼠小僧」では革命の神話を日本の文脈で描き、「翼」ではそれを西洋文化の文脈で取り上げた。「鼠小僧次郎吉」で第十六回岸田戯曲賞を受賞した。

第三期は「阿部定の犬」「キネマと怪人」「ブランキ殺し上海の春」によって構成される「喜劇昭和の世界」の三部作が書かれた時期である。一九七二年から七九年にわたるこの時期では、佐藤は《神話》の世界を離れ、《歴史》、ことに二・二六事件、満州国の建設と崩壊、阿部定事件など、革命の可能性を含んでいたと思われる事件、また昭和という時代を特徴づけた事件を核にして、現代史を劇的な世界として選びとった。

第四期は一九八〇年以降、「夜と夜の夜」（一九八一）、「タイタニック沈没」（一九八六）、「ゴゴを待たせて」（一九九一）など必ずしも成功したとはいえない作品が多い。少しずつ劇作を離れていった佐藤は演出、主としてオペラの演出に専念するようになり、九七年以来世田谷パブリックシアターの芸術監督をつとめてきた。

鈴木忠志
決定版・台本
「劇的なるものをめぐって・II」

初出　早稲田小劇場＋工作舎編『劇的なるものをめぐって――鈴木忠志とその世界』工作舎　一九七七年
初演　（「白石加代子ショウ」と副題がつけられたアトリエ公演No.IIとして）早稲田小劇場　一九七〇年五月一日〜二〇日　二十七日
構成・演出　鈴木忠志。出演　白石加代子、蔦森皓祐、斎藤郁子、小野碩ほか。
なお、ここで扱う出版台本は、未上演。

斎藤偕子

1

一九六〇年代に既成の現代演劇とは全く異なる地平に現われた寺山修司、鈴木忠志、唐十郎、佐藤信らは、劇団を率いて独自の創造活動を行なった同時代演劇人である。彼らが時代を画したのは、一つには、各自その時その時の活動の方向性に一つのヴィジョンを描き、何よりも強力なリーダーシップをもってそれを具現する実行力の持ち主だったからであろう。しかしそれ以上に、やはり活動の内容自体が既成演劇に与えた衝撃力によるのだ。『劇的なるものをめぐって』シリーズは、その意味で鈴木の代表作であると同時に、当時の世界の前衛演劇の潮流を代表する日本の作品なのである。

右の四人の中では、鈴木と寺山はとりわけ西欧型のインテリだ。広範囲にわたる読書量の多さ、新しい思想もきちんと客体化して受け止め、それらも踏まえて自らの理念を構築し、創造活動も相対化して論理的に語る。それゆえ同時代人としての彼らの仕事が、比較的抵抗なく西欧社会でも受け入れられやすかったのでないか。また鈴木の場合、行動は常に過剰なばかりの内省を伴っていること、そしてそれが意識化され、繰り返し新しい目標が定められて次のステップへと移行されていく。しかも寺山が、戯曲を書く以前から叙情詩人として認められており、なにより文学活動と地続きで劇作を始めた作家であったのにたいして、鈴木は、唐、佐藤と同様、初めから劇団と密着して創造活動を行なってきた根っからの演劇人であった。特定の人びとからなる劇団を、一種の運命共同体のようなつながりを持つ集団とすることで、創造の全活動の場としてきたのである。

もちろん、鈴木忠志を唐や佐藤のように単純に劇作家＝演出家と呼ぶことはできない。普通の意味での戯曲作品を書いて、自分で演出するということはなかったからだ。彼は、まず演出家だった。早稲田小劇場を結成した当初には、劇団員の別役実の作品ほか、佐藤信や唐十郎に執筆を依頼し、その作品を演出した。彼の演出で初演された数少ない現行作家の作品のうち、別役実『マッチ売りの少女』と唐十郎『少女仮面』がそれぞれ岸田国士戯曲賞を受けている。このことは、彼の作品にたいする識別力を証すると同時に、彼の演出と劇団俳優により生み出された舞台の強力な演劇性が作品自体の価値を世に注目させたこともあったのでないか。いずれにしろ早くから備わる鈴木の鋭い演劇的な感性に基づく演出力と集団指導力は、『劇的なるもの』シリーズの原動力にもなった。

それにしても別役は劇作家として自立する道を志向しており（六九年には正式に劇団メンバーから外れる）、そのこともあって、劇団を率いる演出家としての道を貫くに当たり、鈴木は最初の大きな発想転換をおこなっている。つまり、座付作家に頼らないで活動を持続するために考えるべきことは、もはや戯曲に依存することではだめで、集団の在り方を変えることであり、そこから見えてくる方向をつかまなくてはならないと切実に考えるようになっている。[1] そして演劇現場の演出家として絶対に必要なのは、まず俳優との徹底した創造作業であるという自覚から、新たな冒険の旅立ちを始めていた。彼はこのように書いている。

演劇作品の持つ現場性を徹底的に信ずること、演出家として俳優と、いわば寝食を共にするところから、コトを始めなければならない。わたしはわたしのあらん限りの記憶や演劇的知識を動員し、かつ劇団員に一公演二ヵ月にわたる共同作業を稽古として要求することによって、そのことを果たしてみようとした……〈既成演劇論や既成作家の作品など〉寄りかかるべきものをもたないで、いったいわれわれ舞台人である演出家や俳優に何ができるのか、そういう集団的初心に立ち返った苦しさが生んだものが、この『劇的なるものをめぐって』シリーズなのだ。

……このシリーズは世俗にいわれるように演劇的実験などというものではなく、われわれ独自の方法が生んだ立派な舞台作品だと思っている。[2]

その後も鈴木はさまざまの局面を持つ活動を続けるが、舞台作品としての『劇的なるものをめぐって』は、彼の全演劇活動、そして早稲田小劇場の原点になる。「私じしんのものであると同時に、これにかかわった人たちひとりひとりの作品であるだろう」「集団的行為の自己増殖性が生んだ舞台だとしかいいようがない」と鈴木は述べる。[3] ただ、過程において集団創作なしにあり得なかったものの、最終的には鈴木の責任において決定されている。彼の舞台作品であると受け止めていいわけだ。

『劇的なるものをめぐって』シリーズはIからIIIまであり、一九六九年にI（副題「ミーコの演劇教室」、改訂版とで二版）が、翌一九七〇年にII（副題「白石加代子ショウ」）とIII（副題「顔見世最終版」）が初演されている。IIは代表作として再演あるいは地方公演が繰りかえされ、とくに一九七三年には『其の三　劇的なるものをめぐってII　改訂版　白石加代子抄』(「其の三」というのはこのシリーズと関係なく一連の劇団公演に付していたナンバー）と題されて上演された。この七三年版と初演の七〇年版を基本に、改めて構成して活字化されたのが「決定版・台本『劇的なるものをめぐってII』――鈴木忠志構成・演出」（一九七七年）である。出版にあたり鈴木は、その時点で上演するとしたら、こうなるであろうというあり方にした、したがってこの構成で上演されたことはない、と前書きで述べている。[4] しかも、この台本には鈴木自身の手になる詳細な注が付されている。つまり、引用されたせりふの出典、細かい変更や付加されたせりふに関する注、それだけでなく、人物の動き、音楽、照明、小道具への言及、さらに鈴木自身の所見、意図、理念などがかなり踏み込んで記されているのだ。台本ではあるが、読者に、より視聴覚的で具体的に、より内容的に深く、作者の世界に導いていこうと意図されている。その意味で、独自の出版形態をとった鈴木の作品となっている。以後、彼の創造した舞台作品が台本として一般に出版されたものは、『王妃クリュタイメストラ』以外に私は知らないし、まして、このようなかたちで公表されたものはない。

2

それにしても、周知のようにこの作品は、ほとんどが出典のある引用から成り立っている。しかし創造過程で、コラージュという発想はなかったという。「単に俳優の可能性だけを引き出すということでなく人間が集団になって初めてでてくる変なものに、どういう言葉を与えて顕在化し、違う次元に投入するか」、「これは戯曲＝言葉をつないだんじゃなくて肉体をつないだことなんですよ。みんなコラージュだとか断片をつないでいると言うけど、そうじゃない。これだけいろんなボキャブラリーが入って不自然でないのは、集団の肉体感覚でつながっているからなんだ」と鈴木自身で強調している。[5] 台本にアプローチする場合も、この基本は踏まえなければなるまい。

さらに、個人俳優にもまつわることだが、上演の時には副題がついていて、そこに白石加代子の名前が入っていた。言うまでもなく彼女があってこそ舞台が成り立っていたことは、鈴木自身が真っ先に認めてきたことだ。しかし、白石の存在を目前にできない台本の場合、白石を誤解していたり、あるいは彼女の舞台を見たことのない多くの読者は、彼女を個人の人間とか単に一個人俳優としてイメージしてしまいがちだ。白石加代子は固有名詞だが存在としては個人ではないのである。劇団にとって、キラキラしたものを持っていながら生き方でも表現の仕方でも不器用で出せない人がいっぱいいる、そのシンボルが白石だという。その集団の感じ方の演劇的成果が、白石との共同作業だ、「だから早稲田小劇場は、白石加代子があれだけ一人で脚光を浴びても、白石を共同の幻想にできた」。しかもこれは、二度とできないような（と鈴木自ら認める）厳しい、緊迫した、集団が緊密な感覚でつながった稽古を通してしか得られなかった。白石が「自分たちの感じ方のシンボルのように頑張ってくれてる」と、鈴木自身が述懐しているような創造のための稀有の現場があったのである。(6) 台本では副題を出さなかったのも、この辺の誤解をさけようとしたのであろう。もちろん、白石の早稲田小劇場での舞台を一度でも見たことのある者に、彼女のイメージがつきまとうことは当然だ。だが、そういう者にも、副題を取り除いたことにおいて、ある種の客観的な読み方を求めていることを明確にしたと言えまいか。彼女のイメージはシンボルとして受け止め、その立脚点から台本全体の構想を把握する必要がある、ということだ。

しかし、それにしても、と、やはり疑問が出てくる。シンボルであるとか、シンボルのように、ということは台本においてどういうことか。構想などということばを使ったが、実質としてどう受け止めていいのか。つまり舞台そのものと、どうつながってくるのか。舞台作品そのものは、まず第一に、鈴木自身の言う意味で、少なくとも役者なしに考えられない。その上で肉体感覚でつながった集団の産物をどういうくくり方をするか、それが集団の産物にも初めから深く関わってきた演出の最終的な仕事だった。ところで台本は、本来この演出の部分と関わって生みだされたのであり、構想ということも、それに伴ったことである。(白石の名前もその意味でテクストの中や注では用いられている。)それでも台本として活字化されているということは、台本が舞台から切り離されたという点において、舞台上でシンボルとして機能する白石とも切り離されており、構想というものも、早稲田小劇場が歴史の一時点で成し得た集団的肉体感覚とも切り離されている。それゆえ、いくら詳しい説明があっても、それ自体観念にすぎないと言えないのか。そうだとすると、台本を前に、作品を考察するということに、どのような意味づけ、あるいは弁明をしたらよいのか。このように考え始めると手が出なくなり、活字台本という資料を提供したこと自体、批評家や研究者にたいする鈴木のおそろしい挑戦かもしれないと思えてきたりもする。舞台から何も本質を見ないで、活字をいじって安心している人間にたいする。

しかし、やはり台本を彼は残した。要は、舞台を想定した考察をしながらも、台本は舞台と異なることを自覚しておくこと。とくに成立過程において特殊でそれ自体も特異な台本を扱う場合、銘記しておく必要があると答える以外にない。この点で注は、鈴木自身もそれなりに真剣に配慮していることを示している。他人の引用からなるテクストを、少なくとも既成概念に頼ったり、役者の肉体の文脈を無視したりして読むことを止め、彼のヴィジョンに誘導するために用いる。台本のレイアウトとしても、中央にテクストを、その上段と下段にそれぞれ注のための段を設けて活字が組まれている。上段では、出典、字句の変更などのほか、具体的に演技、衣装、小道具、音楽、照明などの指示がある。下段の注は、主として引用してきた作品、あるいはその個所に対する演出家の意図、あるいは内容への所見が記され、全体の構想への示唆に富むコメントとなっている。

作品全体は、異なる引用文献による十場からなる。鶴屋南北、泉鏡花、都はるみの歌、岡潔という日本の出典のほか、ベケットの引用がやや異色な感じで連なっている。鈴木が前書きで記しているのだが、これらを共通項でくくるとしたら、いずれにしろ「日本語である」、あるいは「早稲田小劇場という集団によって、偶然舞台化される契機をもった言語群」とでもいう以外になく、それぞれが反発したり響きあったりして、「全体のテーマ――潜在性としてある日本人の情緒的心性をあばくように構成されている。[7]」舞台には薄汚い障子が雑多に吊るされ、汚れた畳が裏返しに立てかけられている基本的な装置がしつらえられ、各場面の前後などで、時折われわれ日本人がどこかで聞いたことのあるような歌謡曲が流れてくる。障子、畳、歌謡曲――どれも日本人の感覚の深みに訴え、感情をざわめかす役割を果たしている。

3

ところで、テーマにはなじまないような外国の翻訳劇、ベケットが持ち出されているということは、どういうことであろうか。しかも、冒頭の場面と、それにつづく一連の場面で、南北の二場面が重ねられながら、用いられている。ベケットのもっとも知られた『ゴドーを待ちながら』からの引用である。記録によると鈴木は初演に先立つ一九六九年に、NHKテレビで『ゴドー』を演出している。それがどのようなものだったかは見ている幸運者以外に分からないが、しばしばベケットの名を出す鈴木はこの作品に関心があったと言える。しかも、その後も彼の舞台から、ベケットにたいするこだわりを推察することも可能だ。『劇的なものをめぐって』の中で『ゴドー』が作品にとけ込んでくる様子は、彼の関心のあり方の最初の具体例を提供していると言える。それにしても台本に付された注自体が『劇的な』の作品論を成しているので、ベケットに関する個所も注意深く読めばそれに加える説明はほとんど必要ない。ただ、注で強調されていることを確認しながら、全体の視点で押さえておくことも意味がないとは言えまい。キーワードを拾いながら、冒頭場面を取り出して検討して見よう。

二人の登場人物の片方が、靴を脱ごうとしている有名な冒頭の場面から『劇的な』の場面も始まる。上段の注によると、名前はどちらでもいいのだが、靴を脱ごうとしているほうは「オモチャのカメラを首から下げ、手品用のバネ花が入ったボストンバッグをわきに置いている」、もう一人は「背中に人形を背負い、腰に哺乳びんをぶらさげ、しゃがんで、金太郎の腹がけを洗っている[8]」。ト書きにも記されているように「どこか懐かしい記憶にあるような、日常的な風景」であるが、その後鈴木はギリシア劇などを演出するときにも、「懐かしい記憶にあるような」「日常的」イメージを用いた。それについて、下段の注を見よう。「人生では我々は常に、自己の周辺しか体験しない。これを、我々が生きているのは日常性あるいは擬似現実でしかない、といっていいかもしれない」と述べ、さらにオモチャや人形などを使用することに関連させて「擬似現実をこうして遊ぶ人たちこそが擬似現実を現実として生きているのではないか」[9]という。これは鈴木の演技についての哲学ともなるキイワードである。

ところで、しばしばベケットについては、現代世界の人間が劇的な行動を失った状態を描く作家だと言われ、『ゴドー』の登場人物が「待つ」ことしかしていないのは――していることはゲームにすぎないと指摘されている――、そのような劇(ドラマ)的なものの喪失の投影である、というように語られてきた。鈴木忠志は、そのことに真っ向から疑義を投げ、対極的なテーゼを提起する。

> 待っている人間は退屈しているわけではない。本来、待っている人間の内面ほど劇的なものはない。待っていると、何がやってくるか、ことばがやってくる。時として潜在意識の彼方から妖怪がおどり出てきたりする。それを怨念と呼ぶ人もいる。私にとってそれは狂いであった。狂気ではない。狂いとは身体の遊びである。……これが演技というものであり、この舞台の主音調である。[10]

鈴木忠志が自分の舞台でベケットにこだわることには、ベケットから劇的なものを引きずり出して見せたい、という堅い執念の核のようなものを感じさせられる。演劇活動の出発点で日本の不条理作家と呼ばれる別役にかかわったことも、一つの動機になったかもしれない。それは、やすやすと近代をやり過ごしてポストモダンなどということを云々する俗論への反発、古来人間の行動を突き動かしてきた劇的「感覚」の原点に、あくまでもこだわろうとする意思でないか。そして鈴木の創造活動を通して最後まで変わらない何か、たとえば一九九〇年の『デュオニュソス――様式の喪失をめぐって』などでも明確に打ち出された何かである。こうして、彼は「待つ」ということに通じる内面の劇的なもののよすがにしたのが、「忍ぶ」「未練」「胸にたたんだ義理」などということばにまつわる日本人の情念なのである。その情念の浸透した身体の表現性、つまり身体の日常性と情念の軋轢を止揚することにおいて探った。つまり『ゴドー』の登場人物が「演じ」ているゲーム同様、このような情念が「演じ」られる遊び＝虚構においてなのである。

これが、全体の構想において、冒頭でベケットに始まり、そのベケット場面によってほかの日本の文献からの引用が導き出されてくるというモチーフを成している謂いだ。

最初に靴を脱ごうとしているエストラゴンと背中の赤子をあやしながら洗濯しているウラジミールのせりふのやりとりが、ほぼ原作にそって行なわれ、エストラゴンの「もう来てもいいはずだからな」というせりふがふと口を出る。そのとき折り重なった障子の陰から掛け声があり、戦前の流行歌『むらさき小唄』が鳴り、男装姿の「白石加代子」が登場、ミエをきる。この場面は明らかに「白石加代子ワンマン・ショウ」仕立ての「芝居」場面になっており、「雪之丞変化」を扱ったこの流行歌はその主題歌だ。（劇中では三回用いられる。）ここで南北の『桜姫東文章』の一場面、白石演じる清玄が出刃包丁を取りだし妹の桜姫に恋をあきらめろと迫る場面が演じられるが、ワンマン・ショウよろしく桜姫のせりふは洗濯しながらウラジミールが言い、エストラゴンはトランクから出したバネ花で飾り付けをして、オモチャのカメラを向けたりしている。最後に白石が包丁をかざして引っ込むと、ふたたび二人のせりふに戻る。二人に戻ったときの最初せりふ「おかげで時間がたった」「そうでなくたってたつさ、時間は」は、『ゴドー』の原作ではポッツオとラッキーという奇妙なペアーが去った後のせりふである。このことから、白石のショウが原作の奇妙なペアーの登場場面に取って代わったものだったと考えてよい。それこそ、「待つ」主人公らの内面に沈潜した「劇的なもの」が吹き出した場面だと、鈴木は示唆したに違いない。ふたたび白石が登場してきたとき、二人で「またはじまった」と述べ、また彼女のショウに加わる。彼女は今度は『隅田川花御所染』の清玄尼となって出てくるが、その芝居狂いの演技（彼女の狂っていることが、過剰なばかりの遊戯性であることを示す場面）につき合って二人も芝居をする。しかし、彼女の過剰さに覚めてしまったのだろう、二人は身の周りの道具をもって退場する。それと共に、ベケットからの引用も終わるわけだ。

　引用は終わるが、劇全体の基本的な方向性は残された。一つはせりふとは関係なくとも、登場人物はけっして抽象的な人間でも日常性の欠落した存在でもないことを体現して登場すること。そしてもう一つは、全体の構想の発端として、内面のドラマを引き出す扉を開いた。つまり、待つ人間が遊戯する人間であり、その遊戯性でしか表象されない生のリアリティ＝情念の内なる燃焼を連鎖的に引き出してくるきっかけを与えたのである。

4

このように、いったんベケットによって触発された情念は、そのまま噴出しつづける、というのが後続場面の構想だ。ウラジミールとエストラゴンの去った舞台に残された白石＝清玄が、薄暗い舞台に残り出刃包丁を研ぎ始める。その不気味な行為の中で、恋の愛憎の思いをつぶやいている。こうしているうちに次第に高まる情念は次の連想を呼ぶ。これに沿って、白石が変身しながら次の引用からまた次の引用へと場面も移っていく。解説や解釈はもはや注を読むことに任せるが、出典に主として南北や鏡花が選ばれているのは、鈴木がたびたび述べているように、これらの作家たちのせりふが、なによりも肉体のことばであって、活字のことばでないことを、経験として知っていたからである。

　それにしても、恋しい思いに身をよじりながら、本物の出刃包丁をもてあそぶ行為、両手にはめられた鎖でからだを縛る行為、沢庵を切って切って口いっぱいに頬張り喋る行為、排泄行為、子供を相手に夫を演じさせ無理難題で迫る行為、など、原文からは結びついてこないような行為が、非常にラジカル（根源的で急進的）に役に与えられている。「ことばと身体行為のずれを見せることによって、ことばにちがったひろがりをもたせると同時に、それを喋っている人間の内部の、みえないドラマを鮮烈に想像させる」[11]と鈴木は述べているが、役者は与えられた役の矛盾を相対化して自らの存在に賭ける以外にない。右にあげた行為とせりふのずれは顕著な例だが、舞台で有効に機能させるためにも、早稲田小劇場の厳しく苦しい集団的稽古期間があったのだろう。

それにしても表現において、このように俳優に演じることを迫り、俳優が役にそのような迫り方をすることは、かなり過酷なことである。それにつけ、欧米で彼の得た評判とからめて、ポーランドの演出家グロトフスキ（Jerzy Grotowski）と、今は亡きチェスラック(Ryszard Cieslak)のことを思い出す。自ら率いる劇団（演劇実験室）の独自の小さな舞台づくりで、現代においてグロトフスキほど演技の本質に肉薄した演劇人はいないと、すでに六〇年代末から欧米では言われていた。そのグロトフスキの演技法を具現したと目されたチェスラクは、近代的自己の皮を剥ぎ取り肉体の苦痛と屈辱を経て、ある瞬間に存在の内奥から現われる魂の輝きを開示したとか、神話的根源に触れた、などと言われたりする。[12]鈴木がグロトフスキと出会うのはこの舞台が初演されたあとのことであろうし、じっくり話し合ったのは一九七三年にグロトヴスキが来日した折が始めてではないかと推察するが、彼らの模索した道、すなわち、白石とかチェスラクというシンボリックな俳優の肉体の闇を押し分けるようにして、われわれにとって今必要な演劇的表現の再発見を目指した厳しさに、共通性を見るのである。互いに遠く離れて、同じようなことを考え、彼らの集団のなかで追及していたことは、やはり世界的な変動期にあった時代状況から感じとっていたものが、深いところで共通していたためではないか。役者の表現への探求がグロトフスキの創造した舞台と切り離すことができないように、それは鈴木の舞台にかんしても言える。その意味でも、鈴木の普遍性を見るのだ。台本も無縁とは言えまい。

台本の場面に戻るが、最後の『阿国御前化粧鏡』の場面にはいる前に、黒いマントに高下駄、軍服姿（マントの下は赤褌）の男が立ち、岡潔のエッセイ「日本人のこころ」の抜粋が語られる場面がある。注でエリアーデなどが引きあいに出されているが、神の子孫の日本民族論は、ここでは原初的であるよりも狂信的な何かを表わすパロディとして用いられているのであろうか。衣装、高下駄などは、白石が演じる女たちの情念の対極としてある男性たちの思想を表わしていると考えていい。ただ、この短い部分が作品全体において効果的なメッセージになり得たかは、多少疑わしく思わないでもない。

しかし、それに続く最終場面と抱き合わせて考えると、やはり必要な場面だったとも言える。恋する男に裏切られた阿国のせりふに誘われて女たちの亡霊が舞台に現われる。ここではせりふもかなり原文が変えられているのだが、抑圧されてきた女の情念がたちのぼり、鈴木の言う作品全体のテーマ性——潜在性としてある日本人の情緒的心性をあばく――が、「身体的」に、照射される。

『劇的なるものをめぐって』の舞台の論評については、台本の掲載された『劇的なるものをめぐって――鈴木忠志の世界』にほぼ収録されている。ここで本論の結論を示すのにあたって、そこから引用したい。本論は台本が対象であり舞台ではないと述べたが、やはり、舞台あってできた台本であり、舞台を演じた役者の創造を想定して記された台本だからだ。渡辺保は、こう述べている。

……もし鈴木忠志の方法が虚構を相対化することによって成り立っているとすれば、それはまさにその事実そのものによってかつて虚構の向う側にあった力の存在との断絶を意味している。その断絶の部分だけ深く俳優は自己の内奥にのめりこみ、作品はその俳優の内奥に作品そのものの中心を求めようとして、閉鎖的になる。(13)

渡辺保は、結論として鈴木が俳優とはなにものかという演劇の原点の問いかけからはじめて、現代の人間存在の原点に至った、と結んでいる。しかし、これは逆ではないか。つまり、現代の人間存在の演劇的原点を問うことからはじめて、俳優の原点にに至ったのでないか。ここで、この作品がベケットに始まったことをもう一度思い起こしてみよう。ベケットが提起した現代の人間存在の待つという行動にむけて、鈴木は演劇の原点＝劇的なるものを問いかけることからはじめて、俳優という演劇の一つの原点を問うことに向き合ったのでないか。しかし、この作品を通じて、俳優という虚構のかなたに何かを見つめ得たのだろうか。渡辺の言う「断絶」を越えられたと信じたのだろうか。鈴木が『劇的なるものをめぐって』シリーズをIIIで打ち切ったのは、同じ事を繰り返すだけで今のものを越えられないと見極めたからだ、と述べている。それでもそれ以後の彼の活動を見ると、ある意味でベケットの問いかけを追うことは続けている。俳優への問いかけのみの問題で、このシリーズに見極めをつけたのではなくて、現代における「劇的なもの」への新しい取り組みが必要だと思ったからではないか。グロトフスキは、俳優のほんものの演技を追及していくうちに、ある時点で演劇を放棄して人間そのものの開放のセラピーのようなものにのめり込んでいった。しかし鈴木が追及してやまなかったのは、あくまでも演劇の原点としての俳優への問いであり、それは現代における劇的なるものへの問いだったのだ。

鈴木忠志「劇的なるものをめぐって・II」

注

(1)鈴木忠志＋別役実「早稲田小劇場の誕生をめぐって」、『劇的なるものをめぐって――鈴木忠志とその世界』早稲田小劇場＋工作舎編、工作舎、一九七七年、五七頁。
(2)鈴木忠志『内角の和』而立書房、一九七三年、一二〇、一二一頁。
(3)同、一二一頁。

(4)『劇的なるものをめぐって――鈴木忠志の世界』七四頁。
(5)インタビューによる「鈴木忠志独演三〇六〇〇秒、第三幕・深さと拡がり」別冊新評『鈴木忠志の世界』新評社、一九八二年、八〇、八二頁。
(6)同、八二―八七頁。(単に白石の事のみでなく、作品の創造過程に関するかなり詳しいコメントがある。)
(7)『劇的なるものをめぐって――鈴木忠志の世界』七八頁。
(8)同、八〇頁。
(9)同、八六、八七頁。
(10)同、八一頁。
(11)同、一三三頁。
(12)あらゆる彼についての論文や研究書でこれについて触れていないものはないと言っていいが、便利な研究書を一冊あげる。R. Schechner and L. Wolford, *The Grotowski Sourcebook*, London: Routledge, 1997.
(13)渡辺保「演劇の原点」『劇的なるものをめぐって――鈴木忠志の世界』二〇〇頁。

〈参考文献〉

(テクストを含む) 早稲田小劇場＋工作舎編『劇的なるものをめぐって――鈴木忠志とその世界』工作舎　一九七七年。
鈴木忠志『内角の和――鈴木忠志演劇論集』而立書房　一九七三年。
別冊新評『鈴木忠志の世界』新評社　一九八二年。
『鈴木忠志対談集』リブロポート　一九八四年。

鈴木《すずき》忠志《ただし》（一九三九・六・二一～　）

静岡県清水市生まれ。中学三年で単身上京し下宿生活を始めるまで、幼少期は故郷の清水市で過ごす。私生活についてはほとんど語られていないが、生家は襖を開ければ全部が平面になる日本家屋だった。その構造に結びついて、家族と近所づきあいがあるという感覚、血縁というものの暖かさと陰湿さ、それにまつわる沢庵の匂いと畳の湿った匂い、このようなものが幼いときから培われた自分の日本だ、それは自分にとって愛憎両方ある宙吊りのような感情で、朗らかに語ることなどありえない、と彼はのちに述べている（別冊新評『鈴木忠志の世界』一九八二年）。しかし、「個室に住む自由」への憧憬を持って始めた早過ぎる都会の下宿生活で、なによりも彼が味わわされたのは孤独だった。飛鳥中学、北園高等学校を卒業、一九五八年早稲田大学経済学部に入学する。

大学入学後、なんということなく入った学生劇団自由舞台で初めて演劇と関わりをもち、別役実、小野碩らと知り合う。チェホフ、A・ミラーほか、別役の処女作などを演出する。ただ、演劇よりも政治に明け暮れていたような劇団にずれを感じていた。そこで、一九六一年、別役、小野らと早稲田小劇場の前身ともいうべき新劇団自由舞台を結成、翌年別役実作『象』を俳優座劇場で、『AとBと一人の女』を砂防会館ホールで上演する。サルトルやウイリアムズも手がけているが、もちろん全ての演出を担当した。一九六四年大学を卒業。

一九六六年、別役、小野らと早稲田小劇場を結成、五月にアート・シアター新宿文化にて別役実作『門』をもって創立公演を行なう。同年、常打ち小屋「早稲田小劇場」を落成、十一月落成記念に別役実作『マッチ売りの少女』を上演して注目される。同年暮れには白石加代子ほかが加わる。十年後の一九七六年に家主との契約が切れて転出するまで、喫茶店の二階の小さな劇場は、演出家＝劇団主導者としての鈴木を中心とする若い前衛的な劇団の活動拠点となった。

鈴木忠志が公の演劇活動を開始して、いわば第一期と呼んでもよい十年間に、まず同時代作家の別役の初期代表作ほか佐藤信『あたしのビートルズ或は葬式』(六七年)、唐十郎『少女仮面』(六九年)が、彼の演出で初演された。しかし、彼の独自性を発揮し、本当に新しい演劇旗手の一人として早稲田小劇場の名と共に注目されたのは、六十九年の『劇的なものをめぐってI――ミーコの演劇教室』(四月)、『劇的なものをめぐってI』改訂版(十月)に始まる劇作家のいないの同名シリーズの舞台であった。(別役は同年八月に退団。)とくに、『劇的なものをめぐってII――白石加代子ショウ』(七〇年)は、高く評価され、手を加えて何度か上演されている。希代の女優の力を引き出し、斬新な構成を持ち、彼の演劇観の原点ともなった。言い換えるとこのシリーズもので鈴木は、戯曲・小説・随筆などから引用した短い場面や歌謡などを自在につなぎ、表現者＝役者の肉体を通して現出される劇的磁場ともいうべき空間を創造した。その後の彼の創造活動は、古典などの一作品をもとにした場合も含めて、このような独自の構成・演出による舞台づくりが中心となった。それらは、彼自身の日本人としての感性に彩られ、日本人の共有する肉体感覚やそれに基づく人間関係の演劇的表現を追求した、まさしく彼の作品である。その意味で、彼は、単に演出家であるということを超えており、劇場の作者であると呼んでいい。

この時期は彼が世界にはばたいていく時代でもある。一九七二年にフランス政府主催「テアトル・デ・ナシオン」、七三年「ナンシー演劇祭」、七五年ポーランド政府主催「テアトル・デ・ナシオン」にそれぞれ参加、世界の注目を集めるようになる。また、七四年、岩波ホールの芸術監督となり、第一回公演に、エウリピデス原作の『トロイアの女』をもって伝統演劇、新劇、前衛演劇などという枠を越えた一級の俳優たちによる競演舞台を実現する。これは第三回公演の『バッコスの信女』(七八年)にも受けつがれる。一九七五年には『アトリエNo. 3 夜と時計』の構成・演出により紀伊国屋演劇賞・個人賞を受賞する。

一九七六年、これまでの常打ち小屋を転出した早稲田小劇場は、富山県利賀村に新しい拠点「利賀山房」を開場する。ここからの活動を第二期と見よう。この隔離された空間で、劇団員のみでなく観客も含めて日常性を共有し意識化しながら、彼の演劇観を深め表現を方法化する道を探っていった。開場記念に彼の『宴の夜』ほか獅子舞、能などが上演され、以後毎年夏に、

鈴木忠志「劇的なるものをめぐって・II」

このようなジャンルを越え他劇団公演も含めた夏の「利賀山房」上演会が開かれる。八〇年には磯崎新設計の新しい「利賀山房」も完成。一九八二年に利賀村に「国際舞台芸術研究所」を設立。その設立記念として「利賀フェスティバル'82・第一回世界演劇祭」が内外の著名な前衛演劇人の参加を得て開催され、以後、毎夏の七、八月にフェスティバルを開催、内外の人々を引きつけている。一九八四年早稲田小劇場は旧名を廃して新たにSCOT（Suzuki Company of Toga の略）と名乗るようになり、名実共に鈴木忠志の主催する上演組織であることを明確にした。

その間、彼の海外での活躍もますます活発になる。舞台そのものへの関心のみでなく、白石加代子に象徴される俳優を生んだ彼の訓練の方法が注目されるようにもなり、利賀山房でのワークショップには海外から参加者が集った。一九八〇年ウィスコンシン大学に招かれ演技の授業を担当したことを皮切りに、その後ジュリアードスクールなど大学で教えるほか、劇団その他の組織の主催するワークショップの講師をつとめ、彼の演技方法を広めていった。その方法論が「スズキ・メソッド」として広く知られるようになったのも、この頃からのことである。

利賀村を彼の活動の拠点としたのも、空間に魅せられたこともあるが、東京では得られない観客との交流も含めた演劇公演というものの「ほんものの」あり方を、模索することがモチーフとなった。これは、彼が直接・間接を問わず接するようになっていた欧米のラディカル（先進的かつ根源的）な芸術家、文化人たちが抱いた関心と重なるものがある。その点から一九六〇年代以後の世界の前衛の一翼を、彼は日本のルーツを押さえながら担ったのである。

一九八〇年代後半になると、周知のように日本では自治体による芸術の拠点づくりが盛んになる。その一つ、水戸芸術館の設立準備の運営会議にメンバーとして加えられていた彼は、一九八八年水戸芸術館演劇部門総監督に就任。同年と翌年の開館プレ企画としてSCOTによる『王妃・クリテムネストラ』、『リア王』が上演された。この頃から以後の彼の活動を第三期としよう。水戸で総監督を引き受けたことは、東京一極に集中しがちな文化のあり方にたいする疑問を、地方に活動を起こすことでどのように解消できるかという問題意識をもってぶつけ、彼なりに挑戦の第一歩を踏み出すことであったのだろう。一九九〇年の開館記念第一弾として彼の構成・演出になる『デュオニソス——様式の喪失をめぐってI』が上演されているが、同年のオープニングフェスティヴァルでは、東京の劇団が中心とは言え関西や地元の劇団も参加し、もっともアクティヴなグループによるプログラムが組まれ、彼の芸術監督としての仕事も始まっていた。

このあと、彼は一九九八年に静岡県舞台芸術センター芸術総監督に就任、翌年にはここを拠点として、芸術監督として第二回シアター・オリンピクスの日本開催を実現した。

もちろんシアター・オリンピクスにおいても、彼は世界から集まった現在活躍中の著名な劇団などによるメインプログラムに名を連ね、『シラノ・ド・ベルジュラック』の構成・演出舞台を創造している。ただ、第三期になって彼の創造した舞台自体が、日本の演劇界、あるいは水戸とか静岡の演劇界に、新たな波紋を起こしたかと問うことは、あまり意味がないかもしれない。時代状況の変化もある。かつての早稲田の小さな貧しい劇場での活動が与えた種類の衝撃力は、不在である。この期にはすでに象徴的な存在であった白石加代子も劇団を去っていた。しかも、彼の活動の重点自体が、一方で国を越えて自らの演技方法あるいは演劇理念の実践者として貢献することに、そして日本では野心的な自治体がらみに企画制作も含む芸術総監督としての仕事に、むしろ移っているように見える。その点から、六〇年代の小劇場運動以降に輩出した現代演劇の旗手の中で、彼の右に出る力量を持つオーガナイザーはいないと言えよう。

日本の現代演劇の歩みのなかで、鈴木の全仕事を一つにくくって位置づけることは難しい。ただ、彼の創造活動に絞って述べると、一九七〇年前後に創造した舞台は、彼の原点となると共に、斬新で具体的な成果を提示することで衝撃を与えた。当時新しく台頭してきた非新劇的な前衛演劇のなかでも、演者の肉体表現としての舞台のリアリティを追求した点で、舞踏の土方などにもっとも通じる。日本人が築いてきた演劇的感受性を探り、それにわれわれの日常的営みの切片をショートさせることを通して、劇的なものをめぐる虚構世界の真迫力を現出させた。それと共に、自らの舞台創造の基本的な姿勢を意識化し方法化することで深めた。このような点で、彼は他にはない足跡を残したと言える。

唐十郎

「二都物語」（二幕）

初出　唐十郎『二都物語・鐵假面』新潮社　一九七三年
初演　韓国ソウル西江大学内　一九七二年三月十四日　東京上野不忍池水上音楽堂　四、五月。ほか広島、京都、岐阜、札幌、仙台、宇都宮　四～八月
演出　唐十郎。出演　唐十郎、李礼仙、大久保鷹、根津甚八ほか

斎藤偕子

1

一九六〇年代後半、唐十郎は自ら率いる劇団状況劇場のために、つぎつぎと新作を書き、活発な上演活動をおこなっていた。だが、当時の劇概念からは縁遠いような作品そのものもさることながら、その上演をめぐっても物議をかもし、あるいは特定の芸術家たちを魅了し、周知のように世間に話題を提供していた。ところが作品と舞台の内容に関しては、少なくとも新劇を中心とした当時の既成の現代演劇界は、未だほとんど無視しているようにみえた。その唐十郎が一九六九年度の岸田国士戯曲賞を翌七〇年一月に受賞したことは、多くの人にとって一つの驚きだったのでないか。たしかに、その一、二年前から唐の作品は急速に初期の習作時代を抜けて独自の小宇宙を展開しつつあり、それを生かした内容の濃い舞台に注目は集まるようになっていた。しかし言葉やモノのイメージが連想を呼び、さらに連想を拡げて、既成の時間、空間、アクション概念を破っていく作風は、とにかく破格だった。ただ、受賞作が状況劇場のために書かれた作品ではなくて早稲田小劇場のために書かれた『少女仮面』であったことは、主流劇作家の登竜門としての賞の性格を考えると、それなりに頷ける。後年唐は、他の演出家などの要請に応じて書くことと自分のテント劇団のために書くことで作風が異なってくることを、二つの面から示唆をして語っている。

〈鈴木忠士はじめ劇団外の演出家などのために書く場合〉何とか相手の期待におこたえしないといけないと思って。しかも、これはぼくの支配できない他人の領域だから、こうだろうかな、ああじゃないだろうか、こうすれば成功するんじゃないかな、と思いながらポンと放り出したものが、ウェル・メイドになりますよね。……

劇場空間とテント演技の空間とでは違うんだよね。というのはね、テント劇場の空間ていうのは、外は騒音が多いでしょ。……ちょっとしたつぶやくような長ぜりふっていう

のは効かないんですよ。そうすると、短くて、世間の音に勝てるような、一言で叫んで一言で勝ってしまうようなせりふでもってつなげていくんですよ、どうしても。……いつもジャンプしているわけ。そういうことを荒事につなげていくわけですよ。[1]

もちろん唐の場合、ウェル・メイドになるといっても、既成概念で言うウェルメイド・プレイを想像するとかなりイメージはずれてくる。ただし、人物が絡み繋がりながら一本となってアクションを展開させていき最後に円環を閉じる劇構造と、それにそって個々の役のキャラクターを描きこむという点において、土台は近代劇の手法に近いことを明確にした、ということは言えようか。言いかえると、そのように書き込むことによって、作者は、自分の手の届かない役者や演出家がテクストの役あるいは舞台を思う存分形象化することにゆだねることができた、ということでもある。[2]その結果、たしかに『少女仮面』は唐の代表作の一つであるには違いないが、骨格がはっきり見えるかなりオーソドックスな世界になっていたのである。

しかし本当に唐らしい特性を発揮し、それゆえに従来の新劇などにない経験世界に観客を引き込み魅了したのは、状況劇場上演のために書かれた作品群であろう。とくに六〇年代末から七〇年代にかけて起爆力に富み作者自身の創作力が豊かに輝いていた時代は、作品に応じて移動可能なテントの空間（しばしば都市の周辺の吹き溜まりに、ある時は池＝海峡になる）に加えて、なによりも各人各様に異形の存在感を持つ独特な俳優たちと、そしてロマンチシズムを受け入れる時代性に支えられた幸せな時代だった。だからといってその時代の作品に劇の常道のアクションが不在かというと、そうでもない。このような要素がアクションの幹の表皮に点在するモノやレトリックから芽を吹き出させ、てんでにイメージの枝葉を拡げ怪しげな魅力で幹を覆い隠して繋っている、そして舞台でざわざわとうねりながらドラマも立ちあげているのだ。後続作家への影響力の点からもっとも大きな足跡を残すのも、この時代である。ただし、今ここで唐の「特権的肉体論」を持ち出して論じることはしまい。作品論としてのこの小論で、「近代」「前近代」「ポスト近代」などという幻想を呼び込みかねない言辞を、言葉不足で投げだすことに二の足を踏むからである。[3]

状況劇場が一九六七年初めて紅テントを用いるようになってから、唐と李をのぞいた主要俳優小林薫が一九八〇年の舞台を最後に去るまでの時代は、作品の傾向にそって大ざっぱに三つの時期に分けられている。一九七一年までの時期。その年の舞台を最後に、著名な彼の特権的肉体論（一九六八年刊『腰巻お仙』に評論として収録されている）を具現していると言われた役者のなかでも重要なかなめとなっていた麿赤児と四谷シモンが退団した。そのため作風が李礼仙の演じるヒロイン中心に収斂される方向に変わったと言われる。一九七二年の『二都物語』の成功を皮切りに七四年の『唐版　風の又三郎』までの時期だ。そして新たに小林薫などが第一線に加わって再度趣向の異なる作風を展開していった時期へと続く。ここで論じようとする『二都物語』は、二人の重要な役者に去られて、新たな決意で踏み出した最初の作品である。それ以前の唐の特徴を残したまま、構造がより収斂されてくる。また、続けて国外公演（韓国、バングラディッシュ、パレスチナ、ブラジル）を行なうことになる最初の舞台作品となり、国を越えた歴史と場所の接点において、周辺（あるいは底辺）社会のヒエラルキーが構造化されているという点から注目できる。完成度においてはこの時期の頂点を成すとも言われる『唐版　風の又三郎』に一歩譲るかも知れないが、骨格の綻びや曖昧さも含めて彼の混沌の魅力の特徴をもつ作品となっている。以下では、ドラマの構造と人物の役割を中心に、作者特有の棘を含むレトリックの構造とリリシズム、冷たい覚めたまなざしなどにも触れて論考してみたい。

2

『二都物語』の物語は簡単だ。唐自身の言葉を借りると「韓国人の血をもって東京で生きている一人の女が、自分は体験もしていないのに、戦時中に殺され、自分の母が〈兄さん〉と呼んでいた韓国の男にそっくりな、一人の日本人の青年を発見する。これは因果律的には関係ない青年だが〈兄さん〉と呼びかけることによって、振り向いた男にとりついていく、つまり母の悪夢を体現する。(4)」

もちろん筋書き通り単純に劇のプロットは組み立てられていない。「そっくりの」とか「悪夢を体現」といった胡散臭いことばが場面や人物の重層性を暗示しているとおりだ。また題名は「二都物語」だが（海峡を挟んだ二つの国の首都をイメージさせるためにディケンズを借用している）、現実の場面は一幕も二幕も東京に設定されており、そこにもう一つの都市との間を往来する空間が入り込んでくる。言い換えると舞台は東京—玄海灘—ソウルと広がり、人物はその相貌を変え、アクションから枝葉が拡がってうねる。このようにして、玄海灘を挟んで古来深い関係にあった韓国と日本の近代史が人々にもたらした拭いがたい不幸の構図を持ち込む。そしてそこに、社会の底辺にまで浸透してくる強者・弱者の構造に捕われ、さらに下降する人間の生き様《ざま》が、ジュネばりの唐のマゾヒズムとロマンチシズムに彩られた美学をもって描かれているのである。

社会のヒエラルキー構図が映し出されるとは言っても、唐の作品に必ずしも真っ向から対立する存在としての登場人物はいない。唐の作品に必ずといっていいほど登場してくる「群れ」は、しばしば主人公と向きあって攻撃し、ののしり合うことはあっても、基本的に対立する群れではない。それは唐の劇展開にダイアローグが用いられることがないことと関係してくると言えようか。劇全体の情念的な「物語」そのものは、短いレトリックの投げ合いのようなせりふをぶった切るようにして入ってくる長いモノローグによる語りと、叙情的な唄によって開示される。舞台処理として真っ赤な照明があてられるのだが、過去の物語を明かす一種の語りと過去の物語をイメージ化した唄が、最初に述べた物語の太い筋を導入してくるわけだ。ということは、技法としては特異な「語り」ではあるが、日本の伝統的な演劇や芸能の多くがそうである語り物の系譜に、この作品も属すると言えるのでないか。つまり劇のアクションは、巷の片隅などで物語が語られる「語り」が呼び起こす世界、それが現実と衝突しつつ新しい局面を含む語り手の再体験として展開する。しばしば、そこにたむろする人たちが、物語中の人物の役を引き受けていく。

多くの唐の作品を特徴づけている「群れ」だが、西洋演劇でいうコーラスの変形と見ることも出来る。基本的に彼らはアクションとは関係なく、物語の背景をなす社会構造や社会状況をイメージ化して登場する。そして場面に応じて物語の人物に変身して物語の中に進入してくるわけだ。第一幕の冒頭で、職業安定所の唄（物語を暗示する主題歌だ）と共に、「まるで、巷から巷をめぐる辻説法役人[5]」（そんな役人がどこかにいたかは知らないが）のように、机を首にぶらさげ登場する所員たちと仲間の群れは、その後ほとんど舞台に登場しており、劇の物語の節目ごとに前面に出てくる。そして最終部で残って、冒頭の唄と共に泣きべそをかいている。つまり、時には劇の進行に扮装して入り込んでくるが、主として主人公たちの同類としての立場から進行を目撃する枠を成す群れとして機能する。彼らは自称戸籍のない幽霊で、血縁がいないため帰国できず、プサンから密航してきた戸籍を探す元日本人、いわば韓国に残された戦争孤児、どうやら憲兵の息子たち（？）だ。まともな仕事も得られず署名もできないため昼は実体のない「噂の」職業安定所の

店をかまえ、夜は焼け残りの万年筆を売る。

彼らの前に突き出されるのが、職場から放り出された女、自ら語る物語のヒロイン、韓国名リーラン、自称ジャスミンだ。母の胎内で玄界灘を渡ってきたと言うが、その母も肉親も今はないらしく、日本国籍もない。つまり、戸籍も血縁もないこの元日本人の群れの同類で、日本社会のはみ出し者、さすらい人である。だが、元日本人の彼らはリーランに手を指し伸べるどころか、彼女を見下し背を向ける。結局犯されることでしか人と関係を結べない彼女が、香り高い香水の名前、美の象徴ジャスミンを名乗る娼婦にすぎず、しかも美と対極的な痰壷を抱えて金を乞い、痰壷に投げ込まれた百円を手づかみする勇気をひさぐことで、倒錯した逆説的存在主張をするからだ。彼女はこう歌う、

兄さんが自転車に乗ってさあ
姉さんが自転車に乗ってさあ
父さんも自転車に乗ってさあ
母さんも自転車に乗ってさあ
向こうの路地からも、誰かが自転車に乗ってさあ
あっちからも、誰かが自転車に乗ってさあ
この世の全ての人が自転車に乗ってさあ
あたしを迎えに来たら
あたし、パンツを何枚持ってこうかしら[6]

この唄にたいして、「自転車に乗ってさあ」の部分を「万年筆売ってさあ」と換え、最後の二行を「わしらに売りに来たら、わしらの顔はいつだって吸取紙」と換えて元日本人の群れが歌うのは、彼らも同じ底辺の孤独な状況に置かれていることを一方では認めていることでもある。それにもかかわらず、群れを成して女を弱者として強者の姿勢を取ることでヒエラルキーの線引きをする。それ故、二幕でリーランの兄に軍刀を振るう憲兵服姿で現われ、あるいは一家の恥だと彼女を追いつめる父母兄弟に偽装して、物語の中の役を演じさせられるのである。澁澤龍彦が「唐十郎の芝居のモティーフは、すべて親なし子のさすらいのモティーフなのだ」[7]と述べるように、そのモティーフを片やヒロインと共に具現しながら、彼らは、叩かれたものが叩く相手を見つけてさらに追いつめていくという仕組みの片棒を担がされている。そして、片やそのような枠を成しながらも、片や変身して物語りのアクションにも関わってくる。そのことにおいてこの群れは、劇の骨格を支える重要な役割も果たしている。

3

アクションを中心になって担うのは、一貫して変わらない人物として描かれたリーランである。日本にアイデンティティを求められず、故国の記憶も持たない彼女にとって、少女時代の故国での母の物語こそは彼女自身の思い出の物語になってしまっていたのではないか（山口猛などは、戦時中日本の憲兵に殺された彼女自身の兄の幻を求めて東京をさすらっている、と説明しているが、それでは母の胎内で玄海灘を渡ってきたということと矛盾するので、ここは唐の説明を取ろう）[8]。過去の物語の優しい兄を求める彼女は、妹を連れた日本の青年に「兄さん」と呼びかけてしまう。そして、思い出の物語を語りながら、彼にも思い出せと迫る。つまり自分の物語を再現するための「兄」役に彼を引きずり込もうとするのだ。劇のアクションは、東京の巷に呼び込まれたリーランの幻想、思い出を語る彼女の長せりふにのって開かれてくる物語の展開、そこにある。ただ、具体的な彼女の物語のイメージを示すせりふが語られる前に、作者はある仕掛けを劇に組み込んでいて、リーランの幻想を舞台に呼び込み、物語り世界を開いていたと言えまいか。契機は日本人兄妹の登場である。

一幕で、元日本人の群れに背を向けられ一人取り残されたリーランは、痰壺を出してベンチに置き、地べたに蹲って「百円くれないかなあ」とつぶやく。痰壷は逆転の鏡である。よく指摘されるように、醜いモノの中にこそ美が存在するという土方巽の美意識の影響を見ることも出来る。だが、ここには優劣の感覚、つまりヒエラルキー意識も含み込まれているという点や、幻想を描く心理構造からすると、むしろジュネの美意識に通じる。いずれにしろ、妹をいたわりながら兄が花道から登場するのはこのときである。

包帯をした妹はいわば顔がなく、彼女が火傷を負ったという万年筆工場の火事は、その直前に夜は万年筆売りになる元日本人の群れからリーランが小耳に挟んだ話に呼応し、妹があからさまに兄を恋人のように扱う言動はリーランの願望を彷彿とさせる。兄が見えない妹に語る海峡を滑るメリーゴーランドを見たという話は、兄にコートを預けて木馬に乗った仕合わせな母の娘時代の思い出シーンにリーラン自身の故国を隔てる朝鮮海峡を巡るイメージを加え、子供の時から願望してきたという彼女の木馬への想い入れに重なる。言い換えると、日本人兄妹は、あるいは現実の東京の巷で偶然見かけた単なる肉親の兄妹だと説明もできようが、ここではリーランの孤独が呼び出した人物、兄に海の向こうの兄を重ね、妹に自分を重ねた、思い出の登場人物の役を担って現われたと受け止めていいわけだ。このくだりの二人の会話は、情愛のこまやかさ、兄妹であることの切なさがとつとつと表現されており、劇中もっとも美しいリリシズムにあふれた場面を成している。

　このあと日本人兄は、リーランの求めにほだされ痰壺に百円硬貨を投げ込む。チャリンと言う響きを聞きながらリーランは壷を抱え、闇が真っ赤に割れて馬が飛び出し、乙女の塔のある悲しみの町が現われる、という唄を歌い出す。この場面は、韓国の初演で、悲劇の詩人金芝河が非常に気に入って、なんてシュールなんだ、と繰り返し言っていたと、唐は後に回顧しているが[9]、もっとも卑しい汚い行為が、切なく美しい幻を誘ってくる瞬間を捉えた叙情性あふれた場面だ。歌い終わると汚物の中から汚物にまみれた百円玉を掴みだしたリーランが、硬貨をうしろのボックスに挿入する。すると、闇に眠っていた回転木馬が忽然と現われる。妹を回る木馬に乗せ一人降りてきた兄に、ここで初めてリーランは、少女時代に兄にコートを預けて木馬に乗りながら手を振るのを、兄がコートを小脇に見守ってくれた仕合わせな日の物語を始め、そして兄さん思いだしてと呼びかける。繰り返すが、彼女は、彼と共に、いま、〝「兄」と「自分」の物語〟を紡いでいこうと、訴えかけているのである。

　確かにこれは孤独に追いつめられたリーランが、痰壺というモノを「よりまし」として呼び込んだ仕合わせな幻想だが、幻想の中でもやはり、思い出の過去と同様、暴力が侵入して仕合わせを断ち切る。朝鮮語でわめきながら「抗日」のハチマキをした男たちが入ってきて兄を捉え、かばうリーランを押さえ、朝鮮海峡がとどろき回転木馬の回る暗がりで彼女を犯す。幻想が断ち切られるように明かりが入ると、男たちは偽職安の手入れに来た刑事と役人たちだと分かる。彼らは権力をかさに着ているが自分から何もできない小心な俗物的公僕の小わっぱどもにすぎない。一方、劇の進行のほうは、幻想と現実の境界が破れ、語り手のリーラン自身も両者の自分をダブらせて娼婦＝妹を演じる。結局、ライバルとなった現実の妹に兄を連れ去られる。いずれにしろ夢などは、常に現実に侵犯され中断されるしかない。観客を突っぱねて見返してくる作者の冷たい眼差しを、強く感じるのもこういう逆転場面だ。

　二幕では、ヒロインは、もはや現実と幻想の境界線のほころびを修復できないでいる。ただ、すでに語られ始めてしまった物語が結末への脱出口を見いだせないまま、暗い部分のみが断続的によみがえってくるかたちを取る。現実と幻想の切り替えは、ここでも主としてモノ（コート、万年筆、痰壺）、あるいはモノの音（痰壺に投げ込まれる百円玉の音）の喚起するイメージによってなされる。

二幕の前に、不気味で怪しげな幕間「猫とり御殿」と題された狂言が挿入されている。これはリーランが意地悪く想像したその後の兄妹の生活を映していると言ってよかろう。中でも妹が増幅されて少女の群れとなり、彼女らが白い造花を造っている点は二幕に引き継がれる。リーランは物語の再現を阻む大勢の偽の妹に取り囲まれ、彼女らの持つ白い花がリーランの死を予知させるのだ。

二幕でコートを持った兄に再会したリーランは、コートを伝わって仕合わせな日のイメージを再度呼び込もうとする。つまり甲南道トングチョンの村の兄に戻ってくれと訴えるのだが、そのとき回る木馬が不吉な赤い光を受けて現われ、それに飛び乗った憲兵の軍刀が、兄を貫く。嘆くリーランの足下で痰壺がひっくり返る音がけたたましくひびき、ゆっくりと舞台が明るくなると、憲兵はソーセージの剣とトマトケチャップのチューブをかざす貧相な元日本人の親玉で、トマトケチャップだらけになった日本人兄が立っているという次第。芝居とからくり、幻想と現実がめまぐるしく回転する構造は、役者や小道具を駆使して独自のうねる空間を現出させるドラマツルギーに支えられるが、根っからの舞台人であり、連想の達人である唐ならではの手法だ。一斉に偽の父母、兄妹、少女の群れが立ち上ってきて、現実の彼女に向かって薄汚れた既成のモラルで見下しながら追いつめてくる。痰壺から取り出したナイフで抵抗するヒロイン。しかし最後に彼女は、煮え切らなかった兄が握り返したコートを引き寄せ、自らに向けたナイフで倒れる。

このように最後に至るまでのヒロインの抵抗を通して、彼女と元日本人の群れが対峙する関係が明確になる。日本人の兄は、土壇場でこのリーランの抵抗の側につくわけだ。この時点でドラマのアクションは、肉親探しの物語から叩くものと叩かれるものの軋轢のヒストリー（歴史、物語）であったことが逆照射されて浮かび上がる。これを山口猛は、「この対立関係を通して、リーランという女における単純な兄捜しが朝鮮と日本の支配の関係やそのひずみで行き場を失った人々の夢をも象徴するという普遍化が行われるのである。」[10]と説明する。唐がこの作品を執筆するにあたり、かつて占領下の沖縄での劇団の公演に参加できなかった中心俳優李礼仙の国籍問題が、一つのモチヴェーションになったことは確かだろう。日本の国籍を持つ兄の描き方は、これを単に特定の国家間問題から、遥かに普遍的な主題に転化していったとも言える。

もちろん唐の作品の結末の定番通り、リーランは不滅だ。「あたしは……朝鮮海峡を往来する不滅の女だもの」と言いながらメリーゴーランドに飛び乗った彼女は、人をはねとばして回る木馬の上で手招きを続ける。

4

ところでこの作品の東京初演は、不忍池水上音楽堂で行なわれた。たまたまテントを立てる場所に困っていたこともあるが、唐が目をつけた。いったん目をつけると、絶対必要な場所になったのだろう、使用許可を得るために強引に大物政治家にまで手を回したらしい(11)。客席から池を挟む音楽堂をもう少し張り出して舞台を組み、テントをその上に拡げ、池そのものを朝鮮海峡として取り入れている。冒頭、池を泳いで舞台にはい上がってくる元日本人の群れ、実際に水上を滑って回ってくる木馬の出現、公園の夜景を背景にしたこれらのモノの喚起する実在感は、いかに巧みにしつらえても劇場内で得られるものではない。唐の場所=モノに対する嗅覚は鋭い。内容にフィジカルな手触りを与える具体的な場所やモノに執念深くこだわり、ときにはそれを計算して作品を書き込む。上演場所は単にテントが立てられればいいというのでないことは、言うまでもない。劇内容と切り離せない空間へと、唐は場所を変容させてしまうのだ。

これが俳優に関わることになると、いっそう明確である。戸籍を求めて海峡を越えてきた群れは、もともと言動からして演技じみて偽物っぽいことが身上として描かれている。つまり、うそっぽいキャラクターそのものが、作品の内容に根を下ろしているところに、役どころの意味もあるのだ。それゆえ、初演で想定したように大久保鷹や唐十郎のような怪優の二人や三人がいないと、偽っぽさそのものが白々しくまがい物じみてきて、存在の意味も消えていく。このような役者を想定できない場合、自ずと描き方も変わってくることは、劇団外のための作品は書き方を変えると述べていることでも推察はつく。俳優の可能性が、唐の生み出す世界の感性と合致できることが最重要なのである。

ところで、この作品には、アクションや枠どりなどにも関わってこない奇妙な人物が登場する。失業した犬殺しで、噂の職安を訪れたあと、どうやら猫とりの職を与えられたらしく、幕間狂言で胡散臭く少女たちを相手にしている。二幕でもずっと舞台にいて、職業臭を消すためだとジャスミン香水を大声で要求し、シャンプーを詰めた偽の香水を渡され、それを振りかけて泡だらけになっている。どう見ても劇の筋には関係のない役なのだが、些細なモノやイメージにとっかかりは持っていて、奇妙な存在感を拡げている。初演舞台で演じたのは劇団生え抜きの不破万作だったが、役そのものとしても、なんとなく違和感を与えない。むしろ、役者の味を引き出すことで、ある意味であっけないアクションにユーモアの枝葉を拡げることを託されたような役だ。劇団を去った四谷シモンは多分にこのような役柄を与えられて、彼ならではの雰囲気を劇の手触りとして浸透させていたのだし、麿赤児は、アクションの中心人物として登場しても、その役割とは別に存在感の枝葉をのばす余地があらかじめ与えられているようなところがあった。このためだろう、唐は自分の劇団の俳優の表現力や存在感から引き出せるものを常に観察していたと言われる。そして、アクションの幹の部分ばかりでなく、既成の近代劇の感覚からすれば余分の要素、いわば役者による遊びの場面ともいうべき要素を見越して、アクションの枝葉として舞台全体のフィジカルな効果に組み込んでいた。初期の時代は強烈な特異な個性を持つ役者群が揃っており、このような部分が作品を奔放に彩らせていた。『二都物語』を契機に枝葉要素が整理されてきているのは、強烈な個性の俳優二人が去ったことが大きい。それに代わって、李礼仙の演じてきた社会から叩かれ続ける女、しかし最後まで心意気において屈することのないヒロインが前面に押し出されてくる。この彼女に、だめ男だが彼女を振り返ってしまった男、そして最後に手を差し伸べてしまうゆえ勇敢な男が絡んでくる。これが根津甚八のような俳優が出てきた素地だろう。こうして『二都物語』に続き、唐の逆説的ロマンチシズムとも呼ぶべき特質が、もっとも発揮される一連の作品が生み出されていくのである。

それにしても、ばかばかしくもある遊びのようにみえる要素が、しばしば既成に打ち込む反既成の楔のような役割もしていた。とくに特有のレトリックには、それが顕著である。漫才さながらに、巧みに単語の音などで意味をずらしながら、日常使うことばの概念を無化していく手法だ。笑いを誘いつつ、不安を忍び込ませてくる。ひいてはそれが、劇の主題をふくらます役割も担う。『二都物語』でも、その例は随所に見られるが、第一幕と二幕の間に挿入された「幕間　猫とり御殿」などは、主として、そのような会話のみで進められている。たとえば、ことばの運び方を示す一例をあげよう。

少女１　まだいたの？
猫取り　帰るきっかけがないものですから居させてもらってます。
少女１　きっかけって何だろうね。
猫取り　きっかけ？
少女１　きっかけさ。
猫取り　そう言われてみると不思議なコトバですね。
少女１　知らないで使ったんだろう。
猫取り　気にしたらきりがないから。でも、何か、かぎ裂きにでもするんでしょうか。
少女１　きっかけが？
猫取り　ええ。木にひっかけるとも考えられますが、一体、かぎ裂きが木にひっかけるのか、恐らく辞海を調べても答えは出ていませんでしょう。まてよ。これはやはり、木にひっかけるという方が当たってますよ。ほれほれ。
少女１　何がほれほれだい？　犬みたいにどこかの地べたを掘るのかい？
猫取り　いえ、促しの意味です。
少女１　うながし？
猫取り　ほれほれがね。余り私の言うことを逐一逐一気にすると、なかなか目的にたどりつけませんよ。
少女１　逐一逐一って今言ったね。

猫とり　逐一を逐一問題にすると明日という日にも乗り遅れますよ。[12]

これだけでは分かりにくいが、「きっかけ」が「かぎ裂き」という物騒な連想を呼び、さらに「木にひっかける」連想を誘い、以下の引用はカットしたが、木にひっかけた「天の羽衣」、「天からの迎え」、「母の迎え」、だが衣がなくて帰れない、天まで望まなくとも地上からも迎えにくるものがいない……という具合に連想がころがっていく。そして気づくと、なんとなく劇の主題の「さすらい人」のイメージに近づいている。その一方で、かぎ裂きとか、犬とか、たどり着けない、とかいうことばには、猫取りと少女が相手の弱みを見つけて爪を引っかけてくるような、恐ろしげな脅しの雰囲気もちらちら見え隠れし、これも劇の状況と無縁でないのである。

このように唐のレトリックは、ある意味で非常に理屈っぽく、それでいて飛躍的でシュールリアリスティックだ。彼のことばが、イメージなどもそうだが、情緒にのめり込むことはない。それがまた、彼のリリシズムが、常に覚めた眼差しの上で構築されていることにも通じていたのである。

『二都物語』について、作品の構造を、枠を成す部分、アクションの中心部、そしてここに枝葉のように具体的なイメージをもって広がる空間・役者・ことば遣いなどの要素の点から、唐の特色に照らして分析してきた。

それにしてもこの作品のテーマは何だったのか。「戸籍＝アイデンティティがなく、肉親を求めてさすらう人間の悲しい物語」から「歴史的な支配—被支配の対立関係の渦中で基本的夢までも押しつぶされる人間の物語」などと括ることもできよう。だが、それで作品の全体像が見えてきたとは言えない。唐自身、執筆にあたって、テーマ主義のような入り方にはむしろ否定的で、書いているうちにテーマを見つけたり、書き上げたあとになって気がついたりする、というようなことを述べている。[13] 言い換えると、テーマは見出すものだが、作品はそれを越えた存在の手触り、確かなふくらみをもつ豊かな全体像として、個々の観客に訴えるのではなかろうか。作品をテーマで要約したくない謂いである。

ただ、最後にこのことは一言つけ加えておきたい。彼は特権的肉体論とか、河原乞食とかいう旗印を立て、実際舞台では強烈な存在感を広げる役者の群れが跋扈した。あるいは独自な場所、異物としてのモノ、大量の水などを、舞台に上らせた。しかしこれらの肉体は、どろどろした生理体としての肉体としてではなくて、彼の概念のいわば記号、象徴として用いられる。モノや場所も同様だ。唐の世界は観念の所産であり、本質的に観念的なのだ。生身の役者の存在感やモノの感触とは、いわば観念にあたえられた手触りであると考えてよい。

注

(1)唐十郎「〈ロングインタビュー〉蟻の視点で世界を見る」インタビューアー・ロジャー・パルバース。『PSD　MAGAZINE』No.3（一九八四、SUMMER）、一五頁。

(2)この二点についても同右のインタビューで語っている。一七、一八頁。

(3)九〇年代に書かれた小谷野敦「唐十郎〈特権的肉体論〉を読む」（『シアターアーツ』No.1、一九九四、一四四―一五三頁）が、伝統的な読み方を再検討しながら、このような用語で語られてきたことに警告を与えている通りだ。

(4)唐十郎『唐十郎血風録』（文藝春秋、一九八三年）、一〇八、一〇九頁。

(5)唐十郎『二都物語・鐵假面』（新潮社、一九七三年）、五頁。

(6)同、一七、一八頁。

(7)澁澤龍彦「純日本的な情念」『状況劇場』（第2号、昭和四二年七月一日）、二頁。

(8)山口猛『紅テント青春録』（立風書房、一九九三年）、一一六頁。

(9)『唐十郎血風録』、一二一、一二二頁。

(10)山口猛『同時代人としての唐十郎』（三一書房、一九八〇年）、六九、七〇頁。

(11)『唐十郎血風録』、一二〇、一二一頁。

(12)『二都物語・鐵假面』、五六、五七頁。

(13)唐十郎「内藤裕敬対談十番勝負〈万歳宣言〉第四回・唐十郎（唐組）の巻」『劇の宇宙』（No.4、一九九九・夏号）、一二一頁。

〈参考文献〉

（テクスト）唐十郎『二都物語・鐵假面』新潮社　一九七三年。

（参考書）写真集　唐組『状況劇場全記録』ＰＡＲＣＯ出版　一九八二年。

『別冊新評　唐十郎の世界』『唐十郎の世界』新評社　一九七四、一九七九年。

唐十郎『乞食稼業――唐十郎対談集』冬樹社　一九七九年。

山口猛『同時代人としての唐十郎』三一書房　一九八〇年。

唐《から》　十郎《じゅうろう》（一九四〇・二・一一〜　）

東京生まれ。本名大鶴（戸籍上は大靏）義英。太平洋戦争末期には福島県に疎開、終戦と共に焼け野原の下谷万年町に戻る。翌年下谷区坂本小学校に入学、中学は私立駒込。東邦医大付属高校を経て明治大学文学部演劇科で学び、在学中は学生劇団「実験劇場」にて役者をやる。一九六二年大学卒業後、劇団「青年芸術劇場」に研究生として入団、翌年四月退団。

一九六三年、大鶴義英、笹原茂崚、星山初子などによる状況劇場が第一回公演としてサルトル作『恭しき娼婦』を上演する。このとき唐＝大鶴義英は、役者としてのみ参加している。その後、作・演出を行なうようになってからも、役者として彼は舞台に立ち続けてきた。その役者ぶりを、のちに天沢退二郎は、演技をしているとき、同時に全く演技していないように見え、そしてじろじろこっちを眺めている生身の人間、と評しているが（『朝日ジャーナル』一九七一年一月二二日号）、役者であることが、ある意味で観念的な彼の作品世界の生理というか独特な手触りと深く関係している。翌年の六四年には処女作『24時53分〝塔の下〟行は竹早町の駄菓子屋の前で待っている』が上演され、ここで作者名として唐十郎を初めて用いる。同年末に劇団員のほとんどが去り、唐と星山の二人が残される。それでも唐は、ミカンの木箱を机に、カレンダーの裏を原稿用紙として、せっせと作品を書き続ける。一九六五年、新たに彼を座長として状況劇場の第二の出発ともなる自作『練夢術』が俳優座劇場で上演される。役者としても唐十郎を名乗り、星山は李礼仙を名乗って、以後この名前で二人は劇団の中心俳優として活躍する。

のちの小劇場の劇団のあり方に先鞭をつけるのだが、自作の劇を持って演出もしながら劇団を主催するというかたちを取った状況劇場は、少なくとも年二回は彼の新作を上演し、劇作のための貴重な場となった。ただし新進劇作家の登竜門である岸田国士戯曲賞は、一九六九年に早稲田小劇場で鈴木忠志演出、白石加代子主演により初演された『少女仮面』によって、翌年受賞する。一方状況劇場にも、その頃までに唐、李に加えて、彼の作品に強烈な実在感を添えた個性の強い俳優たち、大久保鷹、麿赤児、不破万作、四谷シモン、そして根津甚八などが集まり、特異な舞台で注目されるようになっていた。外部から創造活動に加わった中で、音楽で協力した小室等や山下洋輔たち、また、ポスターやチラシの横尾忠則、赤瀬川源平などの名も忘れることはできない。直接上演活動にタッチしていないが、舞踏の土方巽、澁澤龍彦、巌谷國士などとの交流からさまざまの刺激を与えられてもいる。劇作家では別役実の影響は指摘されており、寺山修司を強く意識していたことも自明だろう。このように六〇年代の文化のうねりを支えた芸術家たちと、ジャンルを横断した交流を通して深く繋がっていた。

野外で上演することは早くからの願望であったと言われるが、それは「テント」というかたちで実現される。一九六七年八月、『腰巻きお仙　義理人情いろはにほへと篇』の上演にあたり、初めて新宿・花園神社に紅テントを立て、以後テント公演が定着する。紅色は唐自身が決めた。言うまでもないが、紅テントが彼の演劇活動をさまざまの面で規定した意味は大きい。

岸田国士戯曲賞を受賞した一九七〇年前後から、一九八三年、当時書き始めていた小説分野で芥川賞を受賞したころまでは、状況劇団がもっとも充実した時代で、つぎつぎと名作＝名舞台が生み出された。『吸血姫』、『二都物語』、『唐版　風の又三郎』、『蛇姫様』、『ユニコン物語』などがある。

一九八三年以後も状況劇場は維持されるが、めぼしい俳優はほとんど去り、往年の力は失われていた。李との関係にも隙間ができ、彼は李に内緒で八七年に唐組を結成、翌一九八八年、状況劇場も自然消滅する。（唐組み結成は消滅後とも言われる。）そのころは執筆も小説と戯曲を平行させているが、石橋蓮司・緑魔子率いる第七病棟のために書かれた何編かの戯曲、なかんずく『ビニールの城』（八五年）は高い評価を得る。当時は、八三年に寺山修司が他界、八六年の土方巽、八七年の澁澤龍彦の死など、身辺の芸術環境も変わりつつあった。

一九八八年、総工費一億五千万円、移動にも七、八千万円を要するという安藤忠雄設計の下町唐座・移動劇場が浅草に建ち(セゾングループ出資)、唐十郎作・演出・出演で、ほかに第七病棟の石橋、緑、そして榎本明、唐座の役者たちが加わった『さすらいのジェニー』がこけら落としをした。しかし、ある意味で昔と変わらない唐の世界は、もはや演劇界に新たな衝撃を与え得る時代ではなくなっていた。劇評も決して悪くはなかったが、「高価」な劇場がらみに喧伝されたほどの起爆力もなく、年間回顧ではほとんど話題にすらならなかった。その後、唐組自体の芝居も紅テントに戻って始められるが、最盛期の状況劇場でのような躍動する舞台を生む作品は、一九九〇年代には書いていない。

一九九七年、唐は横浜国立大学に迎えられ、舞台芸術論の教授として教壇に立つ。社会的に、もはや彼は河原乞食どころか、芸術家として認知されたことを意味しよう。

おそらく、舞台づくりも含めた現代劇作家として、唐は同時代の誰よりも後続演劇人に大きな影響力を及ぼした。語りを導く長せりふの構造、既成のことばを異次元のコンテクストの中に置いて内容の空洞化をさらし出す方法、リアリズムでは考えも及ばない時間や空間の奔放な切り替え、ジャンプするように不自然に断続する激しい演技、照明、音楽などを想定したドラマツルギー、劇場空間にたいする臨場感など。そして忘れてならないことは、ロマンティシズムだ。かつて広末保は役者の肉体について「パロディによって飛躍した肉体」(『友』一九七五年一月号)という表現を用いていたが、それを多少もじって借用すると、唐の「パロディによって飛翔するロマンティシズム」である。屈折しながら作品から溢れるように立ち上る。——七〇年代のつかこうへい、八〇年代の野田秀樹、鴻上尚史、川村毅、渡辺えり子ほか、それぞれの時代を背負った多くの後輩作家たちが、少なくとも出発点において、このような唐の切り開いた演劇の地平から活動を始めているのである。

榎本滋民「絵師金蔵」（三幕十一場）

初出　『テアトロ』一九七二（昭47）年四月号
初演　劇団四季　一九七二年八月七日～二十三日　国立劇場

中野正昭

1　異端の画家

サムライが丁髷を切り落とし、新しい時代へ向かおうとした幕末から明治初年にかけて、土佐に、弘瀬洞意またの名を絵師の金蔵、通称「絵金」と呼ばれる男がいた。

高知城下、町人としても最下位にあった髪結いの息子として生まれたが、幼少の頃より画才に秀でていた金蔵は、土佐藩の特別の取りはからいで江戸にのぼり、狩野派に学んだ後、藩のお抱え絵師の座にまで上り詰め、士分として林姓を得て林洞意と名乗った。やがて金蔵は林姓から、弘瀬姓へと改姓、弘瀬洞意を名乗りはじめる。元々金蔵の家系は四国一円に覇を唱えた長宗我部家の家来にあり、弘瀬という名字を持った一領具足の武士だった。長宗我部家が太閤秀吉に征伐され、遠州掛川から山内家が土佐へ入国する際、接収の軍勢に抵抗して鎮圧された浦戸一揆を祖先に持つ金蔵にとって「弘瀬」姓を名乗ることは、下士からもこぼれ落ち、髪結いとなった家系再興の意味を含んでいた。

しかし、贋作事件の汚名を被り一介の町絵師へと転落を辿る。だが、野に下った金蔵は、謎の十年間を経て再び、狩野派の正統とは離れた独特の力強い筆致と豊かな才能を「芝居絵」の世界で開花させた。絵師の金蔵、絵金の誕生である。

絵金の描く芝居絵は、そのほとんどが上方様式の歌舞伎であり、七代目市川団十郎を描いたものが多い。屏風や台提灯にどぎつい泥絵の具で画かれた彼の絵は、年に一度の夏祭りの夜、和蝋燭の灯りに照らされ闇の中から怪しく躍り出てくる。飛び散る血しぶき、魑魅魍魎《ちみもうりょう》が怪しく蠢く、おどろおどろしい世界。絵金が「異端の画家」と称される所以である。

このおどろおどろしい絵金の芝居絵を、なぜ土佐の庶民たちは求めたのか。そこには七月、死んだ者たちが怨霊となって海から巷に戻り、災いをもたらすという土佐の土俗信仰が背景にあったという。絵は家の門口に外向けに出すのが流儀で、いまもこの方法で受け継がれているそうだ。

江戸の封建社会から明治の近代国家建設へと向かう時代の間

の中で、怨霊たちもたじろぐ力を持った魔除けの絵として、異端の画家絵金は、庶民達から熱狂的にもてはやされたのである。

2　異端と伝統の時代

一九七〇年前後、それまで四国の一地域でしか知られていなかった絵金は俄に世間の注目を浴びはじめた。

一九六九年、アメリカでは、ベトナム戦争の泥沼化と管理社会への抵抗を音楽に託した祭典ウッドストック・ロック・フェスティバルが、ヒッピー哲学とロック・ミュージックを熱烈に支持する若者四十万人を集め、日本では、七〇年安保を目前に全共闘が東大安田講堂での攻防戦を繰り広げる。やがて連合赤軍派は日航機よど号をハイジャックし北朝鮮へ亡命。また、三島由紀夫は、市ヶ谷の自衛隊東武方面総幹部へ乱入、自衛隊員にクーデターを呼びかけた後自決する。極左の学生も極右の作家も自ら日本を去っていった。その一方、文学青年の間では夢野久作や久生十蘭らを「異端の復権」の名の下に再評価する機運が盛り上がっていた時代である。

絵金の発見には、この時代の文脈を無視できないだろう。

廣末保は、現代に於ける絵金の歌舞伎絵の意義を次のように記している。

> 士大夫的な、あるいは、旦那的な美術鑑賞眼や倫理観にとっては、絵金の歌舞伎絵は、野卑で、あくどく、悪達者な、下等大衆の娯楽品であり、消耗品にすぎなかった。だが、上等階層の反撥は、絵金のむしろ歓迎するところだっただろう。絵金ははっきりとかれらを向うにまわしているからだ。問題は、絵金を止揚する過程で絵金を発見しなおすということができないまま、依然として埒外に無視しつづけてきた近代と、その芸術観にある。日本近代の芸術観が絵金を抹殺しつづけた。したがって、いま絵金を紹介することは、そのまま、なにかを主張することに繋がる。芸術の大衆性。大衆的であるがゆえに創造的・革新的でありえた芸術。芸術観念の解放。近代超克のための遺産として、それは発見され評価されねばならない。[1]

一九七〇年前後の異端ブームは、大きく見れば日本の近代的な価値観からの超克を意味するものである。

安保闘争の波も引いた一九七一年、銀座の三越にマクドナルドの第一号店が出来る。日本の高級文化のメッカでもあった銀座に、ハンバーガーを立ち食いする若者が溢れた。同年、日清食品はカップヌードルを販売しはじめる。鍋も丼も入らず、お湯さえあれば、どこでも食べられる。ファースト・フードとインスタント食品の登場は、繁栄の時代をになう「大衆元年」としてこの年を印象付ける。

一九七〇年前後は、社会の大衆化への一つの歴史の転換期だった。こうした時代にあって、異端は時代を飾るキーワードとして登場した。演劇界では小幡欣治『龍馬翔ぶ』をはじめ幕末転換期の異端児が描かれ、歴史劇の中で再評価されていった。異端の画家絵金の発見は、「芸術の大衆性」「芸術観念の解放」という時代の文脈のなかで受け止められていった。

戯曲『絵師金蔵』に於ける榎本滋民の絵金への視点も、おおよそこの廣末のものと同じであると言える。「芸術の大衆性。大衆的であるがゆえに創造的・革新的でありえた芸術。芸術観念の解放。近代超克のための遺産として、それは発見され評価されねばならない」という一つの命題を、絵金の半生を描いた「物語」として戯曲型式にアレンジしたのである。

そして、この「人物を通じて物語られる歴史」の面白さに、観客でもある大衆を惹きつける歴史劇の魅力があるとも考えられる。

榎本は戯曲『絵師金蔵』を執筆する以前、既に小説「血みどろ絵金」を執筆している。一九七一年にはこの小説を原作とする映画『闇の中の魑魅魍魎』(中平康監督、中平プロ制作、東宝配給)が制作・公開されている。そして翌七二年に劇団四季によって本戯曲『絵師金蔵』が上演されるのである。

六〇年代末、日成劇場を満員に出来た数少ない劇団であった四季は、「劇場の私物化」「日成劇場との癒着」と、その経営方が問題視されるようになり、七〇年には日成劇場と一線を画すようになる。これと前後して、浅利慶太は、当時文化庁が力を入れていた「地方文化振興会議」の委員を引き受け、文化の一極集中化を排除するかのように、四季の活動を本格的に地方へも展開させている。

こうした四季の方向転換には、浅利が地方文化振興会議委員として全国をまわっていた際、広島のあるテレビ局役員から言われた次のような言葉に促されるところがあったという。

君たち東京の人間がやってきて、地方文化の振興とは笑わせる。君たちはこの国の文化の本質的な問題がわかっていない。まず地勢的に見て日本は四つの島が横に長く、海岸部に都市が並んでいる。これを全て直線で結んだらアメリカより大きいんだぞ。我が国にとって重要なのは、その地勢的な特徴を乗り越えて全国の一体感を作っていくことだ。かつて外国の文化は西から入ってきた。われわれ西国の人間はその宝物を占有すべきでないと思い、東へ東へと街道筋を送っていった。だから文化は白河、勿来関まで行ったんだ。しかしこの百年、横浜開港とともに外国の文化は東に着くようになった。関東の野蛮人どもは文化の本質も、日本列島の構造もわかっていないので、全部自分の庭に野積みにしてしまった。それが今言われている中央と地方の文化格差というものなのだ。君たちが本当に日本の文化人として生きるのなら、経済や他の分野の人々のように『文化』という荷を背負って全国を行脚し給え。(2)

日成劇場という東京の大劇場から、地方公演を視野に収めた現在の四季の興行形態へと転換する時期にちょうど『絵師金蔵』は上演されたのである。この上演が、多分に戦略的な意味を含んでいたと考えても、あながち考えすぎではないだろう。

3　二項対立を超えた始源性と異端

戯曲『絵師金蔵』にあって、金蔵は、はじめから「芸術の大衆性」を担うような近代芸術の異端児として描かれている訳ではない。「異骨相」と形容される、一筋縄では行かない反骨隆々の人物だが、それは江戸の狩野派で修行を積むことで、士大夫的な優れた近代芸術の担い手にも成り得る人材でもある。金蔵に「芸術の大衆性」を促すのは母すみの存在である。

金蔵　お母やんはなにが願いじゃ。
すみ　うちは……お前さんが御抱絵師になってくれることじゃない。ほんものの絵描きになってもらいたいだけ。
（第一幕第一場）

金蔵が上士格の御抱絵師に出世することに、没落した長宗我部家の復興を賭ける父丹兵衛と、金蔵が「ほんものの絵描き」になることのみを願う母すみとは対比的な存在である。

母すみの願いに対して「ほんものの絵描き。よっしゃ。ほんなら楽じゃ。引き受けた。」と気軽に答える金蔵には、まだ「ほんものの絵描き」がどのようなものなのかと言う疑問はない。狩野派とは違う、かといってただの浮世絵師、町絵師とも異なる「ほんものの絵描き」になるための金蔵の本当の苦悩が始まるのは、すみの死後のことだ。御抱絵師として見事に故郷に錦を飾った金蔵、その晴れ姿を見守った母は、何かに怯えるように自殺する。物取りを装い、自ら家に火を放ち自害する母すみには、世間には知られたくない生い立ちがあった。彼女は、社会の最下層、被差別民の部落である散所の出だった。

金蔵　（うめく）おらあが江戸へ行くときも、親元の話しが出ることをあがあに恐れたのは、そのためじゃったんじゃ……。
りく　帰ってきていよいよお城へ上がる……倅の出世のさまたげになっちゃならんと……身を消した……。
たつ　散所の出……。芸人の血筋……。それがなんで悪いんですかよ……。自害までせにゃならんいわれがどこにあるんですかよ……。
（第二幕第二場）

母すみの存在は、金蔵達の前で物乞いの芸を行う瞽女《ごぜ》の姿を通じて、散所の民から芸の神様、まじないの神様と崇められる美宜子《みきこ》明神へと繋がって行く。権威を重んじ社会的秩序的な価値大系の中にある父に対し、母は原始的な呪術性を体現する存在としてある。士農工商という社会の中心的な身分層から見れば、あくまで周縁の河原乞食に過ぎない歌舞伎役者達、そんな歌舞伎役者達からも蔑まれる散所の芸能民。〈中心〉と〈周縁〉、その周縁からも排除された傀儡《くぐつ》、簓《ささら》、瞽女といった芸を生業とする彼らが、その宗教性に於いて芸能の始源的存在であることは言うまでもないだろう。

榎本滋民は、絵金を単に既成の社会秩序に抗う異端児とは見なしていない。絵金は、封建的社会制度に抗う存在であり、また封建的社会制度に抵抗する大衆からも距離を置いた第三の存在としてある。単純な二項対立の図式の中で絵金を再評価することを、榎本は拒否している。

英泉　役者絵を買うのは絵好きよりも芝居好きだ。芝居好きは手前のひいきの役者がただ手前の好む美しさで描かれてることを望む。役者も手前のうぬぼれどおりに美しく描かれてる絵をいい絵だと迎える。版元や絵草紙屋がこうした絵ばかり絵師に注文するのは、商いともなりゃ至極当然でごぜえしょう。真をうがった、みにくさまでもえぐり出してやまない、すさまじい画業は、不埒千万なぶちこわしとして敬遠されやす。

金蔵　ほんにや……。あの東洲斎写楽がたちまちほろび去ったのも……。

英泉　ここら辺の次第でごぜえしょうね。大向う受けなんざ考えてもいいねえ、盲千人目あき一人でかまわねえとうそぶいちゃあみても、さてまるっきり受けねえと心細くってたまらなくなる。そこでほんのちょいとばかりと手前にいいわけしながら、受けをねらう。受けてみると、まんざら悪い気はしねえ。この魔性で絵描きは殺されやす。恐ろしいのは大向うさ。

（第一幕第四場）

金蔵にこう諭すのは「描きまくり描き飛ばしの売れっ子淫乱絵師」の淫斎英泉だ。「ごひいきいずれもさまあっての浮世絵師だけれど、絵師を殺すのもごひいきいずれもさま」だという考えは、表現者としての自戒であり、観客への痛烈な批判でもある。何かを創る者にあって「恐ろしいのは大向う」、つまり〈大衆〉なのである。

最終的に榎本が、絵金を「芸術の大衆性」の裡で捉えていることは確かだ。しかし、それは階級制度の問題、抑圧者と被抑圧者といった単純な図式化によって捉えられるべき問題ではない。気まぐれで、保守的な大衆ほど恐ろしいものは無いのである。

「高い低いをならして、みんな同じ資格でつき合える世の中を作る」ために、「絵で人の心を開いて地ならしをしたい」と夢を膨らませる金蔵は、「ほんまの絵を描く修業に、恵まれた御抱絵師の立場を、一時の方策として使やあええ」と考えていた。しかし、それは母の秘密、散所の実際を知って一転する。金蔵は誰のためでもなく、「ただおのれのために金蔵の絵を描いて行く所存にございます」と告げ、御抱絵師の「まやかしの栄光」を自ら捨て去って行く。こめかみに焼き印を押され火傷を負った金蔵は、「絵師金蔵」として上方の芝居小屋を彷徨い歩く。市川団十郎に面と向かって「芝居者の芝居知らず」と言い放ち、仲間内の道具方からも疎まれる存在である。
絵金は、ただ自分の絵を描く目的のためだけに彷徨い、堕ちて行く。ざんばら髪で乞食同然の姿となった絵金は、厄神の様でありながら、美しく感動的でもある。観る者に、真の異端へ変身するための壮絶な死と再生への有り様を示す。

4　日本人論

第三幕第二場は意味深である。この場では、異端として彷徨う絵金の内面が描かれていると同時に、榎本滋民の日本人論が展開されている。場面設定はこうだ。

天保十四年（一八四三）三月上旬の夜
阿波　鳴門海峡の船上
葛飾北斎画『阿波の鳴戸』と一立斎広重画『阿波鳴門之風景』の拡大図を背景にした艫の間。
旅役者たちと四国遍路たちが座り、一人がないないずくしの阿呆陀羅経を演じている。渦潮の音。

視覚的、音響的に示される阿波の鳴門は、台詞の上にも反映される。お遍路さんは阿波の鳴門の様に島国四国を回る。

旅役者二　どっちから回っても元のとこへ帰ってこられるのやさかい、四国いうとこはありがたい。

旅役者一　ほんまに、よう回りよる。ぐるぐるぐるぐるぐる、ぐるぐるぐるぐる。

しかし、この「ありがたさ」は人によっては逆説でもありえる。見窄らしい旅姿の絵金は、そんな旅役者達のやりとりを後目に、馬場文耕（講釈師）、平賀源内（博物学者）、東洲斎写楽（浮世絵）らと時代を超えた交流を持つ。「ほんに島国はありがたい。外には行き場がないもんじゃから、言論も批判もすべて馴れ合いのほどじゃ。」と皮肉る馬場文耕は、美濃郡上金森家老臣たちの横領事件を告発した罪で死刑に処される。「しかし、その隆々たる反骨は民衆の中に生きつづけて」と口にする金蔵を制し、「民衆自自身の蒙昧と卑屈」を説く。

文耕　そこよ。わしが舌端筆頭に火を噴かしておったときは、民衆はやんやの喝采を送って鬱憤を晴らしておったが、獄に投ぜらるるや、掌を返すがごとく離反しおった。日夜親しんだ相長屋の者すら、かかわり合いを恐れてわしの留守宅を見舞うてもくれん。獄門のため引き回された路上では、極悪人と罵り天罰と嘲笑う始末であった。官憲に処罰された以上過激なんじゃろう、過激は悪なんじゃろう、やはり穏健が善なんじゃろうちゅうわけじゃな。民衆の言論の権をせばめるのは民衆自身の蒙昧と卑屈なんじゃ。

続く平賀源内は「学問の独立、精神の自由を守るには、やはり根なし草にならざるを得なんだ」と言う。敢えて世間を離れることで達成したエレキテルの偉業。「ところが、民衆がわしに向けたのは山師という誹謗であった。（略）わしの示した科学の精神には見向きもせず、ただ科学の成果のみを受けとる。恐るべき退嬰な社会じゃ」と吐き捨てる。

源内　最愛の弟子までがしたり顔に忠告しよった。先生の激越さは日本人向きじゃないからなおさんと損をすると な。（略）杉田玄白は「ああ、非常の人、非常のことを好み、行いこれ非常なり、なんぞ非常に死するや」と墓碑に刻んでくれたが、この島国では通常たらんとすれば非常にならざるを得んのじゃ。お前も肝に銘じておけ。

第三の人物は写楽。この謎の絵師は「四国阿波徳島の御抱能役者が浪人して江戸八丁堀に住んだ斎藤十郎兵衛」「武家式楽の権威に安住した能楽の衰退ぶりにあき足らず、民衆の命の息吹きが溢れる歌舞伎に惹かれ、画才もあったところから浮世絵師となった」と舞台で説明される。

写楽　はじめのうちはもの珍しさで（註・大衆も）わっと食いついたが、情緒のあいまいさや感傷のかそけなさなどを排した独創の手強さが胸苦しゅうなったんじゃろう。たちまち売れ足が止まった。あれから五十年たった今でも、写楽はまだ一般に迎えられまい。北斎の恐れたとおり、広重の『東海道五十三次』が出はじめると、その穏健さで北斎の『東海道』の強烈さを制してしもうた。（略）あいまいさが必要とされ、かそけさが尊ばれるこの島国では、美の真実と多数の正義とは結びつかんじゃろう。

四国に生まれ、大衆の支持を得ながらも、やがてその強烈さ故に大衆から裏切られていった三人は、島国日本の大衆の愚かさを絵金に各々諭して行く。絵金もまた四国土佐の人間である。この偶然の一致に着目して、榎本は、四国を島国日本の中にあるもう一つの島国として象徴的に捉えてみる。遍路はぐるぐるぐるぐる止めどもなしに回るばかりで島の外へは出られない。犬神送りは病人を地元から追い出し厄介払いする。村から村へ、国から国へと次々と追い出された病人は、やがて元の土地に戻ってくる。それを承知しながら、人々は当面の厄介払いをする。「穏健」を好む大衆は、「強烈」を当面の厄介払いでやり過ごそうとする。それが日本人の島国根性だ、と榎本は告発する。異端流行の時代だが、異端を抹殺するのは制度でも権力でもなく、日本人の持つ穏健さ、大衆の穏健さそのものだと観客を批判し、挑発する。強烈な才能を「異端」という形でしか評価しようとしない現状への憤りを露わにする。

島国に基づく日本人論は、現在では別段目新しいものではない。しかし、ここでの榎本滋民のアジテイター振りは今でも魅力を持っているのではないだろうか。

さらに榎本は、文耕、源内、写楽といった異端者が、大衆に比して殊更に立派なものとして祭り上げられる危険性にも釘を差す。舞台上の三人は、やがて金蔵を無視して御国自慢をはじめる。その会話に加わって行く絵金。

文耕　歴史を知らん三文絵師は黙っておれ。
写楽　講釈師の見てきたようなうそは通用せん。
文耕　頭が高いぞ、場違い者！
写楽　控えい！　ここは阿波じゃ！　阿波の鳴門じゃ！
金蔵　鳴門でも土佐泊いうところじゃぞ！
源内　ああ、かなりくだらんな……。

意地になって「よさこい節」を怒鳴り出す金蔵。その傍らの文耕、写楽、源内の回りを踊りながら回る旅役者と遍路たち。それは、ぐるぐるぐるぐると堂々巡りを繰り返す島国日本から、金蔵が解き放たれ、絵師金蔵が誕生する瞬間を巧みに視覚化している。

続く第三場の金蔵は、祭りに奉納するおどろおどろしい屏風絵を描く「絵金」である。訪ねてきた旅役者から「おっ母さんはこないにおっしゃいてでおました。この子があての好きな芝居をおおやけに絵に描いてくれる日がくればうれしい……」と聞かされた絵金は、我知らずの裡に母の願いを叶えていたことに気づく。

絵金の芝居絵は魔除けという大衆の土俗信仰によって支えられている。散所の被差別民を介して、芸能に潜む宗教性という芸能の始源性と響き合う。そして、その芝居絵が母の願い「ほんものの絵描き」へと巧みに結びついて行く。芸術の創造という問題が、母と子の物語と重なる形で提示される。

金蔵　描くぜよ。描かしてもらうせよ。おらあは近ごろになってようよう、手前のために描くことがみんなのために描くことになる、一人が大勢で大勢が一人の画境が、つかめてきたんじゃ。林洞意でも弘瀬洞意でもない、ただの小父ちゃん、一介の町絵師金蔵の絵を、絵金の絵を描いて行けそうになっちゅうところじゃ。描かせてくれ。

目前の旅役者の姿を「長宗我部のためでも山内のためでも香宗我部のためでも散所のためでも」ない「絵金絵」として、嗚咽しながら描く金蔵。この画境に達するまでの過程は、小難しい芸術論や形而上的言説を以て示されるものではない。むしろ言葉で幾ら説明したところで、理解できるものではないだろう。榎本は、一人の絵師の生き様を通じて物語としてそれを舞台で描いて見せる。そして、息詰まるような土着性への嫌悪と大衆的強さ、芸能民の周縁世界、母性論的アプローチをはじめ当時の思想的な新しい動きをも取り込んだ作品となっている。

『絵師金蔵』の語り口は面白い。この語り口の面白さに、歴史劇の魅力の一因はあるだろう。

金蔵の強烈な半生物語を軸に、大衆と芸術の問題を絡ませる。

生き方が思想をつくり、作品を生み出して行く。それは大衆的観客にとって最も理解しやすい芸術論の形の一つであり、また真実の一端を表しているのではないだろうか。

金蔵、大杯を干してやおら筆を握ると、たっぷり墨を含ませて、白地の屏風に跳ねるような勢いで骨描きをして行く。照明が変わり、一角に遍路姿のすみが浮かび出て、かすかに鈴をふる。

金蔵、嗚咽しながら描きつづける。

義太夫節の声と和讃の声がまじり合って高まる。

やがて舞台は回って夏祭りの神社の参道となり、高床の屋台に飾られた金蔵の芝居屏風絵が、百目蝋燭の明りにおどろおどろしく息づいている。

これまで登場したすべての人物が、そのままの姿で屋台の下を次々にくぐり抜けながら、絵金絵のあやかしにとり憑かれて行く。

その中に絵金自身の姿もある。

芸術の狂気性と、大衆のロマンティシズムの合わさった印象的な幕切れである。

注

(1)「幕末転形期の芸術」廣末保・藤村欣市朗編『絵金　幕末土佐の芝居絵』一九六八年　未来社

(2)「浅利慶太に聞く『劇団四季の半世紀』第3回」劇団四季オフィシャル・ホーム・ページ　URL:http://www.shiki.gr.jp/

〈参考文献〉

榎本滋民『お前極楽　江戸人情づくし』一九七五年　講談社

廣末保「幕末転形期の芸術」廣末保・藤村欣市朗編『絵金　幕末土佐の芝居絵』収載　一九六八年　未来社

榎本滋民《えのもとしげたみ》（一九三〇・二・二一〜　）

東京生まれ。国学院大学文学部中退。劇作家・演出家・小説家。戯曲に「花の吉原百人斬り」「同期の桜」「寺田屋お登勢」「暁天の星」「大江山鬼神草子」「上意討ち」「たぬき――浮世節立花家橘之助」「愛染め高尾」（芸術祭大賞）、小説に『お前極楽　江戸人情づくし』『明日のことは知らず候』などがある。一九六九年、同じ昭和一桁世代の劇作家花登筐、小幡欣治らと共に「中の会」を結成、中間演劇の執筆に力を入れる。古典への造詣も深く、新作歌舞伎の優れた脚本に贈られる一九九八年度「大谷竹次郎賞」を「鶴賀松千歳泰平」（榎本作・演出）で受賞した。また、落語の解説・評論にも定評があり、TBS落語特選会解説者、NHK東京落語会企画委員、文化庁芸術祭企画委員、江戸東京博物館評議員などを兼任している。

筒井康隆

「スタア」（三幕）

初出　一九七三（昭48）年一〇月　新潮書下ろし劇場
初演　劇団欅　一九七五（昭50）年八月　神戸文化ホール

川和　孝

一九七三年十月に書下ろし新潮劇場として、戯曲「スタア」が刊行され、それが筒井康隆の最初の戯曲と認識されている。三十九歳のときである。

いうまでもなく、作家としての登場は五七年二十三歳のとき『シナリオ新人』創刊号に「会長夫人萬蔵」を発表。六〇年兄弟三人でSF同人誌『NULL』を創刊し「お助け」が作家デビューともいわれており、以後は説明の必要のないベストセラー、ロングセラー作家として活躍、八四年五十歳にして、全集二四巻を刊行している。もちろん、その後も数多くの作品を発表しつづけていることは衆知の事実である。

「スタア」は三一致の法則を重視して執筆され、殺人、強姦、暴力、SFと次々とスピーディに展開される。三幕で構成し、一、二幕はきっちりと手固く設定しておき、三幕目の犬神博士の登場から幕切れまでスラプスティックにしかもSF的にエスカレートさせる技術は、まさに筒井的であり、緻密な作者の計算が感じられ、あっという間に観客はこれに乗せられてしまう。

ちなみに、三一致の法則とは、十七世紀にフランス古典主義者たちが、作劇上の理念とした法則で、アリストテレスの「詩学」に端を発したといわれているもので、要するに劇の行為（筋）は主要なものが一つあって、すべての人物はそれに合流しなければならない。そして、その行為は二十四時間以内（太陽の一回転）がのぞましく、またその行為の起る場所は同一の場所であること。この行為と時間と場所の三統一の法則といわれているものである。ラシーヌはその典型的な作者であり、近代劇ではイプセンが代表的実践者で「人形の家」や「幽霊」を挙げることができよう。

さて「スタア」は、三十人近くの登場人物の芝居で、大スタア島本匠太郎が、内縁の妻政子を殺し、妻の歌手梢はマネージャーの黒木と姦通しているし、週刊誌ネタの芸能人らしく次々に出てくる人物が全て、俗物の見本のような人達である。「俗物図鑑」という彼の小説があるが、典型的な俗物（?）が登場し、島本が週刊誌の記者に対して、「なぜ芸能人の私生活だけを、マスコミは書きたてるでしょうねえ。もっと私生活をあばかなきゃいけない人種は他にいるんじゃないですか。政治家とか実業家とか。今のマスコミは権威に屈服して弱い者いじめをしてるとしか思いようがない。(中略) 芸能界は温室じゃない。砂漠なんだ。砂漠で生きられるのはサボテンみたいにトゲのある植物だけだ。悪いことだってしなきゃいけない。芸能人の場合、それは許されるんだ。私生児を生んだっていいんだ。暴力団と関係したっていいんだ。女を強姦したっていいんだ。人を絞め殺したっていいんだ。芸のためだ。何をしたっていいんだ。」とアルコールも入っているものの、わめきたてる台詞に妙に正統性を感じ、共鳴してしまう観客も出て来るというもの。

この演説は、あたかも作者が、大政治家やえらそうな教育者や、内容のない芸術院会員や信用ならない銀行の頭取や、権力に弱い評論家たちに向って叫ぶ、うっぷん晴らしに聞えてくるために、拍手したくなるのだ。

殺された筈の政子や坂口(梢のヒモだった男)が終幕に再登場するのも面白いし、地震研究所長の犬神博士が登場し、「ところでさっきの地震じゃが、さきほどこのマンションを調査した結果、あの地震の波動数とこのマンションの固有震動数とがぴったり一致しておることが判明したのじゃ。つまり、さっきはなぜこのマンションだけに地震が起こらなかったか、それはこのマンションが共震によって、あたり一帯の地震の波動エネルギーをすっかり吸いとってしまいおったからなのじゃ。(中略) 今やこのマンションは超空間に結びついとるのじゃ。超空間に結びつくと、どういう事態が発生するか。空間が歪むのじゃ。空間のひずみが生れるのじゃ。そしてトンネル現象とか、いろいろな怪奇な事態が発生する。」とマッド・サイエンティストぶりを発揮する。

この犬神博士も銀髪でサングラスをかけ、ひどい跛でステッキをついて登場するのだから、異様である。

つまりドタバタ劇なのである。劇中に登場する人物は、実在し得ないような人であったり、想像もつかぬくらい誇張された人間が、筒井劇では平然と認められるのが、観客を楽しませるのだ。ウェル・メイド・プレイといってよいだろう。

日本に限らず、悲劇やシリアスな芝居に対して、喜劇や笑劇と呼ばれるものは、一段と低く評価され、そんな劇作家や劇は、演劇史の中で隅っこに小さく扱われ残念至極である。たくみに構成され、テンポよいしゃれた会話の連続、世相をぴたりと反映させ、どんでんがえしもある娯楽性に富んだ芝居はそうそう書けるものではないと思うのだが……。

飯沢匡、井上ひさし、筒井康隆の三人三様の喜劇は日本の演劇界において貴重だし、井上、筒井の作品が今後も大いに上演されることを望むのは私ばかりではあるまい。

一九七一年に「発作的戯曲荒唐無稽文化財奇ッ怪陋劣ドタバタ劇」という長いサブタイトルのついた「冠婚葬祭葬儀編」という戯曲を発表しているので、これが筒井戯曲の最初となる。「スタア」「情報」「改札口」「将軍が目覚めた時」「12人の浮かれる男」「ジーザス・クライスト・トリックスター」「ジス・イズ・ジャパン」「人間狩り」「ウィークエンド・シャッフル」「スイートホームズ探偵」「三月ウサギ」「若くなるまで待って」更に、筒井歌舞伎と名付けた「猪熊門兵衛」「影武者騒動」「俊徳丸の逆襲」「破天荒鳴門渦潮」があり、質量共に豊富である。

レジナルド・ローズの「十二人の怒れる男」のパロディが「12人の浮かれる男」であり、ティム・ライスの「ジーザス・クライスト・スーパースター」のパロディが「ジーザス・クライスト・トリックスター」になっているが、原作を凌駕するものがパロディの価値で私は大いに評価している次第である。

一方、小説として発表された「懲戒の部屋」「泣き語り性教育」「乗越駅の刑罰」「農協月へ行く」「だばだば杉」「如菩薩団」「バブリング創世記」「ヒノマル酒場」「廃塾令」「きつねのお浜」「おもての行列なんじゃいな」「言葉とずれ」「熊の木本線」「最悪の接触」「走る男」「老境のターザン」などなど脚色の必要なく舞台に乗せられた。つまり、筒井康隆の小説自体ドラマとして執筆されていると言っても過言ではないということである。

もう一つ、書きおとしてならないのは、中学二年のとき児童劇団に入り、高校でも演劇部でその頃マルクス兄弟の映画に熱中し、演劇青年となって行く訳で、二十歳で学生ながら劇団青猫座に入り演技者となり、数々の舞台をふんでいる彼は、作家としての活動で中断されたとはいえ、自作の「スタア」や「人間狩り」「ヒノマル酒場」などに出演したり、得意のクラリネット奏者として活躍したり、映画やTVに出たりして演技者筒井康隆としての存在も示していることは御存知だろう。

〈参考文献〉

『THE筒井康隆2』(川和孝)　有楽出版社　一九八二年
『筒井康隆全集』全二十四巻　新潮社　一九八五年
『12人の浮かれる男』解説・川和孝　新潮文庫　一九八五年
『講座日本の演劇』『現代の演劇II』　勉誠社　一九九七年

筒井《つつい》康隆《やすたか》（一九三四・九・二四〜　）

大阪市東住吉区生れ。一九五七年同志社大学文学部卒業。学生時代のアルバイト先でもあった展示装飾の乃村工芸社に入社するが、六〇年SF同人誌NULLを創刊、六一年乃村工芸社を退社し作家活動に入る。六五年「スーパージェッター」の商品化権料を得たため作家専業の目算がつく。

「スタア」初演の出演は福田公子、北村総一郎、久米明、内田稔、稲垣昭三など。七四年「おれの血は他人の血」が松竹で映画化された。監督は舛田利雄。七九年戯曲集「12人の浮かれる男」刊行。八二年筒井康隆大一座を結成し、「ジーザス・クライスト・トリックスター」で旗挙げ公演をする。同年戯曲集「ジーザス・クライスト・トリックスター」を刊行。八九年戯曲集「スイート・ホームズ探偵」刊行される。筒井康隆の戯曲はほとんど新潮文庫に収録されている。

以降現在まで数多くの小説、シナリオ、戯曲、エッセイを発表。現在は、作家、役者として忙しく活動している。

あとがき

井上理恵

『20世紀の戯曲　Ⅱ』をようやく送りだすことができた。当初の予定では、文部省の出版助成金を得て一九九八年に上梓した『20世紀の戯曲――日本近代戯曲の世界』刊行後、続けて一九四六年から一九九八年までの「現代戯曲の世界」を一冊にして出すことになっていた。もちろん助成金が得られるだろうと考えていたからだが、「とらぬたぬきの〜」で予想がはずれた。しかしそのおかげで九八年以降の作品や頁数の関係から外した作品も取り上げることが可能になり、敗戦後から現代まで一〇〇作品以上論じることができた。怪我の功名か天の配剤か知らないが『20世紀の戯曲』は、手ごろな価格の洒落た三冊シリーズの戯曲論集に変身した。これもある意味いかにも演劇的で嬉しい。

巻頭と巻末の目次を参照していただけばわかるように一九七三年一一月のつかこうへい「熱海殺人事件」からあとを三冊目に移した。敗戦後から現代までを二冊にするとなると当然のことながら、どこで切るか……、評価の定まらない劇作家の戯曲をどこまで入れるか……、が最大の論点となった。しかも本としてのページの配分も考慮しなければならないから、かなり困ったと言うのが正直なところだ。というのも『20世紀の戯曲――日本近代戯曲の世界』の〈あとがき〉を見ていただけばわかるように、わたくしたちは単なる戯曲論集をだしているわけではないからである。

〈つかこうへい〉が第Ⅲ巻の初めにくるのは、彼が現代演劇のターニング・ポイントに位置しているとみているからだ。詳細は西村博子氏の序論を読んでいただきたいが、わたくしたちは近代戯曲からつながるドラマトゥルギーのもとで劇作家が戯曲を書き、それを舞台化していた時期の終わりを〈つかこうへい〉の登場にみている。特に80年代以降の、過去の劇作家の存在や作品も知らず、独自の自由な境地で戯曲を書き始めた作家たちの登場を促したのは彼の存在で、その意味でも〈つかこうへい〉は結節点の役割をはたしているといっていいだろう。

わたくしたちが一冊目でうたった近代戯曲研究の方法や近代戯曲史の構築については、これまでにないものを提出できたのではないかと自負している。が、現代――特に本書第三部「劇世界の拡大」以降の、戯曲という既存の枠組みを壊そうとした作品群については、戯曲研究と演劇研究とを区別することが可能か否か、あるいは区別すべきなのかどうか、多いに問題となった。もちろんこれはいかなる時代であっても、同時代の戯曲作品を研究する場合の研究者、誰もが出会う問題であったと思われるが……。なぜなら――いつものわたくしの色あせた説を引くと――戯曲は〈文学と演劇との二つの生〉を生きることを強いられているからである。

現代戯曲の研究方法としていかようにすべきか、わたくしたちは未だ答えを出していないが、さいわいなことに同時代の演劇として上演を劇作家や俳優、観客と共有できた人々をわたくしたちは会員にもっていた。そこで可能な限り舞台を共有できたものが作品を担当するという方法をとることにしたのである。特に今秋上梓する第Ⅲ巻では多くその方法をとっている。これが同時代戯曲の研究方法としてわたくしたちが出した当面の答えといっていい。

長い間の懸案であった共同研究が『20世紀の戯曲』全3巻として完成することは研究会の初めから参加していた者の一人としてこれ以上の喜びはない。ただ、発足時から会の中心の一人であった共立女子大学の藤木宏幸氏が突然の病気で参加できなかったことは非常に残念なことであった。けれども日本近代演劇研究者中心であったこの会に新たに外国演劇研究者や外国人研究者が参加してその輪が広がったことは大きな喜びであり、新しい刺激を得ることができた。

今回も多くの会員の協力を得ているが、特に研究会の会場提供をしてくれた明治大学の武田清さん、煩瑣な事務連絡をしてくれた上智大学大学院の森井直子さん、参考文献や索引を担当してくれた早稲田大学演劇博物館助手の坂本麻衣さんと明治大学大学院の星野高さん、そして共立女子大の阿部由香子さんには心から感謝したい。なお参考文献や索引は最終的にわたくしが調整した。不備や誤りがあればそれは全て井上の責任である。

最後になったが、わたくしたちの仕事を辛抱強く見守って『20世紀の戯曲』のシリーズを刊行してくださる社会評論社の松田健二社長には、本当に何と感謝していいかわからない。会員一同心から厚く御礼申し上げる。

このシリーズができるかぎり多くの人々に読まれ、研究者や劇作家、批評家そして劇場へ通う人々が新たに登場することを願ってやまない。

二〇〇二年四月

宮越郷平『心・魂・情・念のうねり——劇作家　野口達二』演劇出版社 2001.2
宮本研 a「解説」『現代日本戯曲大系　第三巻』三一書房 1971.7、b『革命伝説四部作』河出書房新社 1971.8
三好まり『泣かぬ鬼父三好十郎』東京白川書院 1981.9
村山知義 a「新劇の危機——新劇団大同団結の提唱」『中央公論』1934.7、b『演劇的自叙伝』全四部　東邦出版社・東京芸術座（第四部）1970.2 〜 1977.4
矢代静一 a『壁画』書肆ユリイカ 1955.6、b『鏡の中の青春』新潮社 1988.8
柳田国男 a「瓜子織姫」『桃太郎の誕生』三省堂 1933.1、b『全国昔話記録』三省堂 1942.7
山形和美編『遠藤周作——その文学世界』国研出版 1997.12
山川方夫「マリアの首」『新劇』1959.5
山口猛 a『同時代人としての唐十郎』三一書房 1980.5、b『紅テント青春録』立風書房 1993.12
山崎正和 a『劇的なる日本人』新潮社 1971.7、b「鎖された成熟——田中知禾夫序論」『文藝』1978.3
山田時子 a『良縁』未来劇場№ 17　未来社 1954.3、b『良縁』未来社 1970、c「ちょうどそこに私が居た」『悲劇喜劇』1998.6
吉川清『「原爆一号」といわれて』ちくまぶっくす 1981.7
渡辺一民『岸田國士論』岩波書店 1982.2
渡辺保「演劇文体論」『新劇』1968.4
渡辺浩子「秋浜悟史と『ほらんばか』」『現代の演劇 II』勉誠社 1997.5
渡辺マサ「『日本の気象』の詩と真実」季刊『文学評論 4』1953.10
C.B.PURDON「演出家に就て」（中野実訳）『舞台』1931.1 〜 5

野村喬 a『歌舞伎評論』リブロポート 1995.4、b『戯曲と舞台』リブロポート 1995.10
萩原朔美『思い出のなかの寺山修司』筑摩書房 1992.12
花田清輝 a「歌」『文化組織』1941.9、b『ものみな歌でおわる』晶文社 1964.12、c「芸術としての刺青」『現代日本文学大系 83』筑摩書房 1970.4、d「貧乏神礼賛」『展望』1974.1
花登筺 a『私の裏切り裏切られ史』朝日新聞社 1983.12、b『帯』早稲田大学演劇博物館所蔵台本、c『花登筺　永遠のダイアローグ』大津市花登筺記念会 1985.9
浜田雄介「大衆文学の近代」『岩波講座・日本文学史　十三』岩波書店 1996.6
原健太郎『東京喜劇』NTT 出版 1994.10
原千代海「小山祐士の風貌」築地座公演パンフレット 1935
原　仁司 a「寺山修司小論――『父』性の行方――」『アジア・ナショナリズム・日本文学』皓星社 2000.7、b「寺山修司と太宰治（上）〜（下）の三」『千年紀文学』1996.7 〜 1999.1
平野謙「真船豊私論」『テアトロ』1938.12
廣末保 a「幕末転形期の芸術」廣末保・藤村欣市朗編『絵金　幕末土佐の芝居絵』未来社 1968.7、b「負の呪縛から」『新日本文学』1970.5
福田恆存 a「解説」『ある夫婦の歴史』池田書店 1955、b「颱風一過――キティ颱風」『劇場への招待』新潮社 1957.11、c「解説」『キティ颱風・最後の切札 福田恆存著作集　第三巻創作編三』新潮社 1958.6、d「覚書一」『福田恆存全集第一巻』文芸春秋 1987.1
福田善之 a『福田善之作品集　真田風雲録』三一書房 1963.5、b『現代日本戯曲大系』1 解説　三一書房 1971.4、c『劇の向こうの空』読売新聞社 1995.12
藤木宏幸 a「最近の意欲作『日本の教育 1960』七月の劇評」『テアトロ』1965.9、b「『世阿彌』を視座として――山崎正和論」『国文学　解釈と教材の研究』1979.3
ふじたあさや a『日本の教育 1960；ふじたあさや作品集』テアトロ 1970.9、b『ふじたあさやの体験的脚本創作法』晩成書房 1995.4、c『しのだづま考・山椒大夫考』晩成書房 1999.2
文学座アトリエの会　公演プログラム 1951.6（飯沢匡『崑崙山の人々』）
別役実 a『マッチ売りの少女／象』三一書房 1969、b『別役実第二戯曲集　不思議の国のアリス』三一書房 1970、c『別役実第三戯曲集　そよそよ族の反乱』三一書房 1971.7、d「断食芸人の悲哀」『朝日新聞』1971.10、e『言葉への戦術』烏書房 1972.8、f『別役実戯曲集　にしむくさむらい』三一書房 1978.5、g「別役実氏に聞く」『悲劇喜劇』1978.4、h「『獏』創作雑感」五月舎「獏もしくは断食芸人」上演パンフレット 1984.2、i『像は死刑』大和書房』1973、j『犯罪症候群』三省堂 1981.10
北条秀司『演劇太平記』全六巻　毎日新聞社 1985.9 〜 1991.3
堀田清美「島」『テアトロ』1955.1
前田角蔵『文学の中の他者』菁柿堂 1998.9
町田仁「『堕胎医』をめぐって」『日本演劇』1947.11
真船豊「孤雁」『改造』1939.11
マルグリット・デュラス『ヒロシマ、私の恋人　かくも長き不在』（清岡卓行・坂上脩訳）筑摩書房 1970.11
丸谷才一「山崎正和・人と作品」『昭和文学全集　第二八巻』小学館 1989.6
三島由紀夫 a「座談会　文学と演劇」『展望』1950.11、b「座談会　劇壇に直言す」『演劇』1951.8、c「演劇の本質」『演劇の本質』雲の会編　河出書房 1951.12、d「『班女』拝見」『観世』1952.7、e「卒塔婆小町覚書」『毎日マンスリー』1952.11.11、f「卒塔婆小町演出覚書」『新選現代戯曲 5』河出書房 1953.1、g「班女について」『産経観世能プログラム』1956.2、h「自己改造の試み」『文学界』1956.8、i「きのうけふ〈詩劇〉」『朝日新聞』1957.4.22、j「同人雑誌（弱法師について）」『聲』丸善 1960.7、k『近代能楽集』新潮社 1968.3
三島由紀夫・三好行雄「三島由紀夫のすべて」『国文学――解釈と教材の研究　臨時増刊号』1970.5
宮岸泰治『劇作家の転向』未来社 1972.10

清水幾太郎『わが人生の断片　下』文芸春秋 1975.7
清水邦夫 a「劇作家としての安部公房」『国文学　解釈と鑑賞』1971.1、b「現代の幽霊――安部公房の戯曲をめぐって」『国文学　解釈と教材の研究』1974.8
ジャン＝マリ・トマソー『メロドラマ』（中條忍訳）晶文社 1991.11
菅井幸雄　a「村山知義の演劇史的位置」『民主文学』1977.7　b『演劇創造の系譜』青木書店 1983.10
杉山正樹「寺山修司・遊戯の人」『新潮』2000.7
鈴木忠志 a『内角の和―鈴木忠志演劇論集』而立書房 1973.3、b『鈴木忠志対談集』リブロポート 1984.8
鈴木政男 a「起ち上った男たち」『民衆の旗』1946 年 4 月号、b『真空地帯』河出市民文庫　河出書房 1953.1、c『扇風機』未来劇場　未来社刊 1955.2
スタークヤング「演技論」（中野実訳）『舞台』1930.4 ～ 8
関敬吾『日本昔話集成』角川書店 1933.4
セシル・サカイ『日本の大衆文学』（朝比奈弘治訳）平凡社 1997.2
扇田昭彦「『幽霊はここにいる――千田是也との共同作業』『ユリイカ』1994.8
千田是也「真船豊の作品」『演出演技ノート』八雲書店 1949.2
相馬庸郎「『かさぶた式部考』論――秋元松代ノート――」『日本文学』1993.4
祖父江昭二 a「久保栄小論」季刊『文学評論 6、7』1954.5,8　※のち祖父江『近代日本文学への探索』未来社 1990.5、b「『初恋』への思い」『民藝の仲間・二九一号』劇団民藝 1996.3
武田泰淳「怪しき村の旅人」『群像』1955.10
田澤拓也『虚人　寺山修司伝』文藝春秋社 1996.5
辰巳柳太郎「辰巳柳太郎　その大衆性とリアリズム」『新国劇七十年栄光の記録』新国劇記録保存会 1988.8
田中單之『三好十郎論』菁柿堂 1995.1
田中澄江『涙の谷より』光文社 1956
田中千禾夫 a「解説」『田中澄江戯曲全集　第一巻』白水社 1959.8、b『劇的文体論序説　下』白水社 1978.4
千秋実「共に咲かせた薔薇」『悲劇喜劇』1980.3
津野海太郎『門の向こうの劇場』白水社 1972.9
デイヴィッド・グッドマン a『富士山見えた――佐藤信における革命の演劇』白水社 1983.7、b「原爆戯曲の意義」『現代の演劇 I』勉誠社 1997.5,　c "Japanese Drama and Culture in the 1960s: The Return of the God"(Armonk, NY:M.E. Sharpe,1988)　d "After Apocalypse: Four Japanese Plays of Hiroshima and Nagasaki" (Ithaca, NY: Cornell East Asia Program, 1994)
寺島アキ子 a『働いて愛した女たち』学習の友社 1980.3、b『したたかに生きた女たち』学習の友社 1982.12
寺山修司 a『田園に死す』白玉書房 1965.8、b『毛皮のマリー』角川文庫 1976.1
戸板康二「太陽の子・真船豊」『日本演劇』1949.9
長尾三郎『虚構地獄　寺山修司』講談社 1997.8
中野正昭「童謡詩人の三〇年代――ムーラン・ルージュ小史――」『大正演劇研究』七号 1998.12
中野実・戸板康二・菊田一夫・北条秀司「選評　（野口達治）」『オール読物』1960.7
中野実 a「劇壇臨床学」『舞台』1932.3、b『明日の幸福』東方社 1955、c『禅医者』東方社 1956.11、d 戯曲集『黒い戯曲』光風社 1959.3、e 戯曲集『千曲川通信』文芸春秋新社 1961.2
永平和雄『近代戯曲の世界』東京大学出版会 1972.3
中村哲郎「グランド歌舞伎・『富樫』」『演劇界』2000.3
ナンシー・K・シールズ　安保大有訳『安部公房の劇場』新潮社 1997.7（原著は 1996）
西村博子 a『実存への旅立ち　三好十郎のドラマトゥールギー』而立書房 1989.10、b「『村岡伊兵治伝』――戦前天皇制のメカニズム」『シアターアーツ』13 号　晩成書房 2001.4.15
野口達治「落人・富樫」『東横ホール筋書』1963.4

尾崎宏次 a「小劇場と現代劇」『日本演劇』1948.1、b「ある感想」『日本演劇』1980.3
尾崎秀実『花田清輝　砂のペルソナ』講談社 1982.2
尾上菊五郎『藝』改造社 1947.10
小幡欣治「北条秀司と「王将」」『講座日本の演劇 7　現代の演劇』勉誠社 1997.5
勝山俊介 a「解説」村山知義『死んだ海——村山知義戯曲集戦後編——』〈新日本文庫〉新日本出版社 1982.12、b『「死んだ海」・村山知義の仕事』あゆみ出版 1997.7
加藤道夫「奇妙な幕間狂言」『悲劇喜劇』1953.1
唐十郎 a『二都物語・鐵假面』新潮社 1973.12、b『乞食稼業——唐十郎対談集』冬樹社 1979.4、c『唐十郎血風録』文藝春秋 1983.11、d「〈ロングインタビュー〉蟻の視点で世界を見る」『PSD MAGAZINE』No.3 1984、e「内藤裕敬十番勝負〔万歳宣言〕第四回・唐十郎〈唐組〉の巻」『劇の宇宙』No.4　1998、f 唐組『状況劇場全記録』PARCO 出版 1982
川口松太郎『忘れ得ぬ人、忘れ得ぬこと』講談社 1983.1
川西政明『遙かなる美の国泰淳論』福武書店 1987.7
川本浩嗣「七五調のリズム論」『文学の方法』東京大学出版会 1996.4、
川和孝 a「THE 筒井康隆 2」有楽出版社 1982、b『12 人の浮かれる男』解説　新潮文庫 1985.10、c『現代の演劇 II』勉誠社 1997.5
菅孝行 a「方法化された原罪——田中知禾夫における女性と戦争——」『テアトロ』1982.10、b『想像力の社会史』未来社 1983.11
菊田一夫 a「現代劇を生み出そう」『東京新聞』1955.5.10、b「敗戦日記」『オール読物』1964.8、c『流れる水のごとく〈芝居つくり四十年〉』オリオン出版社 19678.30
岸田國士 a「瀬戸内海の詩人」『築地座』1953.4、b「対話」『悲劇喜劇』1949.1 ～ 1950.3、c「福田恆存君の『キティ颱風』」『岸田國士全集』28 巻、岩波書店 1992.6、d『日本人とは何か』養徳社 1948.8
木下順二 a「風浪」『人間』1947.3、b「あとがき」『夕鶴』アテネ文庫　弘文堂 1950.10、c『綜合版　夕鶴』未来社 1953.5、d『ドラマの世界』中央公論社 1959.5、e「つうと与ひょうたち」山本安英の会　公演パンフレット 1966、f『「のぞかれる」ということ』
久保栄『新劇の書』テアトロ社 1939.7
倉橋健「贋月報」『安部公房全集 5』新潮社 1997.12
倉林誠一郎編『新劇年代記〈戦後編〉』白水社 1966.7
劇団民芸「消えた人」パンフレット民芸の仲間 69、1963
合田一道『知床にいまも吹く風』恒友出版 1994
小松伸六「解説」『昭和国民文学全集』八「川口松太郎集」筑摩書房 1974
小谷野敦「唐十郎〈特権的肉体論〉を読む」『シアター・アーツ』No.1 1994
小山祐士「私の演劇履歴書（一）」『小山祐士戯曲全集　第一巻』テアトロ 1967.1
小山祐士記念事業実行委員会『瀬戸内の劇詩人　小山祐士』福山文化聯盟 1992.9
佐伯隆幸「『革命の演劇』の時間性」『現代演劇の起源』れんが書房 1999.1
三枝佐枝子「『夕鶴』の誕生」『木下順二集　1』月報 4　岩波書店 1988.4
佐々木孝丸「随筆菊田一夫」『日本演劇』1949.9
坂口安吾「FARCE に就て」『青い馬』第五号　1932.3
佐藤郁也『現代演劇のフィールドワーク』東京大学出版会 1999.7
佐藤信 a『あたしのビートルズ』晶文社 1970.9、b『鳴呼鼠小僧次郎吉』晶文社 1971.10
宍戸恭一『三好十郎との対話——自己史の追求』深夜叢書社 1983.12
澁澤龍彦「純日本的な情念」『状況劇場』第 2 号 1967.7.1
渋谷天外 a『笑うとくなはれ』文芸春秋新社 1965.4、b『わが喜劇』三一書房 1972.8

『矢代静一名作集』白水社　1979.12、
『労働者』第 5 号 1947.3

<単著>

青江舜二郎「新派詩意」『演劇界』1954.5
秋浜悟史 a「特集＝座談会／秋浜悟史の世界」「しらけおばけ、ほらんばか」『三十人会公演№ 12 パンフレット』1967.10、b「英雄たち」『新劇』1956.11
秋元松代 a『戯曲と実生活』平凡社 1973.3、b『氷の階段』朝日新聞社 1979,1、c「五十年目の秋」『悲劇喜劇』1997.1
阿部好一『ドラマの現代』近代文芸社 1993.12
安部公房 a「制服」『群像』1954.12、b「私の演劇白書十一」『芸術新潮』1958.5、c『私の演劇白書』新潮社 1958、d『幽霊はここにいる』新潮社 1959.6、e『幽霊はここにいる・どれい狩り』新潮文庫 1971.7、f『安部公房の劇場』創林社 1979.7（安部公房・他）
有吉佐和子「ふるあめりかに袖はぬらさじ――亀遊の死」『婦人公論』1970、
飯沢匡 a「新作狂言と私」『飯沢匡狂言集』未来社 1964.12、b「演劇的自叙伝（1）」『飯沢匡喜劇集　第一巻』未来社 1969.6、c「演劇的自叙伝（2）」『飯沢匡喜劇集　第二巻』未来社 1969.12
石澤秀二「田中千禾夫とそのドラマ」『現代の演劇Ⅰ』勉誠社 1997.5
伊藤痴遊「明治維新秘話」『伊藤痴遊全集　第十巻』平凡社　1929.3
伊藤博子「武田泰淳論――「ひかりごけ」を中心に」『方位』第一号 1980.9
井上理恵 a『近代演劇の扉をあける』社会評論社 1999.12.16、b「研究動向・村山知義」『昭和文学研究・第 40 集』昭和文学会 2000. 3、c「秋元松代――遅れてきた戦後の劇作家――」『女性文学を学ぶ人のために』世界思想社 2000.10.20、d「村山知義の<転回>―― MAVO から革命的演劇運動へ」『彷書月刊』6 号　弘隆社 2001.5.25、e『久保栄の世界』社会評論社 1989,10、
茨城憲「解説」『現代日本戯曲選集　第十巻』白水社 1956.1
伊馬春部『土手の見物人』毎日新聞社 1975.10
岩崎正也「清水邦夫の『火のようにさみしい姉がいて』」『長野大学紀要』第 66・70 号 1996,3、1997,3
内村直也「貧しい演技力」『図書新聞』1950.3.15
宇野信夫 a『私の戯曲とその作意』住吉書店 1955.5、b「おはぐろ溝の古本屋」『菊五郎夜話』青蛙房 1976.9
浦西和彦「北条秀司作品上演目録」『信濃の一茶・火の女』北条秀司著　関西大学出版部 1998.3
エドワード・ショーター『近代家族の形成』昭和堂 1987.12
榎本滋民 a『お前極楽　江戸人情づくし』講談社 1975、b「解説」『人情馬鹿物語』（川口松太郎著）講談社文庫 1981、c「華麗な名人の孤独」『追善七回忌・川口松太郎戯曲選』（全 8 巻）川口一族 1991.6
遠藤周作 a『沈黙』新潮社 1966.3、b「サウロ」『新潮』2000.6
遠藤慎吾・茨城憲「正反批判」『悲劇喜劇』1957.6
大笹吉雄 a「秋元松代『かさぶた式部考』の智修尼」『国文学解釈と教材の研究臨時増刊号』1980.3、b『花顔の人』講談社 1991.3
大島勉「真船豊論」『テアトロ』1967.6
大槻茂『喜劇の帝王　渋谷天外伝』小学館 1999.9　※『渋谷天外伝』（主婦の友社 1992.6）を改定増補
大橋喜一 a「職場演劇はどこへ向うか」『文学』1985.8、b「自立演劇運動とは」『悲劇喜劇』1998.6
岡倉士朗「元一ちゃんは死んだ」『民芸の仲間達』69 号 1957.2
岡村春彦「解説」『現代日本戯曲大系　第四巻』三一書房 1971.8
小川太郎『寺山修司　その知られざる青春』三一書房 1997.1

『新選一幕劇』野村喬編　テアトロ 1975.9
『新潮日本文学辞典』新潮社 1988.1
『青年演劇一幕劇集』未来社 1962
『全集黒沢明　第 2 巻』岩波書店 1987.12
『千田是也演劇論集』全 9 巻　未来社 1980.4~1992.7
『総合版　夕鶴』未来社 1953.5
「総特集　寺山修司」『ユリイカ臨時増刊』青土社 1993.12.25
『田中澄江戯曲全集』全 2 巻　白水社 1959.8~1959.10
『田中千禾夫戯曲全集』全 7 巻　白水社 1960.5 ～ 1967.2
『チエーホフ全集 12　戯曲 II』中央公論社 1960.1
『筒井康隆全集』全 24 巻　新潮社 1983.4 ～ 1985.3
『寺山修司の世界』情況出版 1993.10.10
『同時代演劇』季刊　創刊号～ 3 号　演劇センター 68/70　1970.2 ～ 9
「特集・秋元松代の世界」『悲劇喜劇』1979.3
「特集・菊田一夫」『悲劇喜劇』1980.1
「特集・"狂言" を考える」『テアトロ』1966.8
「特集　花田清輝・人とその仕事」『新日本文学』1974.12
『日本近代文学大事典』全 7 巻　講談社 1977.11 ～ 1978.3
『野口達二戯曲撰』演劇出版社 1989.6
『花田清輝全集』全 15 巻別巻 2 巻　講談社 1977.9 ～ 80.3
『舞台という空間――野口達二戯曲集』新潮社 1976.2
『福田恆存全集』全 8 巻　文芸春秋社　1987.7 ～ 88.7
『福田恆存翻訳全集』全 8 巻　文芸春秋社　1992.7 ～ 93.4
『別冊新評　唐十郎の世界』新評社 1974.10.15、『唐十郎の世界』新評社　1979.5
『別冊新評　別役実の世界〈全特集〉』新評社 1980.1.10,
『別冊新評　鈴木忠志の世界』新評社 1982.5.10
『北条秀司戯曲選集』全 8 巻　青蛙房 1962.7 ～ 1964.11
『芳地隆介戯曲集　人間蒸発・人間乾期』土曜美術社 1976.5
『芳地隆介戯曲集　幽霊哀話』連合出版 1988.10
『真船豊選集』全 5 巻　小山書店 1948.10 ～ 1950.3
『決定版　三島由紀夫全集』全 19 巻　新潮社 2000.11 ～ 2002.6
『三島由紀夫戯曲全集』全 2 巻　新潮社 1990.9
『三島由紀夫作品集』全 6 巻　新潮社 1953.7 ～ 1954.3
『三島由紀夫事典』勉誠出版 2000.11
『三島由紀夫事典』明治書院 1976.1
『三島由紀夫全集』全 36 巻　新潮社 1973 ～ 1976
『宮本研戯曲集』全 6 巻　白水社 1989.5~1989.8
『三好十郎の仕事』全 4 巻　学芸書林 1968.7~1968.11
『三好十郎作品集』全 4 巻　河出書房 1952.9~1952.12
『麦・宮本研の』麦の会 1989
『村山知義戯曲集』全 2 巻　新日本出版社 1971.3~6
『名作舞台シリーズ　華岡青洲の妻』ぬり彦 1990.3,
『矢代静一戯曲選集』全 2 巻　白水社 1967.4 ～ 5

参考文献

＜全集・選集・講座・叢書・特集：雑誌＞

『秋浜悟史戯曲集』全 4 巻　秋浜悟史戯曲刊行会 1967.9

『秋元松代戯曲集』文学散歩出版部 1962.11

『浅利慶太の四季』全 4 巻　慶應義塾大学出版会 1997.7

『安部公房戯曲全集』新潮社 1970.1

『安部公房全作品』全 15 巻　新潮社 1972.5 ～ 1973.7

『安部公房全集』全 29 巻　新潮社 1997.7 ～ 2000.12

『有吉佐和子選集』新潮社　第一期全 13 巻　1970.4 ～ 1971.4,　第二期全 13 巻 1977.8 ～ 78.8

『宇野信夫戯曲選集』全 5 巻　青蛙房 1960.3

『演劇百科大事典』全 6 巻　平凡社 1960 ～ 1962

『大橋喜一戯曲集』テアトロ社 1976.10

『小幡欣治戯曲集　喜劇隣人戦争』講談社 2001.4

『小幡欣治戯曲集 1』大学書房 1975.11

『解註謡曲全集』（野上豊一郎編）全 6 巻　中央公論社 1935.5 ～ 1936.3

『加藤道夫全集』全 2 巻　青土社 1983.3~4

「歌舞伎の恩人」『戦後史開封Ⅰ』産経新聞社 1995.1

『観賞運動 No6』大阪労演 1972

『菊田一夫戯曲選集』全 3 巻　演劇出版社 1965.5 ～ 1967.5

『岸田國士全集』全 28 巻岩波書店　1989.11 ～ 1992.6

『木下順二集』全 6 巻岩波書店　1988,1~1989,5

『久保栄研究』全 11 冊　劇団民芸『久保栄研究』発行所 1959.11 ～ 1988.10

『久保栄全集』全 12 巻　三一書房 1961.11 ～ 63.4

『劇的なるものをめぐって　鈴木忠志とその世界』工作舎　1977.4

『現代戯曲選集』全 5 巻　河出書房 1951.6

『現代日本戯曲選集』全 12 巻　白水社 1955.3 ～ 1956.2

『現代日本戯曲大系』全 14 巻　三一書房 1971.4 ～ 1998.9

『現代日本文学大系 83』筑摩書房 1970.4

『現代ユーモア文学全集』第 16 巻　駿河台書房、1954.2

『講座日本の演劇』全 7 巻　勉誠社 1998,5

『小山祐士戯曲全集』全 5 巻　テアトロ社 1967.1 ～ 1971.3

『椎名麟三戯曲選』姫路文学館 1997

『椎名麟三全集』全 23 巻　別巻 1 巻　冬樹社 1970.6~1979.10

『清水邦夫全仕事』全 5 冊　河出書房新社 1992.6 ～ 2000.6

『清水邦夫の世界』白水社 1982.5

『昭和大衆劇集』演劇出版社 1989.2

『しらけおばけ――秋浜悟史作品集』晶文社 1970.9

『自立演劇運動』未来社てすぴす叢書 66（阿部文勇・大橋喜一編）未来社 1975.7

「自立演劇特集号」『悲劇喜劇』1998.6

『新喜劇』第 2 巻 5 号 1936.6

（1996.3）、「志賀直哉『小僧の神様』を読む」『成蹊国文』（1999.3）

原　仁司（はら　ひとし）　亜細亜大学専任講師　日本近代文学専攻

＜共著＞『佐藤春夫と室生犀星』（有精堂 1992）、『20 世紀の戯曲——日本近代戯曲の世界』（社会評論社 1998）

＜編著＞『千年紀文学叢書』（皓星社 1997）

＜論文＞「反転する『虚』と『実』」（『文芸と批評』1994.3）など。

藤田富士男（ふじた　ふじお）　埼玉短期大学専任講師　近代演劇・文学専攻

＜著書＞『伊藤道郎世界を舞う』（武蔵野書房 1992）、『劇白千田是也』（オリジン出版センター 1995）

＜共著＞『評伝平沢計七』（恒文社 1996）、『20 世紀の戯曲　日本近代演劇の世界』（社会評論社 1998）など。

平敷尚子（へしき　しょうこ）　三島由紀夫文学館学芸員　日本近現代演劇専攻

＜論文＞「『近代能楽集』論－作品分析と上演を中心に」（早稲田大学修士論文）

＜資料＞『三島由紀夫文学館図録』（1999.7）など。

みなもとごろう（源　五郎）　日本女子大学教授　日本近代文学・演劇評論専攻

＜共著＞『演劇の「近代」　近代劇の成立と展開』（中央大学出版部 1996）、『岩波講座　日本文学史』（岩波書店 1996）、『近代の文学』（河出書房新社 1993）、『20 世紀の戯曲——日本近代戯曲の世界』（社会評論社 1998）など。

森井直子（もりい　なおこ）　専修大学出版局勤務　日本近代文学・演劇専攻

＜共著＞『20 世紀の戯曲　日本近代演劇の世界』（社会評論社 1998）

＜論文＞「山崎正和『實朝出帆』試論」『昭和文学研究』第 36 集（1998.2）、「秋元松代『常陸坊海尊』論——海尊の生成」『上智大学国文学論集』第 32 号（1999.1）など。

和田直子（わだ　なおこ）　吉備国際大学講師　日本近代文学・演劇専攻

＜共著＞『20 世紀の戯曲　日本近代戯曲の世界』（社会評論社 1998）

＜論文＞「自由劇場論序説——改革興行の意義について」『国語と国文』第 9 号（1993.9）など。

実行委員　日本演劇学会理事
＜著書＞『実践的演劇の世界』（昭和堂 1999.3）
＜論文＞「木下ドラマにおける受動的主人公」（『日本演劇学会紀要　演劇学論集』37 号 2000）

斎藤偕子（さいとう　ともこ）　日本橋学館大学教授　西洋比較演劇研究会代表　アメリカ演劇・現代演劇理論専攻
＜共著＞　『境界を越えるアメリカ演劇』（ミネルヴァ書房 2001）
＜監修・共訳＞　クリストファー・イネス著『アバンギャルド・シアター』（テアトロ社 1997）など。

祖父江昭二（そふえ　しょうじ）　和光大学名誉教授・劇団民芸顧問　近代文学・演劇専攻
＜著書＞『近代日本文学への探索――その方法と思想と――』（未来社 1990）、『二〇世紀文学の黎明期――「種蒔く人」前後』（新日本出版社 1993）、『近代日本文学への射程――その視角と基盤――』（未来社 1998）など。

田中單之（たなか　たんし）　法政大学講師　日本近代文学専攻
＜著書＞『三好十郎論』（菁柿堂 1995）
＜編著＞『小田切秀雄研究』（菁柿堂 2001）
＜共著＞『20 世紀の戯曲――日本近代戯曲の世界』（社会評論社 1998）
＜論文＞「上田広試論」（『社会文学』12 号 1998,5）

デイヴィッド・グッドマン　イリノイ大学教授（アメリカ合衆国）　日本文学・演劇専攻
1966 年に来日、69 年に演劇センター 68 ／ 69 創立に参加。「火山灰地」など日本の近・現代の戯曲や詩を数多く英訳。
＜著書＞『富士山見えた　佐藤信における革命の演劇』（白水社 1983）
＜共著＞『ユダヤ人陰謀説』（藤本和子訳　講談社 1999）など。

中野正明（なかの　まさあき）　明治大学大学院演劇学専攻博士課程後期在学中　近現代演劇専攻
＜論文＞「蝙蝠座――演劇と昭和モダニズム――」『文学研究論集』第 11 号（1999）、「グランドホテルの演芸場――帝国ホテル演芸場とその時代」『大正演劇研究』第 8 号（2000）、「カジノ・フォーリーとモダンエイジのアナキストたち」『文芸研究論集』第 14 号（2001）など。

永平和雄（ながひら　かずお）　日本近代文学・演劇専攻
＜著書＞『近代戯曲の世界』（東京大学出版会 1973）、『江馬修論』（おうふう 2000）
＜共著＞『20 世紀の戯曲ー日本近代戯曲の世界』（社会評論社 1998）など。

中丸宣明（なかまる　のぶあき）　山梨大学助教授　近代日本文学専攻
＜共著＞『文学者の日記 1　池辺三山 1』編集・解説（博文館新社 2001）、『岩波講座日本文学史 11　変革期の文学』（岩波書店 1996）
＜論文＞「『物語』を紡ぐ女たち」『国語と国文学』（1997.5）

野村　喬（のむら　たかし）　演劇・音楽評論家　国文学者
＜著書＞『内田魯庵傳』、『歌舞伎評論』（リブロポート 1994、1995）、『戯曲と舞台』（第 28 回日本演劇学界河竹賞受賞　リブロポート 1995）、『傍流文學論』、『點描演劇史』（花伝社 1998、1999）ほか著書多数。

馬場辰巳（ばば　たつみ）　地方公務員　日本近代演劇史専攻
＜論文＞「移動演劇」（諏訪春夫・菅井幸雄編『講座日本の演劇 6・近代の演劇』勉誠社 1997）、「戦中演劇年表」（日本演劇学会紀要第 19 号）

林　廣親（はやし　ひろちか）　成蹊大学教授　日本近代文学専攻
＜共著＞『新訂　近代の日本文学』（放送大学教育振興会 2001）、『20 世紀の戯曲　日本近代戯曲の世界』（社会評論社 1998）
＜論文＞「森鷗外『仮面』論――＜伯林はもつと寒い……併し設備が違ふ＞」『成蹊大学文学部紀要』

編集委員

井上理恵（いのうえ　よしえ）　吉備国際大学教授　ロンドン大学SOAS客員研究員（1997）、日本近代演劇史研究会事務局長　演劇学・文学・女性学専攻

＜著書＞『久保栄の世界』（社会評論社 1989）、『近代演劇の扉を開ける』（第32回日本演劇学会河竹賞受賞　社会評論社 1999）　＜共編著＞『樋口一葉を読みなおす』『「青鞜」を読む』『20世紀のベストセラーを読み解く』（学芸書林）、『20世紀の戯曲――日本近代戯曲の世界』（社会評論社）　＜共著＞『有島武郎の作品』（右文書院）、『買売春と日本文学』（東京堂出版 2002）など。

西村博子（にしむら　ひろこ）　元園田女子大学教授　日本近代演劇史研究会代表　新宿タイニイ・アリス代表　近現代演劇専攻　文学博士（早稲田大学）

＜著書＞『実存への旅立ち――三好十郎のドラマトウルギー』（而立書房 1989）、『蚕娘の繊絲』2巻（翰林書房 2002）、＜共編著＞『20世紀の戯曲－日本近代戯曲の世界』（社会評論社 1998）

＜共著＞『時代別日本文学史事典現代編』（東京堂 1997）、『20世紀のベストセラーを読み解く』（学芸書林 2001）など。

由紀草一（ゆうき　そういち）　教育評論家　茨城県公立高校教諭　早稲田大学大学院文学研究科芸術学（演劇）専攻修了　近現代演劇・批評・学校教育論専攻

＜著書＞『学校の現在』（大和書房 1989）『学校はいかに語られたか』（宝島社）『思想以前』（洋泉社 1999）＜共著＞『20世紀の戯曲－日本近代戯曲の世界』（社会評論社 1998）など。

執筆者

阿部由香子（あべ　ゆかこ）　共立女子大学専任講師　近現代演劇専攻

＜共著＞『20世紀の戯曲－日本近代戯曲の世界』（社会評論社 1998）

＜論文＞「『道成寺』の森――郡虎彦の象徴主義――」『大正演劇研究』第7号（1999.3）、「『温室』の外の民衆劇――岸田國士と新劇協会」（『演劇研究』25号、2002,3）など。

岩井眞實（いわい　まさみ）福岡女学院大学助教授　演劇学・近世文学専攻

＜共著＞『江戸板狂言本　三』古典文庫（1991）、『上方狂言本　九』古典文庫（1996）、『元禄文学を学ぶ人のために』（世界思想社 2001）

＜論文＞「身体への視点」『岩波講座　歌舞伎・文楽』第5巻（岩波書店 1998）

＜翻訳＞「クローサー」『福岡女学院短期大学部紀要別冊』第36号（2000.3）など。

小倉　斉（おぐら　ひとし）　愛知淑徳大学教授　日本近代文学専攻

＜共著＞『講座森鷗外 2　鷗外の作品』新曜社 1997）、『鷗外「スバル」の時代』（双文社出版 1997）

＜論文＞「『草枕』を読む――作品のポリフォニー性と＜画＞の成就」『愛知淑徳大学国語国文』24号 2001, 3）など。

神永光規（かみなが　みつのり）　日本大学教授　日本演劇・演出専攻

＜共著＞『近代の演劇　Ⅰ・Ⅱ』（『講座日本の演劇』第5巻、6巻　勉誠社 1996, 96）、『現代の演劇Ⅱ』（勉誠社 1997）、『アジアの芸術論』（勉誠社 1998）など。

神山　彰（かみやま　あきら）　明治大学教授　近代演劇専攻

＜共著＞『岩波講座　歌舞伎・文楽　6　歌舞伎の空間』（岩波書店 1998）、「黙阿弥の『声』・逍遥の『耳』」（『近代文学の起源』若草書房 2000）など。

川和　孝（かわわ　たかし）　演出家　イエール大学大学院演劇学修士課程修了　一幕物近代戯曲100本上演をめざして現在シアターχで連続上演中。

＜共著＞『20世紀の戯曲――日本近代戯曲の世界』（社会評論社 1998）

菊川徳之助（きくかわ　とくのすけ）　近畿大学教授　演出家　近現代演劇専攻　KYOTO演劇フェスティバル

ま

や

ら

わ

な

は

た

さ

人名・事項索引

あ

か

20世紀の戯曲——現代戯曲の展開

2002年7月27日　初版第1刷発行

編　者——日本演劇学会・日本近代演劇史研究会

装　幀——幅雅臣

発行所——株式会社社会評論社

東京都文京区本郷 2-3-10　TEL.03-3814-3861／FAX.03-3818-2808

http://www.shahyo.com/

発行人——松田健二

印　刷——S企画＋平河工業社＋東光印刷

製　本——東和製本

ISBN4-7845-0165-7

20世紀の戯曲　I――日本近代戯曲の世界

岸田　國士「歳月」　由紀草一
内村　直也「秋水嶺」　由紀草一
田口　竹男「京都三条通り」　阿部由香子
久板栄二郎「北東の風」　祖父江昭二
久保　栄「火山灰地」　井上理恵
真山　青果「西郷隆盛」　野村　喬
和田　勝一「海援隊」　田中單之
三好　十郎「浮標」　田中單之
森本　薫「女の一生」　西村博子
あとがき　井上理恵

（定価：四七〇〇円＋税）

20世紀の戯曲　Ⅲ——現代戯曲の変貌

序論　演劇の一〇〇年　井上理恵

第一部

つかこうへい「熱海殺人事件」　清水晶子
吉永仁郎「勤皇やくざ瓦版」　藤田富士夫
竹内銃一郎「少年巨人」　伊藤真紀
石崎一正「天明みちのくのアリア」　田中単之
人見嘉久彦「隅田川」　阿部好一
大西信行「女たち」　神山　彰
里吉しげみ「蛇の葬宴」　阿部由香子
金杉忠男「四ツ木自転車隊・川端原っぱ物語」　斎藤偕子
西島　大「謀殺——二上山鎮魂——」　神永光規
斎藤　憐「上海バンスキング」　武田　清
別役　実「マザー・マザー・マザー」　岡室美奈子
山元清多「与太浜パラダイス」　武田清
岡部耕大「精霊流し」　藤田富士夫
北村　想「寿歌」　神谷忠孝
岡安伸治「太平洋ベルトライン」　藤田富士夫
太田省吾「水の駅」　ボイド・真理子
鴻上尚史「朝日のような夕日をつれて」　井上　優
市堂　令「コンセント・メモリー」　坂本麻衣
川崎照代「塩祝申そう」　根岸理子
津上　忠「ママちゃま　サンダースホーム物語」　香川良成
八木柊一郎「女たちの招魂祭」　由紀草一
八田尚之「ポテト二世と楽器のない楽団」　井上理恵

第二部

野田秀樹「野獣降臨」　西村博子
如月小春「MORAL」　永田　靖
押川正一「馬車道の女」　田中単之
小松幹生「タランチュラ」　斎藤偕子
渡辺えり子「ゲゲゲのゲ」　永田　靖
井上ひさし「頭痛肩こり樋口一葉」　阿部好一
岸田理生「糸地獄」　二階堂邦彦
内藤裕敬「唇に聴いてみる」　埴淵靖子
川村　毅「ニッポン・ウォーズ」　永田　靖

第三部

（二〇〇二年秋刊行予定）